Brazilië

REEDS VERSCHENEN

DOMINICUS

BRAZILIË

Marcel Bayer

DOMINICUS
• DE GROOTSTE SERIE •
REISGIDSEN UIT DE LAGE LANDEN

Zesde, volledig herziene en geactualiseerde druk 2008

© MCMXCIV Uitgeverij J.H. Gottmer/H.J.W. Becht bv,
Postbus 317, 2000 AH Haarlem
E-mail: travel@gottmer.nl
Internet: www.dominicus.info

ISBN 978 90 257 4298 0 / NUR 515

Tekst: Marcel Bayer
Cartografie: G-O graphics, Wijk bij Duurstede
Grafische vormgeving: Studio Jan de Boer, Amsterdam
Foto's: Jan Stegeman, Marcel Bayer, Ron Giling en Roberto Delpiano
Redactionele begeleiding: Frans T. Stoks, Maastricht
Zetwerk en opmaak: Peter Verwey Grafische Produkties bv, Heemstede
Lithografie: Scan Studio, Heemstede

Alle Gottmer-reisgidsen worden voortdurend geactualiseerd door een team van gespecialiseerde redacteuren en adviseurs.
Natuurlijk kan het ondanks deze zorg voorkomen dat u op reis merkt dat er veranderingen hebben plaatsgevonden die onze redactie niet tijdig bereikt hebben. Wij zouden het op prijs stellen indien u ons informatie over gewijzigde omstandigheden wilt toesturen: daarmee helpt u ons de volgende herdrukken actueel te houden.

Inhoud

Kaarten, plattegronden en kaders

Inleiding

Carnaval, samba, zonovergoten droomstranden, machtige Amazone, kolkende watervallen van Iguaçu, opwindend Rio, mystiek Bahia, historische stadjes, futuristisch Brasília, dynamisch São Paulo, fascinerende dieren- en plantenwereld van de Pantanal; dat alles, en nog veel meer, is Brazilië. Een wereld op zichzelf, vol kleur en ritmiek, met een rijke geschiedenis en een veelzijdige cultuur.

Eigenlijk is het een ondoenlijke zaak om die wereld in één boek te vatten. Maar zeker is wel dat Brazilië een heerlijke en veelzijdige vakantiebestemming is. De hoogtepunten kan iedereen opnoemen, maar veel minder bekend zijn de verborgen plekjes langs de kust, de ongerepte natuurgebieden en de fascinerende steden. Ze zijn er volop, net als de idyllische stranden langs de kust. Over duizenden kilometers lengte strekt de kust zich uit; veel plaatsen in het noorden en noordoosten zijn nog maar net ontdekt. En dan de mensen, de Brazilianen, een volk waarin drie grote culturen samensmelten: de indiaanse, Afrikaanse en Europese. De Brazilianen houden van het leven en laten dat graag merken. Ze zijn gastvrij en uitbundig, ze praten graag en zijn ongelooflijke versierders.

Dit alles maakt Brazilië tot een land met diverse gezichten. Wie een onbezorgde vakantie wil hebben, kan hier terecht aan de zonovergoten tropische kust. Er zijn volop vakantieparadijzen gebouwd waar de zonaanbidder beschermd kan luieren en genieten van de Braziliaanse natuur en de goede dingen van het leven.
Wie meer geïnteresseerd is in het land, het volk en z'n cultuur komt eveneens ruimschoots aan z'n trekken.
Je kunt genieten van de rijke historie en swingende muziek. Maar in Brazilië zul je ook zeker geconfronteerd worden met de keerzijde van die fascinerende samenleving: met de armoede, de agressie en de criminaliteit.

Dit boek probeert de reiziger op weg te helpen in die grote en gevarieerde wereld. De eerste drie hoofdstukken geven algemene informatie over het land en de bevolking: geschiedenis, politiek en cultuur.
Dan volgen de regio's, waarin de bezienswaardigheden worden besproken. Zoveel mogelijk is geprobeerd zowel de

groepsreiziger als de individuele reiziger te bedienen. Vrij snel zal duidelijk worden dat de geboden achtergrond en de praktische informatie in Brazilië nooit meer kunnen zijn dan het begin van een adembenemende kennismaking.

Neem alleen al de deelstaat Bahia, van de fascinerende hoofdstad Salvador tot de Walviskust. Je kunt aan deze kust, die zo'n 800 km lang is, gemakkelijk een hele vakantie doorbrengen, en dan nog kom je tijd te kort. Salvador mag je namelijk gerust de culturele ziel van Brazilië noemen, de eerste hoofdstad, het mekka van religie, muziek en dans. De stranden van Morro de São Paulo zijn met geen andere te vergelijken. Aan de Cacaokust met hoofdstad Ilhéus kom je terecht in de sfeer uit de romans van Jorge Amado. Bij Porto Seguro en Santa Cruz Cabrália ga je terug naar de eerste dagen van de Portugese kolonisatie. En overal is de natuurrijkdom op loopafstand. Alleen om bij het Parque Marinho de Abrolhos te komen, moet je wat meer moeite doen. Deze beschermde eilandengroep in de oceaan wordt voornamelijk bewoond door bijzondere vogels en is broedgebied voor bultrugwalvissen.

En dan het Amazonegebied, zoals de bovenloop van de Rio Negro, het gebied waar wetenschappers als Alexander von Humboldt en Alfred Russel Wallace fascinerende ontdekkingen deden. Je kunt er een bezoek brengen aan uitgestrekte natuurgebieden, drijvende eilanden, plassen en meren, allemaal in een immens groene wereld die enerzijds respect afdwingt en anderzijds wijst op de grote kwetsbaarheid van de natuur. Een plaatsje als São Gabriel de Cachoeira, een oude missiepost, ligt op

drie uur vliegen van Manaus. Een schitterende plek aan de grote rivier, bij een stroomversnelling, omgeven door dicht oerwoud dat 's avonds tot leven komt. Dit plaatsje is uitvalsbasis voor trektochten in het Parque Nacional Pico da Neblina.

Parintins, een paar honderd kilometer ten oosten van Manaus, trekt ieder jaar in de zomer meer liefhebbers van authentieke Braziliaanse cultuur. Dan wordt hier het *boi-bumbá*-festival gevierd, een soort equivalent van het carnaval, maar dan volgens de tradities en folklore van Amazonas. Belém ontwikkelt zich meer en meer als toegangspoort tot het Amazonegebied, voor langere en kortere excursies langs de Amazone, op de uitgestrekte eilanden in de monding van de rivier en in het binnenland.

Voor de laatste druk zijn fotograaf Ron Giling en ik naar bijzondere gebieden in het zuiden en noorden van het land gereisd. Zo hebben we de kust van de deelstaat Paraná verder verkend, met het idyllische Ilha do Superagüi, en de ruige bergen in Santa Catarina, waar de gauchotraditie verrassend sterk is. In het noorden waren we voor het eerst in de jonge deelstaat Tocantins, in de Jalapão; een nog onbedorven natuurgebied met zandduinen en wilde rivieren midden in een schijnbaar eindeloos schraal landschap. De tocht van São Luís naar Fortaleza, grotendeels met buggy's door de zandduinen en over het strand, was een feest voor ons en onze gezinnen, die ons daar vergezelden.

Najaar 2006
Marcel Bayer

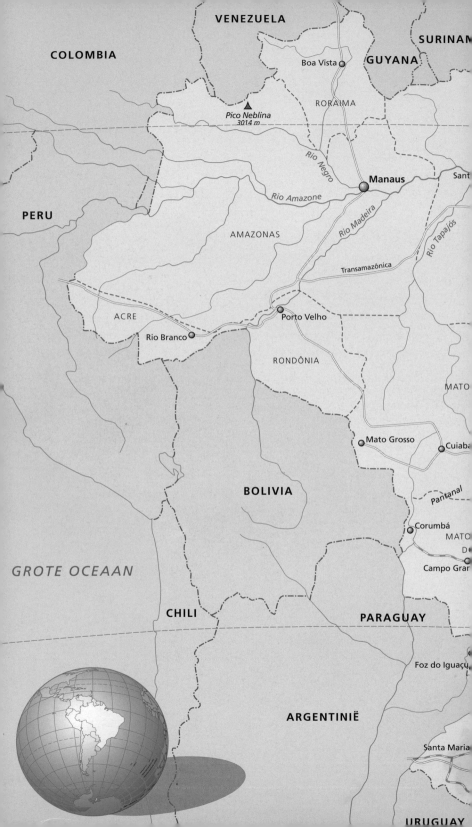

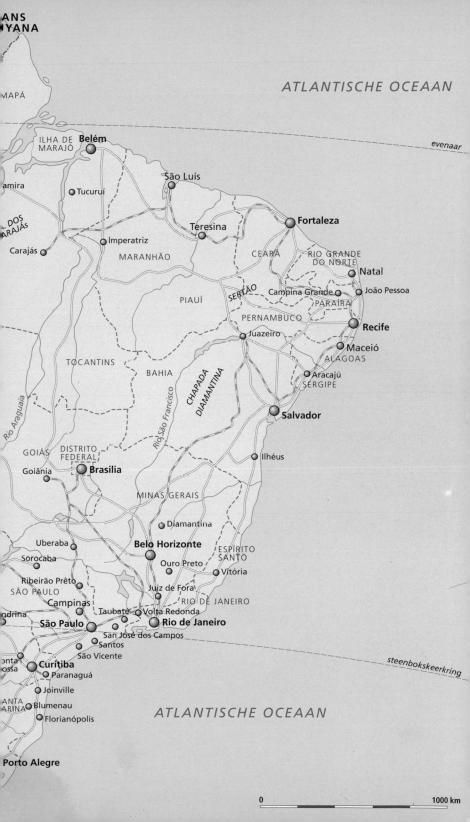

ANS
YANA

ATLANTISCHE OCEAAN

MAPÁ

evenaar

ILHA DE
MARAJÓ **Belém**

São Luís

amira

Tucuruí

Fortaleza

DOS
ARAJÁS

Teresina

Imperatriz

RIO GRANDE
DO NORTE

Carajás

MARANHÃO

CEARÁ

Natal

PIAUÍ

Campina Grande

João Pessoa

SERTÃO

PARAÍBA

PERNAMBUCO

Recife

Juazeiro

TOCANTINS

Maceió

BAHIA

ALAGOAS

CHAPADA
DIAMANTINA

Aracajú

SERGIPE

Rio São Francisco

Salvador

GOIÁS

DISTRITO
FEDERAL

Goiânia

Brasilia

Ilhéus

Rio Araguaia

MINAS GERAIS

Diamantina

Uberaba

Belo Horizonte

ESPÍRITO
SANTO

Sorocaba

Ouro Preto

Vitória

Ribeirão Prêto

Juiz de Fora

SÃO PAULO

ndrina

Campinas

RIO DE JANEIRO

Taubaté

Volta Redonda

São Paulo

Rio de Janeiro

San José dos Campos

Santos

onta
ossa

São Vicente

Curitiba

steenbokskeerkring

Paranaguá

ANTA
ARINA

Joinville

Blumenau

ATLANTISCHE OCEAAN

Florianópolis

Porto Alegre

0   1000 km

Brazilië en de Brazilianen

EEN LAND, EEN WERELDDEEL
Brazilië is een land met enorme afmetingen, een werelddeel op zich. Met een oppervlakte van 8,5 miljoen km² is het even groot als West- en Midden-Europa samen, 240 keer zo groot als Nederland of 280 keer zo groot als België. Qua omvang is Brazilië het vijfde land van de wereld en qua bevolkingsgrootte het zesde.

De afstanden in het land zijn gigantisch. Af en toe zie je richtingborden met duizelingwekkende getallen: Belém 3250 km, Rio Branco 4931 km. De langste afstand over de weg is die tussen het aan de noordkust gelegen Natal en de stad Rio Branco in het uiterste westen van het land: 5618 km, ongeveer vergelijkbaar met de afstand Amsterdam–Teheran.

Hoe indrukwekkend die cijfers ook zijn, je beseft pas echt hoe groot Brazilië is als je er rondreist. Voor een busreis van twaalf uur draaien Brazilianen hun hand niet om. Wil je van het zuidoosten naar het zuiden, of van het noordoosten naar het noorden, dan moet je rekenen op een busreis van één tot anderhalve dag. Om maar te zwijgen over de rit van de kust naar het jongste kolonisatiegebied aan de grens met Peru. Dan ben je met de bus vier dagen onderweg, tenminste als de wegen begaanbaar zijn.

Minstens zo indrukwekkend is het afwisselende landschap. De grillige vormen van het kustgebergte bij Rio de Janeiro en langs de Costa Verde (de Groene Kust) in het zuidoosten zorgen voor een heel ander decor dan de kokospalmenwouden, lagunes en zandduinen die de noordelijke kust kenmerken. Achter de ertsrijke bergkammen in de deelstaat Minas Gerais opent zich een landschap van grootse overstromingsvlakten. Hier in het zuidwesten van Brazilië ligt de Pantanal, een immens gebied dat halfjaarlijks overstroomt en een van de meest fascinerende natuurgebieden van Zuid-Amerika is.

Helemaal in het zuiden liggen de zachtglooiende, eindeloos uitgestrekte pampa's waar de felle *minuano*-wind waait. De leegte en verlatenheid van dit landschap staan in schril contrast met de waanzinnige drukte van steden als São Paulo en Rio de Janeiro. Deze wereldsteden met samen meer dan 30 miljoen inwoners, zijn een onvoorstelbare opeenhoping van mensen, gebouwen en verkeer. De

Bemvindo em Brasil! Welkom in Brazilië!

Serra Gaúcha, een groots panorama in het zuiden

tegenpool van de chaotische werkstad São Paulo en het mondaine Rio is de hoofdstad Brasília. Modernistische stedenbouwers en architecten hebben hier, op de centrale hoogvlakte van het land, hun stad van de toekomst gebouwd.

Maar Brazilië heeft ook het grootste tropische regenwoud en zoetwaterreservoir: het Amazonegebied, een kraamkamer van unieke flora en fauna. Als je de beklemmende vochtige warmte op de oever van de Rio Amazone voelt, kun je je moeilijk voorstellen dat pakweg 2000 km verderop de mensen door de aanhoudende droogte huis en haard moeten verlaten. Het droge noordoosten, de *sertão*, is het probleemgebied van het land. De ellende daar staat in schril contrast met het zuiden, waar de grote industrieën en moderne landbouwbedrijven voor een relatief hoge levensstandaard zorgen.

LANDSCHAP EN GEOLOGIE

Brazilië ligt ten oosten van de Andes-keten. Geomorfologisch, we kijken dan naar de vorm van het aardoppervlak, valt het land grofweg uiteen in twee gebieden: het hoogland en de laagvlakten. Het hoogland bestaat uit vlakke plateaus en bergruggen. Belangrijke onderdelen zijn de centrale, de zuidelijke en de Atlantische hoogvlakte.

Op de centrale hoogvlakte, in Brazilië Planalto genoemd, ontspringen de meeste grote rivieren, zoals de Xingú, Araguaia, Paraná en de São Francisco. De bovenloop is door het snelle verval grillig, dus vol met watervallen en stroomversnellingen. De spectaculairste is die van de Rio Iguaçu. Vlak bij de grens met Argentinië stort het water van de rivier zich over een breedte van 3 km naar beneden in het dal van de Paraná.

Van de rivieren die van het hoogland afkomen is de São Francisco de meest legendarische. Na de Amazone is hij de tweede rivier van het land. Vanouds is hij de handelsroute en levensbron voor het door droogte geplaagde binnenland in het noordoosten. Vandaar de volksnaam Pai chico ('vadertje'). De rivier werd vereerd en gevreesd, dit laatste vanwege de boze geesten die er zouden huizen. Een andere bijnaam was 'de rivier van de Braziliaanse eenheid', omdat de São Francisco de kolonisatiegebieden van weleer, Minas Gerais en het noordoosten, met elkaar verbond.

De bergruggen van het centrale hoogland zijn op sommige plaatsen rijk aan ertsen en mineralen. De deelstaat Minas Gerais heeft de meest grillige vormen en is vanouds de mijnbouwstreek.

Markante vormen in het landschap zijn de *chapadas* en de *pães de açúcar*. De eerste zijn zandsteenachtige tafelgebergtes met steile wanden. Ze zijn te vinden in het noordoosten en midden van het land. Bekend zijn de Chapada Diamantina in Bahia en de Chapada dos Guimarães in Mato Grosso. De pães komen vooral voor op de Atlantische hoogvlakte. Het zijn reliëfrestanten van kwarts of bergkristal. Door hun eigenaardige vorm worden ze pães de açúcar (suikerbroden) genoemd. De bekendste bevindt zich in Rio de Janeiro.

Twee belangrijke bergruggen op de Atlantische hoogvlakte zijn de Serra do Mar en de Serra do Mantiqueira met daartussen de Vale do Paraíba. In de vallei tussen deze bergruggen ontstonden in de vorige eeuw de eerste koffieplantages.

Vanaf het centraal plateau storten grote rivieren zich naar beneden.

Nu loopt de vitale verbindingsweg tussen Rio de Janeiro en São Paulo er doorheen. De Pico da Bandeira is met 2890 m de hoogste top in het hoogland.

De laagvlakten zijn voor het grootste deel onderdeel van de rivierbekkens van de Amazone en van de Paraguay-Paraná. Toen de zeevaarder Vicente Pinzón de monding van de Amazone ontdekte, doopte hij haar Mar Dulce (Zoetwaterzee). Pinzón sloeg de spijker op z'n kop. Met al haar zijrivieren is de Amazone de grootste zoetwatermassa in de wereld. Van de bron in de Peruaanse Andes tot aan de monding slingert de machtige rivier zich over een afstand van ruim 6500 km lengte door Brazilië. Het stroomgebied van de rivier neemt de helft van het oppervlak van het land in beslag. De twee belangrijkste rivieren die de Amazone voeden zijn de Solimões, die uit Peru komt, en de Rio Negro. De laatste wordt zo genoemd vanwege het bijna zwarte water. Bij Manaus vloeien ze samen en vormen de eigenlijke Amazone. De biologische waarde van het Amazonegebied is onschatbaar. Dertig procent van

Bevoorraden van boten op de Amazone

met een adembenemende flora en fauna. Andere laagvlakten liggen langs de kust en in het uiterste zuiden, de pampa's.

KLIMAAT EN VEGETATIE

Brazilië staat bekend als een overwegend tropisch land. Toch bestaan er door de uitgestrektheid grote verschillen in fysisch milieu. Het land telt maar liefst vijf klimaten, die samen met de bodemgesteldheid voor de karakteristieke vegetatie zorgen.

Het tropisch regenwoudklimaat heerst in het grootste deel van het noorden. De gemiddelde temperatuur is het hele jaar vrijwel altijd hoger dan 26 °C. Dagelijks is er, meestal aan het einde van de middag, een stevige bui. De meeste regen valt in de periode november–mei.

De begroeiing van het tropisch regenwoud wordt de *selva* genoemd. De stukken grond die altijd onder water staan en gekenmerkt worden door mangrovebos heten *igapó*.

Het hoger gelegen terrein, de *terra firme*, blijft het hele jaar droog, terwijl de lager gelegen delen, de *várzea*, in de regentijd onder water komen te staan. Doordat de várzea jaarlijks van een vruchtbare laag slib worden voorzien, zijn ze geschikt voor akkerbouw of veeteelt. De terra firme is niet zo vruchtbaar. De kwaliteit van de grond vermindert snel als de oorspronkelijke vegetatie wordt gekapt.

Een heel apart gebied in de zone van het tropisch regenwoudklimaat zijn de eilanden en kustgebieden in het mon-

alle bekende dier- en plantensoorten op aarde leeft in deze immense biotoop. De rivier is bijzonder visrijk. Er leven ruim 2000 verschillende soorten vis. In het gebied zijn meer soorten vogels gevonden dan waar ook ter wereld. Hetzelfde geldt voor de bomen en planten. In de loop der tijden zijn zo'n 2000 soorten bomen beschreven, waaronder de *pau brasil*, die het land z'n naam gegeven heeft, mahonie, ceder en de beroemde *Hevea brasiliensis*, de rubberboom. Voor de medische wereld en vooral de farmaceutische industrie zijn medicinale planten uit het Amazonegebied onmisbaar.

De rijkdom van het tropische regenwoud is sinds de vorige eeuw geëxploiteerd. Eerst draaide alles om rubber en goud, nu om ertsen en hout. Vooral de razendsnelle ontginning in de laatste dertig jaar, en met name de massale houtkap, heeft een krachtige tegenbeweging opgeroepen.

Het tweede grote rivierbekken, van de Paraguay en de Paraná, bepaalt het landschap in het zuidwesten en zuiden van het land. Onderdeel van het laatste bekken is Pantanal, een groot gebied langs de grens met Bolivia en Paraguay dat in de regentijd grotendeels overstroomt. Het is een van de laatste ongerepte natuurgebieden

dingsgebied van de Amazone. Grote delen hiervan zijn graslanden die in de maanden van grote regenval onder water staan. Het grootste eiland, Marajó, staat bekend om het fokken van waterbuffels en de kolonies ibissen die er komen broeden.

De noordelijkste staat Roraima en het hoogland van Brazilië hebben grotendeels een savanneklimaat. Er zijn veel meer uitgesproken seizoenen. Zo valt in het overgangsgebied van het Amazonegebied naar het hoogland de meeste regen in de maanden januari tot mei. Het kan dan dagenlang regenen.

De vegetatie van de savanne is de *cerrado*. Deze meestal ondoordringbare wirwar van struiken en bomen bedekt een groot deel van het centrale hoogland.

Als de vegetatie vooral bestaat uit grassen met hier en daar een boom wordt zij *campo* genoemd. De gemiddelde temperatuur schommelt het hele jaar rond de 26 °C. In de zomer kan het overdag bijzonder heet worden, vooral in de staten Mato Grosso en Mato Grosso do Sul. Temperaturen van 38 tot 40 °C komen dan regelmatig voor.

De Pantanal ofwel 'Groot M[...] halfjaarlijks overstroomd geb[...] zijrivieren van de Paraná. In de droge periode zijn de gronden goed geschikt voor de veeteelt.

Een steppeklimaat heerst in het droogste en heetste gebied van Brazilië: de sertão in het noordoosten. De sertão beslaat vooral grote delen van de staten Bahia, Piauí, Ceará, en Pernambuco. Niet dat er nooit regen valt. Het probleem is de onberekenbaarheid van het weer. Officieel is er een korte regentijd ergens in de maanden januari tot juli, maar er zijn vaak jaren dat er nagenoeg geen druppel valt.

In de sertão is de *caatinga* de overheersende vegetatie. De benaming stamt af van de indianen. Zij noemden de vegetatie van doornige struiken 'Caating' ('Witte Woud') omdat deze door de droogte wit uitslaat.

Als de regen is gevallen staat de caatinga in bloei en is de ene bloem nog mooier dan de andere. Zo gauw de 'groene tijd' is afgelopen verdorren de planten weer en begint de grond te verdrogen. Akkerbouw is in de sertão een hachelijke zaak,

Lençóis Maranhenses: de duinen van Maranhão verplaatsen zich in de wind.

behalve in de buurt van rivieren en waterplaatsen. Veeteelt komt vaker voor in dit droge gebied.

Het grootste deel van de Braziliaanse kust is gezegend met een tropisch zeeklimaat. Dat houdt in dat het hele jaar door aangename temperaturen worden gemeten en een enkele bui af en toe wat verkoeling brengt. Het aantrekkelijke klimaat, in combinatie met de fantastische stranden, maakt de duizenden kilometers lange kustlijn tot een ideaal vakantiegebied.

Qua vegetatie is dit het gebied van de *matas* (wouden). In het noordoosten en noorden zorgen de *matas dos cocais* (palmwouden) achter de zandstranden en lagunes voor paradijselijke plaatjes. De *mata atlântica* is het dichtbegroeide woud; het vormde de oorspronkelijke vegetatie langs de kust. Op veel plaatsen hebben deze wouden het veld geruimd voor suikerriet-, katoen- en cacaoplantages en nederzettingen. De *matas dos pinhais* zijn de dennenwouden in het zuiden van het land.

Ten slotte is er het subtropische klimaat van de zuidelijke staten.

In dit deel van het land komen de grootste verschillen in gemiddelde temperatuur voor. Langs de kust zorgt de oceaan nog voor een tamelijk mild weertype. Toch daalt de temperatuur in Porto Alegre in de winter (juni–augustus) naar 5 tot 10 °C. In het binnenland en vooral op de hoger gelegen plaatsen wordt het nog kouder. In het uiterste zuiden kan zelfs sneeuw vallen. De regen is in zuidelijk Brazilië gelijker over het jaar gespreid dan in de andere delen van het land. De combinatie van een gematigd warm weertype en vruchtbaar land heeft het zuiden tot het belangrijkste landbouwgebied van Brazilië gemaakt. Afhankelijk van het plaatselijke klimaat is eigenlijk alles er te vinden. In de noordelijke delen koffie en soja, meer naar de kust citrusvruchten en in het binnenland granen. De zuidelijkste staat Rio Grande do Sul staat bekend om z'n wijngaarden, terwijl de pampa's het domein zijn van de *gaúchos*, de Braziliaanse cowboys, en de veeteelt.

EEN VOLK VAN MIGRANTEN

Brazilië heeft tegenwoordig ruim 189 miljoen inwoners. In 1950 bedroeg het bevolkingsaantal minder dan een derde daarvan, namelijk 50 miljoen. Het natuurlijke groeicijfer is door een langzaam dalend geboortecijfer iets afgenomen, maar schommelt nog rond de 1,5 procent. Dit betekent dat er jaarlijks, de immigratie even buiten beschouwing gelaten, drie miljoen Brazilianen bij komen.

Zelfs al zou het geboortecijfer verder teruglopen, dan nog blijft de bevolking de komende eeuw sterk doorgroeien. Bijna de helft van de bevolking is namelijk jonger dan 19 jaar. Het effect van de be-

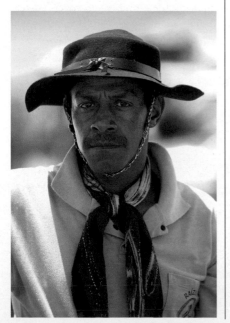

In het zuiden is de gauchotraditie sterk.

MEGASTEDEN

Brazilië is in dezelfde afgelopen halve eeuw veranderd van een overwegend agrarische in een stedelijke samenleving. Driekwart van de bevolking woont in de stad. De snelle urbanisatie en economische ontwikkeling in de steden versterkten elkaar. Miljoenen, veelal arme, Brazilianen hebben de laatste decennia het moeilijke boerenbestaan verruild voor een leven in de stad. Ze kwamen daar niet op de beste plaatsen terecht, want voor lang niet iedereen is er behoorlijk werk te vinden. Toch biedt het leven in de grote stad voor de massa altijd nog meer perspectief dan een bestaan in de landbouw.

São Paulo is de grootste stedelijke concentratie, niet alleen van Brazilië maar ook van heel Zuid-Amerika. In de stad zelf wonen 11 miljoen mensen, als we de voorsteden meetellen rond de 19 miljoen. Rio de Janeiro is een goede tweede met ruim 6 miljoen inwoners (11 miljoen inclusief de voorsteden). Salvador heeft Belo Horizonte van de derde plaats verdrongen; deze steden tellen respectievelijk 2,6 miljoen en 2,4 miljoen inwoners. Inmiddels heeft Fortaleza (2,5 miljoen inwoners) Belo eveneens ingehaald.

De opmars van de noordelijke steden gaat razendsnel. Manaus, midden in het Amazonegebied, telt 1,6 miljoen zielen, Recife, de stad die de Hollanders ooit uitbouwden, 1,5 miljoen en Belém, de poort naar de Amazone, heeft ook al 1,4 miljoen inwoners.

Vanwege de overwegend jonge bevolking zullen de steden nog wel enkele decennia blijven groeien.

De Avenida Paulista in São Paulo

DE EERSTE BEWONERS

De indianen van het Amazonegebied stammen af van nomadische stammen die vele duizenden jaren voor Christus vanuit het huidige Noord-Amerika via Midden-Amerika naar de Andes en het laagland trokken. Men ging er lange tijd van uit dat de oudste Zuid-Amerikaanse culturen, dus ook die van de Inca's in Peru en de Maya's in Midden-Amerika, zouden afstammen van de noordelijke Clovis-beschaving, genoemd naar de pijlpuntvondsten bij de plaats Clovis in de Verenigde Staten. Die vondsten waren tot voor kort de oudst bekende menselijke overblijfselen in Amerika, zo'n 11.000 jaar oud.

De geleerden gingen er tevens van uit dat de hete en vochtige streek van de Amazone voor die eerste primitieve mensen onleefbaar was. Deze theorie is aan het wankelen gebracht door vondsten in de monding van de Amazone. Zo zijn op het eiland Marajó fraaie aardewerken voorwerpen gevonden, die dateren van ruim voor onze jaartelling. Amazonia had dus al veel eerder bewoners, die zich staande konden houden in het tropische klimaat.

Vrij recent zijn sporen gevonden ten westen van Monte Alegre, bij Santarém aan de Amazone. In 1996 ontdekte Anna Roosevelt, die werkzaam is bij het Chicago Field Museum en verbonden is aan de University of Illinois in Chicago, grottekeningen, stenen voorwerpen en resten van organisch materiaal, die minstens 11.200 jaar oud bleken te zijn. Volgens professor Roosevelt moet de bestaande theorie over de paleo-indianen nu worden bijgesteld. 'Dit zijn sterke aanwijzingen dat er tegelijkertijd met de oudste Noord-Amerikaanse paleo-indiaanse cultuur ook hier, 5000 km zuidelijker, mensen leefden. Bovendien moet de vooronderstelling op de helling dat het tropische klimaat in die tijd voor mensen nog niet leefbaar was. Amazonia was helemaal geen doodlopende weg. In deze omgeving ontstonden dynamische culturen, die zich in een tijdsbestek van duizenden jaren ontwikkelden van voedselverzamelaars en vissers tot landbouwers en pottenmakers.'

Wat is dan de reden dat niemand ooit eerder sporen van paleo-indianen in het tropisch regenwoud heeft gevonden? Roosevelt zegt daarover in een interview: 'Omdat er niet goed genoeg is gezocht.'

---

volkingsexplosie zal nog lang naklinken en vormt een van de grootste problemen waar de regering zich op het ogenblik voor gesteld ziet.

De bevolking is ongelijk verdeeld over het land. Twee derde van de Brazilianen (72 procent) woont in het zuidoosten en noordoosten, en met name in de sterk verstedelijkte gebieden aan de kust. Bijna alle grote steden zijn daar gevestigd.

De Brazilianen zijn ontstaan uit drie volkeren. De inheemse bevolking, de indianen, vormt tegenwoordig nog slechts een zeer klein deel van de totale bevolking. Ze zijn overvleugeld door de immigranten, met name Europeanen, die zich er sinds 1500 hebben gevestigd, maar ook door de Afrikanen, die als slaven naar Brazilië zijn verscheept. Bij de laatste telling was de verdeling als volgt: blanken 55 procent, kleurlingen 38, zwarten 6 en Aziaten 1 procent. De indianen komen met 0,1 procent in dit officiële lijstje niet eens voor.

Met uitzondering van de geïsoleerd levende indianenstammen spreken de Brazilianen één taal: Portugees. Volgens sommigen is het de enige bindende factor, want ondanks de gezamenlijke geschiedenis zijn er grote sociale en culturele verschillen gebleven tussen de drie volken. De zo vaak geprezen harmonie blijkt in de werkelijkheid nogal tegen te vallen.

zich vermengd met de nieuwkomers. Hun nakomelingen worden *caboclos* en *mamelucos* genoemd. Een caboclo heeft zowel een blanke als een indiaanse ouder, terwijl een mameluco indiaans en Afrikaans bloed in zich heeft.

De grootste groep traditioneel levende indianen in het regenwoud zijn de Yanomami. Ze leven hoofdzakelijk van de jacht en het verzamelen. De Yanomami bewonen een gebied aan de bovenloop van de Rio Negro in de deelstaat Roraima.

De indianen zijn lange tijd beschouwd als minderwaardige burgers. Ze hadden tot de grondwetswijziging in 1988 niet eens burgerrechten. De indianen mochten niet stemmen en geen openbare functies bekleden. Ze werden soms als vreemde-

De inheemse bevolking

Van de oorspronkelijk twee miljoen indianen in Brazilië zijn er vandaag de dag naar schatting 120.000 over. Alleen de stammen die diep in het tropische regenwoud leven, ver van de rivieren en de nieuwe wegen, hebben hun eigen cultuur kunnen behouden.

Volgens de laatste gegevens zouden er nog zo'n 140 verschillende indianenvolken zijn met eigen talen en dialecten, gewoontes en rituelen en een sterk uiteenlopend niveau van beschaving.

Veel indianenstammen zijn tijdens de verovering en kolonisatie van het land uitgeroeid, verdreven of hebben

De erfgenamen van de oorspronkelijke bewoners, de indianen

lingen gestraft. Volgens de politiek van de Braziliaanse regering moeten de indianen zich zo snel mogelijk inpassen in de moderne maatschappij. In 1967 werd een aparte staatsorganisatie opgericht: de FUNAI (Fundação Nacional do Indio). Deze instantie moet aan de ene kant de belangen van de indiaanse volken behartigen en aan de andere kant een bijdrage leveren aan de geleidelijke ontwikkeling van het binnenland. Al snel werd duidelijk dat de FUNAI er vooral was om de indianen om te vormen tot brave Brazilianen. Tegen het algemeen belang van de economische vooruitgang moesten de indianen het meestal afleggen. Zo kwam er in 1973 een 'indiaans statuut', waarin onder andere het recht van de indianen op hun land en de vruchten ervan werd vastgelegd. Er zaten echter enkele addertjes onder het gras. Want in het belang van de 'nationale veiligheid', 'de uitvoering van publieke werken voor de nationale ontwikkeling', en 'onderzoek naar de rijkdom in de bodem' kon de overheid zich grond toe-eigenen. In al die gevallen trokken de indianen aan het kortste eind. In het gunstigste geval kregen ze een beperkt grondgebied als reservaat toegewezen. Maar meestal werden ze van hun grond verdreven. De officiële houding tegenover de belangen van de indianen wordt goed geïllustreerd door de uitspraak van de gouverneur van Rondônia in 1982. Tijdens een congres over de ontwikkeling van het Amazonegebied zei hij dat het belachelijk was dat de indianen bijna 200.000 ha in zijn staat bezaten. Ze hielden de ontwikkeling tegen, vond hij. De indianen laten de ontwikkelingen niet lijdzaam over zich heenkomen. Na enkele voorzichtige protesten brak in de jaren zeventig het georganiseerde verzet door. Op veel plaatsen kwamen indiaanse stammen in opstand tegen voor hen schadelijke ontwikkelingen als de aanleg van stuw-

dammen, de ontginning van het woud of de praktijken van goudzoekers. Ze werden daarbij gesteund door het CIMI (Indiaanse Missieraad), een organisatie van de katholieke Kerk in Brazilië. Het CIMI heeft de indianen aangespoord zich te organiseren en het verzet te coördineren.

In 1974 kwamen voor het eerst verschillende indiaanse opperhoofden bij elkaar om gemeenschappelijke problemen te bespreken. In 1981 richtten 73 hoofden van 32 stammen de UNI (Unie van Indiaanse Naties) op. In de jaren tachtig kwamen de indiaanse acties steeds meer in de publiciteit, mede door de groeiende aandacht voor milieuzaken. Met name de internationale campagne voor het behoud van het tropische regenwoud heeft de positie van de Braziliaanse indianen versterkt.

Zo zorgde het plan van de Braziliaanse regering voor de bouw van de Altamira-Xingú-dammen in 1988 voor grote beroering. Een immens grondgebied van 7,6 miljoen hectare zou daardoor onder water komen te staan. Verschillende indianenstammen zouden hun grondgebied verliezen. Twee Kayapó-indianen en een Amerikaanse antropoloog reisden naar de Verenigde Staten om bij de Wereldbank, een van de grote financiers, te protesteren. Bij terugkomst in Brazilië werden ze op grond van de Vreemdelingenwet gearresteerd. In plaats van het door de Braziliaanse regering gewenste afschrikeffect, leidde de arrestatie tot een indrukwekkende campagne van indianen-, milieu- en mensenrechtengroepen. Uiteindelijk werden de indianen vrijgelaten.

In februari 1989 kwamen zo'n 600 indiaanse leiders en andere actievoerders in Altamira bijeen om te protesteren tegen de bouw van de dammen. Iets later zag de Wereldbank van de financiering van het project af.

Bij de overwinningen die de indianen de afgelopen jaren geboekt hebben, hoort ook zeker het verkrijgen van burgerrechten. Het was een historisch moment toen voor het eerst in de geschiedenis in mei 1988 indianen in vol ornaat de behandeling van de nieuwe grondwet bijwoonden.

De indianen kregen stemrecht en betere garanties voor het behoud van hun land.

Portugezen lieten ook Hollanders en Fransen zich in dit deel van de Nieuwe Wereld zien. De Hollandse bezetting van een deel van Noordoost-Brazilië zou vandaag de dag nog zichtbaar zijn in de blauwe ogen en het blonde haar van sommige *nordestinos*.

In de loop van de 17de eeuw vonden er al verkenningsexpedities plaats in het uitgestrekte en dichtbegroeide binnenland. Toen er in het centrale deel van

Zwitserse en Duitse invloeden: Alte Wurststrasse, de hoofdstraat in Blumenau

Dat de strijd desondanks nog lang niet gestreden is, bewijzen de voortdurende conflicten tussen indianen en kolonisten, goudzoekers, grootgrondbezitters en hun huurmoordenaars.

De immigranten

Vanaf de 16de eeuw, toen de Portugese kolonisatie haar beslag kreeg, zijn er Europeanen in Brazilië neergestreken.

Ze vestigden zich aanvankelijk in de kuststreken, waar suikerplantages tot ontwikkeling kwamen en handelsposten en versterkingen werden gebouwd. Behalve

de kolonie goud en andere edelmetalen werden gevonden, ontstonden daar ook nederzettingen.

De Europese immigratie kreeg een massaal karakter in de 19de eeuw, toen het zuidoostelijke en zuidelijke deel van het land tot ontwikkeling kwam. Onder de eerste groepen die de overtocht naar Brazilië maakten, waren nogal wat arme boerenfamilies uit Midden- en Zuid-Europa. Ze dachten hun door hongersnoden, ziekten en misoogsten geteisterde geboorteland te verruilen voor een betere toekomst in een nieuw land. Veelal wer-

HOLLANDSE KOLONIES

Verspreid in het zuidoosten van Brazilië liggen verschillende Hollandse kolonies. De oudste is Carambeí in de deelstaat Paraná, waarvan de oorsprong teruggaat tot 1905, toen een groep werkloze Rotterdamse dokwerkers naar Brazilië vertrok in de hoop daar een beter bestaan op te bouwen. Voor de meesten werd het een grote mislukking. Enkelen vestigden zich in de heuvels van wat nu Carambeí is. Ze leden een kommervol bestaan, totdat in de jaren vijftig nieuwe migranten zich aansloten en er een bloeiende christelijk gereformeerde kolonie ontstond. Carambeí is in Brazilië vermaard om z'n zuivelproducten.

In 1952 werd niet ver van Carambeí een nieuwe protestantse kolonie gesticht, Castrolândia. Ook hier is veeteelt de voornaamste bron van bestaan, wat de Hollandse boeren geen windeieren heeft gelegd. Ze behoren tot de rijkste bewoners van het gebied. *'Ze zijn stuk voor stuk miljonair,'* schrijft de journalist Frank Westerman in zijn reportage 'Wij Hollanders in Braziel' (*Onze Wereld*, september 1990). *'Her en der verspreid in het glooiende grasland zie je kleine parkjes waarin luxe villa's en privézwembaden liggen verscholen. 's Avonds, als het niet meer zo warm is, spelen de dames op de verlichte gravelbaan achter het huis.'* Een derde protestantse kolonie bevindt zich in Paraná: Arapotí.

Inmiddels hadden katholieke Hollanders in de deelstaat São Paulo in 1948 de kolonie Holambra I gesticht. De naam was afgeleid van de samenvoeging Holland-Amerika-Brazilië. Ook zij waren succesvol, onder meer met de fruit- en bloementeelt. Begin jaren zestig volgde Holambra II, waar de kinderen van Holambra I, nieuwe Hollandse migranten, Zwitsers én Brazilianen leven van de teelt van onder andere soja, katoen, graan, bloemen, fruit en de veehouderij.

Tegenwoordig zijn er ook Hollandse kolonies in de deelstaten Santa Catarina, Mato Grosso do Sul en het Distrito Federal.

den ze met mooie beloften 'gecontracteerd' en tot de reis aangespoord door wervers die in opdracht van de regering in Rio arbeidskrachten voor de koffieplantages moesten vinden.

Duitsers en Zwitsers

De overtocht naar Brazilië moet geen pretje zijn geweest. Zo gingen in het begin van de 19de eeuw 2006 Zwitserse gelukzoekers op weg, maar onderweg stierven er 389 door ziekten. De eerste besmettelijke ziekten sloegen al toe voor vertrek vanuit het vochtige Europa. Onderweg werden nog heel wat doden overboord gezet. In Rio de Janeiro en later in het subtropische woud legden tientallen het loodje.

De sterksten en gelukkigsten overleefden en legden de basis voor nederzettingen als Nova Friburgo, Novo Hamburgo en Blumenau. Vooral in de staten Rio Grande do Sul, Santa Catarina en Paraná wonen veel afstammelingen van de Duitse en Zwitserse immigranten.

Italianen

Met name de groei en bloei van São Paulo aan het begin van de 20ste eeuw trok tienduizenden Zuid-Europese arbeiders en boeren aan. Italianen waren overal in die stad en het gebied eromheen te vinden: in de fabrieken, het bankwezen, het bestuur en de handel. Italiaanse industriëlen en bankiers droegen in belangrijke mate bij tot de metamorfose die de stad São Paulo in korte tijd onderging.

Japanners

Op 18 juli 1908 arriveerden de eerste 799 Japanse pioniers in de haven van Santos. Ze zouden in de loop van deze eeuw gevolgd worden door honderdduizenden landgenoten. Eerst betaalde de staat São Paulo de overkomst van de Japanners om op de koffieplantages te werken, later stimuleerde de Japanse regering de overtocht. Ze droegen bij tot de modernisering van de landbouw en brachten nieuwe gewassen mee. Tegenwoordig hebben de Japanse afstammelingen een grote invloed op de ontwikkeling van de agrarische sector, en in mindere mate op die van de industrie en de handel. Geschat wordt dat er in de staten São Paulo en Paraná nu zo'n miljoen Japanners leven.

Afrikanen

De plantagesamenleving in de koloniale tijd was gebaseerd op de slavernij. Naar schatting vijf miljoen Afrikanen zijn in de periode van 1532 (het begin van de kolonisatie) tot 1850 (de afschaffing van de slavenhandel) naar Brazilië gebracht. De Portugezen haalden de slaven uit verschillende gebieden

in West- en zuidelijk Afrika. Daar behoorden ze tot verschillende volken, zoals de Yoruba, de Dahomey, de Ashanti, de Haussa en de Bantoe.

De plantagesamenleving bevond zich aan de kust, vooral in het noordoosten. Daar zijn tot op de dag van vandaag de meeste afstammelingen van de slaven te vinden. Bahia is de staat met de hoogste concentratie zwarte bevolking.

Ondanks de strakke sociale scheidslijnen tijdens de slavernij vond er al in die tijd een vermenging plaats van de zwarte bevolking en blanke immigranten. Hun nakomelingen, de mulatten, vormen een groot deel van de Braziliaanse bevolking. Ze wonen in de kuststreken van het noordoosten en het zuidoosten, en in het binnenland van Minas Gerais.

In tegenstelling tot de oorspronkelijke bewoners, de indianen, drukken de Afrikanen al sinds lange tijd een belangrijk stempel op de Braziliaanse cultuur en leefwijze. In de godsdienst, de muziek en de dans zijn de Afrikaanse sporen onmiskenbaar aanwezig. De socioloog Gilberto Freyre gaat in zijn boek *Casa Grande e Senzala* (Het Herenhuis en de slavenbedrijven) nog verder: '*... In al onze uitdrukkingen, in de muziek, het lopen, de spraak, in de manier waarop baby's in doeken worden gewikkeld, overal vinden we de invloed terug van de negers. Van de zwarte*

Grootschalige sojateelt in het zuiden

DE BRAZILIAANSE AUTO-INDUSTRIE

Het was een droom van de toenmalige president Juscelino Kubitschek (1955–1960) om de Braziliaanse economie in snel tempo te moderniseren. De auto-industrie moest daarin een sleutelrol vervullen. En zo kwamen de grote fabrikanten Ford, General Motors, Volkswagen en Mercedes-Benz al in de jaren vijftig naar Brazilië om daar productielijnen te openen. Het militaire regime (jaren zestig en zeventig) zette nog eens extra vaart achter de 'automobilisering' van het land met de aanleg van spectaculaire wegen naar het noorden, het zuiden en het westen. Ook Fiat en Toyota bouwden eigen fabrieken.

Een halve eeuw later domineert de auto het straatbeeld volledig. De Brazilianen vertroetelden de Kever. De opvolger van deze Volkswagen, de Gol (Golf), was eveneens een doorslaand succes. General Motors kwam met de Corsa, Ford met de Fiesta en de Ka. In 1996 lanceerde Fiat een heel nieuw model, de Palio, als eerste in Brazilië op de markt. De verkopen braken alle records en de productie in de nieuwe fabriek in Betim, in de deelstaat Minas Gerais, werd meteen uitgebreid.

Het bevestigt de trend dat Brazilië is uitgegroeid tot een van de voornaamste markten en productielanden van de automobielindustrie.

De economische liberalisering van de jaren negentig geeft nieuwe impulsen. Buitenlandse technologie is gemakkelijker voorhanden. Buitenlandse investeerders hebben Brazilië opnieuw ontdekt, zeker nu door de Mercosur de hele markt in Zuid-Amerika hiervandaan bestreken kan worden. Het hart van de auto-industrie ligt als vanouds in de staat São Paulo. De grote fabrieken van de vooraanstaande merken domineren voorsteden als Taubaté (Volkswagen), São Bernardo do Campo

slavin die ons wiegde. Van de oude negerin die ons voorlas. Van de negerkinderen die met ons speelden. Van de meisjes die onze vriendinnen waren. Van de wijze slaaf die de splinters uit onze voeten trok.'

Freyre, een gewaardeerd schrijver uit het midden van de 20ste eeuw, vestigde de aandacht op de rijke Afrikaanse erfenis en de rassengelijkheid. Toch is zijn romantische visie op de broederlijke en harmonieuze Braziliaanse samenleving door de werkelijkheid van de moderne tijd weerlegd. Zwart zijn is in het huidige Brazilië zeker geen voordeel. Op het eerste gezicht leven blank en zwart, indiaan en Aziaat, en al die andere bevolkingsgroepen harmonieus samen. In de praktijk van alledag hebben de indianen en de Afrikanen een enorme maatschappelijke achterstand en is er wel degelijk sprake van discriminatie.

ECONOMIE: EEN REUS DIE ONTWAAKT

Er is op het zuidelijk halfrond geen ander land aan te wijzen met zo'n economisch potentieel als Brazilië. De mogelijkheden lijken bijna onbegrensd en zeker als het over de economie gaat praten de Brazilianen graag in superlatieven.

(Volkswagen, DaimlerChrysler, Ford, Toyota) – ook wel het 'Detroit van Brazilië' genoemd – São Caetano do Sul en São José dos Campos (General Motors), Campinas (DaimlerChrysler) en Sumaré (Honda). Maar ook in de andere deelstaten in het zuidoosten is de auto-industrie snel gegroeid. Curitiba in de deelstaat Paraná is het tweede centrum geworden met vestigingen van Ford, DaimlerChrysler, Renault/Nissan en VW/Audi. Peugeot Citroën opende een splinternieuwe fabriek in Porto Real (deelstaat Rio de Janeiro) met als eerste modellen de Citroën Xsara Picasso en de Peugeot 206. Inmiddels loopt de Braziliaanse auto-industrie ook voorop met de toepassing van innovatieve technieken. Zo bracht Ford in de zomer van 2004 de Astra Multipower 2.0 sedan op de markt, de eerste auto die zowel op benzine, alcohol, een mengsel van deze twee brandstoffen, als op lpg kan rijden.

Automatisering in de Braziliaanse auto-industrie

Landbouw en veeteelt

De landbouw dekt bijna de voedselbehoefte van het land en is van groot belang voor de export. Brazilië is de grootste koffieproducent in de wereld. Minder bekend is dat het land de afgelopen periode eveneens de grootste producent van suikerriet, soja en sinaasappelen is geworden en verder tot de top drie van exporteurs van cacao, maïs, bonen en vlees behoort.

De bodem is in het algemeen vruchtbaar en het klimaat gevarieerd. Daarom worden er zeer veel verschillende gewassen verbouwd: van tropische vruchten en suikerriet in het noorden en noordoosten tot wintertarwe in de zuidelijke staten.

De modernisering in de laatste dertig jaar heeft het beeld van de Braziliaanse landbouw ingrijpend veranderd. Grote binnen- en buitenlandse bedrijven zijn de commerciële landbouw gaan beheersen. De schaalvergroting die het gevolg was, is op alle fronten merkbaar: enorme landbouwmachines en grote hoeveelheden kunstmest en bestrijdingsmiddelen. In het zuiden en zuidoosten is de mechanisatie het sterkst. São Paulo en Grande do Sul zijn de pionierstaten van de agrarische modernisering. Ook in de staten in het centrale deel van Brazilië, zoals Mato Grosso do Sul en het zuiden van

Goiás, nemen de productie en de mechanisatie snel toe.

De Braziliaanse overheid heeft de modernisering van de landbouw krachtig gestimuleerd door investeringsprogramma's voor bepaalde producten. Zo werden de sojateelt voor de export en de suikerrietaanplant ten behoeve van de alcoholproductie (brandstof) bevorderd.

Behalve de modernisering is het gebied waarop landbouw wordt uitgeoefend de laatste decennia aanzienlijk uitgebreid. De aanleg van nieuwe wegen en de kolonisatieprojecten in het binnenland heb-

ben met name in het westen, het noordoosten en noorden aanzienlijk meer akkerland opgeleverd. In de jaren zestig en zeventig schoof de 'landbouwgrens' op door Goiás en Mato Grosso do Sul. In de jaren tachtig werden in Mato Grosso, Rondônia, Pará en Acre grote delen van het land ontgonnen. Ook in de nieuwe gebieden krijgen de grote bedrijven steeds meer de overhand; ze leggen zich daar vooral toe op de veeteelt.

Ondanks de grote stukken terrein die de laatste twintig tot dertig jaar in gebruik zijn genomen, beslaat de totale opper-

O SETOR INFORMAL

'Goud en dollars te koop!' roepen de handelaren in het financiële centrum van São Paulo. Je ziet ze in alle steden, net als de straatverkopers van cd's, horloges, kranten, zonnebrillen, kauwgum, sigaretten en tal van andere dagelijkse gebruiksartikelen. 's Avonds verschijnen de kunstenmakers in het straatbeeld om de wachtende automobilisten en het uitgaanspu-

bliek te plezieren, en komen de pindaverkopers langs de terrasjes. De schoenpoetsers, parkeerwachters en hoertjes horen inmiddels bij de klassiekers in de straatbusiness.

De ambulante handel op straat is het meest zichtbare deel van de informele sector. Hij vormt het topje van de ijsberg, want volgens economen bestaat een derde van de Braziliaanse economie uit informele activiteiten. Ook de klusjesmannen, de schoonmaaksters, de huishoudsters en kindermeisjes worden overwegend zwart betaald. De horeca, de taxibranche, de bouw en de landbouw zijn de sectoren waar je het meeste informele werk vindt.

De informele sector is de olie in de economische machine. Zonder al het zwart betaalde werk zou deze niet kunnen functioneren, zouden de meeste diensten onbetaalbaar zijn. Voor mensen zonder opleiding en veel werklozen is deze sector van levenbelang. De keerzijde is echter dat de informele sector weinig bestaanszekerheid biedt. Nu heb je werk, morgen niet meer!

vlakte van het gebied dat voor landbouw en veeteelt wordt gebruikt, nauwelijks een derde van het land. Daarvan is het grootste deel bestemd voor veeteelt.

In het centrale en noordelijke deel van het land liggen uitgestrekte *fazendas*, immense landgoederen met grote kuddes vee. Voor dergelijke extensieve veeteelt zijn relatief weinig investeringen nodig en het beheer kan worden overgelaten aan een opzichter of pachter. Voor de *fazendeiro* is de grond op die manier een lucratieve belegging, zeker in een tijd van hoge inflatie, want grond is vrij waardevast. In het zuiden van het land leggen de veeboeren zich meer toe op kwalitatief goed slachtvee.

Mijnbouw en energie

Brazilië is, behalve met vruchtbare grond en een goed klimaat, gezegend met enorme bodemschatten. Sinds de koloniale tijd is Brazilië een van de grote leveranciers van goud en mineralen. Hier komt 90 procent van de wereldproductie van aquamarijn, topaas, toermalijn en amethist vandaan. De grote mijnen liggen in de deelstaten Minas Gerais, Mato Grosso en Goiás. In het Amazonegebied verplaatst de goudwinning zich steeds verder naar het noordwesten, met tegenwoordig grote vindplaatsen in de gebieden waar de Yanomami-indianen wonen.

Van groot commercieel belang is verder de ijzererts- en bauxietproductie in Minas Gerais en de Serra dos Carajás ten zuiden van Belém en Santarém. De ijzerertsvoorraden van Brazilië worden geschat op vier na de grootste van de wereld. Wat bauxietvoorraden betreft behoort het land tot de top drie.

Ondanks zijn gigantische afmetingen heeft Brazilië binnen zijn grenzen toch niet alles wat het nodig heeft. Het grootste gemis is olie. De aanwezige aardolielagen zijn bij lange na niet toereikend voor eigen gebruik, vandaar dat het overgrote deel van de oliebehoefte moet worden ingevoerd. Steenkool is ook niet overvloedig aanwezig en bovendien van mindere kwaliteit.

Om die reden is door de militaire regimes in de jaren zestig en zeventig veel prioriteit gegeven aan het ontwikkelen van alternatieve energiebronnen als waterkracht, kernenergie en methanol (methylalcohol). Er verrezen grote stuwdammen in de belangrijkste rivieren. Samen zijn ze goed voor 90 procent van alle gebruikte elektriciteit in het land. De reusachtige Itaipú-centrale in de Paraná is de grootste. Met een capaciteit van 12.000 MW kan deze een vijfde van de totale Braziliaanse energiebehoefte leveren.

Sinds 1975 loopt het *Proálcool*-programma, bedoeld om suikerriet te produceren als basis voor autobrandstof. Een kwart van de Braziliaanse auto's rijdt

Benzinepomp met prijzen voor Proálcool

nu op ethanol. Dat heeft de overheid miljarden aan subsidies gekost, teneinde de suikerrietproductie te stimuleren en de automobilisten te prikkelen op ethanol te gaan rijden. Desastreus was de scherpe daling van de olieprijzen in de jaren tachtig, waardoor de prijs van ethanol kunstmatig laag gehouden moest worden.

In de jaren negentig van de vorige eeuw was het Proálcool-programma vrijwel mislukt, omdat het voordeliger was om op benzine te rijden. Deze nieuwe eeuw is het precies omgekeerd: door de exorbitante olieprijs van de laatste jaren is het rijden op ethanol weer aantrekkelijk. De autobranche brengt nu steeds meer flexauto's op de markt, die op verschillende brandstoffen kunnen rijden. Automobilisten zijn zo minder gevoelig voor prijsschommelingen van brandstoffen.

De hoge olieprijs heeft het staatsbedrijf Petrobrás ertoe gebracht de olieproductie stevig uit te breiden. De dieper liggende oliebronnen voor de Braziliaanse kust worden met speciale technieken aangeboord. Ook grote buitenlandse oliemaatschappijen, zoals Shell, kunnen daar tegenwoordig aan meewerken. Sinds 1997 zijn de exploratie en exploitatie van olie en gas namelijk geliberaliseerd. De Braziliaanse regering wil nu met het opvoeren van de olie- en gasproductie de afhankelijkheid van de invoer van dure energie verder verminderen.

Een groot fiasco in het energieprogramma was het nucleaire avontuur. Tientallen miljarden dollars zijn gestoken in de bouw van een aantal kerncentrales aan de kust bij Angra dos Reis, aan de weg van Rio naar Santos. Maar slechts een van de vier geplande centrales is gereedgekomen. Door allerlei gebreken heeft deze echter meer stilgelegen dan gefunctioneerd.

Industrie

Brazilië is binnen een halve eeuw een industriële grootmacht geworden. De industrialisatie kreeg grote impulsen tijdens het nationalistische bewind in de jaren veertig en vijftig.

Grote staatsbedrijven moesten de kar trekken als pionier van de economische vooruitgang. Later werd de buitenlandse auto-industrie binnengehaald: Volkswagen, General Motors, Ford en Fiat. Bovendien werd begonnen met een omvangrijk programma van wegenaanleg, onder andere om het binnenland te ontsluiten.

Ten tijde van de militaire dictatuur in de jaren zestig en zeventig gingen de grenzen verder open voor buitenlands kapitaal. Brazilië moest de wereldmacht worden, die paste bij de omvang en de rijkdom van het land. De buitenlandse investeringen vonden, naast de auto-industrie, vooral plaats in de elektronica-, de farmaceutische en de chemische industrie. Het resultaat mocht er wezen. De periode

Scheepsbouw in Niterói, op een van de oudste werven

KILLE CIJFERS

Volgens recente gegevens van Unicef staat Brazilië op de 65ste plaats in de wereld als het gaat om de levensomstandigheden van kinderen. Om maar in Zuid-Amerika te blijven: je kunt bijvoorbeeld veel beter in Argentinië, Chili, Venezuela of Mexico geboren worden dan in Brazilië. Want in dit grootste land van Zuid-Amerika sterven 67 van iedere 1000 kinderen voordat ze vijf jaar zijn geworden. In Argentinië is dat cijfer 24. Niet meer dan een vijfde van alle kinderen maakt het eerste jaar van de basisschool af. In Mexico is dat nog altijd 70 procent.

Volgens het vooraanstaande Braziliaanse onderzoeksinstituut IBGE leeft 18 procent van de kinderen en pubers in het land in huishoudens die van minder dan een kwart minimumsalaris moeten rondkomen. Een minimumsalaris staat ongeveer gelijk met 60 dollar.

Van iedere tien Brazilianen die met fysiek geweld te maken krijgen, zijn er twee jonger dan 17 jaar. Jaarlijks worden er alleen in Rio de Janeiro meer dan 500 kinderen vermoord, in heel Brazilië dagelijks vijf.

Bron: weekblad *Veja*, Unicef en IBGE

Kinderen van de rekening...

1968–1973 staat in Brazilië bekend als het 'economisch wonder'. De economische groei bedroeg in die tijd gemiddeld 12 procent per jaar.

Het industriële hart van het land ligt in de zuidoostelijke staten São Paulo, Minas Gerais en Rio de Janeiro. De goede infrastructuur, rijke ertsvoorraden en consumentenmarkt hebben hier bijgedragen aan de totstandkoming van een van de sterkste industrieregio's in de wereld.

Dienstverlening

Met de groei van de steden en vooral de modernisering en verbreding van de economie de laatste veertig jaar is de dienstverleningssector ook enorm uitgedijd. Samen zorgen bedrijfstakken als transport en handel voor meer dan de helft van het binnenlands product.

In het transport heeft de auto de rol van het schip en de trein volledig overgenomen. Van het vrachtvervoer in Brazilië zelf gaat 70 procent per vrachtauto. In de Verenigde Staten, een land van vergelijkbare grootte, gaat slechts een kwart van het goederentransport over de weg.

De keuze voor de auto is gemaakt tijdens het bewind van president Kubitschek in de jaren vijftig; sinds die tijd zijn er duizenden kilometers autoweg aangelegd. Slechts op een enkele plaats is een spoorlijn aangelegd, onder andere van Carajás naar São Luis ten behoeve van het ertstransport.

De laatste twintig jaar is vooral het luchtvervoer voor passagiers opgekomen. Alle grote steden in het land hebben een vliegveld. Tussen de grote economische centra als Rio de Janeiro en São Paulo zijn dagelijks diverse vluchten.

De grootste concentratie van bedrijven die zich bezighouden met een vorm van dienstverlening is opnieuw te vinden in de 'gouden driehoek' São Paulo, Rio de Janeiro en Belo Horizonte. Dit ondanks de verhuizing van een groot deel van het overheidsapparaat naar de nieuwe hoofdstad Brasília. De stad São Paulo is met vestigingen van alle grote nationale en internationale banken de financiële hoofdstad van Latijns-Amerika.

DE SOCIALE KWESTIE

Hoewel Brazilië fabelachtige reserves aan mineralen en ertsen bezit en een industriële en agrarische grootmacht is, leeft nog steeds 40 procent van de bevolking onder de armoedegrens. De informele sector is weliswaar een belangrijke buffer tegen de verarming, maar kan slechts de armoede van een deel van de bevolking verlichten. Er zijn steeds meer signalen dat het spaak loopt. Af en toe trekken de arme stadsbewoners de straat op, plunderen de supermarkten en richten vernielingen aan.

Een ander signaal is de toename van typische armoedeziekten als tyfus en cholera. Vooral in de *favelas*, de sloppenwijken van de grote steden, en in het binnenland van de noordelijke staten grijpen epidemieën als tyfus en cholera, die al grotendeels uitgebannen waren, om zich heen.

Zeker wat betreft de positie van de kinderen scoort Brazilië bedroevend slecht. Slechts een vijfde van alle kinderen maakt het eerste jaar van de basisschool af en een derde gaat helemaal niet naar school.

Straatkinderen

Brazilië is een van de landen met het hoogste percentage straatkinderen ter wereld. Deze kinderen zonder huis of haard slijten hun leven in de straten van de grote steden, waar het recht van de sterksten geldt. Ze worden volledig aan hun lot overgelaten. De gevaren van drugs en prostitutie zijn levensgroot. Tot overmaat van ramp wordt er ook nog jacht op ze gemaakt door doodseskaders, die de kinderen zonder pardon vermoorden.

Niemand weet precies hoeveel kinderen er in Brazilië op straat leven. De laatste schattingen gaan uit van ongeveer 200.000. Soms zijn ze achtergelaten door hun ouders, die juist naar de grote stad waren getrokken in de hoop een beter leven te krijgen. Teleurgesteld en verzwakt door het uitzichtloze leven zonder werk en inkomen zagen ze geen andere uitweg dan de zelfstandigste kinderen alleen te laten. Vaker echter zijn ze van huis weggestuurd of weggelopen, vanwege ruzies of honger. Grote steden als Rio de Janeiro, São Paulo en Belo Horizonte in het rijke zuidoosten tellen de meeste straatkinderen. Maar de snel groeiende steden in het noordoosten en noorden van het land blijven niet ver achter. Brazilië heeft de progressiefste wetgeving ter wereld ten aanzien van kinderen. Daar staat precies in wat de rechten van de kinderen zijn. Helaas is de werkelijkheid nog steeds schrijnend.

Ongelijkheid

De kwestie van de straatkinderen toont de keerzijde van het economische succes van Brazilië, die van een zeer ongelijk verdeelde rijkdom en een hoogst onrechtvaardige samenleving.

In 1960 verdiende de rijkste 10 procent van de bevolking bijna 40 procent van het nationaal inkomen (39,6 procent). In 2000 was dat al ruim de helft van het nationaal inkomen (51 procent) geworden. Aan de onderkant van de samenleving was het beeld heel anders. In 1960 verdiende de helft van de bevolking 17,4 procent van het nationaal inkomen; in 2000 was dat teruggelopen naar 11,6 procent.

De inkomensongelijkheid wordt in Brazilië dus steeds groter. Een gerenommeerd instituut als de Wereldbank kwalificeerde Brazilië een paar jaar terug als het 'meest ongelijke land ter wereld'. Gegeven de snelle bevolkingstoename en vooral de jonge bevolking roept dat een alarmerend beeld op. De cijfers over ondervoeding en scholing zijn dramatisch. Het ontwikkelingsbeleid van de overheid heeft bijgedragen tot de vergroting van de economische kloof. Zo is in alle zuidelijke staten maar ook in Mato Grosso do Sul en Goiás de grond in handen van een steeds kleiner wordende groep mensen. Voor de kleinere boeren is het moeilijker om aan kredieten te komen en de productie te moderniseren. Ze kun-

nen de concurrentie met de grotere bedrijven niet volhouden en moeten hun land verkopen. Door de grootschalige en machinale productie van suikerriet verloren veel kleine boeren hun broodwinning. Het gevolg was dat de arme plattelandsbevolking op zoek ging naar land en werk. Maar in de nieuwe kolonisatiegebieden kregen deze arme kolonisten te maken met opdringerige grootgrondbezitters en hun gewelddadige handlangers. De stukjes grond die ze in bezit namen, bleken onderhands verkocht te worden aan rijke boeren.

Tegenover de schrijnende armoede en uitzichtloze positie van de armen krijgt de rijkdom groteske vormen. De zakenlieden, grootgrondbezitters en machtige politici reizen met hun eigen jet het land door, van hun ene appartement naar het andere, baden zich in luxe en geven met hun familie per dag bedragen uit waar tientallen gewone gezinnen een jaar van zouden kunnen leven. Wie een bezoek brengt aan de nieuwste winkelcentra in São Paulo of Rio zal verbaasd zijn over de overdaad aan luxe merkartikelen en

Lingeriereclame bij een luxe shopping mall in São Paulo

DAGRITME

Het ontbijt, *café da manha*, bestaat meestal uit fruit, brood met licht beleg en koffie. In de grotere hotels is er een uitgebreid buffet met alles erop en eraan. Brazilianen eten 's morgens echter weinig.
Net als in veel andere warme landen is het gebruikelijk om 's middags uitgebreid te tafelen. Voor de lunch, *almoço*, worden enkele uren uitgetrokken. De werkdag loopt vervolgens door tot 18, 19 of 20 uur, waarna een borrel wordt gedronken. Het avondeten, *jantar*, wordt pas laat genuttigd.

de astronomische prijzen. Ze worden grif betaald, want het kan de rijken van Brazilië niet gek genoeg zijn. Een weekendje winkelen in New York, Londen of Parijs hoort er gewoon bij. En de auto met chauffeur krijgt concurrentie van de helikopter. 's Middags vliegen de helikopters in São Paulo boven de *shopping malls* af en aan. Mevrouw en meneer doen boodschappen; vliegen is snel, je omzeilt het drukke verkeer, en het is vooral veilig. In São Paulo kiezen de rijken het luchtruim.

Brazilië is een land waar altijd wel wat te regelen is. De *jeito*, het ritselen, is tot nationale volkskunst verheven. Altijd is er wel een politicus die wil helpen met wat geld, bouwmateriaal, een klusje of een baan; zeker als de verkiezingen voor de deur staan. De ambtenaren zijn altijd bereid om voor een fooitje wat extra's te doen. En op straat is ook altijd wel wat te ritselen. Het ziet er echter steeds meer naar uit dat de mogelijkheden van de jeito voor veel Brazilianen uitgeput raken. Tot nu toe hebben de Brazilianen zich vastgehouden aan een laatste, bijna rotsvaste, overtuiging: 'God zal ons helpen, want God is Braziliaan.'

DE BRAZILIAANSE KEUKEN

Liefhebbers van afwisselend en speciaal eten komen in Brazilië ruimschoots aan hun trekken. Gezien de verschillende cultuurinvloeden zal dat geen verrassing zijn.

Nationaal gerecht

Braziliës nationale schotel is *feijoada*, een bonengerecht met verschillende soorten gebakken, gestoofd en gekookt vlees. Het wordt geserveerd met rijst en *farofa*, maniokmeel. Feijoada stamt uit de slaventijd. De slaven kregen de etensresten gemengd met stukken afvalvlees (oor, tong en staart),

Pompoen met garnalen

Zoete lekkernijen

bonen en scherpe kruiden opgediend. Vooral in Bahia is het nog altijd erg populair. In het zuidoosten en zuiden wordt feijoada in het weekend gemaakt. *Hoje feijouda* (Vandaag feijoada) staat er dan aangegeven buiten het restaurant. Het is gebruikelijk om feijoada niet meer zo pittig te serveren. De gevaarlijk hete sausjes mag je er zelf overheen doen. Specifiek voor het mijngebied van Minas Gerais is *feijão tropeiro*, een heerlijke schotel van bonen, gebakken spek en maniokmeel.

Veel, veel vlees

In het zuidoosten en zuiden is de *churrasco* populair. Voor een vaste prijs wordt er zoveel gegrild vlees opgediend als je op kunt. Het is verstandig om met kleine hoeveelheden te beginnen. Laat de man met de spies gerust een paar keer voorbij gaan; veel *churrascaria's* hebben de gewoonte om pas later met de betere stukken vlees, zoals biefstuk, langs te komen. Bij de *churrascaria* is het gebruikelijk om je eigen saladeschotel aan het buffet samen te stellen. Churrasco is tegenwoordig ook in andere delen van Brazilië volop te krijgen.

In het noordoosten zijn ze gek op rund- en geitenvlees, *cabrito*. Vooral in stoofschotels en goed gekruid levert dit soms heerlijke gerechten op.

Heel specifiek voor het Amazonegebied en afkomstig van de indianen is de *patono-tucupi*, een gerecht dat bereid wordt met eendenvlees en maniokblad.

Sappige visschotels

Natuurlijk worden er overal langs de kust en de rivieren visgerechten geserveerd. Liefhebbers van vis zullen hun vingers aflikken in Bahia en het Amazonegebied. Er zijn heerlijke schotels met garnalen, kreeft en krab. In Bahia zijn *vatapá* en *moqueca* de regionale lekkernij. Vatapá is een soort visstamppot met garnalen en gemalen noten, aangemaakt met kokosmelk of palmolie. Moqueca bestaat vooral uit garnalen, krab, rijst, kokosmelk, palmolie, peper, tomaten, uien en knoflook.

Pirarucu is het bekendste visgerecht in het Amazonegebied. Uit Portugal is de *bacalhau* (kabeljauw) overgewaaid.

Zoetigheden

Als nagerecht hebben de Brazilianen de keuze uit vruchten, ijs, cake en zoetigheden. Vooral in Bahia en het Amazonegebied kun je kiezen uit een ongekende hoeveelheid vruchten en smaken. Mango (*manga*), passievrucht (*maracujá*), guave (*goiaba*), papaja (*mamão*), ananas (*abacaxí*), sinaasappel (*laranja*) en meloen (*melão*) kennen we natuurlijk al. Probeer ook de regionale vruchten eens, zoals *acerola*, met een kersachtige smaak of *cupuaçu*, de lekkerste vrucht in

ten na de maaltijd, of bij de koffie dan wel thee in de *confeitaria*.

Dorstlessers

Maak in Brazilië zeker van de gelegenheid gebruik om een gezonde en overheerlijke mix van verse vruchtensappen te drinken. Je kunt voor deze *suco* (sap) kiezen uit een twintigtal soorten fruit. De cocktail wordt klaargemaakt waar je bij staat, met of zonder suiker.

Het nationale drankje is *caipirinha*. Origineel bestaat dit uit rietsuikerlikeur, *cachaça*, vermengd met fijngestampte limoenen en veel suiker, ook wel aangeduid als *batida*. Het is een verraderlijk drankje, omdat het altijd naar meer

Magnífica, een van de betere soorten *cachaça*, op ambachtelijke wijze gemaakt

het Amazonegebied, die wordt gebruikt als basis voor shakes en vruchtendrankjes. En zo zijn er nog tientallen vruchten waar wij de vertaling niet eens van kennen.

In Bahia en Pernambuco zijn de *doces* (zoetigheden), vaak met kokos en caramel, om van te watertanden. In het zuiden is met de Europeanen de traditie van gebak meegekomen. Je kunt ervan genie-

smaakt en heel sterk is. In de barretjes van de volksbuurten en het binnenland wordt de cachaça puur gedronken. Er zijn honderden soorten, waarvan er inmiddels enkele worden geëxporteerd.

Kosmopolitisch

In de grote steden is er volop gelegenheid om gerechten uit de internationale keuken te proeven. Overal zijn Italiaanse,

Chinese, Franse en Japanse restaurants te vinden; in het zuiden ook veel Duitse en Zwitserse restaurants. Voor de snelle hap gaat de Braziliaan naar de *lanchonete*, een soort cafetaria of de *botequin*. Behalve een goedkope dagschotel is er een aantal standaard vlees- en visschotels te krijgen. Meestal is er een aparte balie waar je versgeperste vruchtensappen kunt halen.

Apart en voordelig is de *comida por kilo*, waar je bord met eten gewogen wordt, nadat je aan het buffet hebt opgeschept. Je betaalt dus naar het gewicht.

Behalve caipirinha wordt er in Brazilië vooral bier gedronken. *Chopp* is bier van de tap. De flesjes *cerveja* (bier in het Portugees) zijn iets smaakvoller. De bekendste merken zijn Brahma en Antartica (in het noorden).

Op het gebied van frisdranken is *guaraná* typisch Braziliaans; een zoetige koolzuurhoudende drank van water met vruchtensmaak op basis van de vrucht met dezelfde naam uit het Amazonegebied.

Drinken kan vanzelfsprekend in cafés, restaurants en op het terras, maar de Brazilianen doen het ook tussen de bedrijven door in de *boteco* of *botequin*. Dit is een kleine bar, met enkele krukken, waar je gedistilleerd, frisdrank, soms sap, een broodje en vooral *cafezinho* kunt krijgen. Dit laatste is een zeer sterk bakje koffie en is voor de Brazilianen als olie voor de motor. Je mag de suiker er zelf in doen, maar officieel moet cafezinho mierzoet en heet gedronken worden.

Geschiedenis en politiek

Brazilië neemt in Latijns-Amerika een aparte plaats in. Niet alleen door de omvang van het land maar vooral door de geschiedenis. In tegenstelling tot de meeste andere landen streken hier niet de Spanjaarden, maar de Portugezen neer. Opmerkelijk is de periode dat het Portugese vorstenhuis deze kolonie als vluchthaven gebruikte ten tijde van de napoleontische oorlogen in Europa. Het was zelfs de Portugese koning die de aanzet gaf tot de Braziliaanse onafhankelijkheid die, in tegenstelling met de bloedige en verwoestende veldslagen die in de buurlanden werden uitgevochten om van het Spaanse juk af te komen, geweldloos tot stand kwam.

De Braziliaanse politieke geschiedenis van deze eeuw vertoont meer gelijkenis met die in de rest van Latijns-Amerika. Er waren nationalistische en populistische leiders, met grootse toekomstvisioenen voor de natie. Donkere politieke tijden braken aan onder de militaire dictatuur. Maar net als de buurlanden kwam Brazilië toch weer in democratisch vaarwater, met een levendige oppositie en sterke media. Tegenwoordig kan de bevolking zich verkneukelen bij de talrijke corruptieschandalen waarbij politici betrokken zijn, een probleem dat in Latijns-Amerika onuitroeibaar lijkt.

PORTUGESE TIJD

Brazilië heeft niet de hoogstaande beschavingen gekend, die de Spaanse veroveraars in Mexico en de Andes aantroffen. Volgens schattingen bevolkten ten tijde van de inlijving bij Portugal zo'n 2,5 miljoen indianen dit immense grondgebied. Ze leefden in kleine groepen, voornamelijk in de kuststreek.

Cristoffel Columbus schonk Zuid-Amerika aan koningin Isabella van Spanje. Eén gebied uitgezonderd, namelijk dat wat voorbij de scheidslijn lag, die de paus in 1494 bij het Verdrag van Tordesillas had getrokken. Dat was voor Portugal.

Toen de Portugese zeevaarder Pedro Álvares Cabral in 1500 in het zuiden van de Atlantische Oceaan land ontdekte, kon hij dit daarom tot bezit van de Portugese kroon verklaren. Eerst werd het nieuwe land Santa Cruz gedoopt, later kreeg het de naam van het belangrijkste koloniale product dat er gevonden werd: *pau brasil*, brazielhout. Dit hout werd gebruikt

Vellen van brazielhout, gravure uit de 16de eeuw

In 1555 waagden de Fransen nog een poging om zich te vestigen in het gebied van het tegenwoordige Rio de Janeiro, maar na tien jaar werden ze er voorgoed door de Portugezen verdreven. In 1567 werd Rio de Janeiro gesticht.

Suikerkolonie

In de tweede helft van de 16de eeuw trokken Portugese kooplieden, avonturiers en jezuïeten in groten getale naar Brazilië. Vooral de laatsten trokken zich het lot van de indianen aan. De oorspronkelijke bewoners hadden het zwaar te verduren na de komst van de Portugezen. Niet alleen moesten ze als slaven op de suikerplantages werken en werden ze gedwongen diensten voor de kolonisten te verrichten, velen werden ook het slachtoffer van ziekten die door de Europeanen waren meegenomen. Alleen al in de periode tussen 1550 en 1570 kwamen tienduizenden indianen om door epidemieën en hongersnood.

bij het verven van stoffen en kwam tot op dat moment hoofdzakelijk uit Indië.

Er ging dertig jaar overheen voordat de Portugezen zich vast in Brazilië gevestigd hadden. Toen werd het kustgebied opgedeeld in vijftien *capitânias*. Deze enorm grote gebieden werden door de koning in beheer gegeven van Portugese edelen. Hij hoopte dat zij er suikerplantages zouden aanleggen, wat ten goede zou komen aan de schatkist. De twee belangrijkste capitânias waren Pernambuco in het noordoosten en São Vincente in het zuiden, op de plaats waar nu de staat São Paulo ligt.

Het systeem van de capitânias werkte niet. De nieuwe kolonie was lang niet zo populair als de veel rijkere Portugese bezittingen in Afrika en vooral Azië. De handvol kolonisten die de uitdaging wel aanging had de grootste moeite om de aanvallen van indianen, piraten en mogendheden als Frankrijk en Nederland af te slaan.

In 1549 nam de koning een volgende cruciale stap: Salvador, in het noordoosten, werd uitgeroepen tot hoofdstad en zetel van de nieuw benoemde koloniale regering. Daarmee verstevigde koning João III zijn greep op de nieuwe kolonie.

De jezuïeten vestigden de aandacht op de erbarmelijke omstandigheden waaronder de indianen moesten leven. Sommige missionarissen drongen aan op bescherming in plaats van onderwerping. Bij de missieposten bouwden ze schooltjes en ze hielpen de indianen zo veel mogelijk om aan de slavenhandelaren te ontkomen. Dat bracht de jezuïeten rechtstreeks in conflict met de koloniale machthebbers, totdat de Portugezen geschiktere arbeidskrachten hadden gevonden: Afrikanen.

Het begin van de 17de eeuw was de grote bloeitijd van de suikerproductie in Brazilië. De suikerplantages langs de noordoostkust voorzagen Europa via de thuishaven Lissabon van dit nieuwe luxeproduct. Zowel de plantage-eige-

Forte de Reis Magos, Natal, verdedigingswerk aan de noordoostkust

naren, de *fazendeiros*, als de handelaren in Brazilië en Portugal verdienden een fortuin aan de suiker. Het werk op de plantages en in de pakhuizen werd verricht door Afrikaanse slaven. Zij hielden er niets aan over, behalve mensonterende straffen als ze niet gehoorzaamden.

De welvarende kolonie kreeg te maken met verschillende aanvallen van andere Europese mogendheden. In 1624 vielen Hollandse schepen onder aanvoering van Piet Heyn de stad Salvador aan. Ze slaagden erin om de hoofdstad een jaar bezet te houden. Toen werden ze verdreven door de Portugezen.

In 1630 had een nieuwe Hollandse vloot in Pernambuco meer succes. Na de verovering kwamen Hollandse kolonisten en bestuurders over; vooral onder leiding van prins Johan Maurits van Nassau maakte dit gebied een ongekende bloeitijd door. Uiteindelijk werden de Hollanders ook hier, zij het pas in 1654, verdreven.

Goudkoorts

Toen de Europese concurrenten op de Caribische eilanden ook suikerplantages aanlegden, was het gedaan met het suikermonopolie van Portugal. Aan de grote bloeitijd van de suiker in Brazilië kwam daarmee een einde. Maar juist in die tijd werd een nieuwe bron van rijkdom gevonden.

Vanuit São Paulo waren troepen avonturiers, de *bandeirantes*, het binnenland gaan verkennen op zoek naar slaven en edelmetalen. Ze troffen al goudkorreltjes aan in de bedding van kleinere rivieren die uit het oerwoud kwamen. De grote ontdekking kwam eind 17de eeuw in het hoogland van Centraal-Brazilië. In het bergachtige gebied van het tegenwoordige Minas Gerais werden de tot dan toe grootste goudvoorraden ontdekt. Brazilië werd in één klap tot een zeer rijke en aantrekkelijke kolonie, en in de daaropvolgende periode de belangrijkste goudproducent ter wereld. De Braziliaanse productie van het fel begeerde edelmetaal overtrof de hoeveelheid goud die Spanje in de twee voorafgaande eeuwen uit zijn koloniën had gehaald.

NIEUW-HOLLAND

Johan Maurits vereeuwigd in Recife

Brazilianen willen nog wel eens met bewonde-ring praten over de 'Hollandse tijd'. Ze doelen dan op de periode 1630-1654, toen een groot deel van Noordoost-Brazilië in handen was van de Republiek. Johan Maurits heeft als geen ander zijn naam verbonden met die tijd. In februari 1630 namen Nederlandse troepen Olinda, de hoofdplaats van het suikergebied, en het iets zuidelijker gelegen dorpje Recife in. De Portugese troepen sloegen op de vlucht en beperkten zich de jaren die volgden tot guerrilla-acties.

De verdere verovering van het kustgebied verliep moeizaam door de hardnekkige te-genstand van de Portugezen. Versterkingen lieten lang op zich wachten en het moreel van de troepen werd ondermijnd door het bijna voortdurende gebrek aan voorraden. De verdediging van Olinda was een probleem op zich. De bebouwing was verspreid, zodat het moeilijk was er een verdedigingsmuur omheen te bouwen. De omliggende heuvels boden de aanvaller bovendien een tactisch voordeel. Besloten werd Olinda in brand te schieten en een nieuwe nederzetting bij Recife te bouwen. De landtong waarop Recife lag – de naam verwijst naar het recife (= rif) voor de kust – was veel beter te verdedigen.

Pas toen de Nederlanders het aangrenzende capitânia Paraíba hadden veroverd, werd het wat rustiger. Alleen de aanwezigheid van Portugese troepen aan de zuidkant (Salvador) zorgde voor een permanente dreiging. Op 23 januari 1637 kwam graaf Johan Maurits van Nassau met een fors leger aan als de nieuwe gouverneur in Pernambuco. Hij maakte gelijk naam door met een leger van 3000 man de nog resterende Portugese eenheden terug te dringen tot onder de Rio São Francisco. Om de zuid-grens te beschermen, liet hij bij Penedo, aan de monding van de rivier, fort Maurits bouwen.

Onder het bestuur van Johan Maurits kon de suikerproductie zich her-stellen. De Portugese planters kregen leningen om hun deels verwoeste bedrijven weer op te bouwen. Ook Nederlanders gingen zich met de sui-kerproductie bezighouden. Een enorme stimulans voor de economie van Pernambuco was het besluit van de West-Indische Compagnie (WIC) tot een vrijere handelspolitiek.

Recife kreeg nieuwe verdedigingswerken en raakte steeds verder volge-bouwd. Johan Maurits zocht uitbreiding op het ernaast gelegen eiland Antonio Vaz. Daar liet hij onder meer het paleis Vrijburg bouwen en een fraai park aanleggen. Om de oude en nieuwe delen met elkaar en met het vasteland te verbinden, kwamen er bruggen. Tijdens deze bloeitijd kreeg de stad de naam Mauritiopolis.

De gouverneur haalde kunstenaars en wetenschappers naar Pernambuco. Zo legde Frans Post het landschap vast in gravures en schilderijen. Johannes de Laet en Caspar Barlaes stelden de geschiedenis te boek en de Duitse geleerde Georg Marcgraf legde een belangrijke botanische en zoölogische verzameling aan. Het thuisfront, met voorop Constantijn Huygens en Joost van den Vondel, stak de loftrompet over de verrassend succesvolle Hollandse kolonie in Brazilië.

Met het vredesverdrag tussen de Republiek en Portugal (dat zijn handen vol had aan de opstand tegen Spanje) van 12 juni 1641 leek de toekomst van Nieuw-Holland veilig gesteld. Het besloeg de hele noordoosthoek van Brazilië. De Nederlanders bouwden forten in Paraíba (Frederiksstad), Natal en Fortaleza.

De vrede was voor de Heeren Negentien, het bestuur van de WIC, aanleiding de uitgaven in Brazilië terug te schroeven. Zij waren het toch al niet eens met de uitgaven die Johan Maurits deed aan de bouw van paleizen en bruggen. Zeker niet, gezien de tegenvallende opbrengsten uit de suikerkolonie.

Johan Maurits werd in mei 1644 naar huis teruggeroepen. Op dat moment rommelde het alweer in de kolonie, met name onder de Portugese bevolking. Die had zich diep in de schulden gestoken in de overtuiging dat de Nederlanders toch zouden worden verslagen. Die Nederlanders bleven echter langer dan verwacht en eisten terugbetaling van de leningen. Verder ergerden de Portugezen zich aan de zware belastingdruk, de tolgelden en de bemoeienis van de calvinistische predikanten met hun persoonlijke zielenheil.

Vanaf 1645 verloren de Nederlanders langzaam maar gestaag terrein. Forten, versterkingen en nederzettingen gingen verloren, plantages werden weer verwoest.

De genadeslag deelden de Portugese troepen uit in de slag bij Guararapes, ten zuidwesten van Recife, waar een 3500 man sterk Nederlands leger zich verkeek op de hitte en in de pan werd gehakt door de vijand.

Pogingen van de Staten-Generaal in de Republiek om de zaak diplomatiek met Portugal te regelen, liepen op niets uit. De Portugezen hadden hun zinnen gezet op de herovering van Noordoost-Brazilië. De Republiek had haar zeemacht dichter bij huis nodig, vanwege de Eerste Engelse Oorlog (1652). En zo gaven de Nederlandse bestuurders in januari 1654 de stad Recife zonder slag of stoot over, nadat een machtige Portugese oorlogsvloot bij de stad voor anker was gegaan.

Europeanen en indianen verzetten zich tegen Braziliaanse kannibalen, 16de-eeuwse gravure.

De goudkoorts dreef duizenden geluk-zoekers het binnenland in.

Het hart van de goudwinning was Ouro Preto, dat in 1711 stadsrechten kreeg en in 1750 al was uitgegroeid tot een voor die tijd grote stad met 80.000 inwoners.

Niet minder dan 300.000 Portugezen emigreerden in de loop van de 18de eeuw naar Brazilië. Gedurende dezelfde periode zijn minstens een miljoen ne-gerslaven uit Afrika aangevoerd, want zij waren immers de krachten waarop de goudmijnen dreven. De werkomstandig-heden in de mijnen en goudwasserijen waren nog slechter dan op de plantages. Zeer veel slaven stierven door honger en ziekte. Diegenen die wilden vluchten werden zonder mededogen gestraft. Zo kregen de slavendrijvers in Minas Gerais een vergoeding in goud in ruil voor de afgeslagen hoofden van slaven die had-den geprobeerd te vluchten.

De goudwinning in Minas Gerais bete-kende een definitieve verschuiving van het economische zwaartepunt van het noordoosten naar het zuidoosten. Het koloniale bestuur verplaatste ook het po-litieke centrum. In 1763 werd Rio de Ja-neiro, dat als haven van het mijngebied diende, de nieuwe hoofdstad van Bra-zilië.

Onafhankelijkheidsstrijd

Toen de goudkoorts in Minas Gerais aan het eind van de 18de eeuw terugliep, door uitputting van de mijnen, klonk juist in dit gebied de eerste roep om onafhanke-lijkheid. De onvrede over het Portugese gezag nam toe. In sommige steden kwam het tot openlijk verzet, zoals in 1789 in Ouro Preto. Onder leiding van de tand-arts José da Silva Xavier, in de volksmond Tiradentes (tandentrekker) genaamd, was er een opstand tegen een belasting-

Praça Tiradentes, het hoofdplein
in Ouro Preto, met het monument
ter ere van opstandelingenleider
Tiradentes

verhoging op goud. De koloniale autoriteiten lieten niet
met zich spotten. Tiradentes
werd opgehangen en in stukken gehakt, zijn sympathi-
santen gevangengezet of verbannen.
In tegenstelling tot wat er
in het Spaanstalige deel van
Zuid- en Midden-Amerika
gebeurde, zette de onaf-
hankelijkheidsbeweging in
Brazilië niet door. Tenminste
niet vanuit de Braziliaanse
samenleving. De beslissende
stap in die richting kwam
enkele decennia later van onverwachte zijde: van João VI.

Om te ontkomen aan de
schande van de onderwer-
ping door de troepen van Napoleon nam
het Portugese hof de wijk naar Brazilië.
Onder aanvoering van de prins-regent
João VI maakte het gezelschap van fami-
lieleden, hoge ambtenaren en hoogwaar-
digheidsbckleders de overtocht. De vloot
bestond uit meer dan vijftig schepen.
De koninklijke familie en gevolg kwamen
begin 1808 in de koloniale hoofdstad Rio
de Janeiro aan. Gedurende de jaren die
volgden onderging de stad een complete
gedaantewisseling. Er verschenen paleizen, bestuursgebouwen, concertzalen en
tuinen. In vijftien jaar tijd verdubbelde
de bevolking naar honderdduizend inwoners.

In 1821 ging koning João VI terug naar
Portugal. Voordat hij Brazilië verliet,
benoemde hij zijn zoon Pedro tot rege-

ringsleider. Pedro kreeg de opdracht om
de onafhankelijkheidsbeweging indien
nodig zelf te leiden om voor de koninklijke familie te behouden wat voor Portugal
verloren dreigde te gaan. Dat bleek een
sterke zet van de Portugese vorst, want
het Portugese parlement was de grotere
politieke en vooral economische vrijheid
die Brazilië in de tussentijd had gekregen
een doorn in het oog. De Portugezen wilden de klok het liefst terugdraaien naar
de koloniale dagen van weleer. Iets wat
voor de Brazilianen natuurlijk onaccep-
tabel was.
Op 7 september 1822 riep Pedro de onafhankelijkheid uit, staande aan de oever
van de Ipiranga. Na deze *Grito de Ipiranga*
(Schreeuw van Ipiranga) duurde het een
jaar voordat de Portugese troepen overal
in het land waren uitgeschakeld. De hele

Pedro II met brief van zijn vader. Daarna kondigt hij de onafhankelijkheid af.

ten strijde te trekken tegen het buurland Argentinië. De oorlog om Braziliës zuidelijke staat Cisplatina leefde absoluut niet bij de bevolking en was gezien de krachtsverhoudingen op dat moment onverantwoord. Brazilië verloor de strijd, die bovendien veel geld kostte. Uit Cisplatina ontstond een nieuwe natie: Uruguay.

In 1831 trad Pedro af. Zijn zoon Pedro II, op dat moment vijf jaar oud, erfde de troon. Tot Pedro II meerderjarig zou worden, werd het land geregeerd door regenten. Zij hadden geen antwoord op de brandende kwesties van dat moment, waardoor de onrust en instabiliteit groter werden. Oude vetes binnen de Braziliaanse elite werden openlijk beslecht, onderdelen van het leger rebelleerden en behalve in de steden braken er rellen uit op het platteland.

In verschillende delen van het land kwamen afscheidingsbewegingen op; Brazilië verkeerde op de rand van een burgeroorlog. Met name de Farroupilha-opstand in Rio Grande do Sul, die tien jaar aanhield, was hevig.

overgangsperiode was in vergelijking met de bloedige onafhankelijkheidsstrijd in de Spaanse koloniën opvallend vreedzaam. Minstens zo opvallend was de kroning van Pedro tot keizer van Brazilië.

KEIZERRIJK BRAZILIË

De eerste periode van het keizerrijk was verwarrend. Keizer Pedro liet zich meer en meer kennen als een zeer autoritair vorst. Eerst hield hij de vorming van een parlement tegen, daarna lag hij er voortdurend mee overhoop.

Onder de oppervlakte broeide de kwestie van de slavernij. Vooruitstrevende politici brachten de zaak ter discussie, aanvankelijk zonder succes. De welvaart werd te veel gedragen door de slaven.

Het einde van het bewind van Pedro werd ingeluid door diens beslissing om

In een poging de eenheid te herstellen werd in 1840 besloten de 15-jarige Pedro II tot keizer te kronen. De jonge vorst bleek over veel meer bestuurstalent te beschikken dan zijn vader. Hij bond de Braziliaanse elite aan zich door tactische benoemingen en smeedde weer eenheid binnen de strijdkrachten. Daardoor kon-

KOFFIE ALS SPLIJTZWAM

Na de suiker in het noordoosten en het goud in Minas Gerais zorgde de koffie halverwege de 19de eeuw voor de economische doorbraak van de staten Rio de Janeiro en São Paulo.
Koffie was in Europa en de Verenigde Staten een gewild product geworden. De Braziliaanse grootgrondbezitters, de fazendeiros, en handelaren haakten daar onmiddellijk op in. Eerst kwam de koffieproductie in de staat Rio de Janeiro tot bloei en iets later in de staat São Paulo. Langzaam maar zeker verdreef het nieuwe exportproduct suiker van de eerste plaats. Halverwege de 19de eeuw kwam de helft van de Braziliaanse uitvoer al voor rekening van de koffie.

De koffieproductie zette enorme ontwikkelingen op sociaal en politiek gebied in gang. De betekenis van de steden in het zuidoosten, met name Rio en São Paulo, begon toe te nemen. Het besef dat het tijd was om de economie te moderniseren won snel veld. Er werd geïnvesteerd in nieuwe wegen en spoorwegen, betere wetgeving en nieuwe instellingen als banken. De traditionele productiewijze gebaseerd op slavenarbeid kwam onder druk te staan. Er gingen in liberale kringen meer en meer stemmen op om de slaven te vervangen door betaalde arbeiders. Keizer Pedro II zag het belang daarvan in, maar slaagde er niet in de fazendeiros te overtuigen. Totdat er in 1850 door toedoen van Groot-Brittannië een einde aan de slavenhandel kwam. Daarmee raakte de plantagesamenleving in Brazilië geleidelijk in ontbinding. Het aantal slaven liep snel terug, de onrust en onzekerheid namen toe. De conservatieve planterselite hield krampachtig vast aan de slavernij, maar kon uiteindelijk niets anders doen dan de slaven vrijlaten. Op 13 mei 1888 kondigde kroonprinses Isabella officieel de afschaffing van de slavernij af.

Koffiefazenda in de Vale do Café bij Vassouras in de staat Rio de Janeiro

CANUDOS

Tussen vaten en zakken gedoken, naar links en rechts spiedend, krijgt hij er langzamerhand een idee van wat er aan de hand is op het vierkante plein tussen de kerken en het heiligdom. De barricade die nog maar net twee dagen geleden achter het kerkhof is opgeworpen en die de kerk van San Antonio beschermde, is gevallen en de honden zijn de huizen in de Santa Inés-straat, die grenst aan de kerk, binnengegaan, gaan er nog steeds naar binnen. Uit de Santa Inés-straat komen de mensen die in de tempel willen schuilen, oude mannen en vrouwen, vrouwen met zuigelingen in hun armen, op hun schouders, tegen hun borst gedrukt. Maar in de stad zijn veel mensen die nog weerstand bieden. Tegenover hem, vanaf de torens en de steigers van de tempel van Onze-Lieve-Heer, komen achter elkaar geweersalvo's en de Leeuw van Natuba [de chroniqueur van de Raadgever] kan de vonken zien waarmee de yagunzos [oorspronkelijk: opstandeling, later uitgebreid tot bewoner van de sertão] kruit in hun musketten aansteken, de schokken wanneer er gaten worden geschoten in stenen, dakpannen, hout, in alles om hem heen. João de Abt kwam, toen hij hen had gewaarschuwd om weg te gaan, zeker ook tegelijk de mannen van de katholieke garde van het heiligdom ophalen en nu zijn ze zeker allemaal aan het vechten in de Santa Inés-straat, of bezig een nieuwe barricade te maken, de cirkel waarover de Raadgever had gesproken – en wat had hij gelijk gehad – nog wat meer sluitend.
Waar zijn de soldaten, waar zal hij de soldaten vandaan zien komen? Hoe

den de opstanden worden neergeslagen en keerde de rust terug.

Pedro II zorgde ervoor dat het staatsgezag in die onrustige 19de eeuw vaste grond onder de voeten kreeg. Dit en de nieuwe patriottische stemming in het land vormden in de periode 1851–1870 de aanleiding tot drie oorlogen met de zuiderburen Uruguay, Argentinië en Paraguay. De laatste was de bloedigste. Paraguay werd uiteindelijk na zes jaar oorlog verslagen. Brazilië verloor de helft van de mannelijke bevolking, maar kreeg er een groot grondgebied bij.

DE OUDE REPUBLIEK

Met de afschaffing van de slavernij was de populariteit van de keizerlijke regering onder het gewone volk enorm gestegen.

De stemming onder de fazendeiros was heel anders. Zij voelden zich bedrogen en benadeeld, omdat ze geen schadevergoeding voor het verlies van hun investeringen kregen. De keizer kwam bovendien door zijn vermeende banden met de vrijmetselarij in aanvaring met de kerkelijke autoriteiten in Brazilië.

De dagen van het keizerrijk waren definitief geteld toen de militairen politieke ambities kregen. Hun zelfvertrouwen was gegroeid door de oorlogen en de officieren zagen zichzelf als verlichte voorhoede bij de verdere modernisering van hun vaderland.

Op 15 november 1889 werd het pleit beslecht. Een kleine groep officieren uit leger en marine nam zonder bloedvergieten de macht over. Brazilië werd uit-

laat in de ochtend of de middag is het? Het stof en de rook die steeds dikker worden, irriteren zijn keel en zijn ogen en hij haalt moeilijk en kuchend adem.
'En de Raadgever, en de Raadgever?' hoort hij bijna in zijn oor zeggen. 'Is het waar dat hij naar de hemel is gegaan, dat de engelen hem hebben meegenomen?'
In het rimpelige gezicht van het oude vrouwtje dat op de grond ligt, is maar één tand en haar ogen zitten vol vuil. Ze ziet er niet gewond uit, maar uitgeput.
'Ja,' zegt de Leeuw van Natuba knikkend, terwijl hij glashelder beseft dat dit het beste is dat hij nu voor haar kan doen. 'De engelen hebben hem meegenomen.'

Fragment uit de roman *La guerra del fin del mundo* (1981; Ned. vert.: *De oorlog van het einde van de wereld*, 1984), waarin de Peruaanse schrijver Mario Vargas Llosa de krankzinnige gruweloorlog beschrijft in Canudos aan het eind van de 19de eeuw. Op het moment dat de jonge Braziliaanse republiek zich tracht te consolideren, duikt in de sertão een Messiaanse figuur op, Antonio Conselheiro (de Raadgever), die een duistere mengelmoes van christelijke zedenleer en apocalyptische visioenen predikt en weigert het gezag van de republiek te erkennen. Tijdens de oorlog vallen er tegen de 30.000 doden.

geroepen tot republiek en de keizer werd op de boot naar Europa gezet.

In de vlag van de nieuwe republiek kwam *Ordem e Progreso* (Orde en Vooruitgang) te staan. De modernisering van Brazilië verliep echter veel minder voorspoedig dan de nieuwe regering had gedacht.

Het leger was voorstander van een sterk centraal gezag en een nationalistisch getint economisch beleid. De eerste presidenten, maarschalk Deodoro da Fonseca en maarschalk Floriano Peixoto, lagen voortdurend overhoop met het congres. Daarin hadden de fazendeiros en koffiehandelaren de macht. Zij waren voor een liberaler en gedecentraliseerd bestuur. De gezagscrisis was zeker niet bevorderlijk voor de rust en orde in Brazilië. In verschillende delen van het land braken opstanden uit. Zo kwamen in Rio Grande do Sul legereenheden in opstand. De inzet van de strijd was het behoud van de regionale onafhankelijkheid. Pas na twee jaar slaagde het nationale leger erin de opstandelingen te verslaan.

Grote veranderingen

De periode rond de eeuwwisseling was een tijd van grote maatschappelijke veranderingen in het zuidoosten van Brazilië.

De afschaffing van de slavernij, de komst van de immigranten en de opkomst van industrie en steden hadden ingrijpende gevolgen voor de sociale verhoudingen. De traditionele en vaak hechte band tussen de fazendeiro en zijn slaven maakte plaats voor de veel onpersoonlijker relatie van baas en arbeider. Er kwamen nieuwe politieke partijen en vakbonden. Meer dan twee miljoen immigranten vestigden zich in de periode tussen 1890 en 1930 in de staat São Paulo. Er kwamen vooral Italianen, Spanjaarden en Portugezen, maar ook Japanners.

Ze namen traditions en nieuwe ideeën mee. Ze zorgden enerzijds voor het ontstaan van een multiculturele samenleving, anderzijds waren ze de pioniers bij de industrialisatie.

De steden groeiden enorm snel en ondergingen als gevolg van de snelle groei een metamorfose. Want niet alleen vanuit Europa en Japan kwamen immigranten naar de steden, ook vanuit het binnenland kwam de trek naar de stad op gang. Prompt ontstond er een scherpe scheiding van rijk en arm in de stedelijke samenleving. Terwijl de armsten de eerste favelas bouwden op de heuvelhellingen, trokken de welgestelden weg van het stadsgewoel.

De welvaart in het zuidoosten zette de rest van Brazilië op grote achterstand. De rubberproductie in het Amazonegebied was daarvan een uitzondering. Toch werd de rijkdom, waaraan Manaus z'n opkomst dankte, nauwelijks in het gebied zelf geïnvesteerd.

Het overgrote deel van het ontgonnen binnenland van Brazilië bleef verstoken van de vooruitgang. Het noordoosten, ooit het hart van de koloniale economie, was volledig in verval geraakt.

De situatie in het sterk verarmde en verdroogde binnenland, de *sertão*, was schrijnend. *Fazendas* lagen er verlaten bij. Velen trokken naar de steden aan de kust of naar het zuiden. Diegenen die bleven, waren ten prooi aan het grillige klimaat en de toenemende onveiligheid door rondreizende bendes.

Tegen die achtergrond kwam in de jaren tachtig van de vorige eeuw een heel opmerkelijke volksbeweging op onder aanvoering van de rondtrekkende wonderdoener Antônio o Conselheiro (de Raadgever). In het plaatsje Canudos, een verlaten fazenda in de staat Bahia, vormde O Conselheiro een gemeenschap van enkele tienduizenden ontheemden en vertrapten. Ze vereerden en volgden hun leider, die opriep tot verzet tegen de grootgrondbezitters en de overheid, als een heilige. De federale regering zag de activiteiten in Canudos als een poging tot afscheiding en ging in de tegenaanval. Er waren vier legerexpedities voor nodig om Canudos te veroveren. Dat gebeurde ten slotte in 1897 in een zeer bloedige veldslag.

Ook in het diepe zuiden, de staten Paraná en Santa Catarina, ontstond een volksopstand. Bijna 20.000 boeren kwamen in het geweer tegen de plannen voor een spoorlijn door hun gebied. De *Guerra do Contestado* duurde vier jaar (1912–1916) en kon pas met het inzetten van modern wapentuig, zoals vliegtuigen, door het regeringsleger worden gewonnen.

Na de beurskrach van 1929 in New York stortte de koffiehandel in. De gevolgen voor Brazilië waren rampzalig. De prijzen op de wereldmarkt kelderden enorm, de kredietverlening werd stopgezet en het economisch beleid ging de mist in. Onder leiding van ene Getúlio Vargas kwam er een breed oppositiefront tegen de regering. In oktober 1930 pleegde het leger een coup en Getúlio Vargas werd geïnstalleerd als hoofd van de voorlopige regering. Dat was het einde van de Oude Republiek.

VARGAS EN DE 'NIEUWE STAAT'

Getúlio Vargas veranderde in de periode die volgde vooral de stijl van de politiek in Brazilië. Hij was een ervaren en slim politicus, speelde de verschillende politieke belangen handig tegen elkaar uit en altijd in zijn eigen voordeel. Vargas brak met het politieke spel in de Oude

Getúlio Vargas

Republiek en zocht zijn populariteit vooral onder de snel groeiende arbeidersklasse in de steden. Hij behoorde tot een generatie nieuwe politieke leiders in Europa en Latijns-Amerika, die stonden voor autoritair gezag en nationalistische politiek.

Meteen al werd de federale overheid aanzienlijk versterkt. Vargas was fel tegen de autonomie van de staten, die volgens hem de politieke en industriële ontwikkeling van Brazilië in de weg stond. Om orde op zaken te stellen stuurde hij het Congres naar huis in afwachting van een nieuwe grondwet. Met een actief sociaal beleid wilde hij de levensomstandigheden van de arbeiders verbeteren. Er kwam uitgebreide arbeidswetgeving, waarin onder andere een minimumloon, een betaalde vakantie en de ziektekostenverzekering werden geregeld.

Bij de verkiezingen voor een nieuw grondwetgevend Congres in 1933 bleek hoezeer de machtsverhoudingen waren verschoven. De verruiming van het kiesrecht, de minimumleeftijd was verlaagd naar achttien jaar en ook vrouwen mochten stemmen, garandeerde een grote overwinning voor Vargas' politiek.

In 1934 kon de nieuwe grondwet worden gepresenteerd. Vargas werd door het Congres officieel gekozen tot president met een ambtstermijn van vier jaar. De president was niet herkiesbaar.

Hoewel de democratie nu was hersteld, trok de president in de jaren die volgden meer en meer macht naar zich toe. Een deel van het Congres bestond uit vertegenwoordigers van corporatieve organisaties, zoals vakbonden en werkgeversverenigingen, een idee dat was overgewaaid uit Europa en met name Italië, waar Mussolini op eenzelfde wijze de politiek hervormde. Vargas vond dat de corporaties een betere afspiegeling vormden van de samenleving dan de decadente en corrupte politieke partijen.

In 1937 ontbond de president het Congres, stelde de grondwet buiten werking en annuleerde de verkiezingen.

Dictatuur

Vargas kon nu ongestoord doorgaan met het realiseren van zijn politieke idee: de modernisering van het land op basis van een sterk centraal gezag. Brazilië werd o Estado Novo, de Nieuwe Staat. De deelstaten kwamen nog sterker onder het gezag van de federale overheid te staan. De invloed van de staat op de economie nam verder toe. Speerpunt van het economische beleid was de industrialisatie. Met hoge invoertarieven werd de Braziliaanse industrie gestimuleerd om te produceren voor de nationale markt. In een aantal strategische bedrijfstakken werden staatsondernemingen opgericht. Een strakke organisatie van de arbeidersklasse zorgde voor de nodige politieke en sociale rust.

De politie en het leger kregen speciale volmachten om af te rekenen met de critici van het bewind. Politieke opponenten, intellectuelen en vakbondsleiders verdwenen achter de tralies van gevangenissen of in concentratiekampen.

Tijdens de Tweede Wereldoorlog demonstreerde Getúlio Vargas zijn opportunisme door de zijde van de geallieerden te kiezen. Hij deed dat pas toen de Duitse opmars in de Sovjet-Unie tot staan was gebracht en een Duitse overwinning onwaarschijnlijk werd.

Brazilië verstevigde de banden met de Verenigde Staten en verklaarde in 1942 zelfs de oorlog aan de asmogendheden. Een opmerkelijke stap: Vargas die dweepte met de fascistische opvattingen uit afkeer van de verderfelijke westerse politieke moraal was in het democratische kamp terecht gekomen. Hij zou nog een stap verder gaan. Met een expeditieleger van 25.000 soldaten nam Brazilië zelfs direct deel aan de invasie in Zuid-Italië. Daarmee was dit het enige Latijns-Amerikaanse land dat meevocht in Europa.

DE TWEEDE REPUBLIEK

De nederlaag van het fascisme in Europa luidde het begin van het einde van Vargas' Nieuwe Staat in. In eigen land groeide de oppositie tegen het autoritaire politieke bewind en vooral tegen de repressie. De *anti-getulistas* verzamelden zich in de UDN, Nationale Democratische Unie. De aanhangers van Vargas organiseerden zich in de PTB, de Braziliaanse Arbeiderspartij.

In oktober 1945 dwong het leger Vargas tot aftreden, omdat hij probeerde de arbeiders te mobiliseren en een socialis-

tisch-communistisch volksfront van de grond te krijgen. Daarmee was de Estado Novo verleden tijd maar Vargas' politieke loopbaan niet.

De verkiezingen van 1950 brachten hem opnieuw aan de macht. De man bleek nog altijd immens populair onder het gewone volk. Hij had het corporatisme afgezworen, maar zette zijn nationalistische beleid voort. In deze periode werden belangrijke staatsinstellingen als de Nationale Economische Ontwikkelingsbank (BNDE) en de staatsoliemaatschappij Petrobrás opgericht. De BNDE werd de spil van het industrialisatiebeleid en stimuleerde allerlei projecten ter verbetering van de infrastructuur, een essentiële voorwaarde voor een sterke economie.

Onder druk van het slechte economische tij ging Vargas een steeds nationalistischer koers varen. Hij stelde de buitenlandse bedrijven verantwoordelijk voor de prijsstijgingen en andere problemen. In financiële kringen en bij de legertop maakte men zich ongerust over de mensen waarmee Vargas zich omringde. Grootste bron van zorg was de minister van Arbeid, João Goulart, door z'n aanhangers Jango genoemd. Deze stond bekend als een uitgesproken populist met communistische sympathieën.

Vargas werd steeds vaker beschimpt in de media, die vooral de corruptie van de regering aan de kaak stelden. De druk om af te treden nam toe. Op 23 augustus 1954 schoot Getúlio Vargas zichzelf dood in zijn werkkamer. In een afscheidsbrief schreef hij zijn leven te hebben gegeven voor de arbeiders.

Kubitschek

De plotselinge dood van Vargas liet een enorm vacuüm achter in de Braziliaanse politieke arena. De conservatieven waren bang dat de golf van sympathie voor Vargas die het land na zijn dood over-

BRASÍLIA

Het paradepaardje van Kubitscheks regeringsperiode was de bouw van de nieuwe hoofdstad Brasília in het centrum van het land. Dit huzaren-stukje zou de definitieve aanzet moeten zijn voor de ontsluiting van het binnenland. Brasília werd in een razend tempo uit de grond gestampt door een team van modernistische architecten en stedenbouwers onder leiding van architect Oscar Niemeyer. In 1960, vlak voor het eind van zijn ambtstermijn, kon Kubitschek de nieuwe hoofdstad officieel openen.

Brasília, de nieuwe hoofdstad, als symbool voor een nieuwe tijd

spoelde, in het voordeel van de PSD en de PTB zou werken. Wat zij vreesden gebeurde: het koppel Juscelino Kubitschek (PSD) en João Goulart (PTB) won de verkiezingen.

Geruchten over een coup door ontevreden militairen en delen van de UDN deden de ronde. President Kubitschek slaagde er echter in de politieke confrontatie naar de achtergrond te drukken door een succesvol economisch beleid. Met veel elan presenteerde hij een programma voor de modernisering van het land. 'Vijftig jaar in vijf' was zijn motto. Tijdens zijn regeerperiode moest Brazilië een groei doormaken waar moderne Europese naties 50 jaar over hadden gedaan. De overheidssector speelde daarbij een cruciale rol. Kubitschek haalde voor enkele strategische sectoren buitenlandse bedrijven binnen. De auto-industrie zou een belangrijke motor voor de verdere economische ontwikkeling zijn. Tegelijk werden omvangrijke projecten gestart om de infrastructuur in het binnenland grondig te verbeteren.

Politieke onrust

De opvolger van Kubitschek als president werd de UDN-kandidaat Jânio Quadros. Maar omdat de kiezers hun keuze voor president en vicepresident konden splitsen, kreeg hij een onverwachte vicepresident: João Goulart van de linkse PTB. Toch vertrouwden de conservatieven en de top van de strijdkrachten op Quadros. Het vertrouwen was van korte duur. De president kon de druk van het ambt niet aan. Om nooit opgehelderde redenen trad Quadros in augustus 1961 af. João Goulart werd de nieuwe president, tot grote schrik van de legertop. Het pleitte niet voor hem

BESTUUR

Brazilië is een federale republiek met 27 deelstaten. Staatshoofd is de president, die sinds 1989 weer rechtstreeks gekozen wordt door de bevolking. De wetgevende macht, het *Congresso Federal*, bestaat uit een *Câmara dos Deputados* (Huis van Afgevaardigden) en een *Senado* (Senaat). De federale regering zetelt in *Brasília Distrito Federal* (DF). In de deelstaten staat de gouverneur aan het hoofd van het bestuur; hij wordt ook rechtstreeks gekozen. De volksvertegenwoordiging zetelt daar in de *Assembleia*. Het laagste bestuurlijke niveau zijn de *municípios*, met een gekozen burgemeester en gemeenteraad.

De deelstaten hebben verregaande bevoegdheden op een groot aantal terreinen, waaronder wetgeving, onderwijs, verkeer en vervoer, huisvesting en bedrijfsinvesteringen. Maar op economisch en financieel gebied liggen de grootste bevoegdheden bij de federale regering. Zo wordt het grootste deel van de belasting door de federale overheid geïnd. De grote investeringsprogramma's worden ook centraal vanuit Brasília geleid. Verder heeft de federale regering taken op het gebied van justitie, onderwijs, de buitenlandse politiek en defensie. De basis voor die sterke federale regering is gelegd tijdens het totalitaire bewind in de jaren dertig en veertig.

dat hij op het moment van Quadros' aftreden in China op bezoek was.

Intussen broeide de sociale onrust. Radicale vakbonden manifesteerden zich steeds sterker en de overkoepelende vakbondsorganisatie CGT (*Comando Geral dos Trabalhadores*) werd opgericht. Op het platteland, vooral in het noordoosten, kwamen boerenorganisaties op. In de voorhoede bevond zich de *Liga Camponesa* (Boerenliga), die de boeren opriep zich te verzetten tegen de onrechtvaardige verdeling van het land.

Goulart wilde de economie stabiliseren en sociale hervormingen doorvoeren. Hij zette in op een voorzichtige landhervorming, waarbij de fazendeiros een ruime schadevergoeding kregen voor het land dat zij zouden afstaan.

De hervormingen werden tegengehouden door het Congres. Ook het economische programma liep stuk op de politieke belangenstrijd. De polarisatie in de samenleving nam toe. Aan de ene kant stonden de arbeiders- en boerenbonden, aan de andere kant stonden de conservatieven en de legertop. Door de internationale situatie (Cuba-crisis en de Koude Oorlog) kwamen de verhoudingen steeds meer onder druk. Toen er onder de lagere officieren ook al onrust uitbrak, was voor de militairen de maat vol. Brazilië gleed in hun ogen af naar een revolutie. Zelfs de regering van de Verenigde Staten werd zenuwachtig, want men voorzag dat Brazilië na Cuba het volgende land met een communistische machtsgreep zou zijn.

Een massale steunbetoging voor de president op 13 maart 1964 in Rio de Janeiro bezegelde het lot van Goulart en de Braziliaanse democratie voor dat moment. Tegen het eind van de maand kwamen de eerste troepen in opstand tegen

POLITIEKE TERREUR

De periode 1968-1974 heeft twee verschillende gezichten: enerzijds de politieke terreur, de stadsguerrilla en de doodseskaders en anderzijds de fabelachtige economische groei.

Direct na de blokkade van de democratische weg kozen radicale studenten en politici voor de gewapende weg. Met een aantal spectaculaire ontvoeringen van westerse ambassadeurs vestigden ze de aandacht van de wereld op de politieke situatie in Brazilië. Het regime sloeg keihard terug. De repressie nam voor Brazilië ongekende vormen aan. Het was de tijd van de nationale veiligheidsideologie in Latijns-Amerika. Onder het mom van *'de vijand is onder ons'* (lees: communistische vijand) moest alles wat 'links' was, worden uitgeschakeld. Als verlengstuk van het regime opereerden de doodseskaders. Net als Chili, Argentinië en Uruguay kreeg Brazilië te maken met politieke verdwijningen en vermisten.

Daarentegen kon de euforie op economisch gebied niet op. Tijdens het bewind van generaal Emilio Medici (1969-1974) groeide de economie met een gemiddelde van 11 procent per jaar. De architect van dit *Milagro Econômico* (Economisch Wonder) was de minister van Economische Zaken Delfim Neto. Zijn recept was: stimulering van de binnenlandse vraag, uitbreiding van de export en het aantrekken van buitenlandse investeerders. Er kwam een indrukwekkend plan voor het openleggen van het Amazonegebied.

De keerzijde van de medaille was dat de sociale tegenstellingen toenamen. In de landbouw verloren tienduizenden kleine boeren hun grond als gevolg van speculatie en schaalvergroting. De sloppenwijken van de grote steden zwollen aan.

Maar dit waren voor het militaire bewind, de bovenlaag en de hogere middenklasse slechts kleine smetten op het succes.

Brazilië was op weg een economische grootmacht te worden. Op alle mogelijke manieren werd die boodschap uitgedragen, in het bijzonder via het nieuwe massamedium de televisie.

de regering, korte tijd later gevolgd door alle andere legeronderdelen. Amerikaanse oorlogsschepen hielden vanuit de Baai van Rio de Janeiro een oogje in het zeil. Op 4 april vluchtte Goulart naar Uruguay.

DE MILITAIREN

Met de staatsgreep van 1964 brak voor Brazilië een nieuwe periode aan. De militairen wilden orde op zaken stellen in de politiek en de economie. Allereerst werden linkse leiders opgepakt en progressieve organisaties ontmanteld. Een uiterst strak programma van bezuinigingen moest de inflatie terugdringen en de economie weer in het goede spoor brengen. Groot was de teleurstelling onder de militairen daarom toen bij lokale en deel-

Illegale landbezettingen door arme Brazilianen vinden dagelijks plaats.

staatverkiezingen bleek dat de bevolking toch de voorkeur gaf aan hun politieke opponenten. De volgende stap van het regime was daardoor snel gezet. Per decreet werden de directe presidentsverkiezingen afgeschaft. De bestaande politieke partijen werden ontbonden. Een kiescollege van met de strijdkrachten sympathiserende leden uit het Congres zou in het vervolg de president kiezen. Dat Congres zou nog maar bestaan uit twee partijen: de regeringspartij ARENA (*Aliança Nacional Renovadora*; Alliantie voor Nationale Vernieuwing) en de gelegaliseerde oppositiepartij MDB (*Movimento Democrático Brasileiro*; Braziliaanse Democratische Beweging).

Maar de rol van het 'lastige' Congres was nog niet uitgespeeld. Het jaar 1968 was evenals in veel andere landen in Brazilië een protestjaar. De studenten roerden zich en er braken wilde stakingen uit in de industrie. In de katholieke Kerk kozen priesters en pastoraal werkers de kant van de boeren en arbeiders. Zij werden daartoe geïnspireerd door het congres van de Latijns-Amerikaanse bisschoppen in de Colombiaanse stad Medellín.

Binnen het Congres durfde een aantal parlementariërs van de MDB het aan om te protesteren tegen de mensenrechtensituatie.

Eind 1968 deden de militairen het laatste lichtje van de democratie uit. Het Congres werd ontbonden en de pers onder volledige censuur geplaatst.

Ontspanning

Toen generaal Ernesto Geisel het roer in 1974 overnam, was het economisch wonder grotendeels uitgewerkt. De groei liep terug en de gevolgen van de oliecrisis troffen het oliearme Brazilië. Maar de militairen hadden de smaak te pakken. De modernisering moest en zou doorgaan. Door de oliecrisis was er een extra reden om te investeren in het gigantische energieprogramma. Het benodigde kapitaal werd in het buitenland geleend, bij particuliere banken en bij grote internationale instellingen.

Geisel was een gematigd militair en zag de noodzaak in van (voorzichtige) politieke ontspanning. In 1974 mochten de Brazilianen weer een Congres kiezen. De ARENA won, maar met veel minder overmacht dan de regering verwacht had.

In de samenleving waren het vooral de kerkelijke basisgemeenschappen, die de sociale organisatie van de armsten op zich namen. In de sloppenwijken van de grote steden en op het platteland speelden duizenden conflicten om het eigendom van de grond. Stadsbewoners en boeren die in het verleden grond in bezit hadden genomen, kregen juist in deze tijd weer te maken met eigenaren die hun recht op het land deden gelden. Grond was handelswaar geworden, waarbij de zwaksten aan het kortste eind trokken. Steeds vaker verdreven politie en leger de 'illegale' bewoners. Vanuit de basisgemeenschappen werden de betrokkenen in hun strijd gesteund met organisatie, advies en soms geld.

Moordpartijen waren aan de orde van de dag, zelfs priesters moesten voor hun leven vrezen. Toch durfde president Geisel het niet aan om de basisgemeenschappen radicaal aan te pakken.

Onder het bewind van generaal João Figueiredo (1979–1984) werd de *abertura* (opening) definitief. Hij kondigde amnestie af voor al diegenen die hun politieke rechten hadden verloren. Politieke gevangenen kwamen vrij, ballingen keerden terug, maar tegelijkertijd werden de folteraars van rechtsvervolging vrijgesproken. Het verbod op politieke partijen werd opgeheven en in 1982 kon de bevolking voor het eerst sinds 1964 in vrijheid burgemeesters, gouverneurs en een deel van het Congres kiezen.

De verkiezingsroes werd echter overschaduwd door de schuldencrisis waar het land in verzeild raakte. Latijns-Amerika werd voor de internationale geldschieters besmet gebied, omdat veel landen door de torenhoge schuldenlast in de problemen waren gekomen. Mexico kondigde als eerste land een moratorium op de betaling van de schulden af. Brazilië kon de afbetaling en rentelast ook niet meer dragen en moest aankloppen bij het Internationaal Monetair Fonds (IMF).

Het aanpassingsprogramma dat werd opgelegd om nieuwe leningen te krijgen eiste grote offers van de samenleving, maar gaf uiteindelijk het laatste zetje in de richting van de volledige democratie.

NIEUWE LEIDERS

In de aanloop naar de verkiezingen in 1982 veranderden partijen van naam en andere werden heropgericht. De regeringspartij ARENA werd omgedoopt tot Partido Democratico Social (PDS). Uit de vaste oppositiepartij van de militairen, de MDB, werd de Partido do Movimento Democrático Brasileiro (PMDB) gevormd. Deze bestond uit een breed spectrum van politieke groeperingen die tijdens het militaire regime oppositie hadden gevoerd. Aan de linkerzijde kwamen drie belangrijke partijen op. De Partido Democrático Trabalhista (PDT) stond onder leiding van Leonel Brizola. Ook de PTB, de Arbeiderspartij uit de tijd van Vargas, werd weer nieuw leven ingeblazen. En een nieuwe linkse partij, voortgekomen uit de sterke vakbeweging in en rond São Paulo, was de Partido dos Trabalhadores (PT) geleid door Luís Inacio da Silva, Lula.

COLLORGATE

Er is geen kwestie die de afgelopen halve eeuw in Brazilië zoveel stof heeft doen opwaaien als die rond president Fernando Collor de Mello. Maandenlang was het corruptieschandaal Collorgate voorpaginanieuws en uiteindelijk legde de president het af tegen de macht van de media en het volk. Voor het eerst in de geschiedenis van Brazilië en Latijns-Amerika werd een president op een democratische manier naar huis gestuurd.

Het begon zo hoopvol. Fernando Collor was de eerste rechtstreeks gekozen president sinds de coup van 1964. Na een nek-aan-nekrace met Lula, de kandidaat van links, won hij de tweede ronde van de presidentsverkiezingen op 17 december 1989.

Collor was aantrekkelijk en jong (39 jaar) en stond bekend als bestrijder van de corruptie.

Met zijn kleine partij, de *Partido Renovação Nacional* (Partij van Nationale Vernieuwing), wilde hij een eind maken aan inflatie, bureaucratie en corruptie. Collor achtte zich boven wetten en kritiek verheven en richtte zich via de televisie tot het volk. Hij sprak ze toe met *minha gente* (mijn mensen) en vertelde over wat hij wilde doen om hun positie te verbeteren. Tussen neus en lippen door was zijn ergernis over het lastige Congres te horen.

De Brazilianen pikten de mooie woorden niet meer toen de geruchten over corruptie in de kringen rond de president toenamen. Steeds weer doken nieuwe schandalen op, waaruit bleek dat Collors ministers niet immuun waren voor de verleidingen van het geld.

Toen de schandalen ook zijn vrouw en hemzelf betroffen, was zijn lot bezegeld. De doodsteek waren de onthullingen van Collors broer Fernando over corruptie tijdens de verkiezingscampagne.

Na onderzoek door een congrescommissie werd een immens corruptienetwerk blootgelegd.

Lang heeft Collor volgehouden dat hij er niets vanaf wist. Dit werd steeds ongeloofwaardiger naarmate er meer bewijzen boven tafel kwamen, zoals een huishoudpotje van een half miljoen dollar per maand voor de Collors en de 2,5 miljoen dollar voor de aanleg van de tuin van de president.

Opnieuw gingen de massa's de straat op. *Fora Collor* (Weg met Collor) was nu de slogan. Op televisie, in de weekbladen en kranten was er nog maar één onderwerp: Collorgate. Uiteindelijk werd de president door het Congres afgezet.

DE NIEUWE REPUBLIEK

De nieuwe politieke oppositie, de vakbondsorganisaties en de basisgemeen- schappen in de Kerk waren in de jaren tachtig vitale democratische krachten in de samenleving. Iedereen had het gevoel dat

CLIËNTELISME, VRIENDJESPOLITIEK

De man die Brazilië beloofde te bevrijden van de corruptie, ging er zelf aan ten onder. Voor de zoveelste keer kwam een president in de problemen. In de laatste vijftig jaar levert dat het volgende rijtje op: Getúlio Vargas pleegde zelfmoord, Jânio Quadros hield er plotseling mee op, João Goulart werd opzij geschoven en Tancredo Neves legde het loodje. En nu Collor. 'Zou het ooit nog goed komen met Brazilië?' was een vraag die in veel mediacommentaren na de val van de president te vinden was. Het eeuwige regelen lijkt in dit land moeilijk uit te bannen. Het is een onderdeel van de cultuur. Sommigen zeggen dat Collor is gevallen omdat hij juist de corruptie wilde aanpakken. Hij had de oorlog verklaard aan de *maharadja's*, de door en door corrupte hogere ambtenaren. Zij zouden de werkelijke macht in handen hebben, en natuurlijk de clans van regionale politici en ondernemers met hun relaties in het Congres.

In zijn boek *De Brazilianen, geschiedenis van 1889 tot nu*, legt Kees de Groot de belangrijkste oorzaak van de falende democratie bij het cliëntelisme. Politici zijn niet geïnteresseerd in politieke programma's maar vooral in het behartigen van hun eigen belangen en die van hun achterban, hun cliëntèle. Politici zorgen voor een gemeenschapshuis, een school, een kliniek, riolering of een weg. Opvallend is dat dit altijd vlak voor of na de verkiezingen gebeurt. Voor de bevolking zal het dan zelfs een biet zijn of de politicus geld achterover drukt. Als hij maar wat doet voor zijn kiezers. Daarom blijven ook de armen op deze cliëntelistische politici stemmen, zelfs als die de landhervorming tegenhouden.

'Dit kan pas veranderen wanneer politici worden gekozen omdat zij bepaalde sociaal-economische belangen vertegenwoordigen,' zo schrijft De Groot. *'Dan pas kunnen belangentegenstellingen het onderwerp worden van een politiek debat... Zij vereist een totaal nieuwe politieke cultuur, totaal nieuwe politieke partijen ook. En uiteraard zijn er veel mensen die er belang bij hebben dat alles bij het oude blijft.'*

Brazilië aan het begin stond van een nieuw tijdperk, waarin eindelijk de stem van het gewone volk gehoord kon worden.

In 1984, het laatste regeringsjaar van president Figueiredo, waren er massale volksmanifestaties in alle grote steden voor rechtstreekse presidentsverkiezing. De demonstraties voor *diretas já* (rechtstreekse verkiezing nu) waren de grootste die ooit in het land waren gehouden. Zelfs de geliefde *telenovelas* (📖 pp.82-83) moesten wijken voor reportages van de protesten. Toen al bleek de belangrijke rol die de televisie kan vervullen bij het maken en breken van politici en de mobilisatie van de bevolking.

De militairen waren niet te vermurwen. Ze hielden vast aan het kiescollege. Wel kwam er na lange tijd weer een burgerpresident: Tancredo Neves, met als vicepresident José Sarney. De 74-jarige Neves was de man die het land naar de volledige democratie moest leiden. In de aanloop naar de presidentsbenoeming gaf hij aan

MERCOSUL: EEN VEELBELOVEND HANDELSBLO

De oude brug over de Uruguay kraakt onder het gebulder van de vele vrachtwagens. Ze rijden af en aan op de tweebaansweg die Uruguaiana in Brazilië verbindt met Paso de los Libres in Argentinië. Sinds de twee landen (samen met Uruguay en Paraguay) in 1991 tot een vrijhandelszone besloten, is het grensverkeer op deze plek meer dan verviervoudigd.

Dankzij de Mercosul, Mercosur voor de Spaanstalige Zuid-Amerikanen, is zo'n 90 procent van de onderlinge handel inmiddels vrij van invoerrechten. De resterende tarieven op enkele 'gevoelige' producten moeten binnen enkele jaren zijn verdwenen.

Brazilië en Argentinië, de twee toonaangevende landen van Zuid-Amerika, zijn op weg de voornaamste handelspartners van elkaar te worden. Ook de investeringen over en weer lijken geen grenzen meer te kennen. Voordat de Mercosul van start ging, had slechts een twintigtal Braziliaanse bedrijven een vestiging in het buurland. Eind 1996 was dat aantal opgelopen tot ruim vierhonderd.

De Mercosul was de zuidelijke reactie op het NAFTA-verdrag van de

te zullen streven naar een nieuwe grondwet, directe presidentsverkiezingen en maatschappelijke hervormingen. Hij sprak van de *Nova República* (Nieuwe Republiek), die democratisch en rechtvaardig zou zijn. Maar nog voor hij tot president werd beëdigd, sloeg het noodlot toe. De dag voor de inauguratie werd Neves geveld door een ziekte die hij al langer onder de leden had. Tot het laatst had hij doorgewerkt en geweigerd rust te nemen. Hij wantrouwde de militairen nog steeds en wilde ze geen reden geven om weer in te grijpen. José Sarney werd op 15 maart 1985 de nieuwe president.

Toen Tancredo Neves anderhalve maand later overleed, was heel Brazilië in de rouw. Miljoenen mensen betoonden hem de laatste eer toen zijn stoffelijk overschot naar Belo Horizonte werd gebracht.

Met de nieuwe real zette minister van Financiën Cardoso de economie op het goede spoor.

Verenigde Staten, Canada en Mexico, maar is nu al een stuk verder op de weg naar economische integratie. Op 1 januari 1995 ging de Mercosul een volgende fase in: het creëren van een douane-unie met een gemeenschappelijk buitentarief. Chili is al geassocieerd lid, Bolivia gaat zich eveneens aansluiten. De Mercosul van vier vormt een aantrekkelijke geïntegreerde markt van bijna 200 miljoen consumenten. En dat realiseert het bedrijfsleven in de betreffende landen en daarbuiten zich terdege. De investeringsstromen naar met name Brazilië zijn nog nooit zo hoog geweest. De economische integratie geeft bovendien positieve impulsen aan de politieke stabiliteit in de regio. Zo werd de dreiging van een coup in Paraguay, in april 1996, afgewend doordat de grootmachten Argentinië en Brazilië zich vierkant achter de zittende president opstelden. Argentijnen gaan massaal op Portugese les, terwijl er in Brazilië officieel stemmen opgaan om Spaans de tweede taal te maken. Naties die vroeger nogal eens op gespannen voet met elkaar leefden, en zelfs oorlogen uitvochten, hebben elkaar gevonden.

Het belangrijkste wapenfeit van Sarneys ambtsperiode was de nieuwe grondwet, die in 1988 door het Congres werd goedgekeurd. Het was een prachtig werkstuk en in bepaalde opzichten zelfs revolutionair voor Brazilië. Alle democratische en sociale grondrechten zijn erin vastgelegd, de presidentiële macht is sterk beperkt en het kiesrecht uitgebreid (vanaf zestienjarige leeftijd en ook voor analfabeten). In Brazilië zijn het echter allemaal dode letters zolang de maatschappelijke verhoudingen niet veranderen. Alle netelige onderwerpen, zoals landhervorming, waren buiten de grondwet gehouden.

Bij de burgemeestersverkiezingen van eind 1988 kreeg de regering de rekening gepresenteerd. Bijna overal werd de PMDB verslagen. Alle grote steden kregen burgemeesters van de linkse oppositiepartijen.

FHC

Na de afzetting van president Collor (september 1992) vervulde zijn tweede man Itamar Franco de functie van president. In de nieuwe ministersploeg viel vooral Fernando Henrique Cardoso op. Hem lukte als minister van Financiën waar menig voorganger zich op had stukgebeten: het terugdringen van de hoge inflatie. Cardoso introduceerde de zoveelste nieuwe munt, de *real*, die aan de dollar werd gekoppeld. Tot verbazing van alle Brazilianen hield de real z'n waarde vast en werd de inflatie teruggebracht tot bijna nul.

Zijn sterke financiële beleid bezorgde Fernando Henrique Cardoso en zijn *Partido Social Democratico Brasileiro* (PSDB) een klinkende overwinning bij de presidents- en parlementsverkiezingen in oktober 1994. En zo gebeurde wat niemand tot voor kort voor mogelijk had gehouden. Een linkse hoogleraar sociologie uit de jaren zestig en zeventig was nu president van Brazilië.

Cardoso, door de Brazilianen al snel kortweg FHC genoemd, bracht het land eindelijk in rustiger politiek vaarwater.

Gedurende zijn eerste ambtsperiode kwam de nadruk te liggen op liberalisering van de economie en privatisering van de inefficiënte staatsbedrijven. De Braziliaanse markt ging verder open. De Mercosul – het vrijhandelsverdrag met buurlanden Argentinië, Paraguay en Uruguay – bracht nieuwe uitdagingen, de modernisering van strategische bedrijfssectoren zette versneld door. De economische cijfers waren veelbelovend: gestage groei van de werkgelegenheid en de productiviteit, sterke toename van de investeringen en de consumptie, met een lage inflatie door een strak monetair beleid. Controversiële privatiseringen werden doorgevoerd in strategische sectoren als de telecommunicatie en de staalindustrie.

Het sociale beleid om voor meer werk en minder armoede te zorgen, verliep minder voorspoedig. Er kwamen kansen voor goed opgeleide jonge mensen, snelle zakenlui en ambitieuze vrouwen.

Maar de armste helft van de Braziliaanse bevolking deelde beslist niet in de economische groei. De beloofde landhervorming bleef uit en de grondconflicten namen in aantal en hevigheid toe. Dieptepunt was een schietpartij bij een demonstratie van landloze boeren in april 1996, waarbij negentien mensen de dood vonden. Iedereen kon op de nationale televisie zien hoe de ongewapende mensen werden neergeknald door de politie. De kwestie van landhervorming bleef Cardoso achtervolgen. Hij was dus nog niet klaar met de opdracht die hij zichzelf had gesteld toen in 1998 nieuwe presidentsverkiezingen voor de deur stonden. Hij maakte gebruik van zijn populariteit en politieke handigheid om het Congres zover te krijgen de grondwet te veranderen, zodat hij nog een keer met de verkiezingen kon meedoen.

Hij won die verkiezingen met gemak. Maar de economie ging toen al minder goed. De internationale monetaire crisis sleurde Brazilië mee in een recessie.

De hoop van de Brazilianen is gevestigd op president Lula.

Het vertrouwen van de beleggers daalde, de kapitaalvlucht nam grootse vormen aan. FHC moest pijnlijke bezuinigingen doorvoeren, waardoor de sociale onrust toenam.

De neergaande lijn in de economie bleef de regering kwellen in de jaren rond de millenniumwisseling. De oppositie nam toe, aangevoerd door de Partido dos Trabalhadores (PT), de arbeiderspartij, van Lula. Het neoliberale beleid van de regering, mede ingegeven door de starre opstelling van internationale financiële instellingen als het IMF en de Wereldbank, werd gezien als de grote boosdoener. Vrijwel dagelijks waren er in het land acties tegen de bezuinigingen en tegen de kapitaalvlucht. De landbezettingen door de Beweging van Landloze Boeren (MST) brachten Cardoso en zijn kabinet steeds weer in een moeilijk pakket.

Lula

Luiz Inácio Lula da Silva, voor de Braziliaan al tientallen jaren een begrip als 'Lula', won met een grote overmacht de verkeizingen van 2002. Eindelijk, want hij deed na de campagnes in 1989 (tegen Collor), 1994 en 1998 (allebei tegen Cardoso) voor de vierde keer mee in de beslissende tweede ronde.

Hij werd binnengehaald als de president van de armen. Lula werd geboren op 27 oktober 1945 in het stadje Garahuns in Pernambuco, in het arme noordoosten van het land. Hij genoot maar een paar jaar lagere school en verdiende als straatverkoper zijn eten bij elkaar. Daarna kon hij zich bekwamen in de metaalindustrie rond São Paulo. Daar maakte Lula al snel naam als actief vakbondsman. In 1980 richtte hij een nieuwe linkse partij op, de PT.

Lula voert een stabiel financieel-economisch beleid, zoals FHC dat ook deed. Lage inflatie, bezuinigingen bij de overheid, verdere privatiseringen en hervorming van het dure pensioen- en belastingstelsel. Langzaam kwam de afgelopen twee jaar het vertrouwen in de economie terug bij banken en investeerders. Voor het eerst sinds jaren is er weer sprake van economische groei.

Ook als internationaal progressief leider profileert de Braziliaanse president zich sterk, maar Lula's eigen achterban mort omdat er voor de armen nog niet zoveel is veranderd. De president heeft aangekondigd nu de economie weer draait serieus werk te kunnen maken van zijn ambitieuze plan *Fome Zero* (Honger Nul). Hij belooft dat iedere Braziliaan aan het eind van zijn ambtsperiode drie maaltijden per dag kan eten. Sinds 2005 ligt zijn Arbeiderspartij zwaar onder vuur vanwege de corruptieschandalen, die blijkbaar niet in het Braziliaanse politieke systeem zijn uit te bannen.

Cultuur en kunst 3

De aanwezigheid van drie totaal verschillende bevolkingsgroepen heeft in Brazilië gezorgd voor een rijke en uitbundige cultuur. De Europese cultuur is door de koloniale achtergrond en de maatschappelijke positie van de Europese afstammelingen altijd dominant geweest. Gelukkig bleek met name de Afrikaanse traditie sterk genoeg om de periode van onderdrukking te overleven. Afrikaanse cultuurinvloeden bepalen als geen andere het beeld van de hedendaagse Braziliaanse religie en muziek- en dansstromingen. Onmiskenbaar is er sprake van een Afro-Braziliaanse cultuur. De indiaanse cultuur blijkt met name in het immense binnenland springlevend.

INDIAANSE INVLOEDEN

Er zijn nog altijd honderden indianenvolken in Brazilië met een eigen taal en eigen tradities en gebruiken. Daarom kan er moeilijk gesproken worden van één indiaanse cultuur.

De invloed van de indianen op de Braziliaanse samenleving is onder andere te herkennen in de naamgeving van plaatsen, rivieren, vruchten en voorwerpen, en verder in religieuze en andere gewoontes. Vooral vanuit het Tupi zijn heel wat namen overgenomen. Het voorvoegsel *ita* is te vinden in nogal wat plaatsnamen. Het betekent 'grote steen'. *Guaraná* zijn de zaadjes van een plant waarvan de gelijknamige en populaire frisdrank wordt gemaakt.

Talrijke heerlijke vruchten hebben hun indiaanse namen gehouden, zoals *maracuja*, *goiaba*, *abacaxi* (ananas) en *caju*.

De indianen verbouwden *milho* (maïs) en *mandioca* (maniok), wat nu zeker in het binnenland tot het volksvoedsel van Brazilië behoort.

Pijp roken en tabak kenden de indianen ook al voordat de Europeanen kwamen. Inmiddels is roken ingeburgerd, net als het gebruik van de hangmat, bepaalde visnetten en de kano. Geesten uit de indiaanse godsdiensten hebben hun weg gevonden naar de spirituele Afro-Braziliaanse godsdiensten.

Vanaf het eerst contact met de Europese beschaving hebben de indianen het

Carnaval in Rio

moeilijk gehad. Of het nu ging om de slavenjagers, de missionarissen, de expedities of officiële regeringsfunctionarissen: in het algemeen werd de indiaanse cultuur als ondergeschikt en meestal zelfs minderwaardig beschouwd. De politiek van de Braziliaanse regering was dat de indianen zich zo snel mogelijk dienden in te passen in de moderne maatschappij. Hoogstens werden ze beschouwd als interessante 'bezienswaardigheid'. De laatste jaren is de aandacht voor de levenswijze van de indianen in het Amazonegebied toegenomen. Hun manier van landbouw bedrijven, jagen en voedsel verzamelen leert ons hoe we op een verantwoorde manier om kunnen gaan met het kwetsbare ecologische evenwicht van het tropische regenwoud. Sinds mensenheugenis wonen en leven deze volken in dit gebied, zonder de flora en fauna opzienbarende schade toe te brengen. Maar alvorens dat besef doordrong, is de indiaanse cultuur in de loop der tijden veel geweld aangedaan.

AFRIKAANSE INVLOEDEN

De invloed van de Afrikanen op de Braziliaanse cultuur is veel groter dan die van de indianen. Door de slaven uit Afrika zijn allerlei gebruiken en hun namen naar Brazilië gebracht. Zo kwam een aantal typische voedselproducten en gerechten in de Braziliaanse keuken terecht. De scherpe *pimenta* (Spaanse peper) en palmolie zijn bijvoorbeeld van Afrikaanse oorsprong, net als *farofa* (een meelspijs van maniok en reuzel, soms vermengd met olijven, vlees of eieren) en *vatapá* (een soort stamppot van maniokmeel, olie, peper en vlees of vis). Ook de nationale schotel *feijoada* heeft veel Afrikaanse ingrediënten.

De grootste invloed van de Afrikaanse achtergrond is merkbaar op het gebied van religie en muziek. Daar is heel duidelijk sprake van een Afro-Braziliaanse cultuur. De Afrikaanse afstammelingen hebben Braziliës meest eigen muziek gemaakt: de samba. Ook de ritmische instrumenten, zoals de *atabaque*, de *berimbau* en de *tambore* zijn van Afrikaanse oorsprong.

Capoeira op het strand

Ook in Brazilië moesten de slaven zich bekeren tot het christendom en zich houden aan het strenge regime op de plantage. Toch is de Afrikaanse cultuur hier beter bewaard gebleven dan in andere landen waar Afrikaanse slaven terechtkwamen. Verschillende schrijvers verklaren dit uit de tolerantere houding van de Portugese kolonisten tegenover de slaven. Zo schrijft Gilberto Freyre, socioloog en schrijver, dat *'de Afrikaan zich altijd heeft kunnen uiten als een Braziliaan vanaf het begin dat Brazilië als een natie begon te ontstaan... Hij heeft zich kunnen gedragen als Braziliaan van Afrikaanse afkomst en niet als een Braziliaanse neger.'* Daarin zou de Afrikaan van Braziliaanse afkomst sterk verschillen van bijvoorbeeld die in de Verenigde Staten, waar de onderdrukking van de Afrikaanse cultuur veel sterker was.

Freyre schrijft de vrij open en goedmoedige houding van de kolonisten van Portugese afkomst toe aan hun betere bekendheid met de Afrikaanse en tropische cultuur.

Naast de recente revival van Afrikaanse ritmes in de muziek, is *capoeira* de laatste jaren erg populair in Noordoost-Brazilië. Het is een gevechtsdans, een kruising tussen dansen en vechtsport en een belangrijk onderdeel van de Bahiaanse folklore. Capoeira stamt af van de slaven, die het heimelijk beoefenen als een sport. Het gaat erom de tegenstander met acrobatische acties en snel voetenwerk uit z'n evenwicht te brengen, zonder hem te raken.

De authentieke capoeira wordt begeleid met ritmische muziek op de berimbau, een eensnarig booginstrument met een kalebas als klankkast. Vanuit Bahia heeft de sport zich inmiddels over de grote steden verspreid. In veel grote steden van Brazilië zijn capoeira-scholen.

RELIGIE

Spiritualiteit

Brazilië staat bekend als een zeer katholiek land. De grote hoeveelheid kerken die gebouwd zijn, wijst op een niet-aflatende ijver van de kloosterordes om de bevolking in de kolonie geestelijk te bedienen. De invloed is nog altijd groot, getuige de vaak propvolle kerken tijdens de diensten.

Geloof en spiritualiteit spelen een belangrijke rol in het leven van de Brazilianen. Ineens kun je op straat stuiten op een plek waar duizenden kaarsjes staan rondom een afbeelding van een heilige of religieuze persoon. Er bestaan tal van legendes en verhalen over heilige figuren. *Padre Cicero* is zo'n legendarische figuur in het noordoosten. Hij leefde rond de eeuwwisseling in Juazeiro, in het zuiden van de deelstaat Ceará. Hij is de messias van de armen, vooral in het droge binnenland. Padre Cicero kon regen brengen en vruchtbaarheid, hij kon een einde maken aan honger en ellende. Miljoenen Brazilianen uit alle delen van het land bezoeken jaarlijks de kapel en het enorme standbeeld in Juazeiro. Op de dag van zijn dood, 20 juni, zijn velen in rouw gedompeld.

Het feest van *Nosso Senhor do Bonfim* in de gelijknamige kerk in Salvador da Bahia is een ander goed voorbeeld. Jaarlijks komen hier tienduizenden mensen om de heilige Senhor do Bonfim om geluk, genezing of genade te vragen.

Voor elke kwaal hebben de gelovige Brazilianen een heilige die aanbeden kan worden. De meeste kerken hebben een ruimte waar gelovigen hun ex-voto's plaatsen. De wanden hangen er vol met foto's, prothesen en briefjes als dank voor genezing of voorspoed. Kenmerkend voor de religieuze beleving

Katholieke uitbundigheid en Afrikaanse spiritualiteit komen bij elkaar tijdens de religieuze feesten; de kerk van Bonfim in Salvador.

in Brazilië is de vermenging van katholieke en Afrikaanse invloeden. Afrikaanse goden worden vereerd als katholieke heiligen en sommige christelijke figuren worden wonderlijke gaven toegeschreven. Religieuze feesten zijn uitbundiger en met meer mystiek omgeven.

De versmelting van katholieke en Afrikaanse religieuze elementen, het *sincretismo*, stamt uit de tijd van de slavernij. De slaven mochten hun eigen goden, de *orixás*, niet openlijk vereren en hun Afrikaanse religieuze rituelen waren verboden. Op een bedekte manier deden ze dat toch onder het mom van katholicisme. Een processie ter ere van de katholieke Sint-Joris met de Draak kon voor de Afrikaanse slaven de verering van de Afrikaanse oorlogsgod *Ogun* betekenen. In de ceremonies voor de Maagd Maria brachten de slaven geheime offers aan *Iemanjá*, de godin van de zee.

Sommigen leggen wat meer de nadruk op het harmonieus samengaan van beide religies, die als het ware naar elkaar toegroeiden. Anderen beweren dat het aanvaarden door de Afrikaanse afstammelingen van christelijke heiligen zuiver schijn was, alleen bedoeld om de eigen orixás te kunnen vereren.

Hoe dan ook, de Afrikaanse religie is altijd levend gebleven, in het katholicisme én daarbuiten. De Afro-Braziliaanse godsdiensten hebben de laatste decennia een grote aanhang gekregen.

Candomblé, umbanda en macumba

De twee meest gepraktiseerde Afro-Braziliaanse religies zijn *candomblé* en *umbanda*. De gelovigen denken dat geesten van overledenen en goden het leven van de mensen beïnvloeden. Ze kunnen voor problemen zorgen, mensen ziek maken of ongeluk brengen, maar ze kunnen ook goede raad en voorspoed brengen.

Teneinde in contact te komen met de geesten of goden moet de gelovige bezeten raken. Dat gebeurt tijdens een ceremonie onder leiding van de priesteres,

Te koop: medicinale drankjes, kruiden en religieuze parafernalia

de betreffende orixá horen, worden de goden gunstig gestemd en boze geesten uitgebannen. Soms krijgt het medium de kleding aan die bij de betreffende orixá hoort.

Belangrijke orixás zijn: *Oxalá* (vader van alle goden), *Ogun*, *Iemanjá* (godin van de zee), *Oxun* (god van het zoete water), *Xango* (god van de bliksem) en *Oxóssi* (god van de jacht).

De Afro-Braziliaanse religies zijn in het noordoosten ontstaan en van daaruit verspreid over de rest van Brazilië. In elke stad zijn winkeltjes waar kruiden, rituele zeepjes en amuletten, beeldjes, kaarsen en talloze andere religieuze objecten van de candomblé, de umbanda of macumba te koop zijn. Mysterieuze plaatsen waar schalen met spijzen staan, flessen liggen en kaarsjes branden herinneren aan de offers die aan de orixás zijn gebracht.

Candomblé is de oudste Afro-Braziliaanse religie met tot in deze tijd de sterkste Afrikaanse invloeden. Er zijn sterke overeenkomsten met vergelijkbare religies in Afrika.

De oorsprong en de grootste aanhang van de candomblé bevinden zich in Bahia. In de stad Salvador alleen al zijn meer dan duizend tempels. De tempel is meestal een gewoon huis midden in een volkswijk maar op gewijde grond en alleen bestemd voor de cultus. Er zijn candomblé-ceremonies in Bahia die door buitenstaanders bezocht kunnen worden.

Behalve de ceremonies zijn er specifieke candomblé-feesten, zoals Senhor do Bonfim op 2 februari en het feest ter ere van de zeegodin Iemanjá. Deze laatste wordt geëerd met een indrukwekkende processie op het strand en op zee. De volgende dag ligt het strand vol met zeep, flesjes parfum en bloemen.

In Rio de Janeiro waar veel ex-slaven vanuit het noordoosten naar toe trok-

māe de santo, en haar helpers. De taak van de priesteres is het onderhouden van contact met de *orixás*, de geesten.

De priesteressen vervullen een belangrijke rol in de gemeenschap, niet alleen religieus, maar ook sociaal. Door hun contact met de geestelijke wereld staan ze in hoog aanzien. De mensen gaan naar hen toe voor hulp en goede raad. Aan de inwijding tot priesteres gaan enkele jaren van opleiding vooraf. De geesten moeten regelmatig worden ontvangen en er moeten vaak offers worden gebracht.

Tijdens de ceremonie speelt het ritme van de atabaque, een trommel, een belangrijke rol. Op de maat van de trommels lopen en dansen de gelovigen rond, terwijl ze Afrikaanse teksten zingen, totdat ze in trance raken. Op dat moment zijn zij medium voor de aanwezigen en beschikken over de natuurlijke gaven van hun orixá. Ze worden ondersteund door de anderen, terwijl de māe de santo het ritueel begeleidt. Met attributen die bij

Candomblé

ken, ontwikkelde zich de *macumba*. Dat is een meer verbasterde vorm van de candomblé, vermengd met niet-Afrikaanse mystiek. Daaruit is later de umbanda voortgekomen.

Sommigen noemen umbanda de moderne, grotestadsvariant van de candomblé. Er zitten westerse spirituele en occulte elementen in. Vooral de umbanda heeft de laatste tijd enorm veel aanhangers gekregen. Hun aantal wordt geschat op dertig miljoen. Ze zijn blank, zwart en mulat, en komen uit alle lagen van de samenleving. De ceremonies vinden plaats in de *terreiro*, een plek vergelijkbaar met de candomblé-tempel.

DE MODERNISTEN

Er is in Brazilië de laatste decennia sprake van een emancipatie van de indianen en de negers. Steeds vaker komen ze in georganiseerd verband op voor hun belangen. Tevens is er een herwaardering van hun eigen verleden en tradities.

In cultureel opzicht is de basis voor de herwaardering van het eigen Braziliaanse verleden al in de jaren twintig gelegd. Om precies te zijn tijdens de 'Week van de moderne kunst', die van 13 tot 17 februari 1922 in São Paulo werd gehouden. Dat was het begin van een nieuwe cultuurperiode in Brazilië.

De Week, ter gelegenheid van de honderdste gedenkdag van de onafhankelijkheid van Brazilië, vormde de aanleiding voor een groep kunstenaars om te breken met bestaande artistieke tradities. Het academische schilderen en beeldhouwen was steeds dieper in naturalisme en idealisme weggezakt en bleek nog steeds historische, mythologische en godsdienstige onderwerpen te behandelen volgens de schoonheidsregels van het 19de-eeuwse Europa. De herinnering aan het indiaanse en Afro-Amerikaanse verleden werd opgehaald en de eigen Braziliaanse wortels werden blootgelegd. Tegelijkertijd wilde men de Braziliaanse kunst ook moderniseren door haar op avant-gardestromingen in andere landen af te stemmen. De beweging die het opnemen van de buitenlandse avant-gardestromingen in de Braziliaanse cultuur voorstond, wordt *Antropofagia* (kannibalisme) genoemd. In het 'Kannibalenmanifest', zoals dat in 1928 in het avant-gardetijdschrift *Revista de Antropofagia* is verschenen, werd op de Braziliaanse kunst en letteren de 'kannibalentherapie' van toepassing verklaard: *'De kannibaal eet zijn vijand op om zich diens krachten toe te eigenen, terwijl hij zich daardoor tegelijkertijd ritueel van hem bevrijdt.'*

Er werd onderzoek verricht naar de neger- en indianenbevolking en naar folklore en volkskunst om de vóórkoloniale elementen van Brazilië te ontdekken. *'Tupi, or not tupi, that is the question'* was een gebruikte slagzin in het *Manifesto Antropofago* die de strekking goed weergaf.

Behalve in de dicht-, schrijf- en schilderkunst brak in de jaren twintig de bloeitijd van de architectuur aan met de doorbraak van Oscar Niemeyer en Lúcio Costa.

MUZIEK EN DANS

'Brazilië is al zingend geboren,' schrijft Tárik de Souza, een Braziliaanse journalist, dichter en muziekcriticus. Hij geldt als een groot kenner van de Braziliaanse muziek. De Souza verwijst naar de bijdragen die elke bevolkingsgroep aan de swingende Braziliaanse muziek geleverd heeft. *'Van de indianen kwam het contrapuntisch zingen van stamgroepen bij een krachtig ritme van arbeid, feest of verdriet. Met de binnengevallen Portugezen kwamen weemoedig klinkende snaarinstrumenten, klaagzangen over hun ballingschap en triomfzangen over hun bloeddorstige verovering. Van de geketende negerslaven kwamen liederen van dwangarbeid, met een heimelijke inhoud van strijd en verzet, van opstand en hartstocht.'*

Volgens De Souza is het Brazilië nooit gelukt deze kakofonische bestanddelen tot één harmonisch geheel te verenigen. Elke regio heeft zijn eigen liederen, dansen, ritmes en melodieën.

Ballades en smartlappen

In het droge noordoosten klinkt altijd en overal de *forró*. Rondtrekkende muzikanten met accordeon en vedel verhalen over het povere bestaan in de sertão, maar ook over de schoonheid van de liefde, het geloof en de lokale helden. Luiz Conzaga uit Pernambuco en Dorival Caymmi uit Bahia hebben deze typische streekmuziek onder de naam *baiáo* populair gemaakt in het hele land. Gonzaga zingt in zijn prachtige compositie *Asa Branca* (Witgevleugelde vogel) over het lot van de boer die zijn uitgedroogde grond moet verlaten. Caymmi bezingt vooral de zee en de vissers, *'met een Afro-Braziliaanse welsprekendheid die kenmerkend is voor de vurige macumba van Salvador, Bahia's hoofdstad met de 365 kerken'*, zo schrijft Tárik de Souza.

Samba en bossa nova

Naast de samba (□ p. 74) zijn ook de *afoxés*, groepen candomblé-aanhangers die tijdens het carnaval de straat op gaan met hun instrumenten en banier of afbeelding van hun beschermheilige, heel sterk met carnaval verbonden. Ze zorgen met hun ritmische drums en zang voor het meest Afrikaanse deel van de carnavalsoptocht.

Uit de vermenging van samba met buitenlandse muziekstijlen zijn weer nieuwe genres voortgekomen, zoals de *bossa nova*, een mengvorm van samba en jazz. De bossa nova, wat staat voor 'nieuwe mode', heeft zowel de gezongen als instrumentale Braziliaanse muziek grondig veranderd. Aan de wieg van deze muziekstroming stonden de dichter Vinicius de Moraes en de componist Antônio Carlos (Tom) Jobim. Hun *A*

DE SAMBA

Het leven als een samba

Je kunt beter opgewekt zijn dan verdrietig,
want blijmoedigheid is het mooiste op de wereld
het is als het licht in het hart.
Maar om een heel mooie samba te maken,
moet je een beetje droevig zijn
anders kun je geen samba maken.

(het eerste couplet uit 'Saravá', van Vinicius de Moraes)

De samba raakt het meest aan de Braziliaanse ziel: soms sprankelend van energie, virtuoos en uiterst lyrisch, maar meestal berustend, melancholisch en poëtisch.
Er is geen eenduidige definitie van samba te geven. Het is een gevoel, de puls van het leven voor de Brazilianen. De oorsprong van het ritme ligt in Afrika; via de zwarte migranten uit Bahia is dat ritme naar Rio gekomen. Daar ontstond, nauw verbonden met de opkomst van het volkscarnaval, in de jaren twintig de samba.
Er zijn zoveel soorten samba. De *samba enredo* komt het dichtst in de buurt bij de authentieke vorm, met overwegend ritmisch slagwerk van de *bateria*, de percussiegroep. Vaste componenten in de samba enredo zijn de *bombo* (de zwaarste bastrommel), de *surdo* (de middelgrote trommel), de *caixa* (kleine trommel), de *cuíca* (een holle wrijftrommel, die zorgt voor het typische jankende geluid), de *agogô* (een dubbele bel) en de *reco-reco* (rasp). De *samba canção* (letterlijk: gezongen samba) is de meer melodieuze en gepolijste versie, met gitaar of mandoline, soms zelfs met een blaassectie. Ary Barroso (1903-1964) is de bekendste componist van de samba canção. Zijn 'Aquarela do Brasil' (1939), afgekort 'Brasil', heeft de samba wereldbekendheid gegeven. Pagode-samba is de populaire versie van de samba in Brazilië, het is 'samba van de straat', die overal gespeeld wordt met de instrumenten die voorhanden zijn.

Muziek maken zit de Brazilianen in het bloed: een straatband in São Luís, Maranhão

Garota de Ipanema is een klassieker geworden. Tom Jobim heeft samen met Astrud Gilberto gezorgd voor de internationale doorbraak van de bossa nova. Andere grote namen uit deze muziekstijl zijn Baden Powell, Sérgio Ricardo en João Gilberto.

In 1967 kwam er in de Braziliaanse populaire muziek een nieuwe stroming op, waarbij jonge muzikanten uit Bahia de toon aangaven. Tot die *Baianos*, een stroming die later bekend werd als *tropicalismo*, behoorden onder meer Caetano Veloso, zijn zuster Maria Bethânia, Gilberto Gil en Gal Costa. Binnenlandse en buitenlandse muzieksoorten – samba, bossa nova, rock-'n-roll, mambo – werden naar believen door elkaar gehusseld. In de nieuwe sound zijn de moderne elektronische muziek en afroritmes versmolten. Het tropicalismo heeft in de jaren zestig vooral een sociale en een politieke dimensie aan de samba en bossa nova toegevoegd. Met name Caetano Veloso kreeg het aan de stok met het militaire

regime. Zijn teksten waren weliswaar poetisch, maar voor iedereen heel duidelijk uiterst kritisch over de dictatuur.

Muzikale kruisbestuiving

In het Braziliaanse muzikale klimaat gedijen vele stromingen en het biedt een vruchtbare voedingsbodem voor de mix met andere muziekstijlen. De opmars van de *axé*, met heel duidelijk Afrikaanse ritmiek, is dan gemakkelijk verklaard. Vooral in Bahia is deze enorm populair. De bekendste vertolker ervan, die inmiddels wereldwijd vermaard is, is Olodum. Deze groep is van oorsprong een afoxé en gebruikt uitsluitend trommels.

Een aparte plaats nemen de *choros* in, wat letterlijk 'klaagzang' betekent. De choro is overwegend instrumentaal en wordt gezien als de ernstige kant van de Braziliaanse muziek. Met choro werd aanvankelijk Europese dansmuziek, zoals de wals en de polka, aangeduid.

Door Alfredo da Rocha Viana Filho, in Brazilië beter bekend als Pixinguinha, werd de dansmuziek verwerkt tot een

eigen genre. Als componist en dirigent 'stippelde hij heel de weg van onze muziek uit: van de koperblaasensembles uit de carnavalsstoeten (de marchinha) tot de felle klanken van de militaire orkesten van Pernambuco, en van de aan de Portugese fado verwante modinha tot serenades bij maanlicht in de buitenwijken', zo beschrijft Tárik de Souza de betekenis van Pixinguinha.

Maar de vader van de 'ernstige' muziek in Brazilië werd Heitor Villa-Lobos. Als musicus grotendeels autodidact trok hij enkele jaren lang door Brazilië en sloot zich aan bij reizende muzikanten. Zo ontdekte hij de verscheidene genres in de volksmuziek, die hij later gebruikte in z'n klassieke composities. Villa-Lobos paste zelfs de stijl van Bach toe op Braziliaanse thema's.

Carnaval

Carnaval is de grote gekte. Vijf dagen lang, voorafgaand aan Aswoensdag, moet alles hiervoor wijken. Het meest uitbundig wordt carnaval gevierd in Rio, Salvador, Recife en Olinda.

Carnaval in Rio is de grote toeristische trekpleister van Brazilië. De meest spec-

Het defilé van een sambaschool tijdens de grote competitie in het Sambódromo te Rio

taculaire carnavalsoptocht vindt hier plaats. Er is een speciaal stadion – het *Sambódromo* – voor gebouwd, waar alleen de beste sambascholen van Rio optreden. Die scholen strijden ieder jaar weer om de eerste plaats. De optocht van zo'n school is allang niet meer het grote spontane volksfeest, waarmee carnaval eigenlijk begonnen is. Beroemde choreografen, componisten en mode-ontwerpers leveren een bijdrage tijdens de voorbereidingen. Het grote moment tijdens deze dagen is de collectieve ontlading in het Sambódromo, een explosie van kleuren, ritme en zang.

Deze competitie is slechts een deel van het grote carnavalsfeest in Rio. In de grote nachtclubs zijn de vaak beruchte party's voor de elite en in de volkswijken viert de gewone bevolking haar feest.

De sambascholen zijn ontstaan in de sloppenwijken op de heuvels van Rio. Ze vervullen een wezenlijke sociale functie. Met het maken van muziek en het organiseren van feesten geven ze de bevolking van de wijk een gevoel van verbondenheid en identiteit. Het grootste evenement voor iedere school, van de laagste tot de hoogste klasse, is de optocht tijdens carnaval. Een jaar lang worden de muziek en de dansen ingestudeerd en is men bezig met het maken van de praalwagens en de kostuums.

Door het georganiseerde karakter van de grote optocht en door de criminaliteit is de spontaniteit van het carnaval in Rio de laatste jaren een stuk minder geworden. Het stadsbestuur doet van alles om het echte straatcarnaval weer nieuw leven in te blazen.

Voorlopig is Rio wat de spontaniteit van het carnaval betreft afgetroefd door Salvador. Daar maak je een kans om bekende Braziliaanse zangers en musici op straat te zien optreden. Heel eigen aan

Carnaval in Salvador met de trio eléctrico

De kerk van São Francisco de Assis in Ouro Preto, een van de meesterwerken van Aleijadinho

Gandhi, met hun basis in het hart van oud-Salvador. Enkele huizen verder is de thuisbasis van Olodum.

Sterk in populariteit gestegen, is het carnaval in Recife en met name in Olinda. De nauwe straatjes van de koloniale stad vormen een prachtig decor voor de dansende en zingende massa. Karakteristiek zijn de grote poppen van papier-maché, de *bonecos gigantes*, die in de optocht worden meegevoerd.

BEELDENDE KUNST

Architectuur
Barok

De Braziliaanse barok is lang niet zo uitbundig als in andere landen in Latijns-Amerika. De Spanjaarden lieten fenomenale statige bouwwerken neerzetten in de bestuurscentra. Ze moesten in hun pracht en praal de macht van het Spaanse imperium uitstralen. In de voormalige Portugese kolonie moesten fraaie gebouwen vooral van de verschillende kloosterordes komen. Die lieten kerken en kloosters neerzetten, die wel rijk versierd maar veel ingetogener waren. Ze behoren nu nog tot de hoogtepunten van de koloniale bouwstijl in Brazilië. Vooral in Bahia, enkele steden in het noordoosten en in Minas Gerais zijn prachtige voorbeelden van barokke bouwkunst overgebleven.

De drie parels van koloniale bouwkunst zijn Olinda in de deelstaat Pernambuco, Paraty in de deelstaat Rio de Janeiro en Ouro Preto in Minas Gerais.

het carnaval in Salvador zijn de *trios eléctricos*, muziekbands op wagens, die door de straten trekken.

Wat de sambaschool is voor Rio, is de afoxé voor Salvador. Ook de afoxé bereidt zich het hele jaar voor op het carnavalsoptreden: wekelijks worden op vaste avonden nieuwe muziekstukken en choreografie ingestudeerd.

Er zijn heel wat jaren overheen gegaan voordat de afoxés officieel werden toegelaten tot de carnavalsoptocht in Salvador. De eerste afoxé vertoonde zich in 1905 op straat. Het fenomeen werd gezien als gezagsondermijnend en gedurende lange tijd verboden. Maar sinds de jaren zeventig zijn de afoxés niet meer weg te denken uit het straatbeeld tijdens carnaval. De beroemdste afoxé is Filhos de

Maar ook de oude hoofdstad Salvador is voor liefhebbers van oude bouwstijlen een absolute must. De Igreja de São Francisco uit de eerste helft van de 18de eeuw geldt als het beste voorbeeld van Braziliaanse barok.

Het werk van kunstenaars met Afrikaanse invloeden heeft de Braziliaanse barok een heel eigen karakter gegeven. Dit is vooral zichtbaar in Ouro Preto en Congonhas do Campo (beide in Minas Gerais), in het werk van o Aleijadinho, 'de kreupele', de bijnaam van Antônio Francisco Lisboa (1730–1814). Ondanks zijn door artritis aangetaste handen ontwikkelde deze man zich tot de meest virtuoze beeldhouwer en bouwmeester van zijn tijd. Kenmerkend vóór zijn werk zijn de zacht golvende lijnen in de gevels en de menselijke trekken in de beelden. In de Igreja de São Francisco in Ouro Preto gaf o Aleijadinho zijn visitekaartje al af. Zijn absolute meesterwerken staan in Congonhas do Campo: 12 magistrale beelden van de profeten in de Basílica do Senhor Bom Jesus de Matosinhos en 66 beelden van de kruiswegstaties.

Nieuwe bouwkunst

Beïnvloed door de Europese bouwmeester Le Corbusier en de Amerikaan Frank Lloyd Wright toog een groepje avant-gardistische architecten en stedenbouwers aan het werk. Ze gaven de Braziliaanse bouwkunst een ander gezicht.

Het nieuwe bouwen werd aangemoedigd door bezoeken van Le Corbusier aan Brazilië in 1929 en van Frank Lloyd Wright in 1931. Bij die gelegenheid maakte Wright ook kennis met onder meer stadsplanner Lúcio Costa. Twee jaar later werd in Rio de Janeiro een tentoonstelling van tropische architectuur gehouden. In 1937 werd het ontwerp voor een nieuw ministerie van Onderwijs en Gezondheidszorg toevertrouwd aan een aantal architecten van de nieuwe beweging. Tot de groep die geleid werd door Le Corbusier behoorden onder andere Lúcio Costa en Oscar Niemeyer, de man die twintig jaar later het futuristische Brasília ontwierp. Kenmerkend voor het nieuwe bouwen in Brazilië zijn de strakke vormen met veel aandacht voor lichtval en luchttoetreding, de functionele indeling van de gebouwen en het opmerkelijk kleurgebruik.

Schilderkunst
Frans Post

Een aparte plaats binnen de Braziliaanse schilderkunst neemt de Hollander Frans Post in. Tijdens zijn verblijf in Pernambuco, van 1637 tot 1644, en in de jaren tot aan zijn dood in 1680, heeft hij in Nederland tientallen doeken en etsen van Hollands Brazilië gemaakt. Posts schilderijen zijn van grote historische waarde, omdat hij bijvoorbeeld Recife schilderde, zoals het was gebouwd door de Hollanders ten tijde van het bewind van Maurits van Nassau.

Een aantal doeken en etsen van Frans Post hangen in het Museu do Estado de Pernambuco in Recife. In het Museu Nacional de Belas Artes in Rio heeft Post een eigen zaal.

19de eeuw

Twee vooraanstaande schilders uit de vorige eeuw zijn Pedro Américo de Figueiredo e Melo, kortweg Pedro Américo, en Victor de Meirelles. Veldslagen waren in bij de grote schilders van die tijd. Américo's doek *Batalha do Avaí* (1871) geeft een indrukwekkend beeld van de belangrijkste veldslag uit de oorlog met Paraguay. De Meirelles schilderde in 1879 zijn interpretatie van de eerste Slag bij Guararapes, toen de Hollanders door de Portugezen in het noordoosten in de pan werden gehakt.

Het binnenland van Pernambuco door Frans Post

Beide schilders hebben prachtige kleinere doeken gemaakt, zoals *Primeira missa no Brasil* van De Meirelles, een romantische weergave van de eerste katholieke dienst op Braziliaanse bodem. Dat Américo een meester in het schilderen van portretten was, bewijst zijn *Joana d'Arc* uit 1883.

Al deze doeken hangen in het Museu Nacional de Belas Artes (Schone Kunsten) in Rio de Janeiro, waar de meest uitgebreide collectie van Braziliaanse schilders uit de 19de eeuw zich bevindt.

De modernisten

Cândido Portinari (1903–1962) is de belangrijkste Braziliaanse schilder van de vorige eeuw. Hij schilderde met grote gevoeligheid en technisch meesterschap het leven op het platteland van São Paulo, zijn geboortestreek.

In *Landschap bij Brodowski* (1948) waren zijn geboortedorp en de beelden van landarbeiders uit het noordoosten de inspiratiebron. Een ander geliefd onderwerp waren belangwekkende historische gebeurtenissen of thema's. Twee grote doeken van Portinari *Oorlog en vrede* hangen in de hal van de Verenigde Naties te New York. In het cultuurpaleis Memorial da América Latina in São Paulo hangt een ander monumentaal doek van de meester: *Tiradentes*.

Verder was Portinari een begenadigd portretschilder. Zijn mooiste portret is dat van zijn vrouw, *Retrato de Maria*, gemaakt in 1932 en te zien in het Museu de Belas Artes in Rio. Portinari is in zijn werk, net als vele andere kunstenaars deze eeuw, beïnvloed door de modernistische stroming uit de jaren twintig. Het *Delirium*, dat hij schilderde naar een episode uit het boek *Memórias Póstumas de Brás Cubas* van Machado de Assis, is een abstract doek.

Toch belichaamt een andere belangrijke schilder van deze eeuw, Emiliano Augusto di Cavalcanti (1897–1976) veel meer de *arte novo* in de schilderkunst. Hij werkte mee aan het Manifesto Antropofago. Di Cavalcanti schilderde vooral mulattinnen – 'de Gauguin van de mulattinnen'

DE POËZIE IN STEEN VAN OSCAR NIEMEYER

Architectuur moet groots en meeslepend zijn, heeft Oscar Niemeyer, de 'vader' van de Braziliaanse architectuur, eens gezegd. Met zijn bouwwerken wil hij 'het hart en de zintuigen van de toeschouwer beroeren'. Het nieuwe bouwmateriaal van de afgelopen eeuw, het gewapend beton, gaf hem de mogelijkheid die ambitie te realiseren.

Samen met architect en stedenbouwkundige Lúcio Costa en landschapsarchitect Roberto Burle Marx zette Niemeyer sinds de jaren dertig Brazilië op de kaart van de internationale bouwkunst.

Niemeyer (1907) werd geïnspireerd door de modernisten in Europa, maar nam afscheid van de strakke vormen die de bouwmeesters Le Corbusier en Mies van der Rohe toepasten. Hij wilde kunst, schoonheid scheppen, in harmonie met de natuur. De bouwwerken van Oscar Niemeyer kenmerken zich door een grote mate van plasticiteit; een fascinerend samenspel van rechte en gebogen lijnen. De vlakverdeling en afwisseling van glas en beton maken zijn gebouwen licht en transparant. Een schitterend voorbeeld daarvan is het parlementsgebouw in de hoofdstad Brasília. De massieve hoogbouw lijkt in de lucht te hangen, de bol en de schaal van de Eerste en Tweede Kamer liggen frivool op het platform, dat de basis van het gebouw vormt. Die basis zelf lijkt boven de waterpartij te zweven.

In een interview met de Volkskrant vertelde Niemeyer dat de reusachtige bergen, het witte strand en de golven, de oude barokke kerken en de bevallige vormen van het vrouwenlichaam de oervormen zijn waardoor hij zich laat inspireren. Zijn oeuvre telt honderden bouwwerken, de meeste in Brazilië, maar ook in Europa en de Verenigde Staten, waar hij kort verbleef tijdens de militaire dictatuur in zijn geboorteland. De monumentale ontwerpen voor ministeries en andere openbare gebouwen in Brasília vormen zijn bekendste werk. Kenners roemen ook het project aan het Lagoa da Pampulha bij Belo Horizonte, dat hij in de jaren veertig ontwierp samen met Lúcio Costa en Roberto Burle Marx. Hier heeft Oscar zich, naar hun zeggen, nog niet overgeleverd aan de grote maat die Brasília kenmerkt. Oscar Niemeyer heeft recentelijk nog gebouwen ontworpen in Brasília, Joinille en Curitiba.

(Deels gebaseerd op het artikel 'Filmdecors in gewapend beton', door Tracy Metz, in de Volkskrant van 3 oktober 1997)

Gebouwen die zweven: het Palácio do Itamarati

TELENOVELAS

Brazilië heeft een eigen televisiecultuur: de *telenovela*. Deze televisie-series dragen meer bij aan de nationale economie dan de auto-industrie, wordt gezegd. En de twee grootste omroepen Rede Globo en Manchete, die de meeste series maken en uitzenden, hebben meer invloed op de analfabeten van het land dan de miljoenen leesboekjes die in het kader van de alfabetisering door de overheid verspreid worden. Meer dan hon-derd miljoen mensen zitten dagelijks in Brazilië aan de buis gekluisterd om de nieuwste aflevering niet te missen.

In Nederland en België is ook een aantal series uitgezonden, zoals *Malu Mulher, Sinha Moça* en *Barriga de Aluguel (De draagmoeder)*. De thema's zijn uit het leven gegrepen en voor iedereen herkenbaar, al treedt er de laatste jaren wel een verschuiving op. Onmogelijke liefdesgeschiedenis-sen doen het natuurlijk nog altijd bijzonder goed, maar er worden meer en meer zaken uit het moderne leven aangesneden.

Spraakmakende onderwerpen worden tegenwoordig ook in de telenove-las behandeld. *Malu Mulher* (Malu, een vrouw) ging over de zelfstandig-heid van de vrouw. De series laten zien wat niemand nog hardop durft te zeggen. *De draagmoeder* bijvoorbeeld was voor het zwaar katholieke Brazilië een enorm waagstuk, maar het werd een groot succes door de zorgvuldige dosering van moraal en realisme.

Tijdens Collorgate heette de populairste telenovela *Deus nos acude*, 'Moge God ons helpen'. In deze serie draaide het verhaal ook om een

was zijn bijnaam – en *Vijf meisjes* uit 1937 is daar een prachtig voorbeeld van. De meeste doeken van zowel Portinari als Di Cavalcanti zijn te vinden in São Paulo in het MASP, het belangrijkste gemeente-lijke museum voor schilderkunst, en in enkele particuliere collecties, zoals die van Oscar Americano.

FILM EN TELEVISIE

Cinema novo
Er zijn twee periodes in de geschiedenis van de Braziliaanse film: vóór en ná de *cinema novo* (nieuwe film). Veertig jaar nadat het modernisme van 1922 een echte Braziliaanse vormgeving trachtte te vinden in letteren en beeldende kunst, probeerde de cinema novo hetzelfde te doen in de film. In plaats van het imi-teren van de genres en stijl van films uit Europa en vooral Hollywood, zocht de cinema novo naar een eigen Braziliaanse filmtaal. Die werd gevonden in eigen-tijdse thema's, waarbij vooral aandacht werd geschonken aan de sociale positie en het leven van de bevolkingsgroepen die nooit zo in de klassieke film aan bod waren gekomen: de indianen, de negers, de boeren en de *favelados* (bewoners van de sloppenwijken).

Glauber Rocha was de voorman van de cinema novo. Zijn film *Deus e o diablo na terra dos sol* (Zwarte god en witte duivel) geldt als beste voorbeeld van de nieuwe stroming. Rocha filmt op een poëtische en toch indringende manier het zware leven in het noordoosten. De film gaat

corruptieschandaal. Gewone Brazilianen sturen God faxen met het verzoek hen uit de draaikolk van misère te redden. De Chef van de Hemel stuurt Gabriël, zijn minister voor Buitenlandse Betrekkingen met de Planeet Aarde, op een speciale missie naar Brazilië. Daar wordt Gabriël geconfronteerd met oplichters en profiteurs, maar ook met eerlijke, rechtschapen en hardwerkende mensen en een heel vruchtbaar land. De bewaarengel Celestine, die het bijltje er al bij neer had gegooid, wordt door Gabriël opgepept om nog één poging te wagen de Brazilianen op het rechte pad te krijgen.

Politieke thema's, zoals de positie van de arme boeren of ontslagen arbeiders, zijn tegenwoordig door de verhaallijnen van de telenovelas heen geweven. Soms is het zelfs het hoofdonderwerp, zoals in *Os Anos Rebeldes*. Daarin worden de woelige jaren zestig behandeld, toen idealistische en militante jongeren zich tegen de dictatuur verzetten en voor de stadsguerrilla kozen.

Het zijn niet de minsten die achter de schermen meewerken aan de telenovelas. Bekende Braziliaanse schrijvers, musici en componisten als Guimarães Rosa, Jorge Amado, Vinicius de Moraes, Gal Costa en Roberto Carlos leverden hun bijdrage.

Dit alles maakt de telenovela tot meer dan een gewone soap. Deze Braziliaanse series zijn aan televisiemaatschappijen in tientallen landen verkocht.

over de *cangaceiros*, eervolle bandieten die het noordoosten van Brazilië terroriseerden en het vooral begrepen hadden op de rijken.

Voor andere cineasten van de cinema novo vormden de ontberingen van het leven in het droge binnenland van Noordoost-Brazilië een onuitputtelijke inspiratiebron. Ruy Guerra maakte in 1964 *Os fuzis* (De geweren). Nelson Perreira dos Santos maakte een jaar eerder al *Vidas Secas* (Droogte) over een familie die door de droogte gedwongen is te emigreren.

Verder is het leven van de armsten in de grote stad een terugkerend thema. Carlos (Cacá) Diegues brengt dat treffend in beeld in *A Grande Cidade* (De Grote Stad). Zijn recentere films *Bye Bye Brazil* en *Deus é Brasileiro* (God is Braziliaan) zijn poëtischer en humoristisch. De films van Hector Babenco zijn harder. Ze gaan onder meer over straatbendes (*Pixote*) en de keiharde werkelijkheid in de Braziliaanse gevangenis (*Carandiro*). Walter Salles (*Central do Brasil*) en Fernando Meirelles (*Cidade de Deus*) volgen die lijn ook met aangrijpende inkijkjes in het leven aan de zelfkant van de samenleving.

LITERATUUR

In tegenstelling tot de Spaanstalige Latijns-Amerikaanse schrijvers waren Braziliaanse auteurs tot voor kort in Europa vrij onbekend, behalve de populaire Jorge Amado uit Bahia.

Buiten de werken van deze zeer sensueel

Fin de siècle-sfeer bij Confeitaria Colombo in het oude centrum van Rio, het decor van de werken van onder meer Machado de Assis

de eenzaamheid van het bestaan.

Machado loopt met zijn boeken vooruit op de psychologische roman, die in de twintigste eeuw tot volle wasdom komt bij Marcel Proust en Italo Svevo. Maarten 't Hart noemt Machado zelfs de modernste schrijver van de 19de eeuw. Groot was de verbijstering dan ook in de wereld van de literatuur in Noord-Amerika toen daar in de jaren vijftig voor het eerst vertaald werk van Machado op de markt verscheen. Hoe kon zo iets moois en buitengewoons zo lang onbekend zijn gebleven?

In het Nederlands zijn verschenen: *Posthume herinneringen van Brás Cubas* (Memórias Póstumas de Brás Cubas), *Quincas Borba*, *Dom Casmurro*, *De Psychiater* (verhalen), *Esau en Jacob*, *Vrouwenarmen* (verhalen) en *Dagboek van Aires*.

schrijvende Bahiaan was er weinig vertaald Braziliaans werk in de boekhandel te vinden. Dat is inmiddels veranderd. De Nederlandse vertaler August Willemsen heeft daar een belangrijke bijdrage aan geleverd. Hij vertaalde onder meer werken van Machado de Assis en João Guimarães Rosa.

Machado de Assis

Joaquim Machado de Assis (1839–1908) is de grootste Braziliaanse romancier uit de 19de eeuw. Hij schrijft geestig en kritisch over de grote veranderingen in Brazilië, en met name in Rio, rond de eeuwwisseling.

De thema's die hij aanroert in zijn romans zijn voor zijn tijd zeer modern. Ze gaan bijvoorbeeld over de absurditeit en

Drummond de Andrade

Van de kunstenaars die in de jaren twintig stelling namen tegen de gevestigde orde, maakte de schrijver Carlos Drummond de Andrade (1902–1987) naam. Van hem was de gevleugelde spreuk 'Tupi or not tupi, *that's the question*' in het modernistische tijdschrift *Antropofagia*. Weg met de kritiekloze kopieerzucht van alles wat er aan cultuur uit het moderne Westen kwam, was de stelling van de antropofagen.

De dichter Drummond de Andrade was een modernist van het eerste uur. In het

WASLIJNLITERATUUR

Een heel aparte plaats in de traditie van het geschreven woord in Brazilië hebben de *folhetas* (blaadjes) van de *literatura de cordel*, de 'waslijnliteratuur'. Ze worden zo genoemd omdat ze in de kiosken op straat meestal met knijpers aan een touwtje zijn gespannen. Ze gaan over uiteenlopende zaken, die op rijm aan de hand van getekende plaatjes worden verteld. Soms is dat een bekende volkslegende, soms een actualiteit. Over het bezoek van Johannes Paulus II aan Brazilië, maar ook over het bedrog en het ontslag van president Collor zijn folhetas verschenen. Zeer populair zijn de boekjes over de beroemde pater Cicero, die in het noordoosten als een soort heilige door de arme bevolking wordt vereerd.

De kleine boekjes op krantenpapier zijn razend populair bij de inwoners van het binnenland in het noordoosten van Brazilië. Daar komen ze ook vandaan. Volksdichters vertellen al sinds het eind van de 19de eeuw op die manier hun verhaal. De boekjes hebben meestal een moralistische toon. Het gaat om goed tegen kwaad, waarbij het kwaad aan het eind van het verhaal toch altijd het onderspit delft. Er worden veel boekjes uitgegeven met een religieuze boodschap. De kerken maar ook de overheid maken gebruik van de folhetas om de gewone mensen te bereiken. De productie van deze boekjes is in het noordoosten uitgegroeid tot een aparte industrie. Duizenden schrijvers, dichters en uitgevers verdienen er hun brood mee. Er is een tiental uitgeverijen en drukkerijen dat ervan bestaat. Met de migratie van de nordestinos naar de zuidelijke staten zijn de folhetas ook meegekomen. In São Paulo is inmiddels ook een folheta-uitgeverij gevestigd.

In de kiosken van de grote steden zijn de boekjes uit het zicht verdrongen door de glossy tijdschriften en kranten met schreeuwende koppen. Maar ergens onder de toonbank heeft de verkoper ze zeker liggen en ook in de volkswijken zijn ze volop te vinden.

Voorbeelden van waslijnliteratuur

Nederlands is van hem verschenen *De liefde, natuurlijk*, een bundel opzienbarende erotische gedichten.

Jorge Amado

Als er één schrijver model staat voor de kleur en de sensualiteit in de Braziliaanse literatuur is dat Jorge Amado (geb. 1912). Hij wordt gezien als de grootste schrijver van Brazilië en is mateloos populair, vooral bij de gewone mensen. Amado is een onnavolgbaar verteller, die in zijn boeken verhaalt over het dagelijkse wel en wee, de armoede, de strijd en de hartstochten van het volk. Een flinke dosis onverbloemd beschreven erotiek wordt daarbij niet vermeden.

De Bahiaanse hoofdstad Salvador, de cacaohavenstad Ilhéus of de plantagesamenleving vormen het decor van zijn boeken. Wie Bahia bezoekt herkent onmiddellijk de sfeer die Amado zo treffend beschrijft: de mystiek van de Afrikaanse rituelen, het pandemonium van de dagelijkse markt, de vetes, de liefdes en de zwoele tropische nacht.

Hoogtepunten in het werk van Jorge Amado zijn *Gabriela, kruidnagel en kaneel* (1958) en *Dona Flor en haar twee echtgenoten* (1969). Van het eerste boek is een succesvolle televisieserie gemaakt en van Dona Flor een internationaal gewaardeerde film met Sonia Braga, een van de bekendste Braziliaanse actrices, in de hoofdrol.

Andere boeken van Jorge Amado zijn: *Cacaoplantage, Vlinders van de nacht* en *Tocaia Grande*.

Hedendaagse schrijvers

João Ubaldo Ribeiro maakte naam met zijn omvangrijke *Brazilië, Brazilië*. Dit boek is een indringende beschrijving van de wording van het land en z'n volk, verteld aan de hand van het leven van enkele generaties Brazilianen. Het boek omspant vierhonderd jaar geschiedenis met oorlogen, intriges, fraude en geweld.

De vergelijking met *Honderd jaar eenzaamheid* van Gabriel García Márquez wordt nogal eens getrokken. Niet helemaal terecht, want hoewel de karakters van Ubaldo Ribeiro prachtig zijn en het taalgebruik bij vlagen wervelend, blijft García Márquez een klasse apart.

Van Ubaldo Ribeiro is nu ook meer werk vertaald zoals *De glimlach van de hagedis*. Met de verhalenbundel *De derde oever van de rivier* (1962) liet João Guimarães Rosa (1908–1967) zien zeker ook tot de literaire top van Latijns-Amerika te horen. Guimarães Rosa wordt eveneens in het Nederlands vertaald door August Willemsen, die vooral de enorme taalcreativiteit in het werk van de Braziliaan waardeert. In het boek staan de sociale wantoestanden in het droge en arme noordoosten centraal. Guimarães Rosa schrijft, zoals de nordestinos van de sertão praten: in verbrokkeld Portugees en met nieuw gevormde woorden. Een recent werk van de schrijver is ook vertaald: *Diepe wildernis: de wegen*. In dit lijvige en niet eenvoudig te lezen boek wordt het levensverhaal verteld van Riobaldo, een oudere grootgrondbezitter en voormalig bendeleider. Hij vertelt het verhaal zelf in een lange monoloog.

Andere Braziliaanse schrijvers, waarvan recent werk vertaald is, zijn: Rubem Fonseca, die met een scherpe pen treffend de hypocrisie van de rijken in Rio neerzet, onder andere in *De pad en de geleerde*, en Chico Buarque, vooral bekend als zanger en tekstschrijver, die met zijn boek *Onrust* verraste. Buarque hekelt in dit boek, net als in zijn liedjes, de Braziliaanse politiek en beschrijft het gevoel van machteloosheid dat zich van de Brazilianen heeft meester gemaakt, terwijl de samenleving afglijdt in corruptie, armoede en geweld.

SPORT

Futebol, de nationale passie

Dé sport in Brazilië is voetbal, *futebol*. Braziliaanse voetballers zijn balkunstenaars. Ze leren het op straat, op het schoolplein, op het trapveldje in de volkswijken of op het strand.

de auto en midden op straat scanderen fans met vlaggen en andere attributen de naam van hun club. Op de tribunes wordt gedronken en gegeten, muziek gemaakt en gezongen. Ook al is het spel niet om aan te zien, een voetbalwedstrijd in Brazilië is een kleurrijke en levendige gebeurtenis.

Bekende teams zijn Santos uit de gelijknamige stad, waar de legendarische Pelé vandaan komt, Flamengo en Fluminense in Rio, Corintians en Palmeiras in São Paulo, Gremio en Internacional in Porto Alegre, Atletico Mineiro en Cruzeiro in Belo Horizonte, en Bahia en Vitoria in Salvador. Ieder heeft zijn eigen fanatieke fanclub. Vooral als de favorieten elkaar treffen, verandert de stad in een heksenketel. De populaire cafés worden dan overgenomen door de aanhang van beide teams. Het gesprek gaat over niets anders meer dan over dé wedstrijd. Overal, op de terrassen, luid toeterend in

Voetbal is populair in alle lagen van de samenleving en brengt verbroedering. De band met hun team geeft vooral de armen een gevoel van identiteit. Hun club is alles, de bekende voetballers zijn hun helden.

Andere sporten

In korte tijd heeft het Braziliaanse volleybalteam zich naar de top van de wereld gespeeld. Hoogtepunten waren de gewonnen finales tijdens de Olympische Spelen van 1992 (Barcelona) en 2004 (Athene).

Als je in Brazilië langs het strand loopt,

FUTEBOL, DE NATIONALE PASSIE

Zeker als het Braziliaanse team speelt, groeit voetbal uit tot een zaak van nationaal belang. De *seleças*, de nationale selectie, is het volkslied op voetbalschoenen. De hele samenleving leeft mee met de verrichtingen van de nationale elf in de *Copa América*, te vergelijken met ons Europacuptoernooi. Maar het absolute hoogtepunt zijn de wereldkampioenschappen. Het maatschappelijke leven ligt stil als *Brasil* speelt. Een grote overwinning is een gigantisch volksfeest, een nederlaag dompelt de natie in diepe rouw.

Gelukkig voor de Brazilianen behoort het nationale team, met vijf wereldtitels op zak, tot de absolute top van de wereld. Er ís dus reden voor feest. Eerst in de jaren vijftig en zestig speelde Brazilië de sterren van de hemel met illustere spelers als Garrincha en Pelé. Vooral de laatste, die eigenlijk Edson Arantes do Nascimento heet, is met zijn prachtige individuele acties de personificatie van het Braziliaanse voetbal geworden. In 1958, 1962 en 1970 werden de eerste drie wereldtitels binnengehaald. Pelé werd door de internationale sportpers uitgeroepen tot de beste speler van de 20ste eeuw.

Sindsdien is Brazilië synoniem voor swingend en artistiek sambavoetbal. Grote sterren bleven komen: Zico, Falcão, Sócrates, Bebeto, Careca, Romário, Ronaldo, Roberto Carlos en Ronaldinho. Het duurde tot 1994 voor de vierde wereldtitel werd gewonnen, in de Verenigde Staten, nadat in een zinderende achtste finale Oranje was verslagen. In 1998 verloor Brazilië van en in Frankrijk de finale na een merkwaardige black-out van Ronaldo. Tijdens de WK in Korea en Japan (2002) lieten de 'Gele Kanaries' er opnieuw geen twijfel over bestaan wie de besten van de wereld zijn. Niet alleen bij voetbal leven de Brazilianen intens mee als sportieve vertegenwoordigers van het land succes hebben. De populariteit van volleybal, autosport en tennis is de laatste jaren ook sterk gestegen.

Voetbal is religie... zeker als het nationale team speelt.

begrijp je waarom de Brazilianen goed kunnen volleyen. Net als voetbal zit het ze in het bloed. Met onwaarschijnlijke bewegingen en atletisch vermogen bespelen ze de bal. Strandvolley is erg populair. Op sommige stranden staan zelfs speciale stadions waar grote toernooien worden afgewerkt.

In individuele sporten zijn Brazilianen tot op heden minder sterk op internationaal niveau. De uitzondering is de autosport. Ook hier grote namen: Emerson Fittipaldi, Nelson Piquet, Ayrton Senna en Rubens Barichello, troetelnaam 'Rubinho'. Toen veelvuldig wereldkampioen Formule 1 Ayrton Senna in 1994 verongelukte tijdens de Grote Prijs van San Marino op het circuit van Imola, bleek weer eens wat sport voor de Brazilianen betekent. Vrijwel de hele natie was ontsteld en ontroostbaar door het verlies van deze immens populaire sportman.

Eén man heeft Brazilië in het proftennis op de kaart gezet: Gustavo Kuerten. Sinds zijn overwinning op Roland Garros in 1997 is ook hij een volksheld. En sindsdien is het met 'Guga' uit Florianópolis alleen maar beter gegaan. 2000 was een topjaar met opnieuw winst bij de Franse Open en bij het wereldkampioenschap. In 2001 stond hij lange tijd op de eerste plaats van de internationale ranglijst. Een rugoperatie maakte een eind aan zijn opmars. Maar Kuerten is niet alleen op de tennisbaan een persoonlijkheid. Zelf afkomstig uit een 'gewoon' milieu, zet hij zich in voor de minder bedeelden. Veel van zijn met tennis verdiende geld gaat naar het *Gustavo Kuerten Institute,* voor Braziliaanse kinderen die hun vader of moeder niet kennen of hebben verloren. Gustavo verloor zijn eigen vader op jonge leeftijd en heeft een gehandicapt broertje. Guga laat zich niet verblinden door het succes, laat anderen delen in zijn geluk en vooral daarom dragen de Brazilianen hem op handen.

Rio de Janeiro 4

Rio de Janeiro is een wereldstad die direct tot de verbeelding spreekt. Wie aan Rio denkt, ziet een zonnig strand met prachtig gebruinde lichamen, hoort het zwoele ritme van de bossa nova en krijgt beelden van een uitzinnig dansende massa met mooie kostuums tijdens carnaval.

De beelden bedriegen niet. Rio is een stad om breeduit van te genieten. De locatie is uniek. Het tropische decor is kleurrijk met vreemd gevormde rotsen en een azuurblauwe lucht. De stranden van Rio zijn het gezicht van de stad, bezongen en gefotografeerd, beschreven en gefilmd. Copacabana en Ipanema zijn de ontmoetingsplaatsen bij uitstek in deze metropool. Hier naar het strand gaan is kijken en gezien worden. Onmiskenbaar legt de *carioca*, de inwoner van Rio, op het strand z'n ware aard bloot: zonaanbidder, levensgenieter, ijdeltuit en versierder.

Maar er is meer. Ondanks de moderniseringsgolven zijn historische gedeelten van de stad behouden gebleven. Daar zijn flarden van het keizerlijke Rio te zien en van de tijd, rond de eeuwwisseling, dat Rio als hoofdstad een echte grote stad werd. Rio biedt een ruime keus aan musea op historisch, religieus en artistiek gebied. Rio is ook de stad waar modernistische architecten als Oscar Niemeyer en Roberto Burle Marx hun eerste vingeroefeningen in stedelijke vormgeving deden, voordat ze tot het ontwerp van de nieuwe hoofdstad Brasília kwamen.

Maar bovenal is Rio een wereldstad met bijna tien miljoen inwoners, de voorsteden meegerekend. Na São Paulo is het de tweede stad van Brazilië. Rio is een dynamische en altijd levendige metropool.

Helaas is de stad door haar aantrekkingskracht ook de plek waar de sociale problemen van Brazilië zich het sterkst manifesteren. Dat is te zien aan de omvang van de *favelas*, de onuitroeibare corruptie, de criminaliteit, het geweld en de straatkinderen.

GESCHIEDENIS

Niemand weet precies wanneer Rio de Janeiro door de Portugezen is ontdekt. Mogelijk was dat tijdens de expeditie onder leiding van Gonçalo Coelho, die op 1 januari 1502 bij de baai van Guanabara

Dé ansichtkaart van Rio: de stad aan de baai met de Suikerbroodberg als decor

CARNAVAL IN RIO

Cariocas houden van het leven en laten dat graag merken. De jaarlijkse apotheose is tijdens het carnaval. Het dagelijkse leven in de stad ligt dan volledig stil en iedereen, van rijk tot arm, geeft zich over aan muziek, dans en drank. Carnaval in Rio speelt zich af op drie niveaus, ieder met zijn eigen hoogtepunt.

De Grote Parade

Het absolute hoogtepunt is de parade van de veertien grote sambascholen in het speciaal hiervoor gebouwde stadion, het zogeheten Sambódromo.

De parade vindt plaats op twee avonden, meestal zondag en maandag. Op elk van deze avonden presenteren zich de beste zeven sambascholen aan de honderdduizenden toeschouwers. Bij de allergrootste scholen doen meer dan 3000 mensen mee. Aan het publiek in het Sambódromo is te merken welke scholen de populairste thema's van dat jaar brengen. Tijdens de presentaties wordt er op de tribunes uitbundig meegedanst en meegezongen.

De grote parade in het Sambódromo is een onvergetelijke gebeurtenis, waarvoor de kaarten meestal al maanden van tevoren uitverkocht zijn. In de grotere hotels zijn echter in de week van het carnaval doorgaans nog wel kaarten voor toeristen te koop. Vanuit deze hotels wordt tevens voor transport gezorgd. Het grote voordeel daarvan is dat je niet zelf hoeft te zoeken aan welke kant van het immense Sambódromo je moet zijn. De omringende wijken staan niet bekend als de veiligste.

Toch heeft de grote parade veel van de oorspronkelijke spontaniteit verloren door de gigantische organisatie. De enorme bedragen die ermee gemoeid zijn en de bij iedereen bekende betrokkenheid van de maffiabazen uit de favelas bij de sambascholen hebben gezorgd voor een nare bijsmaak. Voor de gewone carioca is het bijwonen van het grootse gebeuren door de hoge entreeprijzen onbetaalbaar geworden.

Straatcarnaval

Het straatcarnaval met als hoogtepunt de parade van de kleinere scholen op de Avenida Rio Branco is veel 'echter'. Deze grote straat is tijdens de carnavalsavonden het domein van de mensen uit de volkswijken en de favelas. Zij leven zich uit in de kleren die ze zelf gemaakt hebben en op de muziek waar ze een jaar lang mee bezig zijn geweest. Bepaalde delen van Copacabana en Ipanema hebben hun eigen sambabands die daar door de straat trekken. Bij enkele bars verzamelen groepjes cariocas zich om hun eigen feest te vieren. Het kruispunt bij de Garota de Ipanema is tijdens het carnaval 's avonds een gekkenhuis. Bij Maxim's aan de Avenida Atlântico in Copacabana geven de travestieten hun show weg.

Carnavalsbal

Een derde manier om carnaval te vieren is in de grote clubs. Er zijn er talrijke gedurende het hele carnaval met als klapstuk het Baile de Gala da Cidade (het Galabal van de Stad) in de Scala en de Uma Noite em Bagdá (een Nacht in Bagdad) in de Monte Líbano. Tijdens het eerste bal gaan de beroemdheden van Rio, van voetballers tot topmannequins, uit hun bol. Kaarten zijn moeilijk te krijgen. Uma Noite em Bagdá kan worden gezien als de afsluiting van het carnaval.

Escolas de Samba

Wil je een kijkje nemen achter de schermen van het carnaval en de sfeer van de volkscultuur in de sloppenwijken proeven, dan kun je een van de sambascholen bezoeken. Al in de wintermaanden (juli-augustus) is er activiteit ter voorbereiding van het defilé, zoals het componeren van het thema en het ontwerpen van de kostuums. Eén keer in de week is er dansavond in de quadra, het grote clublokaal. Naarmate de zomer dichterbij komt, neemt de carnavalskoorts toe. Wekelijks oefenen de *bateria* (de drumband) en de *alas* (de dansgroepen die tijdens het grote defilé hetzelfde kostuum dragen).

Nieuw! Cidade do Samba

Een nieuwe topattractie in Rio is de Cidade do Samba, de Stad van de Samba, een groot festivalterrein vlak bij de haven, met werkplaatsen van de grote sambascholen. Vanaf september kun je er dagelijks zien hoe de praalwagens vorm krijgen, de kostuums worden ontworpen en de choreografie wordt ingestudeerd. Iedere donderdag is er een wervelende show, en kun je zelf in kostuum meedoen!

ⓘ CIDADE DO SAMBA. Rua Rivadávia Correia 60, Gamboa, www.cidadedosambarj.globo.com; dagelijks 12-20, R$ 20; do. 19 uur, (met show en diner) R$ 80.

ⓘ SAMBASCHOLEN. Wil je meelopen in het defilé, meld je dan aan bij de sambascholen, zie www.liesa.com.br.

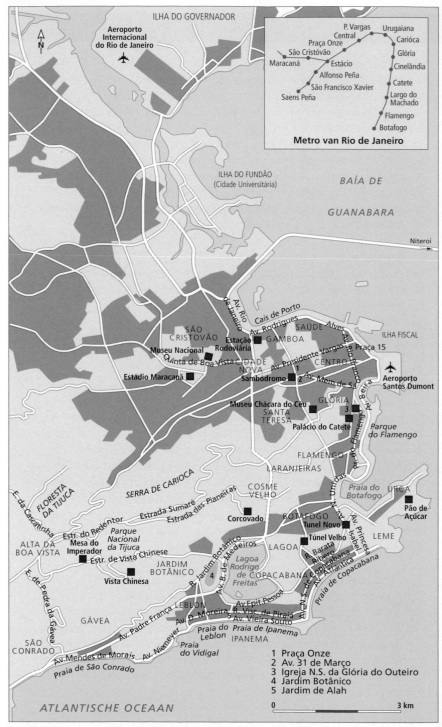

ILHA DO GOVERNADOR

Aeroporto
Internacional
do Rio de Janeiro

Metro van Rio de Janeiro

Maracaná · São Cristóvão · Praça Onze · Central · P. Vargas · Urugaiana · Carióca · Glória · Cinelândia · Catete · Largo do Machado · Flamengo · Botafogo

Estácio · Alfonso Peña · São Francisco Xavier · Saens Peña

ILHA DO FUNDÃO
(Cidade Universitária)

BAÍA DE

GUANABARA

Niteroi

ILHA FISCAL

Cais de Porto
Av. Rodrigues
SAÚDE
Av. Rio de Janeiro
GAMBOA
Estação Rodoviária
Museu Nacional
Quinta de Boa Vista CIDADE NOVA
SÃO CRISTÓVÃO
Estádio Maracaná
Praça 15
Av. Presidente Vargas
CENTRO
1
Sambódromo
2 Av. Mem de Sá
Aeroporto Santos Dumont

Museu Chácara do Céu
SANTA TERESA
GLÓRIA
3
Palácio do Catete
Parque do Flamengo

FLAMENGO
LARANJEIRAS

FLORESTA DA TIJUCA
SERRA DE CARIOCA
COSME VELHO
Estrada Sumaré
Estrada das Pianeiras
Corcovado
BOTAFOGO
Túnel Novo
Túnel Velho
Praia do Botafogo
URCA
Pão de Açúcar

Estr. do Redentor
ALTA DÁ BOA VISTA
Mesa do Imperador
Parque Nacional da Tijuca
Estr. de Vista Chinese
JARDIM BOTÂNICO
Vista Chinesa
R. Jardim Botânico
Av. B. de Medeiros
Lagoa Rodrigo de Freitas
LAGOA
LEME
R. Barata Ribeiro
Av. N.S. de Copacabana
Av. Atlântica
Praia de Copacabana

E. da Cascatinha
E. de Pedra da Gávea
SÃO CONRADO
GÁVEA
Av. Padre Franca
LEBLON
Av. Niemeyer
Praia do Vidigal
Praia do Leblon
Av. D. Moreira, R. Visc. de Piraiá
Av. Epit. Pessoa
5 Av. Vieira Souto
IPANEMA
Praia de Ipanema

Av. Mendes de Morais
Praia de São Conrado

1 Praça Onze
2 Av. 31 de Março
3 Igreja N.S. da Glória do Outeiro
4 Jardim Botânico
5 Jardim de Alah

ATLANTISCHE OCEAAN

0   3 km

Rio de Janeiro

aankwam. Ze dachten dat ze de monding van een reusachtige rivier hadden ontdekt en doopten deze Rio de Janeiro (Janeiro betekent januari).

In 1555 ontstond de eerste nederzetting toen Franse troepen, zeshonderd man sterk, op een eiland in de baai een fort bouwden. Verontrust over de Franse aanwezigheid in dit gebied stuurde de Portugese regering een militaire expeditie om de indringers te verjagen. De strijd verliep minder snel dan ze hadden gedacht. Pas op 20 januari 1567, de dag van de heilige Sebastiaan, was de strijd beslecht en verlieten de Fransen de baai. De officiële naam van de nederzetting werd daarom **São Sebastião do Rio de Janeiro**.

De kust rondom de baai was moerassig, zodat van snelle kolonisatie in dit deel van Brazilië geen sprake was. Er was ook weinig aanleiding toe, totdat in het binnenland, in het tegenwoordige Minas Gerais, rijke goudaders werden gevonden. Rio was de haven die het dichtst bij het mijngebied lag en groeide daardoor uit tot een strategische nederzetting. In de 18de eeuw kreeg de stad nieuwe impulsen vanwege de aanplant van suikerriet in de omgeving. Planters, slaven en handelaren kwamen naar Rio.

In 1763 werd het belang van de stad bekrachtigd. Rio werd de nieuwe hoofdstad van het onderkoninkrijk Brazilië.

Een gouden tijd

Een historisch jaar in de ontwikkeling van de stad was 1808. De Portugese regent João, op de vlucht voor het leger van Napoleon, vestigde zich met een gevolg van 15.000 mensen in Rio de Janeiro, dat werd uitgeroepen tot de hoofdstad van het Portugese koninkrijk. João was zo onder de indruk van de prachtige ligging van de stad, dat hij besloot in Rio te blijven, ook nadat de Fransen uit Portugal verdreven waren. In 1816 werd hij in de Igreja do Carmo tot koning João VI gekroond.

Voor het eerst in de geschiedenis werd een Europese natie bestuurd vanuit de voormalige kolonie. Tijdens zijn verblijf in Rio liet João VI nieuwe gebouwen construeren en parken aanleggen. Ze sieren tot op de dag van vandaag de stad.

De gouden tijd voor Rio was de tweede helft van de 19de eeuw onder het keizerschap van Pedro II. De eerste straten kregen gasverlichting, er werd een trambaan aangelegd en de telefoon deed zijn intrede. Pedro II liet ook scholen, ziekenhuizen en wetenschappelijke instituten bouwen. In die tijd kreeg ook Petrópolis vorm. In 1872 telde Rio de Janeiro 275.000 inwoners.

Rond de eeuwwisseling vond er een volgende fase van modernisering plaats. In het centrum maakte de oude havenbuurt plaats voor de brede Avenida Rio Branco. Een nieuwe haven werd aangelegd aan de noordkant van de stad. Met twee tunnels werden de stranden van Copacabana en Leme ontsloten.

Modernisering

In 1907 had de stad een omvang van 800.000 inwoners bereikt.

In de tweede helft van deze eeuw werd de infrastructuur verbeterd en ontstonden nieuwe wijken. Zo werd een deel van de baai opgespoten om een nieuwe brede boulevard en het Parque do Flamengo aan te leggen. Voor het ontwerp van dit park met musea, wandelpaden en recreatieruimtes, tekende de landschapsarchitect Roberto Burle Marx. Ook het strand van Copacabana werd verbreed.

In 1960 was Rio de Janeiro geen hoofdstad meer. Het nieuwe federale bestuurscentrum werd Brasília, waardoor Rio veel aan belang inboette. In dezelfde tijd nam São Paulo de functie van industrieel en financieel centrum over. Rio dreigde in de jaren zeventig en tachtig in verval te raken door torenhoge schulden. De infrastructuur werd verwaarloosd, hele stadswijken raakten in verval en de sociale spanningen namen toe. Mede dankzij het toerisme, dat nu verreweg de grootste inkomstenbron voor de stad vormt, krabbelt Rio weer overeind. Er zijn ambitieuze projecten om de stad in westelijke richting uit te breiden en het oude centrum te renoveren.

FAVELAS: DE SLOPPENWIJKEN

De 'achterkant' van Rio de Janeiro is minder kleurrijk en exotisch dan de toeristische beelden van de stad doen geloven. Vooral het noordelijke deel van de stad is een andere wereld. Brede snelwegen doorsnijden hier de immense volkswijken en industriegebieden. In dit deel van de stad, dat zich over tientallen kilometers uitstrekt in de Baixada, het laagland aan de Baai van Guanabara, liggen grote favelas. Noord-Rio is voor de armen. Vooral sinds de jaren zestig zijn ze uit het zuidelijk deel van de stad verdreven en hier neergestreken.

Favelas, wijken met zelfgebouwde en veelal illegaal gebouwde huisjes, zijn er in Rio al vanaf het begin van de eeuw geweest. Het verhaal gaat dat de eerste hutjes tegen de rotshellingen werden neergezet door werkloze oud-soldaten uit het federale leger. Toen de stad zich uitbreidde, groeiden de favelas mee.

Het huidige aantal favelas in Rio wordt geschat op vierhonderd. In totaal zouden er anderhalf miljoen mensen in dergelijke sloppenwijken wonen. De verschillen onderling zijn groot. Sommige favelas zijn door initiatieven van de bewoners op weg om gewone volkswijken te worden met stenen huizen, elektriciteit, verharde wegen en andere basisvoorzieningen.

Contrasten

Rocinha is de grootste favela, met naar schatting meer dan 150.000 bewoners. Het is een verbazingwekkend stadsdeel, dat zich uitstrekt over de rotshellingen tussen Leblon en São Conrado. Het is een wat oudere favela met relatief goede voorzieningen. Veel bewoners werken in de zuidelijke wijken, soms in de informele sector, maar vaak ook met een vaste baan in de horeca, bij de gemeente of bij een bedrijf. Ze wonen in Rocinha omdat een woning ergens anders onbetaalbaar is.

In Caxias, een wijk aan de noordkant van de stad, ligt de favela Lixeao. Dat betekent niets meer dan 'grote vuilnisbelt'. Het verwijst naar de wijze waarop deze wijk is ontstaan: op een vuilnisbelt. De meeste mensen leven nog steeds van het scheiden van vuilnis. Zo nu en dan moeten de kinderen met de varkens vechten wie de eetbare resten tussen het vuil weg kan halen. Hier wonen tienduizenden mensen in bouwvallige hutjes van afvalhout, karton en plastic. Gezinnen leven op een oppervlakte van 4 tot 6 m^2 boven op elkaar. Er zijn geen scholen en er is slechts één gezondheidscentrum. Als het regent, verandert de wijk in een grote modderpoel. Weinig mensen hebben hier vast werk en de kinderen gaan niet naar school. Via de illegale straatloterij of de drugshandel komt er toch geld de wijk binnen.

De meeste favelas zijn hechte sociale organisaties waar de lokale maffia het voor het zeggen heeft. De drugsbazen bieden de bewoners bescherming. Voor de criminelen is de favela op die manier een goede schuilplaats, want de politie zal zich er niet gauw vertonen.

EEN EERSTE ORIËNTATIE

Om een goed overzicht van Rio te krijgen, zou een bezoek aan de stad het beste

NIEUWE ATTRACTIE: BEZOEK EEN FAVELA

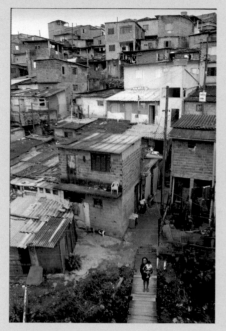

Voor wie Copacabana wel gezien heeft, en Ipanema en Leblon meer van hetzelfde vindt, voor wie de Suikerbroodberg en de Corcovado reeds heeft bedwongen en toe is aan een nieuwe uitdaging, voor wie het wandelen door het oude centrum en de musea zat is, is er een bijzondere attractie. Wat aan het begin van de jaren negentig van de vorige eeuw begon als een bizarre noviteit is uitgegroeid tot een succesnummer in het programma van de gespecialiseerde reisbureaus in de stad.

Het is natuurlijk een buitenkansje om eens kennis te nemen van de levensomstandigheden in een favela als Rocinha, de bekendste in Rio. Een plek waar de drugsmaffia heer en meester is, de politie niet durft te komen, waar moord en doodslag aan de orde van de dag zijn, kinderen opgroeien als drugsrunners, waar overleven voorop staat. Met eigen ogen zien hoe de armsten leven, de stank van verrotting uit het open riool opsnuiven, de misère voelen. Het klinkt aantrekkelijk voor de geëngageerde bezoeker die meer van de Braziliaanse samenleving wil begrijpen.

Toch zit er een vreemd luchtje aan dit initiatief. Kun je armoede en ellende zien als een toeristische attractie, de favela als een openluchtmuseum en de mensen die er wonen als bezienswaardigheid? Moet daar geld aan worden verdiend en zo ja, door wie dan?

Je kunt je ook afvragen wat de directe en indirecte gevolgen zijn van deze nieuwe economische activiteit.

Dan is het initiatief van Andreia Martins zuiverder. In de favela Pereira da Silva, waar ze zelf is opgegroeid, is ze een hotelletje begonnen onder de liefdevolle naam Pousada Favelinha. Drie etages hoog, met een handvol kamers, heel basic, maar wel met een adembenemend uitzicht op de rotsachtige kust. Andreia zegt dat ook de buurtbewoners instaan voor je veiligheid, want ze profiteren allemaal mee van de hotelgasten.

Voor meer informatie kijk op: www.favelinha.com.

kunnen beginnen op een van de wereld-beroemde uitkijkpunten van de stad: op de Pão de Açúcar of op de Corcovado. In het centrum krijg je een goed beeld van de geschiedenis van Rio. De Avenida Rio Branco is er de hoofdstraat, met moderne hoogbouw en enkele grote monumenten: het Teatro Municipal, de Biblioteca Nacional en het Museu Nacional de Belas Artes.

Een historisch plein is het Praça 15 de Novembro waaraan het Paço Imperial (Keizerlijk Paleis), het Museu de História Nacional en de Igreja Nossa Senhora do Carmo zijn gelegen. Iets noordelijker staat de mooiste kerk van Rio: de Igreja São Bento.

Een wandeling door de straatjes in het centrum die de modernisering hebben overleefd, geeft een goed beeld van Rio in het fin-de-siècle.

Haaks op de Avenida Rio Branco ligt een andere grote verkeersader: de Avenida Presidente Vargas met onder meer het treinstation, het Sambódromo waar het grote carnavalsdefilé wordt gehouden en iets ervanaf het grote busstation.

Ten zuidwesten van het centrum liggen de wijken Santa Teresa, Glória en Flamengo. Ze zijn van recenter datum maar ook vol tradities en interessante musea.

Voor het vertier moet je aan de zuidkant van de stad zijn. Leme, Copacabana, Ipanema, Leblon, São Conrado en Barra de Tijuca zijn de modernste wijken van de stad en hebben fantastische stranden. Het zijn bovendien de plaatsen waar het nachtleven zich afspeelt. De Serra de Tijuca, de bergen en het woud die het noorden en het zuiden van Rio scheiden, zijn één groot natuurpark. Na Barra volgen nog enkele stranden: Recreio dos Bandeirantes, Prainha en Grumari, de laatste ontdekkingen van de zonaanbidders.

Pão de Açúcar

Toen de Portugese zeevaarders de baai van Guanabara binnenvoeren waren ze diep onder de indruk van de machtige rots die voor hun ogen opdoemde. Ze noemden hem Pão de Açúcar (Suikerbrood) vanwege de bijzondere vorm. Aan de voet van de rots ontstond São Sebastião de Rio de Janeiro.

In tegenstelling tot de Corcovado is de Pão de Açúcar pas in deze eeuw toegankelijk gemaakt. De kabelbaan gaat in twee etappes, eerst naar de Morro da Urca (215 m) en van die rotspunt naar de Pão de Açúcar (394 m). Dit laatste traject werd in 1913 voltooid. De spectaculaire entourage heeft voor menige speelfilm als decor gediend. Wie herinnert zich niet de halsbrekende toeren van Roger Moore als James Bond boven op de cabine als hij probeert te ontkomen aan zijn eeuwige rivaal 'Jaws' in de klassiek geworden film *Moonraker*.

De Pão de Açúcar biedt het beste uitzicht op de baai, de oude stad en de stranden. De gunstigste tijd om de tocht naar het platform op de rots te maken, is vroeg in de ochtend of laat in de middag. Overdag wil het nog al eens nevelig zijn boven de baai en de kustlijn. Vooral het beeld van de stad bij zonsondergang en bij helder weer vergeet je niet gauw.

Zowel op de Morro da Urca als op de Pão de Açúcar is een restaurant. Op de eerstgenoemde rots is elk uur een drie kwartier durende audiovisuele voorstelling over Brazilië te zien. Het amfitheater boven op de Urca is beroemd vanwege het nieuwjaarsfeest en het carnavalsbal die er jaarlijks gehouden worden. Iedere maandagavond is er een sambashow.

❶ KABELBAAN PÃO DE AÇÚCAR. Geopend: dag. ieder halfuur 8-22 uur vanaf Praça General Tibúrico (Praia Vermelha) in de wijk Urca, bereikbaar met de bus met opschrift Urca. R$ 30 p.p., kinderen R$ 15

Op de Corcovado staat het reusachtige art-deco-Christusbeeld als icoon van de stad.

Corcovado

Misschien wel het beroemdste beeld ter wereld, na het Vrijheidsbeeld in New York, is de beeltenis van *Cristo Redentor* (Christus de Verlosser) op de Corcovado. Op 713 m hoogte lijkt de Christusfiguur te waken over de stad.

Een bezoek aan de top van de Corcovado en het kunstwerk is absoluut een verplicht nummer, al is het alleen maar voor het fantastische uitzicht over Rio.

Eenmaal boven blijkt hoe indrukwekkend het art-decobeeld zelf is. Het 30 m hoge Christusbeeld is een ontwerp van Carlos Oswald en gebouwd door ingenieur-architect Hector da Silva Costa. Op 12 oktober 1931 werd het door president Getúlio Vargas onthuld.

De reis naar boven is op zichzelf al de moeite waard. Dat kan per auto door het Floresta da Tijuca (Bos van Tijuca) via de Estrada do Redentor of vanuit verschillende punten in de stad.

De makkelijkste manier is om het speciale treintje vanaf het station Cosme Velho te nemen. De spoorlijn dateert van 1884. Nog niet zo lang geleden is de lijn grondig gerenoveerd.

De rit voert door de weelderige begroeiing van het bos van Tijuca en biedt schitterende panorama's van de stad en de heuvels. Als de bergtop niet in wolken is gehuld, heb je rondom een uitzonderlijk beeld van Rio: van het enorme Maracanã-stadion ten noordwesten van het centrum, de kilometerslange brug naar Niterói en de Pão de Açúcar, tot aan de rotsen die de zuidelijke wijken omzomen. Het lijkt alsof je boven de Lagoa Rodrigo de Freitas hangt en van bovenaf gezien is de immense begraafplaats São João Batista in Botafogo een stad op zich. Aan de horizon ligt het bergland met de plaatsen Petrópolis en Teresópolis. Vanaf deze plek zegende paus Johannes Paulus II op 2 juli 1980 de stad.

ⓘ BEREIKBAARHEID CORCOVADO. Per trein verscheidene keren per uur vanaf Rua Cosme Velho 513, dag. 8-18 uur, retour R$ 30 p.p. en R$ 15 voor kinderen; per auto vanuit het zuiden via de tunnel André Rebouças en Rua Cosme Velho en vanuit Flamengo via de Rua Laranjeiras en Rua Cosme Velho R$ 10 per auto; per bus vanaf metrostation Flamengo met lijn 497 (Cosme Velho).

STRANDEN EN UITGAANSWIJKEN

Copacabana: een manier van leven

Copa, zoals de cariocas het noemen, is meer dan een strand alleen. Het is een stadswijk waar tegenwoordig 200.000 mensen wonen. Copa is een stad in de stad en het heeft in Rio altijd model gestaan voor het moderne leven. Voor de Tweede Wereldoorlog was het de wijk van de kunstenaars en bohémiens, de

Braziliaanse avant-garde en de buitenlandse nouveaux riches.

Geschiedenis

De wijk Copacabana was de eerste stadsuitbreiding langs de zuidelijke kust.
Eeuwenlang was de schoonheid van de
stranden voor de stadsbewoners praktisch onbereikbaar geweest. Je kon de
boot nemen en om de rotsen van Urca
(de Suikerbroodberg) heen varen of je
moest er een hachelijke tocht per muil-
ezel of te voet over de rotsen voor over
hebben.

Dat veranderde door de bouw van de
eerste tunnel, die het hart van Botafogo
met het strand verbond. De Tunel Alãor
Prata, die bekend is als Tunel Velho (Oude
Tunnel), werd in 1892 geopend. Dat was
een groot volksfeest en het begin van een
indrukwekkende ontwikkeling. Met de
paardentram kwamen de welgestelden, de
speculanten en de aannemers. Wonen in

Copacabana betekende wonen op stand.
In 1904 was de tweede tunnel een feit,
de Tunel Novo (Nieuwe Tunnel), die eigenlijk genoemd is naar z'n ontwerper
Engenheiro Marques Porto. Met deze
tweede tunnel kreeg Copacabana een
rechtstreekse verbinding met de kustboulevard van Botafogo, via Flamengo
naar het oude centrum.

Vanaf dat moment ging het razendsnel.
De nieuwe stadswijk kreeg als grootste
trekpleister de Avenida Atlântica. Copa
werd de plaats om op het strand te liggen
en uit te gaan. Flaneren langs het strand,
zwemmen en wat drinken bij een van de
moderne uitspanningen werd een favoriet tijdverdrijf voor de cariocas.

De opening van het chique Copacabana
Palace Hotel in 1923 werd een nieuwe
mijlpaal. Vanaf dat moment werd Copacabana in één adem genoemd met
trendy badplaatsen als Nice en Monaco.
Wereldberoemde sterren kwamen voor

Golvende lijnen in het plaveisel van de boulevards zijn kenmerkend voor Rio.

de variétéshows, de revues, de casino's en de nachtclubs naar Rio. Tegelijk met de rijkdom verschenen echter ook de eerste hutjes van de armen op de steile rotshellingen.

Vanaf de jaren vijftig werd het druk in Copacabana. Het verbod op casino's in 1946 betekende een grote slag voor het luxetoerisme. Daarvoor in de plaats zijn Brazilianen uit de middenklasse gekomen, die niet alleen naar Copa komen voor vertier, maar ook om er te wonen. Opnieuw liep Copacabana voorop in de nieuwe trend. De kitchenette raakte in en maakte het voor de minder welgestelde cariocas ook betaalbaar in Copa. De smalle strook land tussen de rotsen en de oceaan werd voller en voller met steeds meer hoge appartementencomplexen. Intussen verhuisden de rijken naar nieuwere wijken langs de zuidelijke kust, zoals Ipanema en Leblon.

Bezienswaardigheden

Dynamisch is Copacabana altijd gebleven. De Avenida Atlântica, die van oost naar west langs de kust loopt, is de etalage waarin men zich graag laat zien. Van zonsopkomst tot diep in de nacht in de nachtclubs en disco's, op alle uren van de dag en alle dagen van het jaar draait hier de carrousel van het vertier.

Sinds 1969, toen de boulevard en het strand werden verbreed, is de aanblik imposanter dan ooit. De grote hotels vormen de beste oriëntatiepunten. Aan de oostkant staan het Leme Palace en Meridien, met veertig verdiepingen, vervolgens het legendarische Copacabana Palace, 1,5 km verder Othon Palace en helemaal aan de westkant van de boulevard het moderne en dure Rio Palace.

Parallel aan de Avenida Atlântica lopen de Avenida Nossa Senhora de Copacabana en de Rua Barata Ribeiro. Beide straten zijn ingesloten door veel hoog-

bouw. Behalve verkeersaders van de wijk (eenrichtingstraten) zijn het de belangrijkste winkelstraten.

Andere bezienswaardigheden zijn de pleintjes en straatmarkten die het overvolle Copa ruimte en kleur geven. Zo is het Praça São Correia (op de hoek van de Avenida Nossa Senhora de Copacabana en de Siqueira Campos) een verademing door de rust die het uitstraalt. Onverstoord wordt hier in de schaduw van de bomen gedamd en domino gespeeld. Voor de kinderen is er een speeltuin.

❶ STRAATMARKTEN. Zaterdags is ook Shopping Cassino Atlántico, Avenida Atlántica 1240, één grote antiekmarkt. Art Noveau Antiques, Avenida N.S. Copácabana is de hele week open. Op za. en zo. is er op Avenida Atlântica, tussen de Rua Xavier da Silveira en de Rua Bolivar, antiek- en curiosamarkt, 8-18 uur.

Ipanema en Leblon

Wat Copacabana tot aan de jaren zestig was, zijn Ipanema en Leblon nu: een toevluchtsoord voor kunstenaars, artiesten, succesvolle zakenlieden en intellectuelen. De meeste toprestaurants, toonaangevende theaters, clubs en disco's en de voornaamste kunstgaleries zijn in dit deel van Rio gevestigd.

De scheidslijn tussen beide wijken is de Jardim de Alah, het afvoerkanaal van de Lagoa Rodrigo de Freitas. Dit zoetwaterreservoir, dat door de cariocas wordt aangeduid met Lagoa, vormt de noordelijke begrenzing van Ipanema en een groot deel van Leblon. Met water aan beide kanten hebben deze wijken een veel minder besloten karakter dan Copacabana. Dat neemt niet weg dat de bouwwoede hier ook aardig heeft toegeslagen.

Ipanema was vroeger overwegend duingebied met hier en daar een villa, totdat in de jaren vijftig de rijken Copacabana ontvluchtten en Ipanema ontdekten. De grondprijzen schoten de lucht in, net als

STRANDLEVEN

De stranden in Rio zijn de ontmoetingsplekken bij uitstek. Hier waaien de cariocas uit, werken ze aan hun lichaam, praten ze bij en maken ze hun afspraakjes. Maar bovenal komen ze hier om elkaar te bekijken en te genieten.

De promenade is het domein van joggers en fietsers. In de kiosken kun je de ochtend of de middag aan het strand onderbreken voor een hapje, drankje of ijsje.

Dan volgt de strook zand voor de sportieve badgasten: de zone van de gebronsde en gespierde lichamen die zich in het zweet werken op trim-toestellen en van de virtuoze strandvoetballers en -volleyballers. Op een aantal plaatsen zijn permanente sportvelden te vinden, inclusief verlichting, waar tot laat in de avond competitie wordt gespeeld. Ga er eens lekker voor zitten, dan begrijp je waarom hier de virtuoze voetbalartiesten vandaan komen.

Pas na enkele tientallen meters zand begint het echte strandleven. Je hoeft niet veel meer te doen dan je goed in te smeren, je handdoek neer te leggen of een stoel en parasol te huren; en dan kijken naar de uitgelaten, praatgrage cariocas en de strandventers die met een verbazingwekkend uithoudingsvermogen door de hitte en het zand banjeren. In de Braziliaanse zomer (dec.-jan.) zitten de strandgangers hutje bij mutje. Dan moet je echt vroeg van huis gaan om een van de vaste parasols te bemachtigen of je moet er zelf een meenemen.

Pas altijd goed op je spullen. Vooral als het erg druk is, is het strand onoverzichtelijk en kunnen de kruimeldieven hun slag slaan. In een poging de veiligheid op het strand en de boulevard te verhogen, patrouilleert er speciale strandpolitie in korte broek.

Door de sterke stroming die er doorgaans voor de kust staat is het gevaarlijk om ver de zee in te gaan. Kijk altijd naar wat de cariocas doen en ga nooit verder, tenzij je het leuk vindt om met een reddingssloep of helikopter uit het water te worden gevist.

In verband met de vervuiling uit de Baai van Guanabara zwemmen niet veel cariocas bij het strand van Copacabana. De zee bij Ipanema en Leblon is wat minder vervuild. Bovendien is de sfeer hier familiairder, omdat er veel minder horeca aan de boulevard is te vinden. Barra heeft het langste strand en is de grote favoriet van de jonge cariocas.

de appartementsgebouwen; en zo groeide er weer een nieuwe stad.

Bezienswaardigheden

De kustboulevards Avenida Viera Souto in Ipanema en Avenida Delfim Moreira in Leblon zijn veel minder levendig dan die van Copacabana. Behalve enkele chique hotels overheersen peperdure appartementen het straatbeeld. Er zijn aan de zeekant weinig terrasjes te vinden en nog minder clubs en disco's.

Sporten, praten en vozen; het strand als ultieme ontmoetingsplaats

Toch is een wandeling langs de kapitale gebouwen, die meestal voorzien zijn van weelderige begroeiing en waterpartijen voor de – uiteraard streng bewaakte – hoofdingang, zeker de moeite waard. Hierna kun je een zijstraat inslaan en op een van de sfeervolle cafés aankoersen. In zo'n zijstraat, op de hoek van Visconde de Pirajá en Vinicius de Morais, bevindt zich het café Garota de Ipanema. Op deze plek, geïnspireerd door de hoogblonde schoonheid Heloisa Pinheiro, schreven componist Tom Jobim en zanger-dichter Venicius de Moraes in 1962 hun song *The Girl from Ipanema*. Dit is ongetwijfeld het bekendste Braziliaanse liedje, dat de wijk ineens wereldberoemd maakte met als gevolg dat de bar en de straat een nieuwe naam kregen. Volgens sommigen heeft het succes bijgedragen aan de sterke stijging van de woonlasten en aan het feit dat de wijk overspoeld is met hotels en toeristen. De ongedwongen en liberale sfeer die de jaren zestig in Ipanema kenmerkte, zou sindsdien verdwenen zijn.

De zondagse markt op de Praça General Osório in Ipanema – vooral kunstnijverheid en antiek – straalt nog iets uit van de sfeer uit de vervlogen jaren zestig en zeventig.

ⓘ MARKT OP DE PRAÇA GENERAL OSÓRIO. Geopend: zo. 9-18 uur.

Wie aangetrokken wordt door de glinsterende wereld van juwelen, goud en zilver, mag de musea, of liever de ateliers, van H. Stern en Amsterdam Sauer niet missen. Het hele blok tussen de Rua Garcia d'Avila en de Rua Anibal Mendonça wemelt trouwens van de juweliers. Liefhebbers van design en binnenhuisarchitectuur moeten beslist een kijkje nemen in het **Rio Design Leblon/Barra**.

ⓘ RIO DESIGN LEBLON/BARRA. Geopend: ma.-za. 10-22 uur, www.riodesignleblon.com.br.

De **Lagoa Rodrigo de Freitas** is een oase van rust in deze hectische stad. Helaas is de hoogbouw van de omliggende wijken soms tot aan de oevers doorgedrongen en heeft de waterplas nog maar een derde van z'n oorspronkelijke omvang. De lagune was tot voor kort biologisch dood. Mede dankzij de protesten is de lozing van afval stopgezet en worden de oevers beschermd, en nu zwemt er weer vis. Rondom de lagune liggen enkele parken en hebben watersportclubs er hun basis.

De Lagoa is een van de weinige plaatsen in Rio waar met verantwoorde ruimtelijke ordening het opdringen van de stadsjungle wordt voorkomen.

Gávea, een wat oudere en rustieke diplomatenwijk, vormt samen met de Jardim Botânico (botanische tuin) een geleidelijke overgang naar het 'groene' Rio. De wijk Jardim Botânico is een goede uitvalsbasis voor een tocht naar het Parque Nacional da Tijuca. In Gávea, in het Parque da Cidade (aan de Estrada de Santa Marinha) staat het Museu da Cidade (Museum van de Stad).

São Conrado en Barra

Verder naar het westen langs de kust liggen São Conrado en Barra de Tijuca, of kortweg Barra genoemd. Wie de drukte in Copacabana of Ipanema even te veel is, vindt in deze meest recente stadswijken een weldadige rust. De drukke doorgaande wegen lopen achter de boulevard, zodat je hier heerlijk rustig kunt wandelen. De twee wijken zijn makkelijk te bereiken met de bus vanuit Copacabana, Ipanema en Leblon. Een ritje met de bus langs al deze strandwijken kost een habbekrats en geeft een goed beeld van de stadsuitbreiding in zuidelijke richting. De nauwe en bochtige Avenida Niemeyer is de toegangsweg langs de rotsachtige kust.

Aan de linkerkant staat hier het Sheraton Hotel, een van de weinige hotels in Rio met een privéstrand. De luxe van dit typische vakantiehotel vormt een schril contrast met de armeluishuisjes van de favela Vidigal die aan de rechterkant van de weg tegen de rotsen liggen. Wat de arme cariocas die hier wonen in ieder geval wél hebben, is een eersteklas uitzicht. Deze krottenwijk is echter pas een voorbode van wat er in São Conrado wacht.

São Conrado

De bouw van Hotel Nacional aan het

De rotsen boven São Conrado zijn in trek bij de deltavliegers.

strand zette in de jaren zestig een spectaculaire ontwikkeling van deze strook land in gang. Mensen die de drukte van de stad zat waren, zochten hier rust. Grote woontorens bepalen nu het beeld aan het strand. De bewoners zijn rijk tot zeer rijk.

Wat opvalt in São Conrado, is dat er ondanks de bouwwoede nog grote groene plekken zijn. In het midden van de wijk ligt zelfs een golfterrein met 18 holes. Van de oorspronkelijke plantage, die een groot deel van de tegenwoordige wijk besloeg, is het grote huis Vila Riso, te bezoeken.

Niet alleen de rijken kwamen. Als een groot amfitheater strekt de **favela Rocinha** zich over de rotshellingen uit. De cariocas beschouwen Rocinha als de grootste favela. Met een niet-aflatende ijver bouwen de mensen hier aan hun eigen huisje. Let op de nog niet afgewerkte muren, de betondraden die omhoog steken of de stapels stenen die liggen te wachten op de volgende bouwfase. São Conrado is de beste plaats in Rio om te deltavliegen. Met goede wind zie je de deltavliegers naar beneden zeilen. Helemaal aan het einde van het strand kun je een vlucht 'boeken'.

Barra

De wijk Barra heeft een strand met een lengte van maar liefst 18 km lengte. Doordeweeks is het vrijwel verlaten, maar in het weekend staan de auto's bumper aan bumper op de kustweg. Barra is de favoriete plek van de rijkere jeugd van Rio. Bars, restaurants en disco's springen als paddenstoelen uit de grond.

Barra heeft de uitstraling van een voorstad: afgezonderde wooncomplexen met tuinen en eigen recreatievoorzieningen. De auto is hier koning en voert je van de ene parkeergarage via drive-in-restaurants en shopping centra naar de andere parkeergarage. In Barra staat het grootste winkelcentrum van Brazilië, en naar men zegt zelfs van Latijns-Amerika: het Barra Shopping Center.

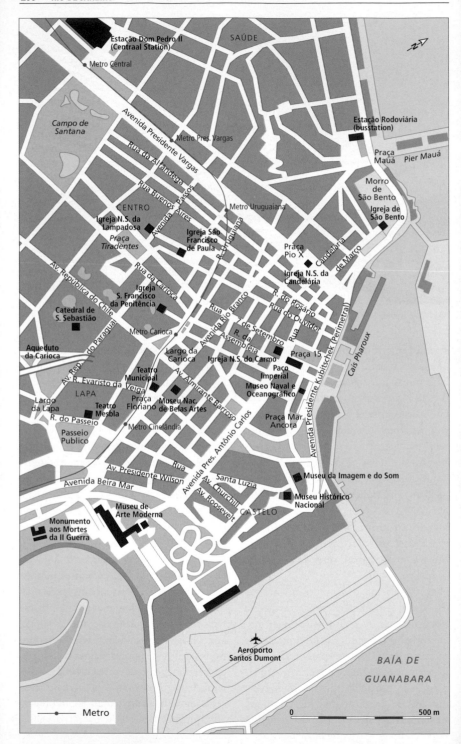

Centrum van Rio de Janeiro

Werken aan het lichaam op Muscle Beach in Barra

HET CENTRUM

Deze wandeling voert door de wijken Lapa en Centro. De grote vernieuwing die hier rond de eeuwwisseling plaatsvond heeft weinig sporen van de koloniale en de keizerlijke stad overgelaten. Ze zijn hier en daar echter nog wel te vinden in de vorm van enkele monumentale gebouwen en in vergeten hoekjes van het altijd drukke centrum. De wandeling duurt vier tot vijf uur.

Cinelândia

Een goed uitgangspunt voor een wandeling door het centrum van Rio is het metrostation Cinelândia. De omgeving van Cinelândia was in de jaren dertig en veertig het uitgaanscentrum van de stad. Wereldpremières vinden er nu niet meer plaats, maar de grote theaters aan de Rua do Passeio draaien nog wel de grote nieuwe films. De theaters in de zijstraatjes hebben zich meer overgeleverd aan het pornocircuit.

Loop van Cinelândia naar de Rua do Passeio. Links ligt de Passeio Público, die in 1783 als botanische tuin is aangelegd naar het voorbeeld van die in Lissabon. Op de kruising van de Rua do Passeio en de Teixeira de Freitas zie je aan de overkant een gevelrij uit het 19de-eeuwse Rio. Sinds kort wordt dit deel van de stad als cultuurmonument beschermd en ligt er een plan om het op te knappen. Veel geld is er vooralsnog niet.

Loop naar het **Aqueduto da Carioca**, ook wel de Arcos da Lapa (Bogen van Lapa) genoemd. Dit markante bouwwerk uit 1744–1750 in romaanse stijl met twee rijen bogen op elkaar is gebouwd ten behoeve van het zoetwatertransport naar de stad. Tegenwoordig rijdt de tram naar Santa Teresa eroverheen.

Achter het aquaduct doemt de moderne hoogbouw van het centrum op met als meest opvallende bouwwerken het Petrobrás-hoofdkantoor en de gewraakte **Catedral Metropolitana** (ook wel Catedral de São Sebastião). Beide gebouwen stammen uit de jaren zeventig. Vooral de bouw van de nieuwe kathedraal heeft de tongen indertijd goed los gemaakt. Voor het project moest de heuvel van Santo Antônio namelijk worden afgegraven. De vorm van de kerk is afgekeken van de Mayapiramides in Yucatán. De capaciteit van het betonnen bouwwerk is gigantisch; er zouden 20.000 mensen staande de mis kunnen bijwonen. De vloer heeft een diameter van bijna 100 m. In november 1976 werd de kerk ingewijd en opgedragen aan São Sebastião, de patroon van de stad.

ⓘ CATEDRAL METROPOLITANA. Geopend ma.-vr. 8-17, zo. 7-12 uur.

Het sfeerloze pleintje onder de bogen van het aquaduct is illustratief voor het gebrek aan visie bij de stedenbouwers van deze tijd. Maar er gloort enige hoop. Als je iets verder doorloopt, onder de bogen door en de Rua dos Arcos ingaat, kom je bij de **Fundição Progresso**. Sinds 1987 worden de gebouwen van de gelijknamige ijzerfabriek die hier stond, omgetoverd tot een groots cultureel centrum. Aan de buitenkant lijkt het een enorme opslagloods. Binnen komen theater- en concertzalen, opnamestudio's, restaurants, cafés en tentoonstellingsruimtes. Sommige ruimtes zijn al klaar. Er worden televisieseries opgenomen en er vinden concerten plaats. Fundição Progresso is een belangrijke attractie in het centrum van Rio geworden. Sindsdien is ook de wijk Lapa als uitgaanscentrum aan een tweede jeugd begonnen.

Praça Floriano

Van het aquaduct loop je de Rua Everisto da Veiga in en aan het einde ga je rechtsaf naar het Praça Floriano. Dit plein aan de Avenida Rio Branco kan gerust het hart van de stad worden genoemd. Het leven op het plein en de straatjes erachter is dag en nacht een boeiend schouwspel. In de vroege ochtend nippen de cariocas even snel aan een *cafezinho*, het karakteristieke kopje mierzoete koffie, in de *boteca*, zoals de snackbar van Rio wordt genoemd. 's Middags zitten de restaurants vol tijdens lunchtijd (*almoço*). 's Avonds na het werk wordt de vermoeidheid van de dag weggedronken

Teatro Municipal, cultuurpaleis in het centrum

op het terras. Zakenmensen, politici, studenten en kunstenaars, je kunt ze aan het begin van de avond vinden bij cafés die naar de kleur van de tafelkleedjes als Amarelhinho (geel), Vermelhinho (rood) en Verdinho (groen) bekend staan. Het plein zelf is dan het werkterrein bij uitstek van de straatkinderen. Onvermoeibaar blijven ze de obers tarten door bij de terrasbezoekers een paar cruzeiros los proberen te peuteren.

Aan het plein staat het **Teatro Municipal**, dat naar voorbeeld van de Parijse Opéra is gebouwd en op 14 juli 1909 is geopend. In het allegaartje van neoklassieke stijlelementen in de façade vallen vooral de pilaren van Italiaans marmer en het Duitse glas-in-lood op. Het Teatro Municipal is de thuisbasis van het Braziliaanse symfonieorkest en er worden opera- en balletvoorstellingen gegeven.

Ga beslist even kijken in het **Café do Teatro**, dat te bereiken is via de zijingang van het theater aan de Avenida Rio Branco, want het is zeker een van de mooiste restaurants die Rio rijk is. Te midden van Assyrische taferelen en Egyptische beelden waan je je binnen even in het Midden-Oosten.

Avenida Rio Branco

Tegenover het Teatro Municipal aan de Rio Branco 199 bevindt zich het voornaamste museum van Rio: het **Museu Nacional de Belas Artes** (Nationaal Museum voor Schone Kunsten). Dit bouwwerk in neoklassieke stijl stamt uit 1908 en huisvest werken van verschillende Braziliaanse schilders uit de 19de en 20ste eeuw.

Aan dezelfde kant van de Avenida Rio Branco staat de **Biblioteca Nacional**, een pompeus bouwwerk uit 1910 in victoriaanse stijl. Pronkstuk van de museumcollectie is een Latijnse bijbel uit 1462.

De Avenida Rio Branco was het toonbeeld van de stedelijke vernieuwing aan het begin van deze eeuw. De ongezonde en rommelige oude havenbuurt ging tegen de vlakte en grootse boulevards, pleinen en statige bouwwerken kwamen ervoor in de plaats. De Rio Branco werd de slagader van de nieuwe stad en kreeg bijvoorbeeld als eerste straatverlichting. Vanaf de jaren zestig onderging deze straat weer een metamorfose. Het was de tijd van het 'Braziliaanse economische wonder', waarin de hoogbouw van de banken, verzekeringsmaatschappijen en grote ondernemingen in het straatbeeld oprukte.

Largo da Carioca

Interessanter dan de betonkolossen aan de Rio Branco zijn de Largo da Carioca en de Rua Uruguaiana in het verlengde hiervan. Door de aanleg van het metrostation is Largo da Carioca nog drukker geworden. Overdag is de straat het domein van venters en straatkunstenaars. De klassieke straatlantaarn met klok, midden op het pleintje, markeert de overgang naar een geordend en punctueel tijdperk.

Boven op de heuvel aan het plein staan twee van de oudste gebouwen van de stad: het **Convento de Santo Antônio** en ernaast de **Igreja de Ordem Terceira da São Francisco da Penitência**. Sommige delen van dit klooster dateren van het begin van de 17de eeuw. De kerk is gereed gekomen in 1739. Het interieur, overdadig versierd met houtsnijwerk en bladgoud, wordt gezien als een voorloper van de Braziliaanse barok in de 18de eeuw.

ℹ CONVENTO DE SANTO ANTÔNIO, IGREJA DE ORDEM TERCEIRA DA SÃO FRANCISCO DA PENITÊNCIA. Geopend: di.-vr. 9-12 en 13-17, za. en zo. 9-2 uur.

Net als de Largo da Carioca is de Rua

DE BOTEQUIN

Aan het einde van de werkdag en het begin van de avond is de *botequin*, half cafetaria, half kroeg, meestal met een terrasje, de navel van Rio. De goedgeklede bankemployé, de winkelende moeder, de student, de taxichauffeur, de bezwete jogger en de badgast in z'n zwemkleding; de cariocas, ongeacht hun afkomst en bezigheden, doen op weg naar huis deze typische uitspanning aan.

In de loop van de avond neemt de vaste klandizie bezit van de krukken en terrasstoeltjes en raken de tafeltjes voller met de literflessen bier, want meer nog dan aan *caipirinha*, laven de bezoekers van de botequin zich aan de *chopp*.

Botequins zijn te vinden op de straathoeken in alle delen van Rio. *Amarelinho*, genoemd naar de gele tafelkleedjes, op het Praça Floriano, tegenover het Teatro Municipal en de Bellas Artes, is een legendarische. *Bar Luiz*, Rua da Carioca 39, ook in het stadscentrum is

Het straatrestaurant, de botequin, voor de snelle hap

net zo'n begrip; al sinds 1887 met als specialiteit de fameuze aardappelsalade met Duitse worstjes en eisbein. *Bar Brasil*, Avenida Mem de Sá 90 (Lapa), is vanouds de plek waar kunstenaars, intellectuelen en bohemiens komen. Drie panden verder zit *Nova Capela*, een van de weinige tenten die open blijft tot het eerste ochtendlicht. *Lamas*, Rua Marques de Abrantes 18 (Flamengo), heeft de lekkerste *bolinhos de bacalhau*. *Belmonte*, Praia do Flamengo 300, ook in Flamengo, is meestal zo afgeladen dat er alleen nog staanplaatsen zijn; vermaard vanwege de pasteitjes. Met inmiddels filialen in Ipanema en Leblon.

Cervantes, Avenida Prado 335 (hoek met Rua Barata Ribeiro) is een drukke ontmoetingsplek in Copacabana, Ipanema heeft natuurlijk de *Garota de Ipanema* en aan het Praça Nossa Senhora da Paz zit een aantal gezellige botequins. In Leblon zijn aanraders: *Bracarense*, Rua José Linhares 85, volgens kenners met het lekkerste tapbiertje, en *Jobi*, Avenida Ataulfo de Paiva 1166, de oudste in de Zona Sul.

In Barra da Tijuca moet je voor de beste *batida* naar de **Academia da Cachaça** (Avenida Armando Lombardi 800, loja L), met een filiaal in Leblon, Rua Conde de Bernadotte 26. Zeker in het weekend kan het lang duren voor je een tafel hebt, maar het is de moeite van het wachten waard. Er worden overheerlijke rumcocktails geserveerd en je kunt er blijven eten.

Uruguaiana voetgangersgebied geworden. De gevels uit begin van deze eeuw zijn op veel plaatsen behouden gebleven.

Ga nu links de vrij rustige Rua da Carioca in; deze ademt nog grotendeels de sfeer van de jaren twintig. Het is aan het initiatief van de bewoners en de winkeliers te danken dat de bouwgolf hier niet overheen is gerold.

Enkele panden zijn gerestaureerd, andere wachten op een grondige opknapbeurt. Soms is het bouwjaar af te lezen aan een opschrift in de gevel of zelfs in de deurmat. De uitbundige versieringen op de balkons, de ingangen en de lantaarns roepen beelden op van de goede oude tijd. Enkele winkels verkeren nog goeddeels in de oude staat, zoals de honderd jaar oude muziekwinkel A Guitarra da Prata (de zilveren gitaar). Bar Luiz op nr. 32 stamt uit 1887 en is nog steeds fameus door z'n appeltaart. A Mala Ingleza, een leer- en tassenwinkel uit 1900, straalt een typisch Engelse sfeer uit.

Zonder meer het mooiste overblijfsel van de fin-de-siècle-architectuur in Rio is **Cine Iris** op nr. 49. In 1881 werd het geopend als theater. Later werd het een van de eerste bioscopen in de stad. Het markante ijzeren trappenhuis heeft alle veranderingen glansrijk doorstaan.

Praça Tiradentes

De Rua da Carioca komt uit op het Praça Tiradentes. Op dit plein blijkt opnieuw hoe weinig besef de cariocas hebben van de waarde van bouwwerken. De meeste gebouwen staan er verveloos en vervallen bij. Eens was dit het centrum van een bruisend nachtleven met talrijke kroegjes en was het de belangrijkste ontmoetingsplaats in de tijd voordat de Avenida Rio Branco werd aangelegd.

Dit plein was in 1793 het toneel van een luguber schouwspel, dat iedere Braziliaan je weet te vertellen. De revolutionair Tiradentes werd hier namelijk opgehangen en daarna in moten gehakt. Ter ontmoediging van de rebellen die het staatsgezag in twijfel trokken, werden de lichaamsdelen op verschillende plekken

De mooiste bibliotheek van de stad: de Real Gabinete Português de Leitura

langs de weg naar Ouro Preto in Minas Gerais (de geboorteplaats van Tiradentes) opgehangen.

Midden op het plein staat het beeld van Pedro I ter ere van de dag dat hij de onafhankelijkheid uitriep in 1822. Aan weerszijden worden de indianenvolkeren uit het gebied van de Amazone, de Paraná, de Madeira en de São Francisco uitgebeeld. In het hekwerk is het wapen van Pedro verwerkt. De jaartallen staan onder andere voor zijn geboortejaar (1798), voor de onafhankelijkheid (1822) en voor de eerste grondwet (1824).

In de bestrating van het plein zijn het keizerlijke wapen en de kroon ingelegd, omlijst door een koffieplant, een cacaoplant en door de sterren, die de staten uitbeelden.

Op nr. 79 op de eerste verdieping is de **Gafieira Estudantina** gevestigd, een mooi voorbeeld van een ouderwetse danszaal voor jong en oud, rijk en arm. Hij is nog altijd in gebruik voor danslessen en optredens. Volgens de beheerder wordt nog net zo streng de hand gehouden aan de reglementen als vroeger. Zo is het niet toegestaan dat mannen of vrouwen met elkaar dansen en korte mouwen kun je ook vergeten. 'Zo lang er gedanst kan worden, zal er hoop zijn,' luidt de spreuk aan de wand.

ⓘ GAFIEIRA ESTUDANTINA. Dansen do. vanaf 22, vr. en za. vanaf 23 uur.

Lampadosa

Aan de noordoostkant van het Praça Tiradentes, op de hoek van de Avenida Passos, staat het moderne Teatro João Caetano.

In de Avenida Passos, op nr. 15, bevindt zich het kerkje van **Nossa Senhora da Lampadosa** uit 1747; gebouwd door slaven, afkomstig van het eiland Lampadosa in de Middellandse Zee. Op 21 april 1792, twee uur voor zijn terechtstelling, kreeg

Tiradentes hier de mis opgedragen. Het stucwerk met versieringen van 24-karaats bladgoud was voor die tijd zeer rijk. Vergeet niet de ruimte met ex-voto's te bezoeken.

Loop de Rua Luís de Camões in. Links staat het **Real Gabinete Português de Leitura**, de koninklijke bibliotheek uit 1887, de mooiste leeszaal in Rio. Iets verder, aan het Largo de São Francisco de Paula, staat de **Igreja São Francisco de Paula** (1865) met haar overdadige rococogevel. In deze kerk zijn vooral de schilderijen van bijbelse taferelen van Mestre Valentim da Fonseca e Silva de moeite waard.

ⓘ REAL GABINETE PORTUGUÊS DE LEITURA. Geopend: ma.-vr. 9-18 uur.

Rua Ouvidor

Loop vervolgens de Rua Ouvidor in, een winkelstraat met gebouwen uit het fin-de-siècle. Er waren rond de eeuwwisseling vooral veel kleding-, hoeden-, schoenen- en stoffenzaken te vinden en deze boden alles wat met de nieuwste mode te maken had. De bekendste schrijver uit die tijd, Machado de Assis, beschreef de drie soorten vrouwen die deze straat op verschillende tijdstippen van de dag bevolkten. Vroeg in de middag lieten de vrouwen uit de gegoede kringen, de bourgeoisie, zich zien; laat in de middag kwamen de vrouwen uit de fabrieken en 's avonds de hoeren.

In de Rua Gonçalves Dias nr. 32-36 kun je terecht voor een uitgebreide lunch in een klassieke omgeving. Tearoom **Colombo** is opgericht in 1894 en is in eerste instantie een tearoom. Je kunt kiezen uit overheerlijke soorten gebak, die zijn uitgestald in ouderwetse vitrines. Tijdens lunchtijd worden er uitstekende schotels geserveerd, vooral vis is aan te bevelen. De Rua Ouvidor loopt door naar de andere kant van de Avenida Rio Branco.

Barokke gebouwen bij de stadshaven aan Praça 15

Praça 15

De Rua Ouvidor komt uit op de Rua 1º de Março. Steek over en loop rechtsaf naar Praça 15. Dit is het oudste deel van koloniaal Rio met als belangrijkste bouwwerk het **Paço Imperial**, het paleis van de keizer. In 1703 werd het gebouwd als koninklijk pakhuis totdat het in 1743 dienst ging doen als de residentie van achtereenvolgens gouverneurs, onderkoningen, de Portugese koning en uiteindelijk de Braziliaanse keizer. Historische gebeurtenissen vonden er plaats, zoals de ondertekening van het document door prinses Isabel waarmee alle slaven de vrijheid kregen.

Het paleis, waarvan alleen de façade oorspronkelijk is, doet dienst als cultureel centrum waar onder andere wisselende tentoonstellingen worden gehouden en films worden vertoond.

ⓘ PAÇO IMPERIAL. Geopend: di.-zo. 12-18 uur. www.pacoimperial.com.br.

Voordat landaanwinning plaatsvond ten behoeve van de havenkades en de aanleg van de rondweg, lag Praça 15 direct aan de baai. Vanaf de kades, de Cais Pharoux, vertrekken de boten richting Niterói. Tegenover deze kades ligt het Ilha Fiscal, een eilandje dat volledig in bezit wordt genomen door het lichtgroene douanegebouw in fantasierijke gotische stijl. Keizer Pedro II heeft het in 1880 laten bouwen en gaf er negen jaar later zijn laatste grote bal voordat hij in Portugal in ballingschap ging.

Aan de overkant van de Rua 1º de Março, op de hoek met de Rua Sete de Setembro staat de **Igreja Nossa Senhora do Carmo**. Dit was de kathedraal van de stad, voordat de futuristische kathedraal bij het aquaduct gereedkwam. De oude kathedraal is gebouwd in 1808 en was bedoeld om dienst te doen als koninklijke kapel. In 1822 werd Pedro I er tot de eerste Braziliaanse keizer gekroond.

Candelária

Een wandeling in noordwaartse richting over de Rua 1º de Março brengt je bij twee grote religieuze bouwwerken.

Als een eiland staat de **Igreja Nossa Senhora da Candelária**, kortweg Candelária genoemd, in het verkeersgeweld van de Avenida Presidente Vargas. In 1775, toen de schipbreukeling Antônio da Palma zijn belofte gestand deed om een kapel te laten bouwen, begon men met de bouw van de kerk. De tijdspanne die met de bouw gemoeid was, zorgde voor een mengeling van stijlelementen. De façade is in barokstijl met fraaie versieringen en kwam grotendeels aan het eind van de 18de eeuw tot stand. De bronzen deuren zijn echter pas in 1901 geplaatst. In het interieur, dat in de loop van de 19de eeuw gestalte kreeg, overheerst de neoklassieke stijl. De versieringen van jacarandahout, de Moors aandoende marmeren zuilen en *azulejos* (Portugese tegels) vormen een opmerkelijke combinatie.

❶ CANDELÁRIA. Geopend: ma.-vr. 7.30-16, za. en zo. 8-12 uur.

São Bento

Helemaal aan het einde van de Rua 1° de Março ligt de Morro de São Bento, een heuvel met daarop het gelijknamige klooster.

De **Igreja de São Bento** wordt beschouwd als de mooiste barokke kerk in Rio. Met de enorme hoeveelheid bladgoud in het interieur is ze in ieder geval de rijkst versierde kerk. De kerk en het klooster zijn grotendeels in de 17de eeuw gebouwd door de benedictijnen. Ze kozen deze heuvel uit als uitvalsbasis om zuidelijk Brazilië te bekeren.

❶ CONVENTO E IGREJA DE SÃO BENTO. Geopend: ma.-vr. 7-11 en 14-18 uur. Gregoriaanse mis: ma.-za. 7.15 en zo. 10 uur.

Aan de voet van de heuvel ligt het Praça Mauá, het centrum van de havenbuurt. Overdag lijkt het een tamelijk rustig plein waar de werknemers van de omliggende kantoren verkoeling zoeken onder de bomen of op een van de terrassen. 's Avonds echter worden het plein en de cafés en nachtclubs eromheen bevolkt door zeelieden en hoeren.

De bogen bij Lapa met de tram naar Santa Teresa, en de Catedral Metropolitana

Vanaf het Praça 15 kun je in zuidwaartse richting via de wijk Castelo teruglopen naar Lapa. Als je via de Rua Dom Manuel loopt, passeer je het Museu Naval e Oceanográfico waar een interessante collectie over de Braziliaanse maritieme geschiedenis te zien is. Het Museu da Imagem e do Som (Praça Rui Barbosa 1) geeft een beeld van de geschiedenis van de cinematografie.

Aan het Praça Marechal Ancora staat een ander paradepaardje op museumgebied: het Museu Histórico Nacional met duizenden voorwerpen en documenten uit de Braziliaanse geschiedenis.

OVERIGE BEZIENSWAARDIGHEDEN

Behalve de genoemde bezienswaardigheden heeft het oude deel van Rio nog enkele gebouwen en verborgen plekjes die zeker een bezoek waard zijn als je wat meer tijd te besteden hebt.

Santa Teresa

In de wijk Santa Teresa is de koloniale sfeer nog aardig bewaard gebleven. De wijk bevindt zich op de heuvel die grenst aan de wijken Fatima en Lapa. De origineelste manier om er te komen is met de *bonde*, de straattram, vanaf het Praça Carioca. Zorg wel dat je niets van waarde bij je hebt, want de tram is zo'n beetje de beruchtste plaats als het om zakkenrollers en kruimeldieven gaat. Via het Aqueduto da Carioca en de kronkelige straatjes met kasseien rijdt de tram naar de top van de heuvel.

Voor een indruk van de koloniale architectuur hoef je niet verder dan de halte Curvelo of Largo do Guimarães te gaan. De interessantste plaats in Santa Teresa is het Museu Chácara do Céu.

Degenen die de rit met de tram liever niet wagen, kunnen Santa Teresa ook met de bus bereiken. Bus 206 rijdt vanaf het Praça Tiradentes direct de heuvel op en volgt de trambaan.

Glória

In de wijk Glória op een heuvel met uitzicht op de baai van Flamengo staat de **Nossa Senhora da Glória do Outeiro** uit het begin van de 18de eeuw. Het is een mooie vroegbarokke kerk, vooral als zij 's avonds verlicht is. In het interieur zijn de decoraties van blauwwitte azulejos (Portugese tegels) opvallend.

Vlakbij bevindt zich het gelijknamige museum waar zilverwerk, persoonlijke bezittingen van keizerin Teresa Cristina en kunstwerken uit de afgelopen drie eeuwen te zien zijn.

ℹ NOSSA SENHORA DA GLÓRIA DO OUTEIRO. Geopend: di.-vr. 9-12 en 13-17, za. en zo. 9-12 uur.

Op de hoek bij Praia do Flamengo staat het markante Hotel Glória, het vaste logeeradres van buitenlandse regeringsleiders en van de Braziliaanse president als hij uit hoofde van zijn functie in Rio verblijft. Even doorlopen en dan staat rechts, vlak bij metrostation Catete, het **Palácio do Catete**. Het stamt uit 1866 en is gebouwd in opdracht van de baron van Novo Friburgo. De adelaar op het dak was een idee van de Duitse architect. Toen de eigenaar failliet ging, kwam het gebouw in handen van de Braziliaanse regering. Van 1889 tot 1954 deed het dienst als presidentieel paleis en sindsdien is het Museu da República er gevestigd.

Laranjeiras

In de wijk Laranjeiras, rond de Rua Cosme Velho 822, bevindt zich een schilderachtig plein: Largo do Boticário. Er staan enkele goed bewaarde koloniale panden met houten balkons en azulejos in de gevel. Verder zijn er oude straatlantaarns

BAR DO GOMEZ, LEVEND VERLEDEN IN SANTA TERESA

Santa Teresa heeft meerdere doorleefde etablissementen met de sfeer van het oude Rio van voor de modernisering in de 20ste eeuw. Toch is er geen zo bekend als Bar do Gomez in de Armazém São Thiago. De oude kruidenierswinkel en bar is een ontmoetingsplek voor buurtbewoners, bon vivants, gesjeesde schrijvers en af en toe wat toeristen. De stokoude uitbater João Gomez staat zelf nog dagelijks achter de tapkast. Aan de wanden foto's van weleer en krantenartikelen over hoe Gomez de strijd met de supermarkten zal overleven.

ⓘ BAR DO GOMEZ. Rua Áurea 26, Santa Teresa.

Andere aanbevolen historische eet- en drinkgelegenheden in deze wijk zijn: Bar do Arnaudo, Espírito Santo en Marcô, alle drie aan de Rua Almirante Alexandrino, en gespecialiseerd in Braziliaanse gerechten.

Bar do Gomez, Santa Teresa

op gas en een gerestaureerde fontein. Het pleintje ligt aan de Rio Canoca.

PARKEN

Parque do Flamengo

Van het vliegveld Santos Dumont naar Botafogo loopt een brede groene strook met brede stranden, parken en monu-menten: het Parque do Flamengo. Dit park is onderdeel van een groots plan uit de jaren vijftig om land op het water te veroveren ten behoeve van infrastructuur, culturele instellingen en recreatiegebieden. Het totale plan kwam van Oscar Niemeyer, maar de tuinen zijn ontworpen door Roberto Burle Marx. Een wandeling door het ruim opgezette

Koningspalmen in de Jardim Botânico

park is een verademing na een bezoek aan het drukke en volgebouwde centrum. Het noordelijkst staat het Museu de Arte Moderna uit 1958. Iets zuidelijker bevindt zich het monument ter nagedachtenis van de Braziliaanse gevallenen in de Tweede Wereldoorlog. Een stenen prisma herdenkt Estácio de Sá, de stichter van Rio.

Op de hoogte van de Avenida Rui Barbosa staat het Museu Carmen Miranda, dat geheel gewijd is aan de beroemdste Braziliaanse filmster van deze eeuw, Carmen Miranda.

Jardim Botânico

In 1808 plantte prins-regent Dom João VI de eerste keizerlijke palm in wat uit zou groeien tot een omvangrijke botanische tuin. Van hieruit werden de palmbomen over Rio verspreid en werden in de tweede helft van de vorige eeuw de bomen voor de beplanting van de heuvels gekweekt. Tegenwoordig zijn er zo'n 5000 verschillende soorten planten en bomen te bewonderen, niet alleen afkomstig uit Brazilië maar uit de hele wereld. Vooral de statige, tientallen meters hoge palmen zijn opzienbarend; de laan met 134 reuzenpalmen direct bij de ingang is aangeplant tijdens de monarchie.

Een attractie is ook de *victoria regia*, de grootste waterlelie ter wereld. Als je geluk hebt, valt je bezoek samen met de bloeitijd van deze wonderlijke plant, waarvan de bladeren soms zo groot zijn dat een klein kind er zonder problemen op kan drijven.

In de tuin zijn twee musea gevestigd, waarvan het Museu Botânico Kuhlman een prachtige verzameling droogbloemen heeft.

ℹ JARDIM BOTÂNICO. Geopend: dag. 8-17 uur; voetgangersingang Rua Jardim Botânico 920. Op nr. 1008 is het Museu Botânico gevestigd. Geopend: di.-zo. 11-17.30 uur.

Quinta da Boa Vista

In het Parque Quinta da Boa Vista bevinden zich het Museu Nacional en de Jardim Zoológico, de dierentuin, die kortweg Rio Zoo wordt genoemd. Beide staan op de plaats waar de Portugese koninklijke familie in de 19de eeuw haar pa-

PARQUE NACIONAL DA TIJUCA

Slechts weinigen realiseren zich dat Rio over het grootste stedelijke natuurpark ter wereld beschikt. Nog geen 10 minuten rijden van de beroemde stranden word je opgenomen in de geweldige groene zee van het Floresta da Tijuca. Dit aangeplante bos achter de wijken Gávea, São Conrado en Tijuca is onderdeel van het Parque Nacional da Tijuca, dat in 1961 tot beschermd gebied is verklaard. Het park omvat de Serras da Carioca, Tijuca, Pedra Bonita en Gávea; eigenlijk bestrijkt het de hele bergrug die het noordelijke en het zuidelijke deel van de stad scheidt. Dit bos heeft evenals de Jardim Botânico zijn bestaan aan het Portugese koningshuis te danken. In het midden van de vorige eeuw was bijna al het oorspronkelijke woud gekapt om de aanplant van koffiestruiken vrij baan te geven. Omdat dit leidde tot erosie en het dichtslibben van de rivieren, besloot Pedro II nieuw bos aan te planten. Hij gaf de Duitse militair Rubens Archer opdracht om het werk uit te voeren. In twintig jaar plantte Archer samen met vijf ex-slaven zo'n 100.000 jonge bomen, waaronder zeventig verschillende soorten palmen – *ipê, peroba, pau-ferro, jaqueira, jabuticabeira* – en vele soorten vruchtbomen.

Het nationale park is vrij toegankelijk, maar de beste manier om het te leren kennen is door een tocht met een gids te maken. Zo kom je op de mooiste plekjes, met watervallen en meertjes en krijg je meteen uitleg over de karakteristieke flora. De kronkelende weg in het nationale park biedt op enkele plaatsen een mooi uitzicht op de stad. De Corcovado (het Christusbeeld) maakt ook deel uit van het park. Andere uitkijkpunten zijn **Mesa do Imperador** en Vista Chinesa. Het eerste is zo genoemd omdat op die plek keizer Pedro I en keizerin Leopoldina bij voorkeur verbleven om te eten en bij te komen van de drukte en hitte in de stad.

leis liet bouwen. Het **Museu Nacional** is gevestigd in het vroegere paleis, waar na 81 jaar koninklijk en keizerlijk bewind, in 1891 ook de eerste Braziliaanse grondwetgevende vergadering bijeenkwam.

De Jardin Zoológica (Rio Zoo) in de voormalige koninklijke tuinen huisvest de meeste diersoorten die in Zuid-Amerika te vinden zijn, waaronder enkele bedreigde soorten. Er is een speciaal paviljoen voor nachtdieren, een vogelhuis met bijzondere vogels uit het Braziliaanse binnenland, en een mini-*cerrado* waarin de dieren uit de savanneachtige cerrado zijn ondergebracht. Populair bij kinderen is de mini-*fazenda*, een boerderij met kippen, koeien en ezels.

🛈 RIO ZOO (DIERENTUIN). Geopend: di.-zo. 9-16.30 uur. Kinderen kleiner dan een meter hebben gratis toegang.

Een bezoek aan het museum en de dierentuin is op zondag dubbel interessant omdat naast het museum de **Feira Nordestina** wordt gehouden. Het park is dan een markt voor alles en iedereen die met het noordoostelijk deel van Brazilië te maken heeft. Er worden karakteristieke producten en maaltijden verkocht en er wordt muziek gemaakt en gedanst.

De metropool en het oerbos als buren

De **Vista Chinesa** is zo genoemd omdat Chinese immigranten hier op de theeplantages werkten; het biedt het volledigste panorama van Rio. Andere interessante plaatsen in het bos zijn de watervallen van Taunay, genoemd naar de Franse kunstenaar die in de buurt woonde en de kapel van Mayrink die eens onderdeel was van een koffieplantage. Binnen zijn prachtige muurschilderingen van Cândido Portinari te zien.

❶ PARQUE NACIONAL DA TIJUCA. Geopend: dag. 8-17 uur. Bereikbaar met de auto vanaf Praça Afonso Viseu (Alto da Boa Vista), de Estrada do Redentor (Laranjeiras) of de Estrada Dona Castorina (Gávea). Informatie: tel. 2889696 of bij IBAMA-RJ, tel. 2226678. Bij de meeste reisbureaus in de stad kunnen excursies worden besproken.

❶ FEIRA NORDESTINA, Pavilnão de São Cristóvão. Geopend: di.-do. 10-14 uur, vr.-zo. continu.

MUSEA

Museu Nacional de Belas Artes

Het Nationaal Museum voor Schone Kunsten ligt aan de Avenida Rio Branco 199 (Centro) en is in Rio het beste adres voor de schilderkunst. De meesterwerken hangen in de grote zalen op de eerste verdieping. Tussen de veelal religieus geïnspireerde werken uit de 17de en 18de eeuw vallen de schilderijen van Frans Post op. Hij heeft een eigen zaal in het museum gekregen met een tiental doeken die een beeld geven van het landschap in Noordoost-Brazilië in de 17de eeuw.

Een schilder met een aparte, bijna naïeve, stijl aan het einde van de 18de eeuw was Leandro Joaquim. Zijn schilderijen geven een uniek beeld van de stad Rio aan de vooravond van de grote ingrepen die plaatsvonden toen het Portugese hof er neerstreek in 1808.

Twee monumentale schilderijen van veldslagen eisen de meeste aandacht op. Victor de Meirelles schilderde in 1879 zijn interpretatie van de eerste Slag bij

CARMEN MIRANDA: HOLLYWOODSTER

Carmen Miranda was de eerste Braziliaanse showbusiness-ster die het in Hollywood maakte, maar in het nationalistische Brazilië van de jaren veertig en vijftig werd haar dat niet in dank afgenomen.

Haar leven verliep aanvankelijk als in een sprookje. De van oorsprong Portugese (geboren in 1909), die op eenjarige leeftijd naar Brazilië verhuisde, was op haar negentiende al beroemd in haar eigen land. Carmens platen gingen met tienduizenden tegelijk over de toonbank. Ze speelde de hoofdrol in films als *Alô, Alô, Carnaval* en *Banana da Terra*, die in de grote Braziliaanse steden volle zalen trokken.

Tijdens een optreden in het casino van Urca (een wijk in Rio, aan de voet van de Suikerbroodberg) in 1939 werd ze ontdekt door een Amerikaanse impresario. Die haalde haar naar de Verenigde Staten. Een glansrijke carrière in de showbusiness volgde, met zestien platen en hoofdrollen in veertien films. In 1942 was ze de best betaalde actrice in Hollywood. Carmen Miranda werd het symbool van de Latijnse sterartiest: kleurrijk, vol temperament en sensueel. Door president Franklin Roosevelt werd ze zelfs ten voorbeeld gesteld om diens nieuwe beleid van goed nabuurschap met de Latijns-Amerikaanse landen te illustreren.

Haar privéleven was even turbulent als dat van haar collega's in Hollywood. Ze had diverse kortstondige maar heftige relaties, onder meer met acteur Cesar Romero, leefde op pillen, trouwde uiteindelijk en raakte in een depressie verzeild. Haar grootste deceptie was evenwel de reactie op haar succes in eigen land. Al in 1940 werd ze verguisd toen

Guararapes, toen de Hollanders in het noordoosten door de Portugezen werden verslagen. De meest gevierde schilder van de 19de eeuw, Pedro Américo de Figueiredo e Melo, schilderde in 1871 de *Batalha do Avaí*, een van de veldslagen in de oorlog met Paraguay. De kleinere doeken van beide schilders zijn minstens zo indrukwekkend door hun sfeer en stijl.

Ook van Cândido Portinari, een grote Braziliaanse meester uit de 20ste eeuw, hangen er enkele werken in het museum.

ⓘ MUSEU NACIONAL DE BELAS ARTES. Geopend: di.-vr. 10-18, za. en zo. 14-18 uur.

Museu Histórico Nacional

In dit museum over de Braziliaanse geschiedenis, gelegen aan de Praça Marechal Ancora (Centro, bij Praça 15), zijn onder andere waardevolle documenten te bezichtigen, zoals de officiële kennisgeving van de terechtstelling van Tiradentes en de Onafhankelijkheidsverklaring. Het museum is gehuisvest in een aantal gebouwen uit de 17de, 18de en 19de eeuw die op zichzelf al een bezienswaardigheid zijn. Er zijn een bibliotheek en een archief.

ⓘ MUSEU HISTÓRICO NACIONAL. Geopend: di.-vr. 10-17, za., zo. en feestdagen 14-18 uur.

Museu da República

Het Museu da República, in het voormalige Palácio do Catete aan de Rua do Catete 153 (Flamengo), is de voormalige

ze even terug was in Rio. Het publiek reageerde bot, de recensies waren vernietigend. Carmen was 'veramerikaniseerd'. Teleurgesteld keerde ze terug naar Amerika en liet zich 15 jaar lang niet meer zien in Brazilië. In 1955 kwam ze naar Rio om bij te komen van haar depressie. Datzelfde jaar stierf ze, bijna voor de camera, tijdens de voorbereiding van een televisieshow in Californië.

Haar begrafenis in Rio werd bijgewoond door duizenden mensen, die daarmee aangaven dat ze diep in hun hart toch van Carmen waren blijven houden.

Het Museu Carmen Miranda in het Parque do Flamengo (Avenida Ruí Barbosa 65) geeft een overzicht van Carmens leven en bevat tal van persoonlijke eigendommen van haar.

🛈 MUSEUM. Geopend: di.-vr. 11-17; za. 13-17 uur.

ambtswoning van de Braziliaanse presidenten (1897-1960). Het toont de geschiedenis van de republiek. Met werkruimtes, meubels, kunstwerken en persoonlijke eigendommen van de eerste negen presidenten.

🛈 MUSEU DA REPÚBLICA. Geopend: di.-vr. 12-17, za.-zo. 14-18 uur.

Museu Chácara do Céu

In het Museu Chácara do Céu aan de Rua Murtinho Nobre 93 (Santa Teresa) is de particuliere collectie van Raymundo Ottoni de Castro Maya ondergebracht. Behalve werken van grote Braziliaanse schilders als Cândido Portinari en Di Cavalcanti verzamelde hij werk van grote Europese schilders als Matisse, Modigliani, Degas, Picasso en Dalí.

🛈 MUSEU CHÁCARA DO CÉU. Geopend: ma., wo. en zo. 12-17 uur.

Museu Nacional

In het Museu Nacional, Quinta da Boa Vista (São Cristovão), zijn, naast tal van kunstvoorwerpen en persoonlijke eigendommen uit de tijd van de koningen en keizers, antiek, archeologische en mineralogische voorwerpen te zien. Op de begane grond is de Bendegó-meteoriet ondergebracht, die in 1888 in Bahia is gevonden.

🛈 MUSEU NACIONAL. Geopend: di.-zo. 10-16.30 uur.

Museu de Arte Moderna

De collectie in dit museum aan de Avenida Infante Dom Henrique (Parque do Flamengo) geeft een indruk van de nieuwste stromingen in de beeldende kunst.

ℹ MUSEU DE ARTE MODERNA. Geopend: onregelmatig.

Museu do Monumento aos Mortos na Segunda Guerra

Dit museum aan de Avenida Infante Dom Henrique 75 (Parque do Flamengo) staat vlak achter het Museu de Arte Moderna en gedenkt de Braziliaanse gevallenen in de Tweede Wereldoorlog.

ℹ MUSEU. Geopend: di.-zo. 10-16 uur.

Museu Naval e Oceanográfico

In dit museum aan de Rua Dom Manoel 15 (Centro, bij Praça 15) is een overzicht te zien van de maritieme geschiedenis van Brazilië met onder andere reproducties van zeekaarten uit de 15de eeuw en replica's van de karvelen waarmee de Portugezen de zeeën bevoeren in de tijd van de ontdekkingen. Verder wordt er veel aandacht geschonken aan de marine.

ℹ MUSEU NAVAL E OCEANOGRÁFICO. Geopend: dag. 12-16.30 uur.

Museu da Cidade

In dit museum aan de Estrada de Santa Marinha 505 (Parque da Cidade) wordt een goed overzicht gegeven van de ontwikkeling van Rio, met veel foto's, kaarten en historische objecten.

ℹ MUSEU DA CIDADE. Geopend: di.-zo. 12-16.30 uur.

Museu H. Stern en Amsterdam Sauer

Je kunt een bezoek brengen aan de ateliers in het hoofdkantoor van H. Stern, het grootste juwelenimperium in Brazilië aan de Rua Garcia d'Avila 105 (Ipanema). Ook Amsterdam Sauer heeft aan hetzelfde adres een museum over het maken van sieraden.

ℹ MUSEU H. STERN/MUSEU AMSTERDAM SAUER. Geopend: ma.-vr. 10-17, za. 9.30-13 uur.

Oscar Niemeyers paradepaardje: het Museu de Arte Contemporânea in Niterói

Overige musea

Museu do Índio (Rua das Palmeiras 55 in Botafogo) met informatie uit Xingú, Pará en Maranhão; het Museu do Folclore Édison Carneiro (Rua do Catete 181 in Catete); het Museu Villa-Lobos (Rua Sorocaba 200 in Botafogo) over de bekendste Braziliaanse componist; Museu Carmen Miranda (Avenida Ruí Barbosa 560 in Parque do Flamengo), gewijd aan de Braziliaanse actrice die Hollywood veroverde; Museu do Carnaval (Rua Frei Caneca (Sambódromo).

Niterói

Aan de overkant van de baai van Guanabara ligt Niterói, de oude hoofdstad van de staat Rio de Janeiro. Het is vooral een industrie- en handelsstad, met bijna een half miljoen inwoners. Tot voor kort was er weinig aanleiding om de baai over te steken, maar Niterói bezit sinds de opening van het Museu de Arte Contemporânea een topattractie. De architectuur van het gebouw, een ontwerp van Oscar Niemeyer, is een bezoek waard. Als een vliegende schotel is het op een rotspunt aan de baai geplaatst. Het uitzicht op Rio en het strand van Boa Viagem is schitterend. Niemeyer toont zich opnieuw een meester in het creëren van grootse

en meeslepende architectuur, alhoewel de glazenwassers daar anders over zullen denken.

ⓘ MUSEU DE ARTE CONTEMPORÂNEA. Geopend di.-za. 13-21 en zo. 13-19 uur. Niterói en het museum zijn te bereiken met de bus (vanaf busstation Nove Rio) en de boot vanaf de kade bij het Praça 15 de Novembro (Centro); snelle boten om de 7 min. ma.-za. 6.15-20.15 uur (laatste snelle boot terug uit Niterói om 20 uur, laatste gewone boot om 22.30 uur).

STRANDEN BUITEN DE STAD

Bandeirantes, Prainha en Grumari

Behalve de bekende stranden Copacabana, Ipanema, Leblon en Vidigal langs de kust bij de stad, liggen er verder naar het westen nog drie niet zo lang geleden ontdekte stranden: Recreio dos Bandeirantes, Prainha en Grumari. Je moet een dag uittrekken als je vanuit de stad vertrekt en er een paar uur wilt doorbrengen.

Volg de kustweg voorbij de langgerekte Lagoa de Marapendi in Barra. Praia Bandeirantes sluit aan op dat van Barra. De golven zijn goed geschikt om te surfen. De echte parels zijn Prainha en Grumari, twee stranden goed verstopt tussen de rotsen, met oorspronkelijke vegetatie.

Omgeving van Rio

5

I n de directe omgeving van Rio zijn ruime mogelijkheden voor ééndaagse en meerdaagse excursies. De zuidelijke kust, de Costa Verde (Groene Kust), is een prachtig natuur- en watersportgebied. En aan de oostelijke kuststrook zijn de plaatsen Búzios en Cabo Frio in trek. De hele kustlijn van de staat Rio de Janeiro heeft volop goede en rustige stranden.

Zeker de moeite waard zijn de buitenplaatsen in de bergen ten noorden van Rio: Petrópolis, Teresópolis en Nova Friburgo. Voordat de badplaatsen aan de kust populair werden, waren met name de eerste twee steden favoriete verblijfplaatsen voor de *cariocas*. Ze stralen een aangename rust uit, doen vriendelijk aan en hebben een veel koeler klimaat dan Rio.

PETRÓPOLIS, KEIZERLIJK BUITEN

Petrópolis is genoemd naar de keizers Pedro I en Pedro II. Deze stad met inmiddels ruim 300.000 inwoners is één grote herinnering aan het keizerrijk dat Brazilië de vorige eeuw was.

Het plan om in de Serra Fluminense een buitenplaats te bouwen kwam van Pedro I. Hij kocht er het eerste stuk grond om te bebouwen. Maar het was tijdens de regeerperiode van zijn zoon, Pedro II (1831–1889), dat de bouw begon en het plaatsje vorm kreeg.

De route van Rio naar Petrópolis voert over de oude keizerlijke hoofdweg langs de begroeide flanken van het gebergte. In de vallei is af en toe de nieuwe hoofdweg BR-40 te zien, waarover de bus terugrijdt.

Vlak voordat de bus Petrópolis binnenrijdt, wacht de eerste verrassing: **Quitandinha**. Dit kolossale gebouw in Normandische stijl met overdadig houtwerk, de karakteristieke puntdaken en grote raampartijen is tussen 1941 en 1946 gebouwd om als groot casino- en hotelcomplex Copacabana naar de kroon te steken. Maar het lot wilde anders, want nauwelijks een jaar na de opening werd bij presidentieel decreet het gokken verboden verklaard. Quitandinha doet sinds die tijd dienst als sociëteit voor diverse clubs en voor bijzondere ontvangsten.

Wandeling

Het busstation in het hartje van Petró-

De Costa Verde, een groene kustlijn met honderden exotische eilanden ten zuiden van de stad Rio de Janeiro

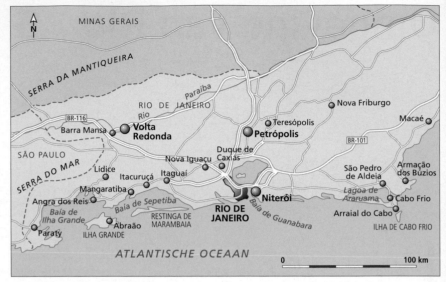

Omgeving van Rio de Janeiro

polis is een goed beginpunt voor een stadswandeling, die langs de belangrijkste bezienswaardigheden voert. Vanaf het drukke pleintje, waar de bussen af en aan rijden, loop je naar de Rua do Imperador en de Rua 15 de Novembro. Dit zijn de hoofdstraten, aan weerskanten van de gekanaliseerde Rio Quitandinha. De bruggetjes en de begroeiing geven wat kleur aan deze sfeerloze straten met een aantal oude verwaarloosde gebouwen.

Halverwege de hoofdstraat aan de rechterkant begint de Rua da Imperatriz, een lommerrijke laan met kasseien. De entourage, samen met de geur van paardenvijgen, roept de sfeer van de 19de eeuw op. Een ritje met de paardenkoets is een toepasselijke manier om de bezienswaardigheden van het stadje te bekijken.

Het **Palácio Imperial** van keizer Pedro II is het voornaamste bouwwerk. Sinds 1943 is het **Museu Imperial** erin gevestigd. De bouw van het paleis begon in 1845 en duurde tien jaar. Op de begane grond bevinden zich de grotere vertrekken met glimmende houten vloeren en

prachtige panelen. De grote attractie van het museum zijn de kroonjuwelen, waaronder de kroon en scepter van de keizer, die ingelegd is met 77 parels en 639 diamanten.

Op de tweede verdieping zijn de troon, de werkkamer en slaapkamer, als ook verschillende persoonlijke bezittingen van de keizer te bekijken.

ℹ MUSEU IMPERIAL. Geopend: di.-zo. 11-17.30 uur.

Tegen een heuvel achter het keizerlijk paleis staat het Palácio Grão-Pará (Rua Epitácio Pessoa). Dit was vroeger het gastenverblijf van de keizerlijke familie. Tegenwoordig woont hier de achterkleinzoon van Pedro II, Luiz de Orleans e Bragança. Bij het referendum over de staatsvorm in april 1993 gold Luiz, bijgenaamd 'de eeuwige maagd', nog als een van de troonpretendenten voor het geval Brazilië weer een monarchie zou worden.

Steek de Rua da Imperatriz over. Aan het Praça Visconde de Mauá staat een ander opmerkelijk gebouw: het **Palácio Ama** relo (Gele Paleis) uit 1850. Hier zetelt de gemeenteraad.

Volg de weg en loop met de bocht mee naar links naar de **Catedral de São Pedro de Alcântara**. Deze gotische kerk (1884–1925) dient als mausoleum voor de keizerlijke familie: Pedro ii, zijn vrouw Tereza Cristina, dochter Isabel en haar man de graaf van Eu liggen hier begraven. Ze werden in 1889 uit Brazilië verbannen naar Europa, waar ze ook stierven. In 1925 gaf de Braziliaanse regering toestemming om de stoffelijke resten vanuit Portugal naar deze kathedraal te brengen, die daar speciaal voor was gebouwd.

ℹ CATEDRAL DE SÃO PEDRO DE ALCÂNTARA. Geopend: dag. 8-18 uur.

De Avenida Koeller, met prachtige villa's van voorname burgers uit Rio, loopt van de kathedraal naar het Praça Rui Barbosa. Rond dit levendige plein staan statige buitenhuizen van cariocas.

Via de Avenida Roberto Silveira en de Rua Alfredo Pachá kom je bij het **Palácio de Cristal**. De graaf van Eu liet dit paviljoen van glas en ijzer vanuit Frankrijk naar Brazilië overbrengen om er inheemse en uitheemse planten en bloemen in te kweken. Nu doet het dienst als expositieruimte.

ℹ PALÁCIO DE CRISTAL. Geopend: di.-zo. 9-17 uur.

Tegenover de gebouwen van de Katholieke Universiteit staat aan de Rua do Encanto 22 het eigenaardige **huis van luchtvaartpionier Santos Dumont**. Vol-

Palácio Amarelo in Petrópolis, vroeger de residentie van baron De Guaraciaba, tegenwoordig zetel van de gemeenteraad

Het Palácio de Cristal is door een complete restauratie in 1998 weer in oude luister hersteld.

gens de Brazilianen heeft hij het vliegtuig uitgevonden. In 1906 maakte Alberto Santos Dumont de eerste volledig gedocumenteerde vlucht rond de Eiffeltoren in Parijs. De gebroeders Wright maakten al in 1903 een vlucht, maar de documentatie ervan kwam pas vijf jaar later.

Na zijn terugkeer in Brazilië wijdde Santos Dumont zijn verdere leven aan wetenschappelijk onderzoek. Eén van de resultaten daarvan is zijn eigen woning. Deze bestaat uit slechts één ruimte zonder tafels, bed of keuken. De maaltijden liet de man iedere dag bezorgen door een plaatselijk hotel. Eten, werken en slapen deed Santos op speciaal daarvoor ontworpen planken. Op 59-jarige leeftijd pleegde Santos Dumont zelfmoord, volgens zeggen omdat hij hevig aangeslagen was door het gebruik van 'zijn uitvinding' als oorlogstuig. Buiten staat een standbeeld van deze man met zijn gevleugelde uitspraak: *'Quanto menores as distanças...'* (Als de afstanden kleiner worden...) Het huis is nu een museum.

ℹ HUIS SANTOS DUMONT. Geopend: di.-zo. 9-17 uur.

Op de terugweg naar het busstation kun je een bezoek brengen aan Casa d'Angelo, een ouderwetse *confeitaria* op de hoek van het Praça Pedro II. Dit is de oudste confeitaria van Petrópolis en nog goeddeels in de oorspronkelijke staat bewaard gebleven. Bijzonder zijn de spiegels met ingeslepen afbeeldingen van het stadje. Achter in de zaal hangen foto's die een beeld geven van het leven in Petrópolis in de vorige eeuw.

Andere bezienswaardigheden

Aan de Avenida Barão do Rio Branco (doorlopen vanaf het Palácio de Cristal langs de rivier en de brug over) staan twee fraaie monumentale gebouwen: het Casa do Barão de Mauá uit 1852, dat nu in gebruik is als Fundação Cultural en toeristenbureau en het Casa do Barão do Rio Branco (op nummer 279).

Liefhebbers van orchideeën mogen de **Orquidário Binot**, Rua Fernandes Vieira 390 (Retiro, 5 km naar het noorden langs de weg richting Itaipava) niet overslaan. Ook de **Florália**, het grootste tuincentrum van Latijns-Amerika, is een bezoek waard,

WANDELEN TUSSEN DE ORGELPIJPEN

In het **Parque Nacional da Serra dos Órgãos** hebben de hoogste bergtoppen namen als Dedo de Deus (Vinger van God; 1680 m), Dedo de
Nossa Senhora (Vinger van Onze-Lieve-Vrouw; 1320 m), Pedra do Sino
(De Bel; 2263 m) en Nariz do Frade (Monnikenneus; 1980 m). Ze steken
soms als vingers of orgelpijpen de lucht in en zorgen zo voor een con-
trastrijk landschap met bijzondere vergezichten. Een geweldig gebied
voor wat langere wandeltochten.

Teresópolis is de voornaamste uitvalsbasis, maar ook vanuit Petrópolis
zijn er wandelroutes van uiteenlopende lengtes. Het gebied rond de
Pedra do Sino, de hoogste, is spectaculair met paden voor langere
en kortere tochten, snelstromende beken en uitkijkpunten. Vanuit

Teresópolis
is het heen
en terug een
tocht over 11
km van ge-
middeld vijf
uur; vanwege
het hoog-
teverschil
voor de meer
geoefende
wandelaars.
Nog mooier is
de wandeling
van Petrópolis

In het Parque Nacional da Serra dos Órgãos steken de hoogste
bergtoppen soms als orgelpijpen de lucht in.

naar Teresópolis of vice versa, dwars door het berggebied heen. De
tocht voert langs de Pedra do Açu en de Pedra do Sino, met doorgaans
twee overnachtingen.

Kortere wandelingen maak je het best vanuit Petrópolis, zoals naar de
Véu da Noiva, een waterval, gevormd door de Rio Bonfim. In dit gebied
kun je ook goed klimmen, raften en kanoën. De beste tijd om de bergen
te bezoeken is mei-oktober, als het relatief droog weer is. Om te zwemmen en voor de watersporten in de beken en meertjes moet je er in de
zomer zijn, maar dan regent het ook vaker.

ℹ️ PARQUE NACIONAL DA SERRA DOS ÓRGÃOS. Geopend 6-22 uur voor de langere wandeltochten (toegangsbewijs het liefst de dag ervoor kopen bij de ingang of via www.ibama.gov.br/
parnaso, i.v.m. het maximaal aantal dagelijkse bezoekers).

Vanaf Petrópolis is de toegang aan de Estrada do Bonfim (18 km), bij Teresópolis bevindt de toegang zich op 5 km ten zuiden van de stad aan de oude weg naar Rio.

Entree: R$ 3 (auto's R$ 5), voor de wandeltocht Petrópolis-Teresópolis R$ 12 en R$ 6 respectievelijk R$ 15 voor de overnachting in een tent of slaapzak. Overnachten mag alleen met een gids erbij.

Rua Maestro Otávio Maul 1700 (11 km van het centrum van P. aan de oude weg naar Rio).

Het **Casa do Colono Alemão**, Rua Cristovão Colombo 1034 (in Castelândia, 3 km van het centrum), bevat een museum met een grote collectie meubels en voorwerpen uit de keizerlijke tijd. In de omgeving van Petrópolis zijn diverse mogelijkheden voor wandelingen en paardrijtochten. Een spectaculaire wandeling leidt van Petrópolis naar Teresópolis door de Serra dos Órgãos. Je komt onder meer langs de Pico Pedra do Açu en de Pedra do Sino (zie ook bij Teresópolis).

Eind juni is de leukste tijd voor een bezoek aan dit stadje, want dan wordt het Bauernfest gevierd met tal van culturele activiteiten en vanzelfsprekend Duitse gerechten.

Teresópolis

Ongeveer 54 km van Petrópolis ligt Teresópolis (145.000 inw.), genoemd naar keizerin Tereza Cristina. In Teresópolis ontbreken de paleizen en villa's, die Petrópolis zo'n aparte sfeer geven. Dat kan ook niet anders, want het plaatsje is ontstaan na de val van het keizerrijk.

De sfeer is er niet minder om. Teresópolis is een gemoedelijke en schilderachtige stad met uitstekende eetgelegenheden.

Op zaterdag en zondag is er een markt waar ambachtelijk gemaakte producten worden verkocht, de Feira de Artesanato, op het Praça Higino da Silveira.

De grootste attractie is echter het uitzicht vanaf de Mirante do Soberbo; de toegang naar dit uitzichtpunt bevindt zich 7 km van de stad aan de BR-116 naar Rio. Bij helder weer zie je Rio en de baai van Guanabara liggen.

De omgeving van Teresópolis biedt goede mogelijkheden voor bergwandelingen in de Serra dos Órgãos.

In juli staat Teresópolis in het teken van een grote orchideeëntentoonstelling en de eerste twee weken van augustus van een tentoonstelling van landbouw- en tuinbouwproducten.

Nova Friburgo

Vierhonderd Zwitserse gezinnen uit het kanton Fribourg streken in 1818 neer in het bergachtige gebied ten noorden van Rio. Hun nederzetting werd Nova Friburgo en aan de bouwstijl en namen van de meeste huizen, hotels en restaurants is de Zwitserse afkomst duidelijk af te lezen. De omgeving is een mooi gebied om te wandelen.

Op 10 km van Nova Friburgo, aan de weg naar Bom Jardim, ligt **Furnas do Catete**. Dit is een gebied met grillige rotsformaties dat zeker een bezoek waard is. Er zijn verschillende wandelroutes uitgezet. Behalve fraaie bloemsierkunst vind je in Nova Friburgo de bekende Zwitserse kaas en chocolade. Bovendien is het de 'hoofdstad' van de lingerie. Honderden kleine ateliers en fabriekjes zijn er in en rond deze plaats te vinden. De mooiste en uitdagendste lingerie is te koop in de winkeltjes rond de Puente da Saudade, vlak bij het busstation, en in de wijk Olaria.

COSTA DO SOL

Ruim 160 km ten oosten van Rio begint de Costa do Sol. Deze kust met verscholen stranden en aangename plaatsjes is zeer in trek bij de rijke cariocas. Búzios is het Saint-Tropez van Brazilië. In de Braziliaanse zomer en rond carnaval is het erg druk aan de Costa do Sol.

Cabo Frio

Cabo Frio (de Koude Kaap) is vanuit Rio gemakkelijk te bereiken. Deze oude vissersplaats met tegenwoordig 150.000 inwoners ontleent zijn naam aan de koude stroming voor de kust. Dat maakt het

Zonsondergang bij Búzios

water minder aangenaam om te baden, maar voor sportduikers is dit een van de betere locaties in dit deel van Brazilië, want het water is helder en vol vis.

Cabo Frio bezit enkele historische gebouwen uit de 17de en 18de eeuw die een bezoek waard zijn: het Forte São Mateus uit 1616, het Convento Nossa Senhora dos Anjos (1686–1696) met museum, de Nossa Senhora de Asunção (1615–1666) en de Capela Nossa Senhora da Guia (1740) op de gelijknamige berg.

Stranden

Bij het centrum ligt Praia do Forte dat meestal erg druk is en niet zo schoon. Betere stranden zijn Praia das Dunas en Praia do Foguete, respectievelijk 2 km en 4 km ten zuiden van Cabo Frio.

Langs de weg naar Arraial do Cabo, in zuidelijke richting, liggen de Dunas Dama Branca, duinen met wit en fijn zand.

Iets zuidelijker van Cabo Frio ligt **Arraial do Cabo** (20.000 inw.), een vissersplaats die zich in snel tempo heeft ontwikkeld tot een van de grote trekpleisters aan deze kust. Arraial do Cabo ligt op de punt van het schiereiland en is omgeven door prachtige stranden. Aan te bevelen zijn Prainha (2 km) en Praia do Forno (3 km) met de ruïnes van een fort aan de noordkant, en aan de zuidkant Praia Brava (4 km) met waterval en Praia Grande (3 km) met duinen.

Vanuit Arraial gaan er boten naar het **Ilha do Cabo Frio** waar een vuurtoren, onderwatergrotten en goede stranden te vinden zijn. Arraial geldt als een van de toplocaties voor sportduiken en snorkelen

Búzios

Veruit het meest favoriete plaatsje aan de Costa do Sol is Búzios. Volgens de verhalen heeft Brigitte Bardot Búzios in de jaren zestig beroemd gemaakt, toen ze hier een aantal keren haar vakantie doorbracht. Sindsdien heeft Armação dos Búzios, de officiële naam, een spectaculaire ontwikkeling ondergaan. Luxe buitenhuizen en *pousadas* schoten uit de grond en exclusieve restaurants vestigden zich in het vissersplaatsje.

In het zomerseizoen trekken tienduizenden cariocas naar Búzios en omgeving om te genieten van de zonovergoten stranden en de watersportmogelijkheden. 's Avonds verandert Búzios in een mondaine badplaats met terrasjes, extravagante cafés en clubs. Het avondleven concentreert zich vooral op de Avenida José Bento Ribeiro Dantas. Hier zijn ook de meeste boetieks gevestigd.

Stranden

In de directe omgeving liggen meer dan twintig magnifieke stranden. De mooiste zijn: Praia Azeda (1,5 km) en Praia Brava (2 km) aan de noordkant en Praia do Forno (1,5 km), Praia Ferradura (2 km) en met name Caravelas (10 km) ten zuiden van de stad.

Ook de eilandjes voor de kust hebben goede stranden. Vanuit de haven van Búzios vertrekken enkele keren per dag boten naar de eilanden. Ilha Rasa is zeker een bezoek waard door zijn twee mooie stranden: Praia da Lua en Praia da Ancora.

COSTA VERDE

De mooiste kustlijn van de staat Rio loopt in zuidwestelijke richting: de Costa Verde, de Groene Kust. In de jaren zeventig is hier een kustweg aangelegd naar Santos en São Paulo. De weg slingert over de flanken van de Serra do Mar, het kustgebergte, met soms schitterende panorama's van de kustlijn en de eilanden ervoor. Behalve van de prachtige omgeving kun je genieten van heerlijke stranden en historische plaatsjes als Paraty en Trindade. Bij alle plaatsjes maar ook in het tussenliggende gebied zijn appartementen, vakantieparken en hotels gebouwd. Overnachtingsmogelijkheden zijn er volop. Vooral voor kampeerders is dit gebied aantrekkelijk. Er zijn veel en goede campings, dicht bij zee en in het algemeen goed bewaakt.

Búzios, Praia Geriba

Naar Angra dos Reis

De kustweg is de BR-101, ook wel de weg Rio–Santos genoemd. Deze weg is vanuit Rio te bereiken via de snelweg naar Itaguaí of via de wijk Barra de Tijuca langs de kust.

Houd na Itaguaí de richting Itacuruçá en Mangaratiba aan. Hier begint de Costa Verde.

Itacuruçá en **Mangaratiba** zijn vissersplaatsjes met enkele mooie stranden. Er gaan dagelijks diverse boten naar de eilanden voor de kust. Er zijn speciale dagexcursies per schoener die eilanden in de Baía de Sepetiba aandoen. De eilanden Itacuruçá en Jaguanum zijn de mooiste. Op het Ilha Grande is het meeste te zien.

Mangaratiba ontwikkelt zich tot een vakantiedorp. Er zijn verschillende grote hotels en ook Club Mediterranée is er neergestreken.

Na Mangaratiba openbaart zich de schoonheid van de Groene Kust in haar volle glorie. Aan de ene kant doemt het exotische kustgebergte op, terwijl je je aan de andere kant vergaapt aan de schitterend gelegen baaien en eilanden voor de kust.

Even voor Angra dos Reis ligt de scheepswerf van Verolme, een van de eerste bedrijven die zich aan deze kust vestigden en zodoende heeft bijgedragen aan de gedaanteverandering in dit gebied vanaf de jaren zestig.

De bedrijvigheid trok toen mensen aan uit heel Brazilië. De vissersplaatsjes groeiden uit tot stadjes en toen de nieuwe weg werd aangelegd, was de ontwikkeling niet meer te stuiten. Dat is goed zichtbaar in Angra dos Reis.

Angra dos Reis

De stad Angra dos Reis is genoemd naar de Baai van de Koningen en telt tegenwoordig 135.000 inwoners. Het is een belangrijke haven geworden door de vestiging van de scheepswerf van Verolme, een olieraffinaderij van Petrobrás en een spoorlijn naar de industriestad Volta Redonda. Op grote delen van de heuvelhellingen en in de kustvlakte zijn de favelas opgerukt. Angra is overbevolkt geraakt, wat goed te merken is. De toegangswegen zijn snel verstopt, net als de riolering die ernaast loopt.

Interessant zijn enkele koloniale gebouwen, zoals het klooster **São Bernardino de Sena**. Dit bouwwerk met delen uit 1653 is het oudste dat er in Angra nog te vinden is.

🛈 SÃO BERNARDINO DE SENA. Geopend: di.-zo. 10-17 uur.

Liefhebbers van speciale treinritten kunnen in Angra de trein naar Lídice in de bergen nemen. Het station bevindt zich aan het Praia do Anil. Controleer van tevoren of de trein wel rijdt. Buiten het seizoen, vanaf februari tot december, is de dienstregeling onregelmatig.

🛈 TREIN NAAR LÍDICE. Vertrek: di., do., za. en zo. 10.30, terug 16.30 uur.

De stranden bij het stadje zijn nogal vervuild. Betere stranden liggen zuidelijker: Praia do Bonfim (3 km), Praia das Gordas (3,5 km), Praia Grande (4 km), Praia Vila Velha (5 km) en Praia Figueira (6 km). Ze liggen meestal goed verscholen achter de kustbegroeiing. Bij sommige kun je kamperen.

Nog mooier zijn de eilanden voor de kust. In de hele Baía de Ilha Grande liggen meer dan 350 eilanden.

Naar Paraty

De route gaat verder van Angra langs de baai van Ilha Grande naar Paraty.

Enkele van de mooiste plekjes langs de kust zijn bestemd voor de rijke toeristen. Zo'n project van 'tweede huizen' en va-

VAKANTIEPARADIJS ILHA GRANDE

Ilha Grande

Recht tegenover Angra dos Reis ligt het grootste eiland van de Costa Verde, Ilha Grande. Het eiland is gezegend met een beschermde natuur en volop verleidelijke stranden, dus voor de liefhebbers van wandelen, fietsen en watersport dé plek aan de Costa Verde.

In het verre verleden gebruikten piraten het eiland als hun schuilplaats. Toen was het eiland nog dichtbegroeid. Door het uitbreiden van de suikerriet- en houtskoolproductie is veel van de oorspronkelijke vegetatie verdwenen. Alleen op de berghellingen is het dichte tropische woud nog te vinden.

Ilha Grande is sinds de 19de eeuw in Brazilië vooral bekend geweest vanwege de gevangenissen. De oudste was de Lazareto (uit 1886), aanvankelijk gebouwd als quarantaine-inrichting; dan de Dois Rios en de beruchtste Cândido Mendes, gebruikt voor politieke gevangenen tijdens de militaire dictatuur.

In 1994 ging de laatste dicht en kreeg het toerisme als bestaansbron de overhand. Maar wel een streng gereguleerd toerisme. Een derde deel is tot nationaal park gemaakt en auto's zijn verboden, net als vrij kamperen.

De enige plaats van betekenis op Ilha Grande (ongeveer zo groot als Aruba) is **Vila do Abraão**. Daar komen de boten aan en zijn de meeste pousadas en restaurants te vinden.

Wandelen en zwemmen
Via paden vanuit Abraão bereik je de mooiste plekjes op het eiland. Enkele tips: de Pico do Papagaio (900 m

Even uitrusten op de steiger

hoog, 3 à 4 uur klimmen, gids verplicht) met een schitterend uitzicht; het brede witte Praia Dois Rios en de overblijfselen van de Cândido Mendesgevangenis (2 uur wandelen); Praia Cachadaço, het allermooiste strand op het eiland (2 uur, deels over een door slaven aangelegd stenen pad); de ruïnes van Lazareto met waterval (15 min. vanaf Abraão) en verder doorwandelen naar Saco de Céu, een idyllische baai.

Vanuit Abraão gaan boten naar de moeilijker bereikbare stranden en vissersnederzettingen van het eiland. Aan de oostkant zijn de betere stranden: Praia

Snorkelen bij de Saco do Céu

Grande das Palmes (40 min. met de boot) met een vissersdorpje, Praia dos Mangues (50 min. met de boot) en Praia Lopes Mendes (ook lopend te bereiken vanaf Abraão, 3 uur, een vermoeiende wandeling).

Surfen
Praia Lopes Mendes, gelegen aan de oceaankant is een goede locatie voor surfers. Het is ook te bereiken via een pad vanaf het Praia dos Mangues.

Duiken
Voor de kust (2 uur met de boot) ligt Ilha de Jorge Grego, een van de betere duik- en visstekken van Ilha Grande.
De beste locaties voor duikers liggen aan de westelijke kant van het eiland. Volgens ingewijden zou de kust voor het eiland en tussen het eiland en Angra een graf voor schepen zijn. Er zijn er twintig gelokaliseerd. Je kunt wrakduiken bij Sitio Forte (op ruim een uur varen vanaf Abraão) en Praia Vermelha (3 uur met de boot). Vlak bij de laatste bevindt zich de Gruta do Acaiá, waar je een spectaculaire duik in kunt maken. De grot is over land te bereiken vanaf Praia Vermelha (4 uur lopen). Aan de noordkust is Lagoa Azul een veelbezochte duik- en snorkelstek (35 min. met de boot).
De beste tijd om Ilha Grande te bezoeken is net voor of na het hoogseizoen (dec.-mrt.), niet alleen om de drukte te ontlopen, maar vooral omdat het water dan helderder is. In de zomer regent het namelijk veel meer.

kantieappartementen is **Porto Bracui**, genoemd naar de rivier die op deze plaats uitmondt in de baai. In de zomer en de lange weekenden komen de welgestelden uit Rio en São Paulo over om te genieten van de rust en de natuur.

Op veel plaatsen langs de weg Rio–Santos zie je de rommelige, ongeplande nederzettingen van mensen, die of van hun oorspronkelijke grond verdreven zijn of hier juist naartoe zijn gekomen om werk te zoeken.

die of nooit gewerkt hebben (Angra ii) of constant moesten worden gerepareerd door allerlei gebreken (Angra i). Angra iii en iv zijn er nooit gekomen.

Paraty

Het idyllische Paraty, 100 km ten zuiden van Angra, is de 'parel' van de Costa Verde. Paraty is nog helemaal in koloniale stijl gebleven en als zodanig door de Unesco aangewezen als monument. Behalve van de architectuur en de sfeer kun je er genie-

Vissersboten bij het historische plaatsje Paraty

Zo heeft de bouw van de kerncentrales, 40 km ten zuiden van Angra, veel bouwvakkers uit het hele land aangetrokken. De kerncentrales Angra i en ii zijn het treffendste symbool geworden van de grootheidswaan uit de tijd van de generaals. Miljarden dollars zijn gestoken in de bouw van de kerncentrales bij Angra,

ten van de mooie stranden en de paradijselijke eilanden in de omgeving.

Geschiedenis

Volgens de legende wees de Schepper, toen hij grondgebied aan het verdelen was, dit gebied toe aan de duivel: 'Dat is voor jou' (*Para ti*). Eerst werd de smalle kust

Overheerlijke visschotels,
de specialiteit in veel
restaurants

strook bewoond door Guaianá-indianen, totdat Portugese zeevaarders er rond 1600 een kapel bouwden ter ere van São Roque, hun beschermheer. Het grondgebied was nu volgens de Portugezen heroverd op de duivel.

De nederzetting breidde zich verder uit op de rechteroever van de Perequeaçu, waar in 1630 een nieuwe kapel werd gebouwd: de Nossa Senhora dos Remédios. De huidige kerk op deze plaats stamt uit de 18de eeuw.

De eerste bloeitijd van Paraty was in de 17de en het begin van de 18de eeuw. De ontdekking van goud en diamanten in Minas Gerais bracht handel en voorspoed. De natuurlijke haven van Paraty was goed te beschermen en had voldoende diepgang voor de schepen. Bovendien liep er een oud pad van de indianen door het kustgebergte naar Minas. Het stadje werd een belangrijke havenplaats en er werden nieuwe kerken gebouwd.

Na 1720 was het gedaan met de voorspoed. De aanleg van de weg tussen Minas Gerais en Rio de Janeiro bekortte de reis vanuit het binnenland aanzienlijk en betekende een terugval voor Paraty. Maar in de 19de eeuw bracht de koffieproductie in het binnenland van de staat Rio weer welvaart. Met muilezels werden balen koffie uit de Paraïba-vallei naar Paraty gebracht om hier ingescheept te worden. Op de terugweg nam de karavaan in ruil zout, plantaardige olie en gebruiksgoederen mee.

Tijdens deze nieuwe bloeitijd kwamen er bestrating en verlichting, en werden de verdedigingswerken verbeterd.

Maar net zoals met het goud kwam er een einde aan de bloeitijd toen er een nieuwe verbinding tussen Rio en het achterland werd aangelegd. Dit keer was het een spoorlijn die rechtstreeks van de hoofdstad naar het koffiegebied liep.

De eerste helft van de 20ste eeuw raakte Paraty wederom in verval. Pas in de jaren vijftig werd het koloniale stadje nieuw leven ingeblazen, toen het in z'n geheel werd aangewezen als historisch monument. Met de aanleg van de weg Rio–Santos is Paraty de belangrijkste toeristische trekpleister aan de kust geworden.

Bezienswaardigheden

Tegen het einde van de middag komt het leven in Paraty pas goed op gang. De straatjes lopen dan vol en in de cafés wordt het gezellig druk. Vanaf de hoofdstraat, de Avenida Roberto Silveira, is het stadje uitsluitend te voet toegankelijk. Op de hoek van het Praça Macedo Soares is het bureau van toerisme gevestigd. Vraag hier naar actuele informatie over festiviteiten en bezienswaardigheden.

Wat je zeker niet mag missen is het Praça do Porto met de visafslag en de fruit- en groentemarkt, de bars en restaurants en de pier met vissersboten. Om de hoek staat, aan het gelijknamige plein, de barokke **Igreja Santa Rita**. Deze kerk dateert van 1722 en is gebouwd door en voor de mulattenbevolking, wat zeer bijzonder was in die tijd. Er is een klein museum van religieuze kunst in gevestigd.

ℹ️ IGREJA SANTA RITA. Geopend: wo.-zo. 9-12 en 14-17 uur.

De **Igreja das Dores**, aan de andere kant van het plaatsje aan de monding van de Rio Perequeaçu, is in 1800 voor de aristocratie gebouwd.

Daarachter, aan het Praça Monsenhor Hélio Pires, staat de in 1787 door de burgerij herbouwde **Matriz Nossa Senhora dos Remédios**. In de kerk hangen schilderijen van Braziliaanse kunstenaars.

De slaven hadden in de **Igreja Nossa Senhora do Rosário**, aan het plein met dezelfde naam, hun eigen kerkje in 1725 gebouwd. De kerk is in 1857 gerenoveerd en heeft een mooi altaar van bladgoud. Voor de kerk is het gemeentehuis gevestigd.

Een mooie en karakteristieke straat is de Rua do Fogo. In de Rua Marechal Santos Dias, vlak bij de kerk van Santa Rita, staat het oudste huis van Paraty. Het is gebouwd in 1699 en heeft nog steeds de authentieke houten balkons.

Even buiten het stadje, over de rivier heen, langs het strand en op de heuvel, ligt het **Forte Defensor Perpétuo**. Oorspronkelijk stamt dit verdedigingswerk uit 1703 om het stadje tegen aanvallen van piraten te beschermen. In 1822 is het fort herbouwd. In het fort is een museum over lokale kunst en gebruiksvoorwerpen ingericht.

ℹ️ FORTE DEFENSOR PERPÉTUO. Geopend: wo.-zo. 9-12 en 14-17 uur.

Festiviteiten

In alle delen van het jaar zijn er in Paraty festiviteiten of speciale attracties voor bezoekers.

De twee belangrijkste feesten zijn het Festa do Divino Espírito Santo, gedurende de dagen voorafgaand aan Pinksteren, en dat van Nossa Senhora dos Remédios op 8 september.

Het Festa do Divino stamt uit de tijd dat de eerste Portugezen hier kwamen. Een heel jaar wordt dit feest voorbereid, dat negen dagen voor Pinksteren met een plechtigheid bij de moederkerk Nossa Senhora dos Remédios begint. Er zijn optochten en alle dagen lopen er *folias* door het stadje: groepjes muzikanten met viool, drum en tamboerijn. Op de laatste dag is er een indrukwekkende processie van de *Imperador* (de Keizer) en zijn vazallen (verklede kinderen). De tocht eindigt in de gevangenis, waar de imperador symbolisch een gevangene vrijlaat.

Ook een jaar van voorbereiding vraagt het feest voor Nossa Senhora dos Remédios. De dag begint met een hoogmis en een processie. Daarna zijn er een grote markt en een veiling.

's Avonds vindt de apotheose plaats met

veel muziek, dansen en een groots vuurwerk.
Andere feesten zijn er in de Semana Santa (Pasen), de maanden mei, juni (traditionele dansen) en juli. Ook Kerstmis
en carnaval worden in Paraty uitbundig
gevierd. Vanaf de twaalfde dag voor carnaval wordt het straatbeeld bepaald door
de *mascaradinhos*, verklede kinderen met
zelfgemaakte maskers.
In augustus wordt het Festival da Pinga
de Paraty gehouden. De *azulinhas*, een
blauwachtige rum, is dan de lokale lekkernij.

Eilanden en stranden
Van de pier vertrekken dagelijks verschillende boten voor een excursie naar eilanden in de baai.

Stranden
De eilanden met de mooiste stranden
zijn **Araújo** en **Sapeca** (respectievelijk
30 en 45 min. met de boot). Je kunt ook
een vaartocht maken langs meerdere eilanden met stops om te zwemmen en te
snorkelen. In het algemeen zijn de stranden van de eilanden nogal rotsachtig.
Langs de kust liggen meer zandstranden.
Goede stranden zijn ook Praia Vermelha
en Praia da Lula op de kop van het schiereiland ten zuiden van Paraty. Er gaan boten naar toe (50 min. varen) en je kunt er
vrij kamperen.
Voor de beste stranden in dit gebied moet
je de bus nemen. In de richting van Rio
ligt 20 km van Paraty Praia Barra Grande.
In de richting van São Paulo liggen Praia
Paraty-Mirim (27 km), Praia do Sono (40
km) en Praia da Trindade (22 km).
Trindade is een vissersplaatsje, dat nog
niet zo bekend is als Paraty, maar waar de
tijd ook lijkt te hebben stilgestaan.
Lokaal gestookte rum is het gehele jaar
door te proeven op enkele *fazendas*, grote landerijen, in de omgeving van Paraty.

Fazenda Bananal, 10 km van Paraty aan
de oude bergweg naar Cunha, heeft behalve een ouderwetse destilleerderij en
proeverij een dierentuin. Met de bus kun
je verder de jungle in richting Cunha.
Een andere bezienswaardige fazenda is:
Engenho Boa Vista ten zuiden van Paraty,
gelegen aan de weg naar Ubatuba.

Naar Santos
Als je Trindade gepasseerd bent, rij je
de staat São Paulo binnen. Ubatuba,
Caraguatatuba en São Sebastião zijn
plaatsen die eveneens een razendsnelle
ontwikkeling doormaken. Overal worden vakantiehuizen en appartementen
gebouwd en is er grond te koop. **Ubatuba**
is de chique buitenplaats voor de rijken
van São Paulo aan het worden.
Ook hier liggen, tussen de rotsen verscholen, prachtige stranden. Vanuit de
haven worden excursies gemaakt naar de
eilanden.
Ilha Anchieta is de moeite waard, onder
andere door de aanwezigheid van ruïnes
van een oude gevangenis.
In São Sebastião kun je de boot pakken
naar het gelijknamige eiland, dat beter
bekend is als **Ilha Bela**. Dit is het grootste eiland voor de kust van de staat São
Paulo.
De grillige bergen van vulkanische oorsprong en de dichte begroeiing maken
Ilha Bela geliefd bij wandelaars en berg-
beklimmers. Het eiland bezit tientallen
stranden. Aan de noordkant zijn Pedra
do Sino en Jabaquara aan te bevelen. Aan
de wat wildere oostkant van het eiland
liggen dos Castelhanos, de Gato en da
Figueira.
Op het eiland zijn diverse overnachtingsmogelijkheden in dure en minder dure
hotels. Goedkoper is het om te kamperen. Bij Bara Velha zijn enkele campings.
Op 100 km ten zuiden van São Sebastião
ligt **Bertioga**, een plaats met als belang-

STIJLVOL LANDGOED HOLLANDSE TOPKOK

Het slingerpad door de tropische vegetatie, langs ruisende beken en kleurrijke bloemen, verraadt nog helemaal niets van de verrassing die de bezoeker even later wacht. Na de laatste bocht openbaart zich een landgoed, dat je hier niet zou verwachten.

Vivenda Les 4 Saisons is een verschijning waarmee de Nederlander Jos Boomgaardt opnieuw baanbrekend werk verricht. Hij heeft al naam gemaakt met diverse sterrenrestaurants, zoals Les Quatre Saisons in Zuidlaren en de Beukenhof in Oegstgeest. Na de ontdekking en uitgebreide studie van de Zuidoost-Aziatische keuken verraste hij vriend en vijand met een Thais restaurant in Amsterdam. Tom Yam was vanaf de eerste dag een doorslaand succes. Jos zette een bescheiden keten op van Thaise afhaalrestaurants en schreef het kookboek *Thais voor Thuis*. Later bouwde hij Tom Yam om tot eerste fusionrestaurant. Na zoveel jaar was hij opnieuw toe aan iets nieuws. Bij toeval kwam hij terecht in de koffiestreek boven Rio de Janeiro, raakte verknocht aan dit land en de Brazilianen, en kocht een verwaarloosd landgoed op. In anderhalf jaar tijd realiseerde hij samen met vriend Cleiton een paradijsje, dat z'n gelijke in deze regio nog niet kent. Het begin 2006 geopende landgoed biedt een voortreffelijke keuken en een verblijf in een van de zeven smaakvol ingerichte suites en een rustgevende omgeving. De prijzen zijn nog alleszins redelijk voor dit verblijf op vijfsterrenniveau. Najaar 2006 startte Boomgaardt de 'Academia de Culinaria' met kookcursussen van 3 dagen of in het weekend voor liefhebbers die de fijne kneepjes van de kookkunst willen leren.

ⓘ VIVENDA LES 4 SAISONS. Rua João Cordeiro da Costa e Silva 5 in Graminha, aan de weg van Engenheiro Paulo Frontin naar Miguel Pereira, tel. (55) 24 2463 2892, www.les4saisons.com.br.

Jos Boomgaardt in Vivenda les 4 saisons

Beeld van een oude fazenda bij Vassouras

rijkste bezienswaardigheid **Forte São João**. In het fort, gebouwd in 1547, is een klein historisch museum gevestigd.

ⓘ MUSEUM FORTE SÃO JOÃO. Geopend: vr.-zo. 9-11 en 13-17 uur.

Vanuit Bertioga kun je over de SP-55 rechtstreeks doorrijden naar Santos en São Paulo. Je kunt ook de pont pakken naar Guarujá, de grootste badplaats aan de Costa Verde.

OUDE KOFFIEPLANTAGES

Ingeklemd tussen de Serra do Mar, het kustgebergte, en de Serra da Mantiqueira, ligt de Vale do Café. Van de 18de tot halverwege de 20ste eeuw concentreerde zich hier de koffieproductie in de staat Rio de Janeiro, tot deze werd overvleugeld door die in de zuidelijkere staten. Decennialang raakte het gebied in de vergetelheid. Erfgenamen van de grote fazendas lieten de landgoederen verwaarloosd achter, een enkele ging dienstdoen als hotel. De laatste jaren leeft het gebied weer op door persoonlijke initiatieven en een actieve promotie van de Caminhos do Café. Op nog geen anderhalf uur rijden van de grote stad zijn ruim twintig koffiefazendas in oude luister hersteld en open voor publiek. Er zijn auto-, wandel-, fiets- en paardrijroutes uitgezet, die je voeren langs de restanten van het Atlantische regenwoud en de plaatsjes die leefden van de koffiehandel.

De hoofdplaats is **Vassouras**, bijgenaamd Terras dos Baroes, het land van de koffiebaronnen. De rijkdom uit de bloeitijd straalt af van de bestuursgebouwen en de stadsvilla's. Aan het plein, aan de voet van de Nossa Senhora da Conceição, dat een fraai panorama biedt over de omliggende heuvels, staan de voornaamste. Het Casa de Câmara e Cadeia, nog steeds de plek waar de gemeenteraad is gevestigd, het Casa do Asilo Barão do Amparo, een van de rijkste koffiebaronnen uit de 19de eeuw, het Casa da Cultura. Vassouras is het culturele centrum van de streek gebleven dankzij de universiteit.

Terug in de tijd

Vanuit Vassouras lopen de Wegen van de Koffie naar de kleinere gemeenten, die soms in hun geheel door het grondgebied van één fazenda werden overvleugeld. Een bezoek aan **Fazenda Santa Eufrásia**, in Vassouras zelf, brengt je volledig terug in de tijd. De gebouwen zijn sober, de tuinen vol met eeuwenoude bomen, de huidige bewoners ontvangen het bezoek in originele 19de-eeuwse kledij. Je kunt zelfs een ritje maken in een oude koets.

Fazenda Taquara in Barra do Piraí is al generaties lang in handen van dezelfde familie. Het is de enige fazenda waar nog koffie wordt geproduceerd. Tegenwoordig vormt, naast het bezoek van toeristen, de varkensfokkerij de voornaamste inkomstenbron.

De ruimtes van het Casa Grande zijn in stijl ingericht met meubels uit de 19de en vroeg 20ste eeuw. De foto's aan de wand vertellen het verhaal van de familie door de jaren heen en laten beelden zien van het oude Rio en van deze streek.

De *senzala*, waar de slaven moesten blijven, doet nu dienst als ontvangstruimte voor de bezoekers. Er zijn arrangementen met lunch en met diner.

Een authentieke fazenda is **Ponte Alta** in Barra do Piraí. In 1830 is deze gebouwd door de baron van Mambucaba. Aan de aankleding en indeling van het gebouw in karakteristieke carrévorm, en ook aan de omgeving is heel weinig veranderd. De door water aangedreven molen waarmee de koffie werd gepeld, lijkt ieder moment weer te kunnen gaan draaien. De slaven lijken net weggelopen uit de duistere kelders onder het Casa Grande en de bijgebouwen.

De twee statigste fazendas in het gebied zijn **Fazenda Histórico Monte Alegre** en Cachoeira Grande. De eerste ligt in het plaatsje Paty do Alferes, waar de koloni-satie van de vallei van de Rio Paraíba eind 18de eeuw begon. Baron Paty do Alferes was een van de rijkste koffieproducenten met maar liefst zeven fazendas. De hoogste bestuurders, en zelfs keizer Pedro II, waren er te gast. Het Casa Grande heeft vorige eeuw nog even dienstgedaan als hotel en casino, maar verviel daarna vrijwel tot ruïne. In de jaren tachtig kwamen nieuwe eigenaren, die de fazenda hebben opgeknapt en nu het grote huis bewonen. De tuin is dankzij de abstracte beelden van Gabriel Fonseca en door de variatie aan planten en bomen een extra attractie.

Fazenda Cachoeira Grande in Vassouras bevindt zich zonder meer op de mooiste locatie, op een heuvel met uitzicht op het omringende heuvelland. Deze fazenda is altijd in handen van de afstammelingen van de illustere Barão de Vassouras gebleven. Ze wonen in het Casa Grande en stellen hun huis op twee tijdstippen open voor bezoek. De persoonlijke ontvangst is uiterst hartelijk; een oudtante speelt een stukje piano, de vrouw des huizes leidt je rond langs de kunstwerken en door de vertrekken. Aan het eind van het bezoek is er koffie of sap met gebak in de salon. De baron woonde hier zelf en had z'n kantoor in de ruimte links van de centrale hal, zodat hij in één oogopslag alle vertrekken kon zien.

Agrotoerisme

Je kunt een bezoek aan Cachoeira Grande combineren met een lunch of paardrijtocht op de **Fazenda Galo Vermelho**, tevens hotel en restaurant. De ondernemende carioca Rubens Antunes Maciel heeft deze oude familiefazenda omgebouwd tot een sfeervol en levendig centrum voor agrotoerisme. De nadruk ligt op paardrijden en de productie van biologische gewassen. Veel van de groenten in de regionale gerechten komen uit

de eigen keuken. Een van de paardrijtochten voert langs de 400 ha Atlantisch
regenwoud en door de vallei naar de fazenda Cachoeira Grande.

🛈 FAZENDAS IN DE VALE DO CAFÉ. Er zijn
22 fazendas gerestaureerd en open voor
bezoek, waarvoor in sommige gevallen een
bescheiden vergoeding wordt gevraagd.
Handig is om je bezoek van tevoren aan te
kondigen. Fazenda Santa Eufrásia,
www.fazendasantaeufrasia.com.br, tel. 24
24711065.
Fazenda Taquara, tel. 24 24431221.

Fazenda Ponte Alta, www.pontealta.com.br, tel.
24 24425005.
Fazenda Monte Alegre, tel. 24 24844269.
Fazenda Cachoeira Grande,
www.fazendacachoeiragrande.com.br,
tel. 24 24711264.
Hotel Fazenda Galo Vermelho,
www.hotelfazendagalovermelho.com.br,
tel. 24 24711244.
De toeristenorganisatie van de vallei heeft een
prima website over de streek:
www.valedocafe.com.br of
www.turismovaledocafe.com.br.

Minas Gerais

6

OP ZOEK NAAR GOUD EN EDELSTENEN

De deelstaat Minas Gerais is het hart van de mijnbouw in Brazilië. 'Overvloedige mijnen' was de naam die het gebied kreeg, toen er in de vroege 18de eeuw door de *bandeirantes* goud werd ontdekt. Minas werd het nieuwe economische zwaartepunt van de kolonie. De minerale rijkdom zorgde ervoor dat de macht in Brazilië naar het zuiden verschoof.

Vila Rica (rijke stad), het tegenwoordige Ouro Preto werd het centrum in Minas. In de jaren tussen 1725 en 1750 werd in Vila Rica al veel edelmetaal gedolven. Ook op andere plaatsen in Minas werd enorme rijkdom vergaard. Vila do Carmo (nu Mariana) kon door de goudmijnen de eerste hoofdstad van de provincie worden. Diamantina werd het hart van de diamantmijnbouw.

Minas Gerais zorgde in de 18de en de eerste decennia van de 19de eeuw voor drie vierde van al het goud in de wereld. Net als zoveel andere mijngebieden in Midden- en Zuid-Amerika, zoals Potosí in Bolivia en Taxco in Mexico, verdween de grootste rijkdom naar het koloniale moederland. Maar met wat er achterbleef konden de mijneigenaren hun eigen paleizen en kerken uitbundig versieren.

Deze onvoorstelbare rijkdom kwam het best tot uiting tijdens de religieuze feesten. Zo moet de inwijding van de Igreja Nossa Senhora do Pilar in 1733 een waanzinnige gebeurtenis zijn geweest. Een defilé van dansers verkleed als Turkse en Romeinse soldaten, nimfen, engelen en trompetters trok door de straatjes naar de kerk. Hun uniformen en gewaden waren versierd met edelmetalen en diamanten.

De geoloog John Mawe, de eerste buitenlander die in de 19de eeuw toestemming kreeg om in het mijngebied te reizen, beschreef de tuinen en de slaapkamers van de huizen in Vila Rica als volgt: *'De terrassen schijnen me een waar bloemenimperium. Nooit eerder heb ik zoveel mooie bloemen en planten bij elkaar gezien... Nooit heb ik zulke magnifieke bedden gezien als bij de rijke mensen in deze streek. De poten en het hoofdeinde zijn rijkelijk versierd met houtwerk en leer. De linnen lakens zijn afgezet met kantwerk van*

Het centrale plein van Ouro Preto

negen duimen breed. De sprei is van geel damast...'

Een andere Engelsman, dominee Walsh, is verbaasd over de overvloed en de prijzen in de winkels: *'... katoen uit Manchester, kousen uit Nottingham, hoeden uit Londen, messen uit Sheffield, zo veel en zo goedkoop, alsof ze hier gemaakt worden...'* Veelvuldig komen in de beschrijvingen van de buitenlandse bezoekers de schoonheid en goede gemanierdheid van de *mineirinhas*, de vrouwen, aan bod. *'Hun kleding getuigt van smaak en zou in de Europese hoofdsteden van die tijd niet misstaan,'* schrijft een reiziger. Sommige vrouwen vielen hem op door de goede scholing die ze hadden gehad. Vooral Richard Francis Burton, die in de vorige eeuw het meest over Ouro Preto heeft geschreven, is onder de indruk van het vrouwelijk schoon. Hij omschrijft de vrouwen, vooral die tussen 13 en 16 jaar, als *'exceptionally pure'*.

Ook het eten in Minas kan Burton bekoren. Hij vindt de *tutu a mineiro* (traditionele mijnwerkersmaaltijd bereid met maniok, bonen en spek) een gezonde en stevige maaltijd.

Vrijheidsstrijd

De rijke bodem van Minas en vooral de wijze waarop de Portugezen daarvan profiteerden, moesten vroeg of laat wel tot rebellie leiden. In 1789 nam Joaquim Jose da Silva Xavier, alias Tiradentes, het voortouw in de strijd om het koloniale juk af te schudden. De aanleiding was de beschikking van het koloniale bestuur om de belasting op goud te verhogen. De vrijheidsstrijd ging de geschiedenis in als de Inconfidência-beweging. De opstand hield drie jaar aan, totdat de koloniale regering er in 1792 een bloedig einde aan maakte. Tiradentes en z'n medestrijders werden op genadeloze wijze gestraft. De droom van de rebellen werd voor een deel werkelijkheid in 1822. De onafhankelijkheid was een feit en Minas Gerais werd een provincie van het koninkrijk en later keizerrijk Brazilië. Het jaar daarop werd Ouro Preto de nieuwe hoofdstad van Minas Gerais.

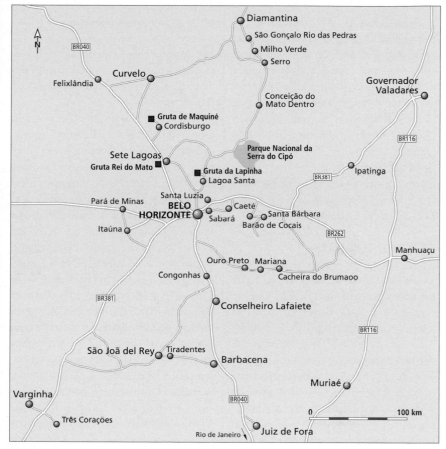

Minas Gerais

Economie

Een nieuwe periode brak voor Minas Gerais aan in 1897 toen Belo Horizonte de hoofdstad werd. Deze stad werd het economische centrum van de staat, met onder meer grote vestigingen van buitenlandse concerns als Fiat en Mannesmann. Een andere industriestad werd Juiz de Fora, door de concentratie van textielindustrie ook wel 'het Manchester van Brazilië' genoemd.

De mijnbouw is in Minas Gerais nog altijd een belangrijke economische sector. Talrijke grote en kleine mijnen, geëxploiteerd door Braziliaanse en buitenlandse bedrijven, zorgen voor een gevarieerde productie van edelmetalen en edelstenen. Per spoor worden de mineralen vervoerd naar de havenstad Vitória.

Het landschap van Minas heeft door de mijnbouw in tweehonderd jaar een grote verandering ondergaan. Veel van de subtropische vegetatie is gekapt ten behoeve van de mijnen en de bouw van steden. Op enkele plekken staan nog eucalyptussen. In de valleien en op de hellingen van de heuvels in het zuidelijk deel van de staat maakt de koffieteelt een stormachtige ontwikkeling door. Een groot deel van de productie wordt geëxporteerd.

Barok

In Minas Gerais zijn diverse plaatsen, met name Ouro Preto en Diamantina, waar je kunstig gemaakte sieraden van goud, zilver en van edelstenen kunt kopen. Het is ook het gebied waar schitterende barokke bouwwerken staan. Met name de virtuoze kunstenaar Antônio Francisco Lisboa, voor het volk Aleijadinho ('de kreupele'), heeft een onuitwisbare invloed op de architectuur in Minas uitgeoefend. De mooiste plaatsjes zijn behalve Ouro Preto: Mariana, Congonhas, São João del Rei en Diamantina.

BELO HORIZONTE

De hoofdstad van Minas Gerais is met 2,5 miljoen inwoners de derde stad van Brazilië. Belo Horizonte is een moderne stad, gesticht op 12 december 1897. Het stratenplan is afgekeken van de Noord-Amerikaanse steden. De grote *avenidas* vormen rechthoeken, waar de straten in een schaakbordpatroon schuin op uitkomen. Ze dragen de namen van de grote rivieren of vooraanstaande politici. De straten in noord-zuidrichting zijn vernoemd naar de staten van Brazilië en de straten in oost-westrichting naar inheemse bevolkingsstammen en historische figuren. Een centrale verkeersader is de Avenida Afonso Pena, die vanaf het Praça Rio Branco, waar het busstation is, in zuidoostelijke richting loopt. Oriëntatiepunten aan deze drukke weg zijn het Praça 7 de Setembro en het Parque Municipal. Aan de rand van het park staat het **Palácio das Artes**, een strak wit bouwwerk van Oscar Niemeyer uit 1971, dat geldt als het grootste culturele bolwerk in Minas Gerais. Behalve een grote en twee kleine theaterzalen zitten er kunstgaleries in en het **Centro de Artesanato**, waar ze de betere ambachtelijke souvenirs verkopen. Er bevindt zich tevens een informatiepost voor toeristen.

ⓘ PALÁCIO DAS ARTES. Avenida Afonso Pena 1537, www.palaciodasartes.com.br.

Het commerciële centrum bevindt zich in de driehoek die gevormd wordt door de pleinen Rio Branco, 7 de Setembro en Raul Soares.

Een ander oriëntatiepunt is het Praça da Liberdade met het Palácio do Governo van de staat Minas Gerais. Het plein ligt tegen de wijk Funcionarios, die genoemd is naar de overheidsfunctionarissen die zich er als eersten vestigden. Rond deze wijk heeft de stad zich ontwikkeld. Het Plaça da Liberdade stamt uit de tijd dat de stad is gesticht en moest het regeringscentrum worden met behalve een regeringspaleis ook diverse ministeries. Die gebouwen zijn allemaal in eclectische stijl ontworpen. Het prominentst is het **Palácio da Liberdade**, dat qua interieur geïnspireerd is op het paleis te Versailles. Wel zijn smeedijzeren trappen en metalen versieringen uit België in het gebouw verwerkt. De rozentuin is een ontwerp van de Belgische tuinarchitect Paul Villon. Hij heeft zich ook beziggehouden met de inrichting van het plein met koninklijke palmen, een fraaie fontein en een monumentale muziekstand.

In de 20ste eeuw is er rond het plein een mix van architectuurstijlen ontstaan, met als meest markante bouwwerken de **Biblioteca Pública** en de Edifício Niemeyer, een appartementengebouw, allebei van de bekendste Braziliaanse architect. Ze dateren uit de jaren '50 en '60 van de vorige eeuw. Het recentste gebouw stamt uit de jaren '80, met staal en vooral veel spiegelend glas. Tegenwoordig is het **Museu de Mineralogia** er in ondergebracht. De schoonheidsprijs zal het niet winnen, maar het valt wel op.

Voor de ingang van het museum ligt de grootste kwartskristal die ooit in Brazilië is gevonden. De collectie binnen biedt

Museu de Artes e Ofícios in het oude treinstation

een overzicht van de minerale rijkdom in de wereld en hoe deze verwerkt wordt tot industriële producten en edelstenen.

ℹ️ MUSEU DE MINERALOGIA. Avenida Bias Fortes 50. Geopend di.-zo. 9-17 uur, www.pbh.gov.br.

Overige bezienswaardigheden

Recent geopend is het **Museu de Artes e Ofícios**, volledig gewijd aan de historie van het ambacht en de handel. Voor het museum is het oude hoofdgebouw van het treinstation uit de 19de eeuw grondig gerenoveerd. Aan de hand van eigentijdse visuele technieken en honderden originele werktuigen krijg je een inkijkje in de ontwikkeling van oude en moderne beroepen. Het museum is op verrassende wijze geïntegreerd in het nog steeds functionerende station.

ℹ️ MUSEU DE ARTES E OFÍCIOS. Praça da Estação, di., do. en vr. 12-19, wo. 12-21, za. en zo. 11-17 uur, www.mao.org.br.

Iedere zondag verandert de Avenida Afonso Pena ter hoogte van het Parque Municipal in een drukke markt waar kunst en antiek, prullaria en souvenirs, regionale gerechten en sieraden te koop zijn. Ooit begon de **Feira de Arte e Artesanato** als een initiatief van hippies en kunstenaars. Het is uitgegroeid tot een groots commercieel gebeuren met ruim 3000(!) verkopers.

Belo Horizonte is een levendige en gezellige studentenstad. Funcionarios is de beste wijk om uit te gaan. Een aantal monumentale villa's uit het begin van de eeuw is er omgebouwd tot sfeervolle restaurants en bars.

OURO PRETO: PAREL VAN PORTUGESE BAROK

Ouro Preto (ofwel Zwart Goud), op 96 km van Belo Horizonte, is één groot historisch monument. De stad was het centrum van de mijnbouw in de 18de en de 19de eeuw. en telde in de bloeitijd 120.000 inwoners. De rijkdom van het toenmalige Vila Rica straalt van de historische bouwwerken af. De mooiste voorbeelden van Braziliaanse barokstijl zijn hier te bewonderen in meer dan twintig kerken. Ouro Preto, nu met 80.000 inwoners, is een stad

MODERNISTISCHE ARCHITECTUUR IN PAMPULH

De wijk Pampulha, aan de noordkant van de stad, is de interessantste en aangenaamste plek in Belo Horizonte. Kubitschek, toen nog burgemeester van Belo Horizonte, liet hier in de jaren veertig een park ontwerpen door een team modernistische kunstenaars. Het plan was van Lúcio Costa, de landschapsarchitectuur van Roberto Burle Marx en de gebouwen zijn ontworpen door Oscar Niemeyer. Kubitschek was zo verrukt over het resultaat, dat hij hen tien jaar later de nieuwe hoofdstad liet ontwerpen.

Het opvallendste bouwwerk in het park is de **Igreja São Francisco de Assis** (1943-1945) aan de oever van de kunstmatige Lagoa da Pampulha.

In de golvende lijnen en in de elegante constructie is direct de hand van de bouwmeester te herkennen. Niemeyer heeft de basisvormen van een kerk uit elkaar getrokken. Het schip in de vorm van een boog is door een betonnen markies verbonden met een ranke toren. Door de smalle basis van de toren is deze minder 'zwaar' en pompeus. De kerk is bekleed met tegelmozaïeken van Cândido Portinari, die ook binnen voor een eigentijdse versie van de kruiswegstaties tekende. Zijn altaarstuk, gewijd aan Franciscus van Assisi, geldt als een van zijn meesterwerken.

De bronzen reliëfs rond de doopvont zijn van Alfredo Ceschiatti. Ze verbeelden de schepping van man en vrouw, de verleiding en de verdrijving uit het paradijs.

De ontzetting over de revolutionair vormgegeven kerk, het feit dat Niemeyer communistische sympathieën had en de eigenzinnige manier waarop burgemeester Kubitschek dit project had doorgedrukt, leidden ertoe dat de kerk pas na vier jaar, in 1949, werd ingewijd. Onlangs is ze grondig gerestaureerd. Er vinden geen missen meer plaats en er is een klein museum bij gevestigd.

ⓘ IGREJA SÃO FRANCISCO DE ASSIS. Geopend ma.-za. 9-17, zo. 9-13 uur. Je komt in het park met bus 2004 (richting Bandeirantes - Olhos D'Agua; opstappen bijvoorbeeld in de Av. Afonso Pena).

Niemeyer ontwierp drie andere bouwwerken met een recreatieve functie. Het dichtst bij de kerk staat het complex van de late Tênis Clube. Omdat dit complex tegenwoordig op particulier terrein staat, is het wat

Igreja São Francisco de Assis

Casa do Baile

moeilijker toegankelijk, of je moet betalen voor het zwembad. Het gebouw is nogal verwaarloosd en wordt aan het oog onttrokken door een smakeloos hekwerk. De bovenzaal doet dienst als feestzaal.

Het **Casa do Baile** staat er beter bij, iets verderop aan dezelfde kant van het meer.
Niemeyer ontwierp dit als een ronde danszaal met buiten een markies op lichte kolommen, als een guirlande die wegwaait in de wind. Hieronder konden bezoekers bijpraten en wat drinken of eten. Dit gebouw was vooral een ontmoetingsplek voor de middenklasse, die immers niet werd toegelaten in het casino aan de overkant van het meer.
In 2002 is het complex heropend, eveneens na een grondige renovatie, als cultureel centrum met exposities en lezingen over kunst en de stadsontwikkeling. Het auditorium en een andere indeling van de kantoorruimtes zijn verantwoord ingepast in het oorspronkelijke ontwerp. Niemeyer was zelf nauw bij de restauratie betrokken.
De schetsen op de centrale wand laten zien dat Pampulha voor hem de opmaat voor het ontwerp van Brasília was. De meester kon niet nalaten om bij een later bezoek zijn afkeer van president Bush en genegenheid voor de landlozen te tonen.
ⓘ CASA DO BAILE. Geopend di.-zo. 9-19 uur.

Het vierde bouwwerk was oorspronkelijk bedoeld als casino, maar heeft als zodanig maar een jaar dienst gedaan. In 1946 werd het gokken namelijk bij wet verboden. In de volksmond werd het gebouw bekend als Palácio de Cristal (Kristalpaleis) door de glazen wanden en lichte vormgeving. Sinds 1957 doet het dienst als **Museu de Arte**, maar daar is het gebouw duidelijk niet geschikt voor. Door de hogere locatie aan het meer heb je een goed zicht op de drie overige Niemeyer-gebouwen.
ⓘ MUSEO DE ARTE. Tijdelijk gesloten.

met veel verhalen: van rijkdom en verval, van grote macht en revolutie.

Stadswandeling

Een bezoek aan Ouro Preto begint altijd op het Praça Tiradentes. De naam en het monument midden op dit plein zijn ter nagedachtenis aan de vrijheidsstrijder uit de 18de eeuw. Na voltrekking van het doodvonnis in Rio werd het hoofd van Tiradentes op een stok midden op dit plein aan het volk getoond. De koloniale machthebbers dachten de rebellen zo te ontmoedigen.

Het **Museu da Inconfidência**, in het vroegere stadhuis aan het plein, is grotendeels gewijd aan de opstand van Tiradentes. De stoffelijke resten van enkele prominente opstandelingen liggen er begraven en de officiële oorkonde van het doodvonnis (21 april 1792) is er te zien. Ook zijn er kunstwerken van Aleijadinho, religieuze kunst, meubels en voorwerpen uit de 18de en 19de eeuw.

MUSEU DA INCONFIDÊNCIA. Geopend: di.-zo. 12-17.30 uur.

Aan de andere kant van het Praça Tiradentes staat een ander prominent gebouw: de Escola de Minas met daarin het **Museu de Mineralogia**. Het museum biedt een adembenemend overzicht van alle kostbare mineralen ter wereld; meer dan 20.000 stuks.

MUSEU DE MINERALOGIA. Geopend: ma.-vr. 12-17, za. en zo. 9-13 uur.

Op het Praça Tiradentes komt de Rua Senador Rocha Lagoa uit. Als je deze straat naar beneden afloopt zie je aan je rechterhand een fraaie fontein uit de 18de eeuw en een van de eerste werken van Oscar Niemeyer: het Grande Hotel de Ouro Preto, gebouwd in een soort eigentijdse barok, volgens bewonderaars. Hij moest het duidelijk nog leren, zo zeggen de critici.

Verderop, aan de Rua São José 12, bevindt zich het **Casa dos Contos** uit 1782. Hier moest vroeger het goud voor de koning worden afgedragen. In het museum zijn een overzicht van mijnbouwgereedschap, technieken van het goudsmelten en meu-

Ouro Preto

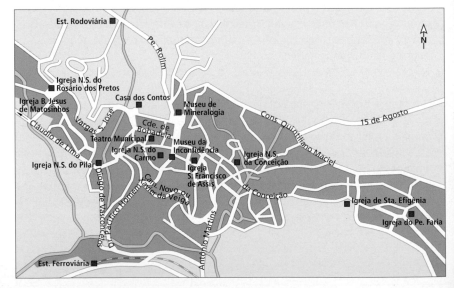

bels uit die rijke tijd te zien. Naast een bibliotheek en studiecentrum zijn er wisselende kunstexposities.

ℹ️ CASA DOS CONTOS. Geopend: di.-za. 12.30-17.30, zo. en feestdag. 10-16 uur.

De Rua São José is altijd de hoofdstraat van het stadje geweest met winkels en woonhuizen erboven. Bij de brug werden handelaren tegengehouden om hun waar te inspecteren en de verschuldigde belasting te innen. Vanaf de brug kijk je omhoog naar de botanische tuinen, waar het stadsbestuur de oorspronkelijke vegetatie zoveel mogelijk wil terugbrengen.

Op de brug kun je goed zien dat de kelder van het Casa dos Contos vroeger als *senzala*, slavenverblijf dienstdeed.

Voorbij de brug rechts in de Rua São José loopt de Rua Teixeira Amaral omhoog. Deze brengt je bij de Capela São José en, nog wat hoger, de Igreja de São Francisco de Paula; het mooiste uitkijkpunt aan deze kant van de stad.

Loop verder de Rua São José uit en links verder heuvelafwaarts naar de **Igreja Nossa Senhora do Pilar**. De buitenkant oogt sober. Hier zijn geen gebrandschilderde ramen of uitspringende ornamenten. Het interieur is des te verrassender. De Nossa Senhora do Pilar, gebouwd tussen 1711 en 1733, geldt als een van de kerken met het rijkste interieur in Brazilië. Er is 400 kilo puur goud en zilver in verwerkt. Alleen de Igreja São Francisco in Salvador da Bahia herbergt meer goud en zilver (700 kilo).

Zeer opmerkelijk is de vrije manier waarop Francisco Xavier de Brito de religieuze beelden van het hoofdaltaar heeft vormgegeven. De beelden van Maria links, en van Christus rechts in de kerk vervullen een hoofdrol tijdens de paasprocessie.

Tegenwoordig is in de sacristie en de crypte van de kerk het **Museu de Arte Sacra** ondergebracht. Het originele beeld van de Nossa Senhora do Pilar, gemaakt door Aleijadinho, is hier zonder twijfel het waardevolste kunstwerk. Verder staan er massieve gouden en zilveren kelken, kandelaars en heiligenbeelden.

De Capela de São Francisco de Assis in Ouro Preto

ℹ️ IGREJA NOSSA SENHORA DO PILAR/
MUSEA DE ARTE SACRA.
Geopend: di.-zo. 9-10.45 en 12-17 uur.

Steek vervolgens de rivier weer over in de richting van het Praça Tiradentes. Heuvelopwaarts lopend staat aan je linkerhand het **Teatro Municipal**, het oude Casa da Ópera uit 1769. Naar men zegt zou dit het eerste theater in Latijns-Amerika zijn geweest. Het interieur is grotendeels in de oude stijl bewaard gebleven. De keizers Pedro I en Pedro II hadden er hun eigen loge.
ℹ️ TEATRO MUNICIPAL. Wegens werkzaamheden gesloten.

De **Igreja Nossa Senhora do Carmo** (1776) heeft een façade met werk van Aleijadinho. Vooral in de ornamenten van de klokkentorens en boven de hoofdingang is de hand van de meester zichtbaar.
ℹ️ IGREJA NOSSA SENHORA DO CARMO EN MUSEU DE ARTE SACRA DO CARMO.
Geopend: di.-zo. 9.30-11 en 13-17 uur.

Naast de Igreja Nossa Senhora do Carmo staat een nieuwe aanwinst van de stad: het **Museu da Oratório**. Met de eerste avonturiers reisden de miniatuurtabernakels mee, waarbij de gelovigen baden. Priesters gebruikten draagbare altaartjes, die soms letterlijk om hun nek hingen, om in afgelegen gehuchten de mis op te dragen, de doop te verrichten, huwelijken in te zegenen of de laatste sacramenten toe te dienen. De mini-altaars stonden bij de mensen thuis, omdat de kerk te ver was, of gewoon als plek voor contemplatie. In de rijkere kringen kregen ze steeds meer versieringen en werden het kunstwerken.
In het museum zijn de altaartjes overzichtelijk ingedeeld. De *ermida* zijn grote mobiele altaren, die dienstdeden als ka-

pel. Artistiek en bijzonder creatief is het mini-altaar in een struisvogelei. Andere zijn gemaakt van schelpen. Die van de slaven laten Afrikaanse symboliek zien. Heel handig waren de draagbare kogelvormige en uitvouwbare altaartjes. Kortom, een bijzonder museum.
ℹ️ MUSEU DA ORATÓRIO. Geopend dagelijks 9.30-12 en 13.30-17.30 uur.

Mina de Passagem

Wie een mijn in werking wil zien, kan terecht in de Mina de Passagem. Deze is in gebruik sinds het begin van de 18de eeuw en heeft inmiddels zo'n vijftig ton aan goud opgeleverd. De rit met een trolley over ruim 300 m en naar een diepte van 120 m is een ervaring op zich. Het natuurlijke ondergrondse meer en de geschiedenis van de mijn tarten iedere beschrijving.
ℹ️ MINA DE PASSAGEM. Kijk op de website www.aliarturismo.com.br.

Via de zuidkant van het Praça Tiradentes kom je bij het mooiste barokke bouwwerk van Aleijadinho in Ouro Preto: de **Capela de São Francisco de Assis**. De meester maakte het ontwerp en heeft de bouw (1766–1794) van het begin tot het eind begeleid. De golvende lijnen in de façade zijn kenmerkend voor Aleijadinho's stijl, net als de rijke versieringen boven de ingang. Het interieur heeft kenmerken van de rococostijl. Het hoofdaltaar is een meesterwerk, waar hij zelf zes jaar aan gewerkt heeft. Let op de verfijnde gelaatstrekken en ledematen. Manuel da Costa Ataide zorgde voor de driedimensionale fresco op het plafond.
ℹ️ CAPELA DE SÃO FRANCISCO DE ASSIS.
Geopend: di.-zo. 8.20-11.45 en 13.30-16.45 uur.

Ook veel andere kerken in Ouro Preto zijn het bezoeken waard, zoals de Matriz Nossa Senhora da Conceição (1760) met

MEESTERWERKEN VAN EEN KREUPELE

Geen andere kunstenaar heeft aan de koloniale mijnstadjes in Minas Gerais zijn erfenis meer nagelaten dan Antônio Francisco de Lisboa, bijgenaamd 'de Kreupele' (*o Aleijadinho*).

Zijn artistieke gaven had hij ongetwijfeld van zijn vader, de Portugese architect Manuel Francisco Lisboa. Van zijn moeder, afstammeling van slaven, erfde hij zeker zijn bovenmatige interesse en gevoel voor het lot der mensheid. De beelden van de door een zware vorm van artritis geplaagde kunstenaar onderscheiden zich door de natuurlijke trekken en fijne afwerking van de menselijke figuren. In de Igreja São Francisco de Assis laat Aleijadinho zijn meesterlijke gaven op een briljante wijze zien. Ondanks zijn vernieuwende stijl was hij in zijn tijd de meest gevraagde kunstenaar voor het verfraaien van religieuze bouwwerken. Zo werkte hij in Mariana aan drie kerken, waarvan twee tegelijkertijd werden gerealiseerd.

Ronduit indrukwekkend zijn de beelden in Congonhas.

Aleijadinho is na zijn overlijden bijgezet in de kerk die zijn vader had ontworpen: de Matriz Nossa Senhora da Conceição. Daar heeft hij ook een eigen museum gekregen, in de sacristie en de crypte. Het zijn niet de mooiste werken die hier bijeen zijn gebracht, alhoewel een relatief bescheiden beeldje als de gekruisigde Christus een streling voor het oog blijft, net als het beeld in hout en zeepsteen in de crypte.

Vanuit het raam is het huis te zien waar Aleijadinho leefde en stierf; in de Rua Aleijadinho, waar anders?

ⓘ MATRIZ NOSSA SENHORA DA CONCEIÇÃO en MUSEU ALEIJADINHO. Op de hoek van de Rua da Conceição en het Praça Antônio Dias. Geopend di.-zo. 8.30-12 en 13.30-17 uur.

MET DE TREIN NAAR MARIANA

Sinds kort rijdt er weer een trein tussen Ouro Preto en Mariana, mede dankzij een fonds van de staalgigant Compania Vale de Rio Doce. Het is een speciale trein voor toeristen, die doorgaans uitsluitend in het weekend rijdt. De rit duurt een uur en voert door het bergland van Minas.

ℹ TREM TURÍSTICO OURO PRETO - MARIANA. Rijdt op vr.-zo. Vertrek vanuit Mariana 9 en 14, en vanuit Ouro Preto 11 en 16 uur. Enkele reis R$ 18, retour R$ 30; kinderen 6-10 jaar en 60+ half geld.

daarnaast het Museu Aleijadinho (zie 📖 p. 155), de Igreja Nossa Senhora do Rosário dos Brancos uit 1704 (Rua Padre Faria) en de Igreja Nossa Senhora do Rosário dos Pretos uit 1785 (Largo do Rosário). Rondom het laatste plein staan fraai gereaureerde panden.

GOUD- EN DIAMANTROUTE

De historische plaatsen in Minas Gerais zijn te verdelen in twee groepen. Ten zuiden en ten oosten van Belo Horizonte liggen de goudstadjes; ten noorden de plaatsen die verbonden zijn met de exploitatie van diamantmijnen en edelstenen.

Sabará

Oostelijk van Belo Horizonte (25 km) ligt het plaatsje Sabará. Het mooiste bouwwerk is de **Igreja Nossa Senhora do O** (1729). In het interieur zijn overdadige versieringen en Bijbelse schilderingen. Opvallend zijn de verwijzingen naar de oosterse cultuur.

ℹ IGREJA NOSSA SENHORA DO O. Geopend: ma.-vr. 9-17, za. en zo. 9-12 en 14-17 uur

Andere barokke kerken zijn de Igreja Matriz Nossa Senhora da Conceição uit 1710 (Praça Getúlio Vargas) en de Nossa Senhora do Carmo uit 1773 met werk van Aleijadinho en van zijn leerlingen bij het koor en de biechtstoel (Rua do Carmo). In het oude Casa da Intendência uit 1730, aan de Rua da Intendência, is het **Museu**

do Ouro gevestigd. Hier zijn afbeeldingen van de goudmijnen in de omgeving, een overzicht van de mijnbouwtechnieken en koloniale meubels en voorwerpen tentoongesteld.

ℹ MUSEU DO OURO. Geopend: di.-zo. 12-17.30 uur.

Mariana

Op 12 km van Ouro Preto, aan de weg naar Belo Horizonte, ligt Mariana. Dit was de eerste hoofdstad van Minas Gerais, gesticht in 1711 op de plaats waar de bandeirantes goud in de rivier aantroffen. De naam van het stadje is een eerbetoon aan koningin Maria Anna van Oostenrijk, echtgenote van koning João V.

Volg de Rua Direita – een veel voorkomende straatnaam in Minas Gerais, waar de voorname burgers woonden – naar het Praça Cláudio Manoel. De **Basílica da Sé** (1711–1760) is de oudste kerk in Mariana. De versieringen boven de hoofdingang zijn van Aleijadinho. De kathedraal heeft als een van de weinige kerken in Brazilië drie schepen. De zijaltaren staan dicht op elkaar; iedere broederschap kocht het recht om een eigen altaar te bouwen, omdat ze geen geld had voor een eigen kerk. De kerk is overwegend in barokstijl. Toch is de invloed van de renaissance zichtbaar in de perspectivische schilderingen en de wereldse taferelen met onder meer Chinese figuren (Macau). Pronkstuk in het interieur is het Duitse orgel uit 1701,

Mariana, doorkijkje naar de Igreja Nossa Senhora do Carmo en Igreja São Francisco de Assis

een gift van de Portugese koning.

ⓘ BASÍLICA DA SÉ. Concerten: vr. 11 en zo. 12 uur. R$ 10. Kerk geopend: di.-zo. 8-18 uur.

De Rua Frei Durão, om de hoek bij de kathedraal, is een andere hoofdstraat van Mariana. Hier is, in de oude bisschoppelijke residentie, het **Museu Arquidio-cesano** gevestigd. Daar is een uitgebreide collectie barokkunst, waaronder werk van Aleijadinho en Ataide te zien.

ⓘ MUSEU ARQUIDIOCESANO. Geopend: di.-zo. 9-12 en 13-17 uur.

De wandeling gaat verder via het sfeervolle Praça Gomes Freire naar het Praça Minas Gerais. Het beeld van dit plein wordt bepaald door twee barokke kerken die dicht bij elkaar staan, alsof ze elkaar de loef af willen steken: de **Igreja São Francisco de Assis** en de **Igreja Nossa Senhora do Carmo**. En dat was ook zo. De bouw van de kerk van São Francisco begon in 1762 en eindigde in 1793. Aleijadinho verzorgde de versieringen bij de hoofdingang. Binnenin bevindt zich een meesterwerk van schilder Ataide: *Agonia e Êxtase de São Francisco de Assis*. De bouw van deze kerk was nog in volle gang toen dezelfde bouwmeester en dezelfde kunstenaars door een andere broederschap gevraagd werden nog een kerk te bouwen: de Igreja do Carmo.

ⓘ IGREJA SÃO FRANCISCO DE ASSIS. Geopend: di.-za. 9-12 en 13-17 uur.

De IGREJA NOSSA SENHORA DO CARMO. Geopend: di.-zo. 9-12 en 14-17 uur.

Op hetzelfde plein staat het Casa da Câmara e Cadeia, gebouwd in 1768 en toen al gemeentehuis. Bij de *pelourinho* werden de slaven in het openbaar gestraft. Via de Rua Don Silvério gaat de wandeling terug naar de Rua Direita. Nogal wat Braziliaanse en buitenlandse kunstenaars wonen en werken in dit sfeervolle plaatsje.

Congonhas

Eveneens ten zuiden van Belo Horizonte (83 km) ligt Congonhas do Campo. In de **Basílica do Senhor Bom Jesus de Matosinhos** uit 1757 en het bijbehorende klooster staan de bekendste werken van Aleijadinho: de beelden van de 12 profeten in zandsteen en maar liefst 64 meesterlijk vormgegeven houten beelden als onderdeel van de kruiswegstaties. In zes kapel-

ESTRADA REAL

De ochtendzon komt net boven het bergland uit en zet de valleien meteen in een fel licht. We zijn al vroeg op pad met Cláudio Leão van het *Instituto Estrada Real*. Hij is een van de mensen die de afgelopen jaren keihard hebben gewerkt, in oude archieven zijn gedoken en duizenden kilometers hebben gewandeld om de koloniale handelsroutes in Minas Gerais, Rio de Janeiro en São Paulo in ere te herstellen.

We rijden van Ouro Preto via Mariana naar Ouro Branco, soms een stukje over de provinciale weg, meestal over verharde wegen tussen de landerijen door, langs ruige bergkammen en het hoogland. De route is ook te wandelen of te fietsen (met een mountainbike), en sommige delen zijn goed te doen voor ruiters. 'Je bereist dezelfde wegen die de kooplieden, handelaren, soldaten en slaven in de 17de en 18de eeuw gebruikten. Na vijf jaar werken aan de bewegwijzering, het toegankelijk maken van paden en de documentatie is er momenteel al ruim 1000 km route uitgezet,' vertelt Cláudio.

Er zijn drie hoofdroutes die samen de *Estrada Real*, de Koninklijke Weg, vormen. Die wegen zijn ooit aangelegd door de Portugese autoriteiten om de dagelijkse waardevolle transporten van diamanten, goud en zilver van de mijnen naar de kust snel en gecontroleerd te laten verlopen.

De **Caminho Velho**, de oudste en langste route, beslaat 600 km van Ouro Preto (Vila Rica) naar Paraty, dwars door de Serra da Mantiqueira en het Atlantische regenwoud. Dit is de spectaculairste route, vooral na het passeren van Congonhas en de koningsstadjes São João del Rei en São José del Rei (nu Tiradentes geheten). De grotere en kleinere pleisterplaatsen danken hun bestaan aan deze koloniale levensader.

Vanwege de opstanden in de mijngebieden en de vele overvallen op de oude route kreeg de gouverneur van Rio de Janeiro het al in 1698 voor elkaar om de **Caminho Novo** (450 km lengte) te laten aanleggen: een kortere weg, die door minder gevaarlijk gebied liep en direct naar de grote havenstad Rio leidde. De nieuwe route ging langs belangrijke plaatsen: Mariana, Barbacena, Juiz de Fora en Petrópolis.

Toen halverwege de 18de eeuw het gebied rond Diamantina steeds

len aan de voet van de basiliek zijn die beelden ondergebracht; in de meeste gevallen zijn de beelden van de meester zelf, en de geschilderde kleuren van Athayde. Kapel 1, helemaal beneden in het parkje, toont het Laatste Avondmaal, Jezus met de apostelen zittend rond de tafel, en twee bediendes. Kapel 2 laat Jezus zien in de Olijvenhof met de engel die hem de beker aanreikt – een van de mooiste taferelen. In kapel 3 zien we Jezus die soldaat Malco met zijn afgeslagen oor helpt. Alleen de beelden van Christus en apostel Petrus zijn van de hand van Aleijadinho zelf. Kapel 4 toont Jezus, met de doornenkroon, die wordt gegeseld. Ook hier zijn uitsluitend de beelden van Jezus van de meester. In kapel 5 is de beklimming

Een routemarkeerder langs de Estrada Real, neergezet op kruispunten en driesprongen tussen twee pleisterplaatsen. Er staan er al bijna 1000; uiteindelijk moeten er twee keer zo veel komen.

meer edelstenen en diamanten voortbracht, werd de aanleg van de **Caminho dos Diamantes** noodzakelijk. Zo werd dat mijngebied met Ouro Preto en de kust verbonden door een weg van rond de 400 km. 'In de 19de eeuw raakten de wegen in verval en in de vorige eeuw werd er nauwelijks nog naar omgekeken. Met het project Estrada Real zetten we het hele gebied weer op de kaart voor het toerisme,' vertelt Cláudio Leão enthousiast. 'We verwachten dat de kleinere en minder bekende plaatsen zo ook meeprofiteren.' Grote bedrijven als Banco do Brasil hebben het project inmiddels omarmd. De medewerkers van de toeristenbureaus langs de route krijgen extra cursussen over de historische en culturele betekenis van de goud- en diamantenroute. Er verschijnt een eigen tijdschrift, samen met uitgeverij Istoé is een rijkelijk geïllustreerde reisgids (met Engelse versie) gemaakt, en het label van Estrada Real verschijnt op tal van streekproducten. Cláudio zegt: 'Estrada Real moet een herkenbaar logo worden, waarmee we de eigen identiteit van dit prachtige gebied kunnen versterken.'

Zie www.estradareal.org.br voor actuele informatie over evenementen, routes, de plaatsjes ('cidades') en accommodatie.

van de Calvarieberg verbeeld en kapel 6, tot slot, laat de kruisiging zien.

Het hele complex van kerk en klooster is door de Unesco tot cultureel erfgoed verklaard.

ⓘ BASÍLICA DO SENHOR BOM JESUS DE MATOSINHOS. Geopend: di.-zo. 8-18 uur.

São João del Rey

São João del Rey (200 km ten zuiden van Belo Horizonte) is genoemd naar de Portugese koning. In het centrum van het stadje staat een drietal barokke kerken uit de 18de eeuw: de Catedral Nossa Senhora do Pilar (1721) met een gouden altaar (Rua Getúlio Vargas), Igreja Nossa Senhora do Carmo uit 1732 (Largo do

Congonhas, Basílica do Senhor Bom Jesus de Matosinhos met de profeten van Aleijadinho

Carmo) en de **Igreja São Francisco de Assis** (1774). De laatste is de mooiste, ook weer een meesterwerk van Aleijadinho. In de golvende lijnen is de invloed van de rococo zichtbaar. Op het kerkhof is Tancredo Neves begraven.

ⓘ IGREJA SÃO FRANCISCO DE ASSIS. Geopend: 8-12 en 13.30-17, zo. 9 uur een speciale mis met barokmuziek.

Het stadje heeft twee aardige musea: het Museu Ferroviário, een spoorwegmuseum in het oude station (Avenida Hermílio Alves 366) en het Museu Regional (Rua Marechal Deodoro 12). Een leuk uitstapje is de treinreis naar Tiradentes. De tocht, met een oude loc, duurt ca. 30 min. en voert door de Serra de São José.

ⓘ TREIN SÃO JOÃO DEL REY-TIRADENTES. Vertrek: vr., zo. en feestdag. 10 en 14.15 uur. R$ 20 (retour), R$ 8 voor kinderen. Informeer van tevoren of de trein inderdaad rijdt.

Tiradentes

Het plaatsje Tiradentes (214 km ten zuiden van Belo Horizonte) is in 1889 genoemd naar de vrijheidsstrijder Joaquim da Silva Xavier, alias Tiradentes. Daarvoor heette het Villa de São José, naar de Portugese vorst. Als geen ander stadje in Minas Gerais draagt Tiradentes de sporen van de vrijheidsstrijd in de 18de eeuw.

In het **Casa do Pedro Toledo**, Largo do Sol 190, vonden de geheime vergaderingen plaats, onder leiding van Tiradentes. Het is nu een museum.

ⓘ CASA DO PEDRO TOLEDO. Geopend: wo.-ma. 9-17 uur.

De **Igreja Matriz de Santo Antônio** uit 1710 is de mooiste barokke kerk en ligt aan de Rua da Câmara. De kerk heeft een gouden altaar en een orgel uit 1788.

ⓘ IGREJA MATRIZ DE SANTO ANTÔNIO. Geopend: 8.30-17 uur. Op vr., za. en zo. is er een muziek- en lichtspektakel.

Diamantina

Ruim 280 km ten noorden van Belo Horizonte ligt Diamantina, het centrum van de diamantmijnbouw. Het stadje is in de 18de eeuw ontstaan rond het hoofdkantoor van de rijke mijneigenaar João Fernandes. In de Rua Bugalhau ligt de oorsprong van de nederzetting. Het straatje, in koloniale stijl, is bewaard gebleven. De barokke **Igreja do Carmo** (1758) heeft schitterende muur- en plafondschilderingen.

❶ IGREJA DO CARMO. Geopend: di.-za. 8-12 en 14-18, zo. 8-12 uur.

Via de Rua do Contrato loop je naar het **Casa de Chica da Silva** (Praça Lobo Mesquita 266), het paleisje dat João Fernandes schonk aan zijn minnares, slavin Chica da Silva.

Een ander beroemd huis is het **Casa de**

Juscelino Kubitschek, aan de Rua São Francisco 241, waar de president zijn kinderjaren doorbracht. Het is een museum over het leven van deze Braziliaanse staatsman.

❶ CASA DE JUSCELINO KUBITSCHEK. Geopend: di.-za. 9-17, zo. 9-14 uur.

Het **Museu do Diamante** aan de Rua Direita 14 toont documenten, afbeeldingen en gereedschap uit de 18de en 19de eeuw, die een beeld geven van de winning van diamant; ook zijn er martelwerktuigen te zien.

❶ MUSEU DO DIAMANTE. Geopend: di.-za. 12-17.30, zo. 9-12 uur.

São Paulo 7

Al honderd jaar is de staat São Paulo de economische motor van Brazilië, dé plaats om te investeren en te hopen op een beter leven. Nergens anders in Brazilië is zo'n gemengde bevolking te vinden. São Paulo is de staat van de immigranten. Van overal ter wereld kwamen ze: Portugezen, Italianen, Spanjaarden, Russen, Armeniërs, Duitsers, Hollanders, Zwitsers, Japanners en vele anderen. Uit het binnenland kwamen later de indianen en de *nordestinos*, de arme bewoners uit het noordoosten van het land. Voor iedereen in Brazilië is São Paulo de plek waar je door de handen uit de mouwen te steken en aan te pakken een beter leven kunt opbouwen.

São Paulo staat in Brazilië voor rijkdom en macht. De *paulista*, zoals de inwoner van de stad zich zelf graag noemt, is synoniem voor ondernemerschap, dynamiek, vindingrijkheid en zelfstandigheid.

São Paulo heeft niet de onbezonnen en mondaine sfeer van Rio. Hier wordt gewerkt. Maar dat neemt niet weg dat deze stad zeker een bezoek waard is.

GESCHIEDENIS

Tot het midden van de 19de eeuw bestond São Paulo uit niet meer dan een dozijn straten met eenvoudige huizen van één verdieping in de buurt van het tegenwoordige Praça da Sé.

In 1554 legden twee jezuïeten, José de Anchieta en Manuel da Nóbrega, de basis met de bouw van een missiepost. Die noemden ze São Paulo de Piratininga.

In een ruige omgeving en ver weg van het bestuurlijke en commerciële centrum in het noordoosten van de Portugese kolonie slaagden de eerste kolonisten erin hier het hoofd boven water te houden. De nederzetting werd de bakermat van de *bandeirantes*, Braziliës pioniers, die grote delen van het binnenland verkenden en blootlegden. In die tijd al werd de paulista synoniem voor avonturier, individualist en ondernemer.

Nadat er eerst wat katoen was verbouwd, brak in de 19de eeuw in het achterland van de stad de koffiecultuur door. De juiste combinatie van ondernemerschap, geschikte grond – de *terra roxa* (rode grond) – klimaat en weinig concurrentie van andere gebieden, maakte de staat São

Het zakencentrum in São Paulo

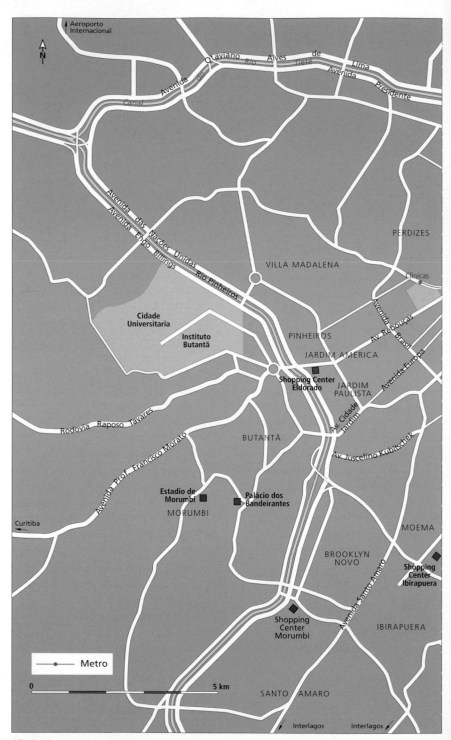

São Paulo

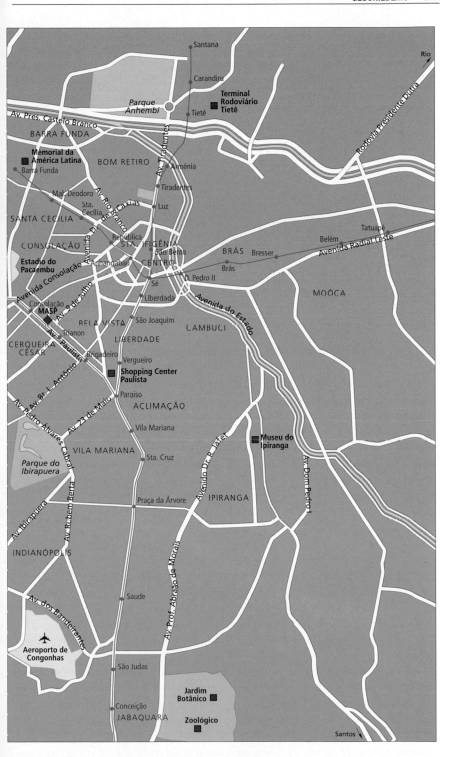

Anhangabaú met de stalen brug, een landmark in het stadscentrum

Paulo tot het belangrijkste koffiegebied van de wereld. De rijkdom die ermee verdiend werd en de industrialisatie rond de eeuwwisseling veranderden São Paulo in een wereldstad.

De spoorlijn die de stad met de haven Santos verbond, werd de levensader van dit economische wonder. Rond het station Luz waar dagelijks miljoenen forensen passeren, verschenen gebouwen van steen en staal, die het stadsbeeld voorgoed veranderden.

In 1872 stond de stad met 32.000 inwoners wat betreft grootte nog op de negende plaats in Brazilië, terwijl Rio de Janeiro, toen de hoofdstad, al bijna 300.000 inwoners telde. In 1890 was de bevolking van São Paulo verdubbeld en in de decennia daarna groeide de stad uit tot een industriestad.

De eerste ijzeren brug over de vallei van Anhangabaú, ten zuidwesten van de oude kern, maakte nieuwe stadsuitbreiding mogelijk. De koffiebaronnen lieten kapitale villa's neerzetten aan de noordkant van de vallei, de Campos Elíseos en Higienópolis.

De periode tussen de beide wereldoorlogen bood de Braziliaanse industrie ongekende kansen en São Paulo profiteerde volop. In 1920 had de stad bijna 600.000 inwoners (nog altijd minder dan Rio met destijds 1,1 miljoen inw.). Duizenden migranten vestigden zich in de arbeiderswijken die rond het oude centrum ontstonden: Brás, Bom Retiro, Bela Vista en Liberdade.

De mensen woonden er in gammele huizen en dicht op elkaar. Zelfs tot op de dag van vandaag is de etnische oorsprong van de bevolking er nog goed te zien. Zo staat Bela Vista bekend als 'Klein Italië' en Liberdade als de Japanse wijk.

In de tweede helft van deze eeuw groeide São Paulo uit tot een miljoenenstad. In 1960 woonden er 3,8 miljoen mensen – de stad is dan inmiddels de grootste van Brazilië – en in 1984 waren dat er al 10 miljoen. De immigratie vanuit het buitenland werd overtroffen door de trek vanuit alle delen van Brazilië naar deze industriële metropool.

Het oude centrum werd opgebroken voor snelwegen en nieuwbouw. Een nieuw zakencentrum ontwikkelde zich langs de Avenida Paulista. Daar kwamen de hoofdkantoren van de grote Braziliaanse en buitenlandse ondernemingen. De rijken lieten hun huizen bouwen in de parkachtige omgeving in het zuidwesten van de stad: Jardim Paulista, Jardim América, Jardim Paulistano en Jardim Europa.

De afgelopen decennia schoof het moderne centrum van São Paulo weer een stuk verder op naar het zuidwesten. De Avenida Brigadeiro Faria Lima is de nieuwe as waarlangs kantoorontwikkeling plaatsvindt. In de jardims zijn de grondprijzen exorbitant gestegen. Het ene na het andere luxe appartementencomplex wordt hier uit de grond gestampt. Het heuvelachtige en lommerrijke Morumbi, nog verder naar het westen, is de nieuwe woonwijk van de rijkste paulistas.

EEN SPANNENDE STAD

De stad São Paulo, de *município* SP, is slechts een van de 35 gemeenten die samen het enorme stedelijk gebied vormen. In de *Região Metropolitana de* SP, Groot São Paulo, wonen tussen de 15 en 20 miljoen mensen. De hele staat São Paulo telt ruim 30 miljoen inwoners.

Groot São Paulo is de vijfde industriestad ter wereld met zo'n 2,5 miljoen industriearbeiders. De helft van alle industrieën in Brazilië is gevestigd in de staat São Paulo. De stad is het financiële hart van Brazilië en van Latijns-Amerika.

São Paulo is een verbazingwekkende stad. Het is een steenwoestenij, een betonjungle, een gigantische opeenhoping van mensen en bedrijven, verstikt door miljoenen auto's.

Er is geen andere stad in Brazilië met zo'n drukte, die continu begeleid wordt door het gedreun van het verkeer. Maar elke keer zijn er verrassingen: een immigrantenbuurt met z'n typische winkeltjes en restaurants, een rustiek pleintje midden tussen de hoogbouw, een fantastisch museum of een heerlijk terrasje.

Favelas en cortiços

De aantrekkingskracht van deze metropool heeft ook zijn keerzijden, die zich steeds nadrukkelijker manifesteren.

De explosieve groei is oncontroleerbaar geworden. Elk jaar komt er in Groot São Paulo een nieuwe stad van ruim 400.000 mensen bij. Het aantal immigranten daaronder is nog altijd aanzienlijk, maar wordt momenteel al ver overtroffen door de natuurlijke aanwas. De stad groeit steeds meer vanuit zichzelf.

Lang niet iedereen vindt vast werk. Rond de industriezones van Groot São Paulo en bij andere steden in de staat, blijven de *favelas* (sloppenwijken) zich uitbreiden.

Slechts een minderheid van de oude en nieuwe stadsbewoners kan zich een modern appartement in de stad veroorloven. De minder bedeelden die dicht bij het centrum willen wonen, zijn aangewezen op de *cortiços* in de oude arbeiders- en immigrantenbuurten. Ze leven daar in oude, slecht onderhouden panden, waar tientallen gezinnen boven op elkaar leven, één toilet moeten delen en waarvoor forse huren moeten worden betaald. Een kwart van de paulistas woont, naar men zegt, tegenwoordig in dergelijke cortiços.

Tegenover de enorme welvaart in São Paulo staat dus de armoedige leefsituatie van een groot deel van de stadsbewoners.

Grenzen

De ongecontroleerde groei zorgt voor problemen die op den duur het voortbestaan van São Paulo in gevaar kunnen brengen. Zo wordt het waterwingebied aan de zuidkant van de stad bedreigd door het oprukken van de favelas die, aangezien ze niet aangesloten zijn op de riolering, het water sterk vervuilen.

In heel Groot São Paulo wordt nog geen vijfde deel van al het rioolwater afdoende gezuiverd. De rest ondergaat een uiterst oppervlakkige eerste behandeling of wordt direct geloosd in het water van de rivieren de Tietê en de Pinheiros die door de stad heen lopen. Die zijn daardoor veranderd in stinkende open riolen.

Een voortdurende bron van ergernis voor iedereen in de stad is het transportsysteem. Alleen al in de gemeente São Paulo zorgen meer dan dertig verschillende busmaatschappijen voor het openbaar vervoer, de illegale bussen niet meegerekend.

Ze doen dat op vergunningenbasis, waarbij de drukste straten natuurlijk de interessantste routes zijn. Daar rijden de meeste bussen, ook van de maatschappijen die voor de verbinding met de andere gemeenten in Groot São Paulo zorgen. Pogingen om het bustransport binnen de gemeente São Paulo en in het hele grootstedelijke gebied op elkaar af te stemmen zijn tot nu toe stuk gelopen op lokale politieke belangen.

Intussen wordt er wel een peperduur metronet aangelegd. Drie lijnen in het centrum van de stad zijn klaar; geen een lijn gaat verder dan de gemeentegrens van São Paulo.

Tegelijkertijd worden er steeds weer nieuwe snelwegen, inclusief tunnels en viaducten, gebouwd. Geen wonder dat de paulistas die het zich kunnen veroorloven de auto pakken.

HET CENTRUM

De ontwikkelingsgolven hebben duidelijk hun sporen in het centrale deel van São

Nordestinos, immigranten uit het noordoosten, als straatmuzikanten

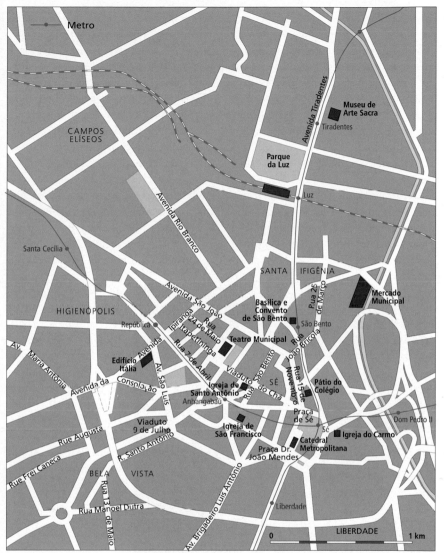

Centrum van São Paulo

Paulo achtergelaten. De hier beschreven wandeling (duur: 3 à 4 uur) begint in het oorspronkelijke historische centrum en voert langs opmerkelijke bouwwerken en plaatsen die elk op hun eigen manier het verhaal van de stad in de afgelopen eeuw vertellen.

Van de allereerste nederzetting uit de 16de eeuw is in het centrum van São Paulo nog maar een handvol gebouwen over. Daarbij hoort niet de indrukwekkende **Catedral Metropolitana** op het Praça da Sé. Maar het is wel een goede plek om een wandeling door het stadscentrum te beginnen.

Gezichtsbepalend voor de kathedraal is de gotische façade met de twee torenspitsen. De kerk is in ruim veertig jaar tijd gebouwd ter ere van het 400-jarig bestaan van de stad. De inzegening vond in 1954 plaats. Het orgel, de koepel, het carillon en de gebrandschilderde ramen zijn de bezienswaardigheden. In de ramen bijvoorbeeld is de geschiedenis van het katholicisme in Brazilië afgebeeld.

ⓘ CATEDRAL METROPOLITANA. Geopend: ma.-za. 8-12, zo. 8-13 en 15-18 uur; bereikbaar met de metro, uitstappen bij metrostation Sé.

Het Praça da Sé is zonder twijfel het drukste plein van de wereldstad São Paulo. Ondergronds kruisen de twee metrolijnen elkaar, boven de grond bevindt zich het hart van het oude stadscentrum. Het plein is min of meer in bezit genomen door de nordestinos, de arme migran-ten uit het noordoosten van het land. Ze vertonen er hun kunsten of bieden alle mogelijke waar te koop aan, als het maar geld oplevert.

Vlak bij de kathedraal, aan het Praça Clóvis Bevilácqua, staat de **Igreja do Carmo** uit 1632. Dit is een van de vier kerken uit de tijd van de eerste nederzetting. Het kerkje valt tegenwoordig in het niet bij de moderne gebouwen eromheen.

Dat is zeker niet het geval op de Páseo de Anchieta, waar de stad ontstaan is. Dit plein is vanaf de Praça do Sé te bereiken via de Rua 15 de Novembro en de tweede zijstraat daarvan rechts. De hagelwitte gebouwen, die samen de **Pátio do Colégio** vormen, zijn grondig gerestaureerd en het hele plein straalt een gewijde rust uit. Van de oorspronkelijke kapel van pater Anchieta zijn alleen nog de deurposten en een muur over.

Het huis ernaast, het Casa de Anchieta, doet dienst als museum met voorwerpen uit de tijd van de eerste nederzetting.

ⓘ CASA DE ANCHIETA. Geopend: di.-zo. 9-17 uur.

In de straten rondom dit historische pleintje staan kantoorgebouwen uit de eerste helft van deze eeuw. De Rua 15 de Novembro bijvoorbeeld is het oude bankierscentrum. De

Hoogbouw uit het begin van de eeuw: het financiële centrum met de beurs

WINKELEN IN STIJL

In het winkelcentrum **Iguatemi** kijk je je ogen uit. Gucci, Prada, Versace, Chanel, Tiffany, aan willekeurig welk topmerk voor haute couture je ook denkt, het is er te koop. De entourage oogt als een klassieke tempel, uit mooie bouwmaterialen opgetrokken. De vloeren glanzen, alles is gepoetst. Zwaargebouwde mannen met oortjes houden een oogje in het zeil. Het winkelend publiek zou met zijn smaakvolle kwaliteitskleding zeker niet uit de toon vallen in de dure winkelstraten van Parijs, Londen of Milaan.

De hele bovenste verdieping is in beslag genomen door de schoonheidssalon; mannen en vrouwen laten zich hier van top tot teen verzorgen. Voor de wachtenden zijn er heerlijke diepe fauteuils met stapels glossy bladen over alles wat stijl heeft. Vraag er gerust naar een kopje espresso, maar vraag niet om die apart af te rekenen. Dan slaat de verwarring toe, want alles zit hier namelijk bij de prijs inbegrepen.

São Paulo heeft meerdere van dergelijke winkelparadijzen, hier ook gewoon 'shopping' genoemd. Iguatemi in Jardim Paulistano geldt als een exclusieve. In de buurt Jardims vind je de betere winkels voor het interieur, kunstgaleries en niet te vergeten de showrooms van de duurste automerken.

Toch kan het altijd nog beter. **Daslu** is momenteel het summum op het gebied van winkelen. Wat in 1958 begon als een stijlvolle boetiek is uitgegroeid tot een instituut voor goede smaak. In het uiterst luxe winkelcentrum zijn niet alleen alle modehuizen van naam vertegenwoordigd, Daslu heeft ook een eigen kledinglijn, maakt bijous en bijzondere hebbedingetjes. Er is een eigen magazine, er zijn exposities, kortom: Daslu is synoniem voor klasse en elegantie, voor glamour en glitter. Hier doen alle bekende Brazilianen immers hun inkopen, en natuurlijk wordt dat breed uitgemeten.

ℹ️ IGUATEMI. Av. Brig. Faria Lima 2232 - Jardim Paulistano, www.iguatemisaopaulo.com.br.
ℹ️ DASLU. Avenida Chedid Jafet 131, www.daslu.com.br (ook in het Engels).

hoofdkantoren zijn verplaatst naar de Avenida Paulista. Aan het eind van deze straat ligt het Praça Antônio Prado, dat in oude luister is hersteld met een *engraxateria*, waar je je schoenen kunt laten poetsen, een muziektent, een kiosk en een telefooncel in de oorspronkelijke stijl.

Aan het plein staat het voormalige hoofdgebouw van de **Banco do Estado de São Paulo** (BANESPA) uit 1939 en tegenwoordig hoofdzetel van het ministerie van Sport en Toerisme van de staat São Paulo. Tijdens werkdagen is dit monumentale pand, geïnspireerd op het Empire State Building in New York, te bezoeken.
ℹ️ BANCO DO ESTADO DE SÃO PAULO. Geopend: ma.-vr. 9-18 uur.

Op de hoek tegenover het oude BANESPA-gebouw bevindt zich de **Handelsbeurs**, het zenuwcentrum van onder andere de koffie-, vee- en goudhandel in Brazilië. Boven de hectische beursvloer is een bezoekersgalerij.

In het verlengde van het plein staat het **Edifício Martinelli** uit 1929. Met dertig verdiepingen gold dit bouwwerk, genoemd naar z'n puissant rijke Italiaanse eigenaar Guiseppe Martinelli, indertijd als de eerste 'wolkenkrabber' van Zuid-Amerika. Op vertoon van een legitimatiebewijs kun je via de smalle, smaakvol afgewerkte gang en lift naar het panoramaterras op de 26ste verdieping gaan. Het uitzicht is geweldig. Je kunt de stad van nu vergelijken met die aan het begin van deze eeuw op enkele foto's die er zijn aangebracht.

ⓘ PANORAMATERRAS EDIFÍCIO MARTINELLI. Geopend: dag. 9-16 uur; het gebouw wordt begrensd door de Rua Líbero Badaró en Rua São Bento.

Via de Rua São Bento gaat de tocht naar het gelijknamige plein met de **Basílica** en het **Convento de São Bento**. De gebouwen dateren van het begin van deze eeuw, maar ze staan wel op de plaats waar de benedictijnen in 1559 hun missie bouwden. Liefhebbers van gregoriaanse gezangen moeten hier 's ochtends om 7 uur zijn of 's zondags de hoogmis van 10 uur bijwonen. Het Duitse orgel is indrukwekkend, net als de gebrandschilderde ramen en een Russische icoon van Onze Vrouwe van Kaspekovskaia.

ⓘ BASÍLICA, CONVENTO DE SÃO BENTO. Geopend: ma.-vr. 6-18, za.-zo. 12-16 uur. Do.-ochtend gesloten.

Via de Rua São Bento voert de wandeling terug naar het Praça do Patriarca met de **Igreja de Santo Antônio** uit 1717. Dit is de derde kerk die is overgebleven van het zogenaamde kerkenkruis van de eerste nederzetting bestaande uit de kerken van Carmo, Anchieta en São Francisco.

De aankleding van het interieur is sober. In de kapel rechts bevindt zich een bezienswaardige afbeelding van Christus, nadat hij van het kruis gehaald is.

ⓘ IGREJA DE SANTO ANTÔNIO. Geopend: ma.-vr. 6-18.45, za. en zo. 6.30-11.30 en 17-19 uur.

De mooiste van de vier oudste kerken in het stadscentrum is de **Ordem Terceira de São Francisco** aan het gelijknamige plein. In 1644 werd de eerste kapel gebouwd, drie jaar later gevolgd door een klooster. In 1787 is de huidige kerk ingewijd. De versiering van het interieur is prachtig, met veel houtsnijwerk en bladgoud, die contrasteren met de lichtblauwe wanden.

ⓘ ORDEM TERCEIRA DE SÃO FRANCISCO. Geopend: ma.-vr. 7.30-19, za. en zo. 7.30-11 en 16-18 uur.

De wandeling gaat nu verder buiten de begrenzing van de oude stadskern. Loop via het Praça do Patriarca naar het Viaduto do Chá. Dit viaduct loopt over de vallei die de oude stad tot ver in de vorige eeuw begrensde, totdat de eerste bruggen werden gebouwd. De autoweg is de verkeersslagader van noord naar zuid dwars door de stad. In de jaren tachtig is de autoweg overkluisd met een nieuw stadsplein dat onder andere gebruikt kan worden voor manifestaties.

Vanaf het viaduct kun je aan het plein onder meer het hoofdpostkantoor zien staan, op de hoek met Avenida São João.

Aan het Praça Ramos de Azevedo staat het **Teatro Municipal** uit 1911. De architect, waarnaar het plein genoemd is, heeft zich laten inspireren door de Parijse theaters in neorenaissancestijl en heeft art-nouveauelementen toegevoegd.

De wandeling gaat verder via de Avenida 7 de Abril, een grote winkelstraat in

Beeldcultuur op de gevel

het centrum van de stad, naar het Praça da República.

Dit plein is een favoriete verzamelplaats van kunstenaars en muzikanten. Elke dag zijn er wel aanwezig, zittend, staand of hangend in de schaduw van de bomen.

Op een steenworp afstand van dit plein staat het **Edifício Itália**. Dit gebouw van 42 verdiepingen was toen het opgeleverd werd in 1965 het hoogste in Zuid-Amerika. Alweer een mijlpaal dus, gebouwd door de Italiaanse gemeenschap in de stad. Voor het beste panorama van São Paulo moet je de lift nemen naar de 41ste verdieping. Natuurlijk is daar een chic restaurant gevestigd, waar je iets moet gebruiken wil je op het terras komen. Toch is die minimumconsumptie alleszins de moeite waard.

ⓘ EDIFÍCIO ITÁLIA. Geopend: dag. vanaf 11.30, zo. vanaf 12 uur.

Voor de meeste mensen zal een drankje hoog boven São Paulo de wandeling besluiten. Metrostation República is om de hoek. Vergeet niet even binnen te lopen bij het futuristische BANESPA-bankgebouw op de hoek van de Rua Marquez de Itú. De onvermoeibaren kunnen vanaf deze plaats doorlopen naar de Avenida Paulista, de voormalige villawijk Higienópolis of de Italiaanse immigrantenwijk Bela Vista.

OVERIGE WIJKEN

Higienópolis

In de villawijk Higienópolis uit het begin van deze eeuw staan de woonappartementen van de hogere middenklasse. Behalve het vele, goed onderhouden groen, tot op de balkons, valt op hoe zwaar de woningen beveiligd zijn.

Op sommige plaatsen hebben de indrukwekkende villa's uit de tijd van de koffiebaronnen stand kunnen houden. Bijvoorbeeld op de hoek van Avenida Higienópolis en Avenida Angélica. Iets verderop is het Praça Villaboim. Dit park ligt aan het Praça Buenos Aires, een heerlijk rustig pleintje, waar de oorspronkelijke bebouwing nog grotendeels intact is; daar vind je ook enkele aardige restaurants.

Via de heuvels en de slingerende straten met mooie huizen in de wijk Consolação kun je naar de Avenida Paulista lopen.

Bela Vista

Naar schatting een miljoen paulistas hebben Italiaanse voorouders. In de loop van de afgelopen eeuw hebben ze zich vermengd met de lokale bevolking en zijn over de metropool verspreid. Toch is er een speciale plek waar de Italiaanse sfeer is vastgehouden: de wijk Bela Vista, ten zuidwesten van het oude centrum.

Het hart van deze oude immigrantenwijk, ook wel *bixiga* genoemd, is de Rua 13 de Maio. In deze straat, vooral aan de noordkant, en het verlengde ervan de Rua Santo Antônio, zijn nog volop Italiaanse zaken te vinden. Vanouds een prima plek om pizza en pasta te eten, ook al zijn de beste Italiaanse restaurants in de wijk Cerqueira César, ten zuiden van Bela Vista, gevestigd.

Het weekeinde en vooral zondagmiddag is het gezelligst in Bela Vista. Op zondag wordt op het Praça Dom Orione, tussen Rua 13 de Maio en Rua Rui Barbossa, een vlooienmarkt gehouden.

Begin augustus wordt rondom de parochiekerk Nossa Senhora Aquiropita, ook aan de Rua 13 de Maio, een groots Italiaans feest georganiseerd met muziek, tonnen pasta en hectoliters wijn.

De wijk dankt z'n bijnaam *bixiga* (Portugees voor 'blaas') aan de markt van rond de eeuwwisseling, waar de armen pens kochten. Een groot deel van de wijk is nu verwaarloosd en verpauperd. Het aantal cortiços is hier de laatste decennia sterk toegenomen, evenals het aantal arme gezinnen dat in deze oude panden woont.

Avenida Paulista

De Avenida Paulista is het financiële centrum van de stad en Brazilië. Deze brede

Het MASP aan de Avenida Paulista, Lina Bo Bardi's visitekaartje, met de zondagse antiekmarkt

avenue weerspiegelt het 'economisch wonder' van de jaren zestig. De stad werd in die tijd opengebroken en een netwerk van brede autowegen werd de nieuwe ruggengraat van het moderne São Paulo. De Paulista, zoals deze avenue kortweg wordt genoemd, ontwikkelde zich al snel als de nieuwe toplocatie voor hoofdkantoren van banken en grote ondernemingen. Vermaarde architecten werden aangetrokken om het prestige en de macht van de financiële wereld in beton, glas en staal vorm te geven.

In de zijstraatjes van de aangrenzende wijken Consolação, Bela Vista, Cerqueira César en Liberdade zijn tal van lunchcafés, restaurants en bars ten behoeve van de bankmedewerkers gekomen. Vanzelfsprekend is de lunchtijd, van twaalf tot drie, hier de drukste tijd.

Trekpleister op de Paulista is zonder meer het **Museu de Arte de São Paulo**, het stedelijk museum, kortweg MASP genoemd. Het gebouw zelf, in 1968 geopend door de Britse koningin Elizabeth, is een kunstwerk op zich. Architect Lina Bo Bardi heeft het op een prachtige manier in de omgeving ingepast. Het museum staat op de plaats van de Trianon-club die hier aan het begin van de eeuw werd gebouwd en die over Bela Vista uitkeek. De begane grond is vrij gehouden. De entree van het museum is in het souterrain. Via een lift bereik je de twee grote zalen boven het straatniveau.

Op het straatniveau van het museum, vindt iedere zondag de MASP-**antiekmarkt** plaats, georganiseerd door de vereniging van antiquairs in de stad São Paulo. Ieder weekend is er aan de overkant van de Paulista een markt van allerlei kunstvoorwerpen.

Antiekverzamelaars kunnen in deze buurt trouwens helemaal hun hart ophalen, want niet ver van het museum, aan de Paulista tussen Rua Haddock Lobo en Rua Bela Cintra, is de **Paulista antiekmarkt**, met een uitgebreid aanbod van onder andere meubels, kunstvoorwerpen, sieraden en munten. Je kunt bij de antiekhandelaren ook spullen laten taxeren.

ℹ **PAULISTA ANTIEKMARKT.** Geopend: zo. 8-18 uur. De Avenida Paulista is te bereiken met de nieuwste metrolijn, de 'groene' lijn vanaf overstapstation Paraíso.

Liberdade

De Japanners vormen een hechte immigrantengemeenschap met een eigen plek in São Paulo. Hun wijk is Liberdade, ten oosten van Bela Vista. De wijk kreeg vorm als Japanse kolonie in de jaren veertig, toen Japanse immigranten in de grote stad neerstreken. Ze kwamen zowel uit het moederland als uit Brazilië zelf, waar ze zich al eerder gevestigd hadden. Want om de komst van de eerste Japanners in Brazilië te achterhalen moeten we verder terug in de tijd. Op 18 juni 1908 meerde het Japanse stoomschip *Kasato Maru* af in de haven van Santos met aan boord 830 Japanse immigranten. In totaal een kwart miljoen Japanners maakten in de jaren daarna de oversteek naar Brazilië; tegenwoordig wonen er alleen al in São Paulo meer dan 600.000, waarmee São Paulo waarschijnlijk de grootste Japanse gemeenschap buiten Japan is.

Het hart van Liberdade vormen de Rua Galvâo Bueno en haaks daarop de Rua São Joaquim. Je kunt de wijk het best inlopen vanaf het Praça da Liberdade (metro Liberdade), dat zich op loopafstand van de Catedral da Sé bevindt. Rondom dit plein zijn de eerste Japanse immigranten neergestreken. Elke zondag is er een oosterse markt, waar je kunt genieten van heerlijke Japanse, Chinese en Koreaanse gerechten, die ter plekke worden bereid.

CULINAIRE KUNSTEN VAN WERELDKLASSE

Zoals je van het financiële en culturele centrum van Zuid-Amerika mag verwachten – helemaal als je bedenkt hoeveel verschillende culturen er samenkomen – is São Paulo een stad waar je geweldig kunt eten en lekker kunt uitgaan. Vanouds zijn immigrantenwijken als Liberdade en Bela Vista vertrouwde plekken; de eerste voor Japans en oosters eten, de tweede voor overheerlijke pasta's en pizza's. Maar aangezien deze dynamische stad altijd verandert, zijn de exotische restaurants tegenwoordig in vrijwel alle wijken van het zuiden te vinden. De grootste concentratie sterrenrestaurants vind je momenteel in Cerqueira César, Itaim Bibi en de Jardims (Paulista, Paulistano, Europa). *D.O.M.* in Jardim Paulista is in 2006 door Guia Quatro Rodas –

Nergens anders in dit land kan zó lekker Japans worden gegeten als in São Paulo.

de Michelin van Brazilië – uitgeroepen tot beste restaurant van het land. De chef der chefs hier, Alex Atala, kookt een verrassende mix van westerse en oosterse gerechten. Hij is bovendien legendarisch vanwege zijn visschotels. *Fasano* in het gelijknamige familiehotel in Cerqueira César blijft de beste Italiaan; gemoedelijk en oerdegelijk. En zo zijn er honderden plekken waar je een voortreffelijke maaltijd krijgt, soms verrassend in de kleine *botecas* en *comidinhas* (soms een bar, soms gewoon een snackbar), vanaf de lunch tot 's nachts. Want dat is wat het leven in deze stad zo boeiend maakt: het stopt nooit.

De katholieke kerk op een hoek van het plein is de **Igreja Santa Cruz dos Enforcados**. 's Maandags branden de gelovigen er een kaars om hun zonden te verdrijven. De naam van het kerkje (*enforcado* staat voor 'opgehangen') verwijst naar de openbare terechtstellingen die vroeger op het plein plaatsvonden.

Vanaf het plein loop je de Galvão Bueno in, waar een vuurrode poort, de *tori*, de toegang markeert tot de hoofdstraat van de wijk. Deze straat is een bonte aaneenschakeling van allerlei winkeltjes, restaurants en typisch Japanse instellingen. Je kunt hier terecht voor judo- en karatelessen, voor cursussen over zenboeddhisme, en voor alles wat Japanners in hun dagelijks leven gebruiken. Caza Mizumoto is de Japanse 'winkel van Sinkel', waar van alles te koop is.

Het hoeft geen betoog dat Liberdade de beste plek is om in een oosterse omgeving eens sushi, *sukiyaki* en Japanse vis- en groenteschotels te proberen. Aan de Rua Galvão Bueno zijn ook volop goede restaurants, de meeste met een aparte sushibar, waar de vis op je bord wordt bereid.

In de wijk is het Museu da Imigração Japonesa, het Japans immigratiemuseum gevestigd.

ⓘ LIBERDADE. Bereikbaar: metrostations Verguiero, São Joaquim en Liberdade.

Luz

De wijk Luz ten zuiden van het belangrijke en gelijknamige treinstation behoort eigenlijk ook tot het oude centrum. Toen de stad in de vorige eeuw ging uitbreiden en vooral toen het station werd geopend, werd dit de handelswijk. De handelaren waren vooral Arabische en Libanese immigranten. Sommige plekken hebben die Arabische sfeer nog, zoals bijvoorbeeld de Rua 25 de Março, die uitpuilt van koopwaar in grote hoeveelheden.

De Rua Santa Ifigênia is de straat van de elektronicawinkels, de Rua Florêncio de Abreu een paradijs voor 'doe-het-zelvers'.

Aan de Rua da Cantareira staat de **Mercado Municipal**, de grote overdekte stadsmarkt. Het ontwerp is van architect Francisco Ramos de Azevedo, die erg onder de indruk scheen te zijn van de Duitse gotiek.

Aan de noordkant van station Luz staat een ander bouwwerk van De Azevedo: de Pinacoteca do Estado (de kunstgalerie van de staat São Paulo).

Aan de andere kant van de Avenida Tiradentes staat het Museu de Arte Sacra (gewijde kunst).

Het Auditório in het Parque do Ibirapuera, ontworpen door Oscar Niemeyer

PARKEN

Parque do Ibirapuera

São Paulo heeft, ondanks de steenwoestenij die het is, veel grote en kleine parken. Het interessantste is het Parque do Ibirapuera. Het park is ontworpen door Oscar Niemeyer (bouwwerken) en Roberto Burle Marx (park). De opening was in 1954 bij de viering van het 400-jarig bestaan van de stad. Paulistas verblijven hier graag in het weekend en op vrije dagen. Je kunt er joggen, tennissen, voetballen, varen op het meer of gewoon wat wandelen. Er zijn speciale speelplaatsen voor kinderen en een uniek park voor blinden. Op het Praça da Paz (Vredesplein) zijn 's zondags openluchtconcerten.

In het park is behalve enkele gemeentelijke diensten een aantal interessante musea gevestigd: het planetarium, het luchtvaartmuseum en twee musea voor moderne kunst.

ℹ PARQUE DO IBIRAPUERA. Geopend: 5-22 uur; hoofdingang aan de Avenida Pedro Álvares Cabral en te bereiken met de bus via de Avenida Brigadeira Luís Antônio.

Buiten het park, voor de hoofdingang staat de **Obelisco aos Heróis da Revolução de 1932**. Het monument, voor de paulistas het belangrijkste van de stad, is opgericht ter nagedachtenis aan de 865 patriotten die hun leven gaven voor de onafhankelijkheid van de staat São Paulo. De burgeroorlog begon op 9 juli 1932 en was van korte duur. De opstandelingen werden in de pan gehakt door de regeringstroepen, omdat geen enkele andere zuidelijke deelstaat meedeed. Onder de obelisk, die van het laagste punt tot de top 81 m hoog is (8+1 = 9, de begindatum van de strijd), is een klein museum over deze dramatische periode in de geschiedenis van het land en van de stad. Het souterrain is tevens mausoleum van de gevallenen.

Op de kruising van de Avenida Pedro Álvares Cabral en de Avenida Brasil staat het indrukwekkende **Bandeirantesmonument**. Afgebeeld is de groep van 37 pioniers die onder leiding van Martin Rodriques de Aguillar het binnenland introk. Het beeld van de hand van beeldhouwer Victor Brecheret heeft als thema de verbroedering der rassen.

Parque da Independência

Ten oosten van het Parque do Ibirapuera, op de plaats waar de Avenida Nazaré en de Avenida Dom Pedro 1 samenkomen, staan het **Monumento da Independência** en het Museu Paulista, ook wel het Museu do Ipiranga genoemd.

Ongeveer op de plek waar nu het monument staat, moet Pedro 1 de brief van zijn vader hebben gekregen, waarin hij wordt aangespoord met spoed naar Portugal terug te keren. Pedro en z'n gevolg lieten op dat moment net de paarden drinken. De beek stroomt er nog altijd. Pedro voelde weinig voor de terugkeer. Officieel omdat hij van Brazilië een zelfstandige natie wilde maken. Onofficieel omdat Pedro met volle teugen genoot van het Braziliaanse leven en vooral van de mooie vrouwen aan het hof. En dus zei hij, na het lezen van de brief, tegen zijn gevolg dat hij nooit terug zou gaan. Hij riep de gevleugelde woorden '*Independência o muerte*', de onafhankelijkheid of de dood. Het monument zelf is op 7 december 1922 geïnaugureerd. In de crypte liggen de lichamen van Pedro 1 en zijn vrouw Teresa.

Ten zuiden van het plein met de crypte van Pedro en zijn vrouw begint het Parque da Independência. Daar staat onder andere het **Casa do Grito** (Huis van de Kreet) waar Pedro na zijn ingrijpende beslissing de nacht doorbracht. In het huisje, dat inmiddels helemaal opnieuw is opgebouwd, is een klein museum ingericht.

Jardim Botânico

Bloemen- en plantenliefhebbers moeten beslist de botanische tuin bezoeken met een uitgebreide verzameling orchideeën en planten van het oorspronkelijke Atlantische regenwoud. Er is een interessant museum aan de Avenida Miguel Stéfano 3031, metro Jabaquara (Agua Funda, vlak bij de Zoo).

ℹ JARDIM BOTÂNICO. Geopend: wo.-zo. 9-17 uur, entree R$3.

pen door Oscar Niemeyer. Er worden bijeenkomsten van het Latijns-Amerikaanse parlement gehouden en er is een studiecentrum over dit werelddeel gevestigd; ook worden er allerlei tentoonstellingen en bijeenkomsten georganiseerd. In de grote zaal hangt het schilderij *Tiradentes* van Portinari. De sculptuur *Big Tropical Flower* op het plein is van Franz Weismann.

ℹ MEMORIAL DA AMÉRICA LATINA. Geopend: dag. 9-18 uur; bibliotheek tot 21 uur, ma. gesloten.

Het Museu Paulista, in het Parque da Independência, is het belangrijkste historische museum in São Paulo.

Memorial da América Latina

Het Memorial da América Latina aan de Avenida Mário de Andrade 664 (Barra Funda) is een cultureel centrum uit 1989, dat bestaat uit acht gebouwen ontwor-

MUSEA

Museu Paulista (Museu do Ipiranga)

Het Museu Paulista in het Parque da

Independência is het beste historische museum van de stad. Sinds het onder beheer van de universiteit van São Paulo valt, is zowel het gebouw in neoklassieke stijl als de collectie verfraaid. Pronkstuk is *O grito do Ipiranga*, een reusachtig doek van Pedro Américo uit 1887 over het uitroepen van de onafhankelijkheid door Pedro I.

Er hangen meer schilderijen van taferelen uit de koloniale tijd en uit de vorige eeuw. Verder zijn er veel antieke meubels, paardenkoetsen van vroeger (o.a. de brandweer), en kostuums en memorabilia van luchtvaartpionier Santos Dumont te zien. Op de benedenverdieping wordt aandacht besteed aan de stichting van São Paulo, die onder andere is verbeeld in een maquette.

Indrukwekkend is het marmeren trappenhuis. Aan de wanden hangen portretten van de bandeirantes, die hun naam verbonden aan de verovering van grote delen van het moderne Brazilië.

In de glazen bollen op de trapleuning zit water uit alle belangrijke rivieren van het land. Vers water wordt met vliegtuigen van de Braziliaanse luchtvaartmaatschappij VARIG regelmatig naar São Paulo gevlogen.

ⓘ MUSEU PAULISTA (MUSEU DO IPIRANGA). Geopend: di.-zo. 9-17 uur, entree R$2.

Museu de Arte de São Paulo (MASP)

Een museum met de mooiste verzameling schilderkunst in Brazilië is het Museu de Arte de São Paulo (MASP). De twee voornaamste verdiepingen bevinden zich boven het straatniveau. Op de eerste verdieping is veel werk van Goya, Velázquez, El Greco en verder worden daar prominente wisselende collecties tentoongesteld. Op de tweede verdieping hangen de pronkstukken, waaronder werk van impressionisten als Renoir, Cézanne, Gauguin, Monet, Lautrec en Degas, van Picasso en van Vlaamse en Hollandse meesters als Hiëronymus Bosch, Salomon van Ruysdaal, Frans Hals, Rembrandt en Van Gogh.

ⓘ MUSEU DE ARTE DE SÃO PAULO (MASP). Geopend: di.-zo. 11-18 uur, entree R$10, www.masp.art.br.

Museu de Arte Moderna (MAM)

In het Museu de Arte Moderna (MAM) is werk van de Braziliaanse schilders en beeldhouwers van deze eeuw te zien.

Vlakbij staat het Museu de Arte Contemporânea; het museum van hedendaagse kunst is gevestigd in het paviljoen waar sinds 1951 de Biennale van São Paulo wordt gehouden. Met wisselende tentoonstellingen van experimentele kunst.

ⓘ MUSEU DE ARTE MODERNA (MAM). Geopend: di.-zo. 10-18 en do. 10-22 uur.

Pinacoteca do Estado

De kunstgalerie van de staat São Paulo, de Pinacoteca do Estado, is een ander museum met veel werk van Braziliaanse kunstenaars. Pronkstukken in de collectie zijn de beeldhouwwerken van Victor Brecheret, de maker van het monument voor de bandeirantes in het Parque do Ibirapuera.

ⓘ PINACOTECA DO ESTADO. Geopend: di.-zo. 10-18 uur, entree RS5, zaterdag gratis.

Museu de Arte Sacra

Dit museum bezit een grote collectie meubels en religieuze voorwerpen uit de Braziliaanse geschiedenis. Het gebouw zelf is eveneens een bezienswaardigheid. Het oudste deel was onderdeel van een klooster uit de 16de eeuw. Het barokke deel is gebouwd in de 18de eeuw.

ⓘ MUSEU DE ARTE SACRA. Geopend: di.-zo. 13-17 uur.

SÃO PAULO VOOR KINDEREN

Voor kinderen heeft São Paulo allerlei mogelijkheden tot vertier. Een paar tips:

🐾 São Paulo Zôo
Deze dierentuin behoort tot de grootste van de wereld. De verblijven van de 2500 dieren zijn zoveel mogelijk in overeenstemming met hun natuurlijke omgeving. De dierentuin ligt aan de Avenida Miguel Stéfano 4241 (Agua Funda), uitstappen bij metrostation Jabaquara.
ℹ️ SÃO PAULO ZÔO. Geopend: dag. 9-17 uur, entree RS10, kinderen tot 12 jaar gratis.

🐾 Z80 Safari
Niet ver van de dierentuin, aan de Avenida do Cursino 6338 (Vila Morais), ligt Z80 Safari, waar je met de auto door een wildpark rijdt. Ter plekke zijn ook VW-busjes beschikbaar voor de rit.
ℹ️ SIMBA SAFARI. Geopend: wo.-zo. 10-16.30 uur, entree RS10, kinderen tot 12 jaar gratis.

🐾 Playcenter
Aan de Rua Dr. Rubens Meirelles 380 ligt een attractiepark speciaal voor kinderen. Er rijdt een gratis bus vanaf metrostation Barra Funda naar toe.
ℹ️ PLAYCENTER. Geopend: wo.-vr. 12-21, za., zo. en vak. 10-22 uur, entree RS27, kinderen tot 5 jaar gratis.

Museu de Aeronautica e do Folclore

In het Museu de Aeronautica e do Folclore (Luchtvaart en Folklore) zijn replica's te zien van vliegmachines, die door Santos Dumont zijn ontworpen. Verder is er folklore uit alle regio's van het land ondergebracht, met onder andere aandacht voor de Afro-Braziliaanse religies uit het noordoosten, de rubbertappers en de *garimpeiros* (goudzoekers) van het Amazone-oerwoud.
ℹ️ MUSEU DE AERONAUTICA E DO FOLCLORE. Geopend: di.-zo. 14-16.30 uur.

Museu da Imigração Japonesa

Het Japans immigratiemuseum geeft een uniek overzicht van de Japanse koloni-satie in Brazilië en gebruiksvoorwerpen van de Japanse immigranten. Ook is er een schaalmodel te zien van de *Kasato Maru*, het stoomschip waarmee de eerste Japanse immigranten in 1908 in Santos aankwamen.
ℹ️ MUSEU DA IMIGRAÇÃO JAPONESA. Geopend: di.-zo. 13.30-17.30 uur.

Instituto Butantan

Een opmerkelijk museum is het Instituto Butantan, waar onderzoek wordt verricht naar giftige slangen en reptielen. Het antiserum dat hier ontwikkeld wordt, gaat de hele wereld over. Er is een permanente tentoonstelling over slangen, schorpioenen en spinnen.
ℹ️ INSTITUTO BUTANTAN. Geopend: di.-zo. 9-17 uur.

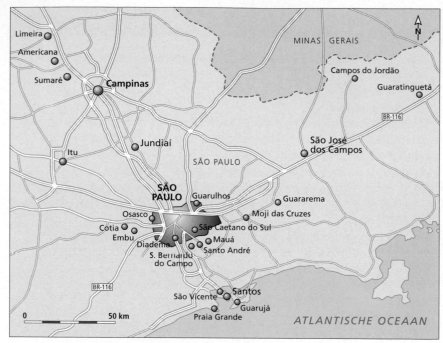

Omgeving van São Paulo

Planetário

Het planetarium biedt een overzicht van de sterrenhemel boven het zuidelijk halfrond. Mei en juni zijn de maanden dat vanuit São Paulo het Zuiderkruis te zien is. Spectaculair is de 50 min. durende projectie van de bewegingen van de hemellichamen in het heelal in de grote zaal.

ⓘ PLANETÁRIO. Geopend: za., zo. en feestdag. 16-18, zo. 10.30 uur extra voorstelling voor kinderen van vijf jaar en ouder.

Overige musea

Het **Casa de Anchieta** (Pátio do Colégio 2, Centro) staat op de plek waar pater José de Anchieta de eerste kapel bouwde. In dit historische gebouw is een museum gevestigd met voorwerpen uit de tijd van de eerste nederzetting.

Het **Museu Lasar Segall** (Rua Afonso Celso 388, Vila Mariana) toont kunstwerken van Lasar Segall, een toonaangeven-de expressionist onder de modernisten in de jaren twintig. Segall, van oorsprong Litouwer, woonde en werkte in dit huis. Er worden olieschilderijen, litho's, aquarellen en beelden getoond.

Nog meer meubels en werk van Braziliaanse kunstenaars zijn te zien in het **Palácio dos Bandeirantes** (Avenida Morumbi 4500, Morumbi). De gouverneur van de staat São Paulo zetelt hier, maar in het weekend gaan de deuren voor het publiek open.

Tegenover het paleis van de gouverneur (Avenida Morumbi 3700, Morumbi) is de **Fundação Maria Luiza e Oscar Americano** gevestigd. De architect Americano heeft zijn huis met een prachtige tuin en een kunstcollectie, waaronder werk van Frans Post, nagelaten voor het nageslacht. Hij overleed in 1974.

In het **Casa do Bandeirante** (Praça Monteiro Lobato, Butantã; op het terrein van de universiteit van São Paulo) wordt een beeld gegeven van het leven van de Braziliaanse pioniers die het binnenland introkken.

UITSTAPJES IN DE STAAT SÃO PAULO

Geschikte bestemmingen voor een dagtocht vanuit São Paulo zijn Embu (27 km), Paranapiacaba (60 km) en Itu (102 km).
Verder weg ligt het populaire Campos do Jordão (155 km).
De kustplaatsen Guarujá, Praia Grande, São Vicente en de Costa Verde zijn een langer verblijf waard.

De bergen
Embu

Ongeveer 26 km ten westen van São Paulo, aan de weg naar Curitiba (BR-116) ligt Embu. Dit stadje (160.000 inw.) heeft zich vooral gespecialiseerd in kunstnijverheid (keramiek, houtsnijwerk, batik, lederwaren) en kunst. Iedere vrijdag, zaterdag en op feestdagen is er kunstmarkt op en rondom het Largo dos Jesuítas. De hele week zijn de ateliers en winkeltjes in het centrum open.

Aan het Largo dos Jesuítas staat de barokke kerk van Nossa Senhora do Rosário uit het eind van de 17de eeuw. Dit kerkje is door indianen gebouwd; de sacristie is met stierenbloed geschilderd. In het bijgebouw is het Museu de Arte Sacra dos Jesuítas gehuisvest. Verder zijn er een wassenbeeldenmuseum met horrorfiguren uit de literatuur, film en mythologie, en een folkloristisch museum.

In augustus is er een folkloristisch festival, waarbij in straatkraampjes Bahiaanse gerechten worden gemaakt. De restaurants Orixás en Patação staan bekend om hun goede Bahiaanse schotels. Embu is een uitstekende plaats om *feijoada* te eten.

ℹ️ VERVOER. Embu is te bereiken met de bus vanaf het busstation Barra Funda.

Itu

Op 100 km van São Paulo, aan de SP-300 richting Bauru, ligt het historische plaatsje Itu. De oorspronkelijke bebouwing uit de 18de en 19de eeuw is intact gebleven in het centrum van de stad (105.000 inw.). Er zijn verschillende antiekwinkels en ateliers waar kunstnijverheid wordt gemaakt (hout, keramiek, riet, leer).
Eén museum is het bezoeken waard: het **Museu Republicano da Convenção de Itu** met meubels en gebruiksvoorwerpen uit de koloniale tijd en de periode van het keizerrijk.

ℹ️ VERVOER. Vanaf het busstation Barra Funda in São Paulo gaan regelmatig bussen naar Itu.

Paranapiacaba

Aan de weg naar Santos, op ongeveer 60 km van São Paulo, ligt Paranapiacaba. Met z'n station, rijtjeshuizen en Big Ben-achtige klokkentoren doet dit plaatsje zeer victoriaans aan. Het is eind vorige eeuw gebouwd door Engelse spoorwegbouwers aan de spoorlijn naar Santos. Paranapiacaba was vroeger de laatste halte voor de spectaculaire afdaling naar het laagland van Santos.

ℹ️ STOOMTREIN. Vertrek: zo. 8.30 uur vanaf station Luz speciaal voor toeristen naar Paranapiacaba. De trein stopt ook in Santo André, een van de industriële voorsteden van São Paulo. Informeer op het station voor de exacte vertrektijden en de terugreis (meestal terugreis om 17 uur).

Campos do Jordão

Ruim 180 km ten noorden van Taubaté ligt de favoriete winterbestemming van de paulistas: Campos do Jordão (hoogte 1700 m). Het plaatsje in de Serra da Mantiqueira, met nog geen 40.000 inwoners, wordt in het seizoen (apr.–okt.) overspoeld door toeristen. In april is het Festa do Pinhão. De maanden juni (eerste helft) en juli staan in het teken van achtereenvolgens het *Festival de Dança Clássica* en het *Festival de Inverno de Música Clássica*. In oktober, tijdens het *Oktoberfest*, blijken de Duitse wortels. Het stadje doet met de chalets en vakwerk op de gevels Oostenrijks aan. In de knusse straatjes in het centrum (Vila Capivari) zijn veel souvenir- en delicatessenwinkels met als specialiteit chocolade.

De aantrekkelijkheid van Campos zit 'm vooral in de natuurlijke omgeving. De rust van het omringende bergland en de schone lucht zijn een verademing na de drukte en de verstikkende atmosfeer in de stad. In de omgeving zijn verschillende wandelmogelijkheden.

Het staatspark **Horto Florestal**, 14 km van het centrum, biedt een prachtig overzicht van de begroeiing in dit gebied. In dit park staat onder meer de grootste verzameling overgebleven araucaria's, de oorspronkelijke dennenboom uit Paraná. Wandelkaarten van dit park zijn verkrijgbaar bij de receptie.

ℹ️ HORTO FLORESTAL. Geopend: dag. 8-17 uur.

Vanaf de Pico do Itapeva, de hoogste berg (2030 m) in de buurt, heb je een mooi overzicht over de vallei van de rivier de Paraíba. De top ligt op 15 km vanaf het centrum van Campos.

De leukste manier om kennis te maken met de omgeving is om vanaf het station in Campos do Jordão het treintje naar Santo Antônio do Pinhal en Pindamonhangaba te pakken. Deze rit over het hoogste treintraject van Brazilië en terug duurt ongeveer drie uur, inclusief een verblijf van drie kwartier in Santo Antônio. In het hoogseizoen wordt de tocht twee keer per dag gemaakt. Controleer de tijden op het station van Campos.

In Campos zelf zijn nog interessant om te bezoeken de beeldentuin van Felícia Lerner en het Palaçio Boa Vista, de winterresidentie van de gouverneur, met meubels en andere antiquiteiten uit de 17de en 18de eeuw.

De kust

Aan de kust van de staat São Paulo schieten de vakantiedorpen, appartementencomplexen en hotels uit de grond. De aanlokkelijke stranden en eilanden langs de kust zijn voor paulistas gewilde plekjes om vakantie te houden. In de zomerse weekenden en de grote vakantie (dec.–jan.) is het druk.

Santos

Bijna organisch met São Paulo verbonden is de havenstad Santos. Wat zou de wereldmetropool zijn geweest zonder deze haven en omgekeerd? Santos kon door de economische ontwikkeling in de staat en het hele zuidoosten van Brazilië uitgroeien tot de grootste haven van Zuid-Amerika.

De stad zelf, die met 425.000 inwoners op een eiland in de baai ligt, is niet bijster interessant. Voetballiefhebbers zullen ongetwijfeld weten dat bij de plaatselijke voetbalclub Santos ooit de legendarische Pelé speelde. En natuurlijk is de haven voor geïnteresseerden altijd een enerverend gebeuren.

Maar van het oude stadscentrum uit de 16de eeuw is weinig bewaard gebleven. Alleen de **Igreja da Ordem Terceira do Carmo** (karmelieten), bestaande uit een kapel en een klooster, is de moeite van het bezichtigen waard. Delen van het klooster stammen uit 1589.

De modernere wijken langs de kustboulevard hebben enkele aardige attracties. Op niet al te grote afstand van de pont naar de badplaats Guarujá staat het **Museu do Mar** (Zeevaartmuseum; Rua

República do Equador 81) over de visserij en het leven in zee voor de kust van Santos. Er wordt een immense schelp van bijna 150 kilo bewaard.

ℹ MUSEU DO MAR, Geopend: dag. 9-18 uur.

Iets verderop aan de boulevard is het **Museu de Arte Sacra** (Museum voor Gewijde Kunst) gevestigd met religieuze voorwerpen en schilderijen van de 16de tot de 20ste eeuw. Het museum is geves-

Verder aan de boulevard, aan de Avenida Bartolomeu de Gusmão (Ponta da Paia), staat het **Aquário Municipal**. In dit aquarium wordt een uitvoerig beeld gegeven van het zeeleven voor de kust van de staat São Paulo: veel kleurrijke tropische vissen, murenen, schildpadden en prachtig koraal.

ℹ AQUÁRIO MUNICIPAL. Geopend: dag. 8-20 uur; gesloten: mrt.-nov. ma.

Hoogvliegers boven de haven en badplaats Santos

tigd in het oude klooster uit 1650 van São Bento, ingang: Rua Santa Joana d'Arc 795.

ℹ MUSEU DE ARTE SACRA. Geopend: di.-zo. 13.30-17 uur.

Helemaal aan het andere eind (westen) van de kustboulevard, aan het Praça Washington (in de wijk José Menino), bevindt zich een bloementuin: de Orquidário Municipal. De naam zegt het al, met vooral veel en mooie orchideeën. De leukste manier om naar Santos te reizen, zeker als je de tijd hebt en van spannende tochten houdt, is met het speciale toeristentreintje São Paulo–Santos. Dit stoomtreintje slingert zich door het kustgebergte naar Santos.

ℹ️ TREINTJE SÃO PAULO. Vertrek: in São Paulo van station Barra Funda, alleen op za., zo. en feestdag. 9 uur; aankomst in Santos is rond 12 uur; terugreis: 17.30 uur. Kaartjes zijn te verkrijgen op de genoemde stations; informeer van tevoren naar de vertrektijden.

Guarujá

Voor paulistas is het dichtstbijzijnde strand dat van de badplaats Guarujá. Dat is te zien, want de boulevards langs de twee grote stranden Enseada en Pernambuco zijn veranderd in lokale versies van Copacabana met veel hoogbouw en vooral dure hotels en appartementen.

In ieder geval biedt de grootste badplaats van de staat São Paulo veel mogelijkheden voor lekker eten en vooral luieren aan het strand. Enseada is het populairste strand. Overdag en 's avonds is hier het meest te beleven.

Pernambuco is voor de chique mensen met peperdure buitenhuizen. Er is minder luidruchtig vertier op straat.

São Vicente

Dit was in de 16de eeuw het zuidelijkste capitânia van de Portugezen in dit deel van de wereld. Vanuit São Vincente vertrokken de eerste bandeirantes om het binnenland te verkennen. Nu is het een stad met een kwart miljoen inwoners, die vrijwel naadloos overloopt in Santos.

Ook hier is van de oorspronkelijke nederzetting uit de 16de eeuw weinig meer terug te vinden. Of het moet de Matriz Santa Vicente Mátir zijn, een kerk uit 1542, die volledig is herbouwd in 1757. In de kerk, aan de Praça do Mercado, han-

gen schilderijen uit de 16de–18de eeuw. Er zijn een historisch museum en een stadsmuseum gevestigd in het **Instituto Histórico e Geográfico**, Rua Frei Gaspar 280.

ℹ️ INSTITUTO HISTÓRICO E GEOGRÁFICO. Geopend: za. en zo. 15-18 uur.

Praia Grande

De Portugese naam zegt het al: dit is één groot strand. De brede strook zand langs de oceaankust is zonder twijfel het grootste strand van de staat São Paulo. Kilometerslang strekt het zich uit en je kunt er de bebouwing dagelijks zien uitbreiden. Tussen het stadje Praia Grande en Itanhaém ontstaat langzamerhand een nieuwe gigantische badplaats over een afstand van ruim 30 km langs de kust.

Verder naar het zuiden liggen nog de volgende interessante plaatsjes aan de kust: Iguape, een van de oudste plaatsjes in Brazilië (1538), en Cananéia, naar men zegt de oudste nederzetting van het land (1531) op een eiland voor de kust. Er is een klein Museu Municipal gewijd aan de bijzondere geschiedenis. Het museum staat op het Praça Martim Afonso de Souza. Op dit plein en in de aangrenzende straten Rua Bandeirantes, Rua Dom João III en Rua Tristão Lobo staat nog bebouwing uit de koloniale tijd. Er zijn plannen om te restaureren, maar daar is door geldgebrek tot op heden nog weinig van terechtgekomen.

De bevolking van Cananéia en directe omgeving leeft voornamelijk van de visserij. De Mar Pequeno (Kleine Zee), die door de langgerekte eilanden van de oceaan wordt afgesloten, is rijk aan vis. Cananéia staat bekend om z'n oesterteelt. Er zijn mooie tochten te maken op de Mar Pequeno, langs de mangrovebegroeiing en naar de eilanden in de buurt. Je kunt per pontje oversteken (10 min.) naar het langgerekte Ilha Comprida. De mooiste plekjes aan de kust zijn het eiland Ilha do Bom Abriga (2 uur varen) met mooie stranden en watervallen, en de stranden van Ipanema, Camboriú en Kayan (ook zo'n 2 uur varen van Cananéia).

Het zuiden

8

e drie zuidelijkste staten van Brazilië, Paraná, Santa Catarina en Rio Grande do Sul zijn in een aantal opzichten anders dan de rest van Brazilië. De vegetatie wordt naar het zuiden toe minder subtropisch en gaat over in grote wouden vol naaldbomen, die het gematigde klimaat kenmerken.

In het zuidelijke deel van Rio Grande do Sul wordt het land vlak en beginnen de *pampas*, die doorlopen in Uruguay en Argentinië. Het zuiden is, samen met de staat São Paulo, het rijkste deel van Brazilië. Het grootste deel van het land is in cultuur gebracht, wat het landschap hier een veel georganiseerder karakter geeft dan in andere staten.

Een opvallend verschil met de rest van Brazilië is de bevolking. In het zuiden wonen de afstammelingen van Europese immigranten. Dat is te zien aan de vorm van de huizen, het karakter van de steden, aan de namen, de tradities en de folklore, en natuurlijk aan de mensen zelf, die er veel Europeser uitzien dan hun landgenoten in andere delen van Brazilië.

DE OUDE 'FRONTIER'

De deelstaat **Paraná** vormt de overgang van het meer industriële zuidoosten naar het overwegend agrarische zuiden van Brazilië.

De grootste industriële kern is de hoofdstad Curitiba, wat opmerkelijk is omdat deze stad bekendstaat als de ecologische hoofdstad van Brazilië. Nauw verbonden met Curitiba en het agrarische achterland is de havenstad Paranaguá. Het is een oud stadje, waar halverwege deze eeuw een grote haven ontstond. Paranaguá is qua overslag de derde exporthaven van het land met als voornaamste producten soja, koffie en plantaardige oliën.

Paraná beschikt over een relatief korte kustlijn. Voor de kust van Paranaguá liggen enkele mooie eilanden. Vooral interessant zijn kleine historische plaatsjes als Morretes en Antonina, monumenten uit een rijk verleden.

In het noorden van de deelstaat zijn Londrina en Maringá plaatsen waar handel en industrie geconcentreerd zijn. Hier is de economische invloed vanuit São Paulo duidelijk voelbaar. Koffie, ka-

Blumenau, Santa Catarina, waar de Europese cultuur erg zichtbaar is

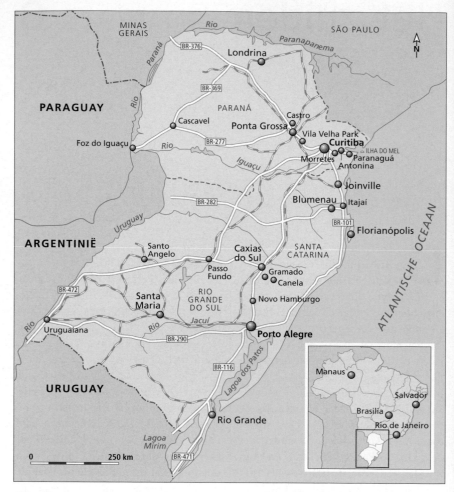

Het zuiden

toen, suikerriet en de laatste tijd soja zijn de belangrijkste producten.

Het achterland is voornamelijk agrarisch met veel nederzettingen die door Europese migranten zijn gesticht. Ponta Grossa is een grote stad in het agrarische hart van Paraná met veel op- en overslagfaciliteiten en voedselverwerkende industrie. Ten noorden ervan liggen de van oorsprong Hollandse landbouwkolonies Castrolândia en Carambeí. Helemaal in het westen, op de grens met Paraguay, staat de Itaipú-waterkrachtcentrale en -stuwdam. Deze zorgt voor ruim de helft van de energievoorziening in het zuidoosten en zuiden.

De watervallen in de Rio Iguaçu zijn na het Amazonegebied het grootste natuurspektakel in Brazilië.

De deelstaat **Santa Catarina** is overwegend agrarisch gebied. Toeristisch van belang zijn het eiland voor de kust waarop de hoofdstad Florianópolis ligt, en enkele plaatsen waar de Duitse en Zwitserse invloed nog erg levend is: Joinville en Blumenau.

Rio Grande do Sul, de zuidelijkste staat van Brazilië, is het gebied van de pampa's. In de cultuur van deze streek speelt de *gaucho*, de Zuid-Amerikaanse cowboy, een prominente rol. Je kunt ze nog aantreffen: het type 'ruwe bolster, blanke pit', de hoed diep over het voorhoofd getrokken en een poncho ter bescherming tegen de felle zon. Plaatsjes waar de gaucho-traditie springlevend is, zijn Rosário do Sul, Uruguaiana (aan de Argentijnse grens) en Santana do Livramento (aan de grens met Uruguay).

Een turbulente geschiedenis van oorlogen en opstanden heeft haar sporen onder de bevolking nagelaten. In deze staat, op de grens van verschillende koloniale culturen, is de vermenging van Spaanse en Portugese invloeden sterk aanwezig. Later zijn daar de traditie van Italiaanse en Duitse landverhuizers bijgekomen. Een aparte plaats in de geschiedenis van Rio Grande do Sul nemen de missies in. Veeteelt is altijd nog de eerste bestaansbron in deze zuidelijkste staat van Brazilië. De economische producten zijn vlees, huiden en wol. Rio Grande do Sul neemt bijna de totale Braziliaanse wolproductie voor z'n rekening. Andere agrarische producten zijn: maïs, bonen en aardappelen. In de driehoek Caxias do Sul, Bento Gonçalves en Garibaldi komt de wijnproductie op.

De belangrijkste industriestad in Zuid-Brazilië is Porto Alegre (1.200.000 inw.), de hoofdstad van Rio Grande do Sul.

CURITIBA: DE GROENE STAD

Curitiba is een bijzondere stad. De hoofdstad van Paraná heeft 1,7 miljoen inwoners en vormt een groot contrast met de ongeplande, veelal rommelige en drukke Braziliaanse miljoenensteden als Rio de Janeiro en São Paulo. Het openbaar vervoer functioneert in Curitiba beter dan waar ook. In het centrum van de stad is de voetganger de baas en niet de auto. En met zo'n 50 m² groen per inwoner is Curitiba de groenste stad van Brazilië. Het zijn de direct zichtbare resultaten van de ecologische revolutie die de stad in een tijdspanne van een kwart eeuw heeft ondergaan.

Net als de andere Braziliaanse steden maakte Curitiba vanaf de jaren veertig een zeer snelle ontwikkeling door. In het noorden van Paraná waren de koffieplantages de grote economische drijfkracht en Curitiba profiteerde daarvan mee. De stad lag als handels- en transportknooppunt aan de transportroute van de koffie naar de haven van Paranaguá. Van 1949 tot 1960 nam de bevolkingsomvang toe van 140.000 naar 360.000 inwoners.

In die periode kwam er een plan om de oude binnenstad open te breken en snelwegen en viaducten aan te leggen, zodat de auto vrij baan zou hebben. Curitiba zou ongetwijfeld een nieuw São Paulo geworden zijn, als er geen krachtige oppositie was gevoerd. Onder druk van enkele stedenbouwkundigen en architecten uit de stad zelf en gesteund door de ontwikkelingsbank van de staat Paraná, werd de koers verlegd. Er kwam een nieuw stadsplan (1965–1966) dat vooral onder de bezielende leiding van burgemeester Jaime Lerner in de periode 1971–1993 is gerealiseerd. In die periode was Lerner, zelf architect en stedenbouwkundige, drie keer burgemeester.

Eerst werd het doorgaande autoverkeer uit het stadscentrum verbannen en werd de drukste winkelstraat, de Rua 15 de Novembro (Rua das flores), veranderd in een voetgangerszone. De werkzaamheden, die tijdens een koude winternacht in 1972 van vrijdag op zaterdag begonnen, verrasten iedereen. De woede van de winkeliers duurde maar even, want na een paar weken wilden ze niet anders

HET SUCCES VAN HET OPENBAAR VERVOER IN CURITIB/

Voor het doorgaande verkeer werd gebruikgemaakt van het bestaande stratenplan. Drie naast elkaar gelegen straten kregen ieder een eigen functie: de buitenste twee voor het particuliere autoverkeer, elk in een richting, de binnenste uitsluitend voor gebruik in twee richtingen door het openbaar vervoer. Straten waar dit niet te realiseren was, kregen aparte busbanen. Zo kwam er een gescheiden vervoerssysteem in de hele stad, met voorrang voor het openbaar vervoer.

Dat openbaarvervoerssysteem is een van de grootste succesverhalen van de stad. Er zijn verschillende soorten lijnen: langzaam en snel vervoer, verbindingen tussen de wijken en verbindingen langs de belangrijke uitvalswegen.

De lijnen zijn herkenbaar aan de kleur van de bussen. Zo is er op zaterdag en zondag een groene bus, proParque, die alle parken van de stad aandoet. Het meest opvallend is het systeem van de grijskleurige Linha Direita, ook wel Ligeirinho ('Vluggertje') genoemd, waarvan de bushaltes uit doorzichtige buizen bestaan. Bij de ingang van de buis koop je een kaartje. Je loopt de buis in en als de bus stopt, gaan de deuren van de buis als bij een metro open. Het hele netwerk van aparte busbanen door de stad omspant maar liefst 500 km.

Dit bussysteem, dat zo georganiseerd is dat er om de paar minuten een bus op een halte stopt, werkt als een bovengrondse metro en heeft er voor gezorgd dat tegenwoordig drie van de vier Curitibanen per bus reist.

Behalve het openbaar vervoer krijgt de fiets in Curitiba vrij baan. Er is

Busvervoer als bovengrondse metrolijnen door de stad

in korte tijd een net van fietspaden aangelegd met een totale lengte van 150 km, dat in een Nederlandse stad niet zou misstaan. Curitiba is de fietsstad van Brazilië geworden.

Groene stad

In twintig jaar tijd werden honderdduizenden jonge bomen geplant, werden stadsparken en groenzones aangelegd op plaatsen waar geen gebouwen mochten komen, zoals bijvoorbeeld op de oevers van de Rio Iguaçu aan de zuidoostkant van de stad. Het Parque Regional do Iguaçu is met een oppervlakte van 8 miljoen m^2 het grootste stadspark in Brazilië; het is een beschermd gebied, waar het instromende water wordt gezuiverd en door dammen gereguleerd. Tegelijkertijd is het een groot recreatiegebied, dat in de loop der tijd is uitgebreid met 14 kleine en grote parken.

'De uitdaging,' zo vertelde burgemeester Jaime Lerner eens in een interview, 'is om betaalbare oplossingen te verzinnen voor onze problemen.' Dat deed hij bijvoorbeeld met zijn campagne om gescheiden afval in te zamelen. Toen hij het plan in 1989 lanceerde werd hij door sceptici en jaloerse tegenstanders weggehoond. De twee soorten vuilnisbakken staan nu op elke straathoek: gewoon afval en *lixo que não é lixo*, afval dat geen afval is, zoals etensresten. De stad is een grote recyclingfabriek geworden, waar duizenden ongeschoolde bewoners uit de favelas hun brood mee verdienen. Tegen het einde van de middag zie je ze overal in de stad papier, karton, flessen opstapelen om naar de verzamelstations te brengen. Buiten de stad staat een enorme hal waar vuil met de hand wordt gesorteerd om weer als grondstof voor de industrie te dienen.

Ook op het gebied van onderwijs, kinderopvang en werkgelegenheid werd baanbrekend werk verricht. In de favelas werden renovatieprogramma's gestart die steunden op de participatie van de bevolking.

Een nieuw industriegebied buiten de stad werd een groot succes, met inmiddels honderden bedrijven die op ecologisch verantwoorde manier produceren.

Het voorbeeld van Curitiba krijgt navolging en niet alleen in Brazilië.

Aan de vooravond van de ecomilieuconferentie in Rio in de zomer van 1992 ontving Curitiba honderd burgemeesters van overal in de wereld. Ze kwamen discussiëren over oplossingen voor grotestadsproblemen en kijken naar het succesverhaal van deze Braziliaanse stad.

Dit alles maakt Curitiba tot een aantrekkelijke stad, waar de energie en creativiteit overdag en 's avonds vanaf stralen.

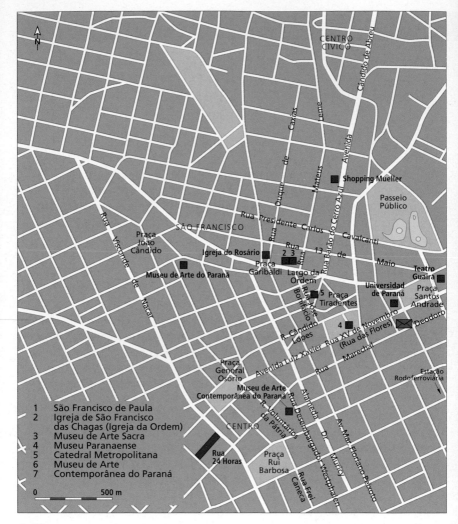

Curitiba

1 São Francisco de Paula
2 Igreja de São Francisco
   das Chagas (Igreja da Ordem)
3 Museu de Arte Sacra
4 Museu Paranaense
5 Catedral Metropolitana
6 Museu de Arte
7 Contemporânea do Paraná

0   500 m

meer. Andere straten volgden spoedig en vrijwillig. Inmiddels is het grootste deel van het commerciële en historische centrum afgesloten voor verkeer.

Stadswandeling

Een aardig beginpunt voor een stadswandeling door het nieuwe en oude centrum van Curitiba is het Praça Santos Andrade. Met het gebouw van de Universidad de Paraná, de oudste van Brazilië, en het Teatro Guaíra is dit het culturele hart van de stad. In de drie zalen van het theater treden de allergrootste artiesten en gezelschappen op.

Ga over de Rua xv de Novembro naar het Praça Generoso Marques. Dit was de plek van de eerste openbare markt. Midden op het plein staat het eerste stadhuis (1916), gebouwd in art-nouveaustijl.

Vervolgens loop je langs de bloemenmarkt naar de Praça Tiradentes met als prominent bouwwerk de neogotische Catedral Metropolitana, gebouwd in de periode 1876–1893. Op het Praça Tiradentes herinneren twee obelisken aan de stichting van de stad op 29 maart 1693. De ene verwijst naar de Portugese troepen, die er neerstreken. De andere is het Ground Zero, het nulpunt waarvandaan de afstanden tot andere steden is berekend, en vanaf welk punt de straatnummering begint.

Via een voetgangerstunnel loop je vervolgens naar het oudste deel van de stad, rondom het Largo da Ordem uit het einde van de 17de eeuw. Dit pleintje was vroeger al de ontmoetingsplaats voor handelaren en reizigers die er hun paarden lieten drinken. Het is grotendeels gerestaureerd. Restaurants en bars met terrasjes en muzikanten maken dit buurtje tot een soort Quartier Latin.

De **Igreja da Ordem Terceira de São Francisco das Chagas** uit 1737 is het oudste bouwwerk van de stad. Het altaar met ornamenten van bladgoud was een gift van de Portugese koning. Naast de kerk is sinds 1981 het **Museu de Arte Sacra** gevestigd met een uitgebreide collectie religieuze relikwieën.

ℹ **MUSEU DE ARTE SACRA.** Geopend: di.-vr. 9-12 en 13-18.30, za. en zo. 9-13 uur.

Aan de overkant van de kerk bevindt zich het **Casa Guido Viaro**, genoemd naar de schilder die hier ooit woonde. Zijn werk is tentoongesteld en in het bijgebouw zijn een filmarchief en alternatief filmtheater ondergebracht.

ℹ **CASA GUIDO VIARO.** Geopend: di.-vr. 14-18.30 uur.

Aan hetzelfde pleintje staat in typisch Portugese bouwstijl het **Casa Romário Martins**, naar verluidt het oudste pand van de stad. Vroeger een opslagplaats van grutterswaren, tegenwoordig een cultureel centrum genoemd naar een bekende dichter uit deze stad.

Dit oude centrum van de stad is de beste plaats om antiek of kunstnijverheid te kopen. In de zijstraatjes rondom de pleinen zijn verschillende antiquairs gevestigd en hebben kunstenaars hun atelier. Iedere zondagochtend is er een uitgebreide kunstmarkt aan het Praça Garibaldi, dat iets hogerop ligt. In de Rua Claudino dos Santos, de straat omhoog richting het Praça Garibaldi, is tussen de historische bebouwing in 1996 het **Memorial da Cidade** verrezen; een cultureel- en expositiecentrum, waar onder meer de geschiedenis van de stad goed in beeld is gebracht. Het dakterras biedt fraai uitzicht over het centrum van Curitiba.

Aan het **Praça Garibaldi** staan meerdere opvallende gebouwen, zoals de barokke Igreja do Rosário uit de 18de eeuw en de Societá Giuseppe Garibaldi de Beneficenza uit 1883, de sociëteit waar de Italiaanse immigranten samenkwamen. De bloemenklok op het plein is volgens Curitibanen de grootste van de wereld.

Aan de zuidkant van het plein, op de hoek met de Rua Kellers, is de **Fundação Cultural de Curitiba** gevestigd. Aan de noordkant, in het voormalige stadspaleis van industrieel Paulo França, op de hoek met de Rua Duque de Caxias, bevindt zich het cultureel centrum **Solar do Rosário**. In beide centra zijn wisselende exposities, lezingen en muziekoptredens. Bezoek de website voor actuele informatie: www.solardorosário.com.br.

Nog iets hoger ligt het **Praça João Cândido** met de ruïnes van de kapel van São Francisco de Paula (1805–1915). De Belvedere op het plein is begin 20ste eeuw aangelegd als theetuin, waar de bevolking kon genieten van een spectaculair uitzicht over de stad.

Het **Museu Paranaense**, eveneens aan dit plein, brengt de geschiedenis en de cultuur van de staat in beeld, te beginnen bij de oorspronkelijke bewoners: de Guarani en de Caigangues-indianen. Dat is tevens het meest boeiende deel van de collectie.

Dit fraaie stadspaleis is in de jaren '20 van de vorige eeuw gebouwd voor de rijke familie Garmatter, en is naderhand ook nog in gebruik geweest als zetel van het gouvernement van de staat Paraná.

ℹ MUSEU PARANAENSE. Rua Kellers 289. Geopend di.-vr. 9.30-17.30 en za.-zo. 11-15 uur. Entree R$ 3. Voor actuele informatie: www. pr.gov.br/museupr.

Ontmoetingsplaats voor de Arabische gemeenschap in Paraná is de moskee Al Imam Ali Ibn Abi Taleb, kortweg de **Moslimmoskee van Curitiba**, gebouwd in 1977 aan de Rua Kellers 383. De vijf minaretten staan symbool voor de vijf zuilen van de islam.

Vanaf hier keer je terug naar het moderne commerciële centrum. Loop bijvoorbeeld vanaf het Praça Garibaldi

door de Alameda Dr. Muricy naar de Rua das Flores (Rua 15 de Novembro) en de Avenida Luiz Xavier. Dit werd dus in 1972 het eerste voetgangersgebied in Brazilië. Met veel bloemen en bomen, met bankjes waarop je de krant kunt lezen, koffiebars en cafés heeft de straat meer weg van een langgerekt plein. De Boca Maldita (Avenida Luiz Xavier), afgebeeld door een grote haaienbek op straat, is zo'n plek waar Curitibanen tijdens de 'sociale uren' van de stad in geanimeerd gesprek zijn verwikkeld.

Het merendeel van de panden dateert uit het eind van de 19de en het begin van de 20ste eeuw, de hoogtijdagen van de industriële revolutie in Brazilië. Zo is het Palácio Avenida uit 1929, het eerste bouwwerk van gewapend beton, nog altijd een stralend middelpunt. Robuuster en strakker is het Edifício Garcez, lange tijd het hoogste bouwwerk van de stad. Op de hoek met de Rua Ébano Pereira staat een andere stille getuige uit vervlo-

De Ópera de Arame, een ontwerp van Jaime Lerner, architect, burgemeester, gouverneur; de man die de stad veranderde

gen tijden: de *bondinho*, de elektrische tram die door deze straat reed.

Aan het eind van de Avenida Luiz Xavier ligt het Praça General Osório., met de klok die de officiële tijd aangeeft.

Loop door het park, langs de straatkunstenaars en kooplieden, naar de Rua Visconde de Nacar, en vandaar naar de overdekte Rua 24 Horas. De winkels in deze winkelgalerij zijn inderdaad 24 uur per etmaal, 365 dagen in het jaar, open.

Vervolgens loop je naar het Praça Rui Barbosa, waar op woensdag en zaterdag een kunst- en antiekmarkt wordt gehouden. Vandaar ga je links de Rua Desembargador Westphalen in, naar het **Museu de Arte Contemporânea do Paraná**. Dit is het beste museum in Paraná op het gebied van de moderne kunst.

ℹ️ MUSEU DE ARTE CONTEMPORÂNEA DO PARANÁ. Geopend: ma.-vr. 10-19 uur. Actuele informatie: www.pr.gov.br@mat.

Andere bezienswaardigheden

Het **Centro Cívico** is een wijk waar zich het moderne bestuurscentrum van de stad en de staat Paraná bevindt. Het bestaat louter uit futuristische gebouwen, onder andere van Oscar Niemeyer. Deze wijk noordelijk van het centrum is het makkelijkst te bereiken vanaf het Praça Tiradentes via de Rua Barão do Cerro Azul en de Avenida Cândido de Abreu. Ongeveer halverwege rechts ligt het Praça 19 de Dezembro, met de sculptuur *Homem Nue* (Naakte Mens).

In het Centro Cívico kom je eerst langs het gemeentehuis. Links staan de parlementsgebouwen en op de

kop van de Avenida Cândido het **Palácio Iguaçu**, het gouverneurspaleis. Let op hoe mooi de werkkamer van de gouverneur, de enige kamer met balkon en vlaggenmast, precies op de as van de centrale avenida ligt. Op het plein voor het paleis heeft paus Paulus Johannes II op 6 juli 1980 de mis opgedragen. Een plaquette herinnert aan die gedenkwaardige gebeurtenis.

Links achter het paleis ligt het **Bosque do Papa**. Paus Johannes-Paulus II heeft het park geopend en er zijn een monument en een museum met onder andere karakteristieke Poolse huizen en kunstvoorwerpen ter nagedachtenis aan de Poolse immigranten in Curitiba.

Een absolute must is het **Museu Oscar Niemeyer**. Het opvallende bouwwerk met een reusachtig betonnen oog als entree, is in 1967 ontworpen door de grote bouwmeester zelf. Tot 2002 deed het gebouw dienst als onderwijsministerie van Paraná. Daarna is het omgevormd tot museum voor design, architectuur en stedenbouw.

ℹ️ MUSEU OSCAR NIEMEYER. Geopend di.-zo. 10-18 uur. Voor actuele informatie: www.pr.gov.br/mon.

Een halve kilometer naar het noorden staat de **Ópera de Arame**, een opmerkelijk bouwwerk van glas en staal, ont-

Museu Oscar Niemeyer, een nieuwe trekpleister in Curitiba

worpen door Jaime Lerner. Dit theater dat in 1992 is gereedgekomen, illustreert de ecologische visie van de architect (en oud-burgemeester).

ⓘ ÓPERA DE ARAME. Geopend: di.-zo. 8-22 uur.

Als je via de Avenida Cândido de Abreu terug naar het centrum gaat, kun je Shopping Mueller binnenwandelen. Dit winkelcentrum is gevestigd in een oude machinefabriek. Over recycling gesproken.

Parken

Een bezoek aan een van de parken hoort bij een bezoek aan Curitiba. De stadsparken zijn op zaterdag en zondag met speciale groene bussen met opschrift *proParque* te bereiken. De vertrekpunten zijn de Passeio Público en het Praça Rui Barbosa. Het **Passeio Público** is het oudste en grootste park in het stadscentrum. Sinds 1886 komen de Curitibanen hier om te ontspannen. Er is onder andere een kleine dierentuin.

ⓘ PASSEIO PÚBLICO. Geopend: ma. 12-18, di.-zo. 8-18 uur.

Andere aanbevelenswaardige parken zijn: Jardim Botânico, Parque Barigui (heel populair, met het grootste expositiegebouw van de stad en een automobielmuseum), Parque da Barreirinha (vooral lekker eten en drinken) en Parque Regional do Iguaçu (een immens ecologisch reservaat). De **Jardim Botânico** is in 1991 geopend en heeft een glazen paviljoen voor inheemse planten. Een goed voorbeeld van hoe ecologisch, sociaal en economisch werk samen kan gaan. Het onderhoud ervan wordt verricht door de kinderen van de favelas in de buurt.

ⓘ JARDIM BOTÂNICO. Geopend: dag. 8-20 uur.

DOOR DE BERGEN NAAR DE KUST

Curitiba vormt een goede uitvalsbasis voor dagtochten in Paraná en voor verdere reizen naar het zuiden.

Een avontuurlijke dagtrip is de treinrit met de Serra Verde Express door het grillige kustgebergte naar de havenstad Paranaguá.

Een alternatief is om met de auto over de BR-277 naar Paranaguá te rijden, grotendeels een goede vierbaansweg, en binnendoor terug te rijden over de oude weg, de **Estrada da Graciosa**. Deze weg is minstens zo'n huzarenstukje als de spoorbaan. Hij is gebouwd in 1873 voor het transport naar de kust en nu alleen nog in gebruik als toeristische route.

Vanaf Morretes gaat de weg langs gehuchtjes, waar ze honing en vruchtendrank verkopen, en dan de Serra do Mar in. Je zult nog nooit zoveel hortensia's bij elkaar hebben gezien als hier langs de weg staan. De schitterende kleuren van de bloemen zorgen in combinatie met het smaragdgroene woud voor een uniek decor; de naam van de weg is dus zeker geen overdrijving.

Op verschillende plaatsen zijn voorzieningen (tafel, bankjes, afvalbak) om te picknicken.

Morretes

De rivier Nhundiaquara was in de koloniale tijd de eerste vitale vaarweg van de kust naar het binnenland van Paraná. Morretes werd in 1721 gesticht aan de oever van deze rivier. Anderhalve eeuw later werd de Estrada da Graciosa aangelegd, en weer iets later kreeg het plaatsje een station aan de spoorlijn naar Curitiba. Daarmee is de bestaansbasis van Morretes geschetst: een pleisterplaats op de route tussen de kust en de belangrijkste stad van de regio.

SERRA VERDE EXPRESS

Het spoortraject dateert van 1885 en is ongeveer 110 km lang. De spoorbaan slingert zich langs groene berghellingen en watervallen, door tunnels en over ontelbare bruggen. Je stapt in op 900 m hoogte en komt terecht in de vochtige warmte van de kust van de Atlantische Oceaan. Er zijn twee treinen: een gewone en een speciaal voor toeristen, de *Litorina*. De laatste is luxer uitgevoerd, onder andere met airconditioning. Onderweg krijg je via een bandje in diverse talen informatie over de omgeving. Beide treinen vertrekken 's morgens vroeg en gaan 's middags terug. Een enkele reis duurt ongeveer drie uur. Er wordt gestopt om op mooie plekjes foto's te kunnen maken, maar tussenliggende stations worden niet aangedaan.

De Serra Verde Express brengt je door de bergen naar de kust van Paraná.

ⓘ SERRA VERDE EXPRESS. Vertrek vanuit Curitiba ma.-vr. 8.15; aankomst Morretes 11.15 uur (enkele reis R$ 49, kinderen R$ 35; de terugreis is 1/3 goedkoper). Je kunt daar met de bus verder naar Paranguá. Terugreis vanuit Morretes 15 uur. Op za., zo. en in de vakanties rijdt dezelfde trein wel door tot aan Paranaguá; aankomst 12.15 uur. De Litorina rijdt alleen in het weekend en de vakanties en tot aan Morretes; vertrek 9.15 uur vanuit Curitiba (enkele reis R$ 112, kinderen R$ 53). Voor actuele informatie en voor internetreservering: www.serraverdeexpress.com.br.

Met de moderne verbindingen van de laatste decennia is Morretes wat betreft handelsactiviteit in de vergetelheid geraakt. Het plaatsje heeft juist daardoor aan aantrekkelijkheid gewonnen. De straten en pleinen direct aan de rivier zijn afgesloten voor verkeer. De meeste gebouwen hebben een opknapbeurt gehad. Morretes is een stadje geworden waar het leven voortkabbelt.

De kerken São Benedito (1765), São Sebastião de Porto de Cima (1850) en Matriz de Nossa Senhora do Porto (1812) zijn een bezoek waard. Een opvallend gebouw is het **Casa Rocha Pombo**, met twee voorgevels: een aan de kant van de rivier, de ander aan de straatkant. Tegenwoordig is dit pand, genoemd naar de beroemde historicus uit dit stadje, in gebruik als expositieruimte. Er is onder meer een overzicht van Marumbi Park te zien, een beschermd gebied in het bergland, waar de Estrada da Graciosa doorheen gaat en waar wandel- en klimroutes zijn uitgezet.

Antonina

Vanuit Morretes gaat een bus naar Antonina, een ander historisch plaatsje dat herinnert aan de tijd van onderkoningen en goudzoekers.

Antonina is ontstaan in de tijd dat goudzoekers in de monding van de Nhundiaquara naar het gewilde edelmetaal zochten. In 1715 werd de eerste steen gelegd voor de Igreja Matriz de Nossa Senhora do Pilar, de belangrijkste kerk van Antonina.

Het historisch centrum van Antonina, rondom het centraal gelegen plein Praça Coronel Macedo, is nog niet zo lang geleden gerestaureerd.

De twee fonteinen die voor de watervoorziening van de stad zorgden, zijn opmerkelijke bouwwerken. De Fonte da Carioca, op het gelijknamige plein, deed dienst van 1867 tot het eind van de jaren dertig. Keizer Pedro ii zou er nog uit gedronken hebben.

Begin deze eeuw (1916) kreeg Antonina een station en werd een niet onbelangrijk havenstadje. Vooral de export van *mate*, een Braziliaanse theesoort, vond vanuit Antonina plaats. Het gebouwencomplex van Matarazzo aan de Avenida Conde Matarazzo getuigt van die bloeitijd. Onlangs is het station heropend als museum en expositieruimte. Tegenwoordig wordt de haven van Antonina onder andere gebruikt voor de aan- en afvoer van steenkool.

In de omgeving van Antonina is een aantal uitstekende recreatiegebieden. De Ponta da Pita, Ponte do Félix en Prainha, in de wijk Itapema, zijn populaire picknickplaatsen.

De Rio do Nunes is een water- en bosrijk gebied met *churrascarias* en een uitstekende camping. Ook de baai van Antonina biedt volop watersportmogelijkhe-

Aan de kade in Paranaguá liggen de boten naar de eilanden.

den, zowel op de oevers en de stranden van het vasteland, als op de eilanden ervoor (Ilha das Gamelas, Ilha Grande en Ilha da Pescada).
De Pico Paraná (1962 m) is het hoogste punt in de staat. Op 15 augustus wordt het stadsfeest, van Nossa Senhora do Pilar, gevierd.

Paranaguá

Dit is het oudste stadje van de staat Paraná en tegenwoordig een belangrijke haven in Zuid-Brazilië. Zeeschepen liggen voor de kade op hun lading te wachten en vrachtwagens met containers rijden af en aan. Het oude centrum van Paranaguá (1648) is nog altijd druk. De vervallen gevels en het verveloze houtwerk van de meeste gebouwen geven het plaatsje een doorleefde sfeer.

Stadswandeling

Wandel van het station naar de waterkant. Daar, aan de Rua da Praia, zijn de meeste koloniale bouwwerken te vinden. Aan het eind van de Avenida Arthur de Abreu bevindt zich een klein park met een buste van president Vargas, een geschenk van de lokale vakbond. Loop door naar de Rua 15 de Novembro; op de hoek staat de voormalige kerk São Francisco das Chagas. Het kerkgebouw uit 1741 doet nu dienst als theater: het Teatro da Ordem.
Ongeveer halverwege de hoofdstraat links, aan straatjes die aflopen naar de oever van de rivier, staat de **Mercado Municipal do Café**. In dit marktgebouw, een mengsel van art nouveau en classicisme, zijn souvenirwinkeltjes en restaurants gevestigd. De restaurants zijn gespecialiseerd in verse vis. Je kunt voor de lunch bijvoorbeeld kiezen uit heerlijke garnalenschotels en *barreada*.
Aan de Rua da Praia staat ook het nieuwe marktgebouw, uit 1982.

Het aardigste museum in Paranaguá is het **Museu de Arqueologia e Etnologia**. Dit museum aan de Rua General Carneiso is ondergebracht in een oude school van de jezuïeten uit 1755. Er zijn behalve indiaanse gebruiksvoorwerpen en volkskunst interessante gereedschappen en houten machines uit de koloniale en keizerlijke tijd te zien.
ⓘ MUSEU DE ARQUEOLOGIA E ETNOLOGIA.
Geopend: di-zo. 12-17 uur.

Aan het einde van de hoofdstraat ga je naar rechts; als je vervolgens doorloopt tot het Largo Monsenhor Celso, kom je bij de oudste kerk van het stadje: de Igreja de Nossa Senhora do Rosário (1578). Aan dit pleintje staat ook het Casa do Monsenhor Celso uit de 18de eeuw.
Je kunt via de Rua Faria Sobrinho teruglopen in de richting van het treinstation en nog even de Rua Visconde de Nácar inwandelen. Op nummer 728 staat het gelijknamige paleis uit 1856, dat tegenwoordig dienst doet als gemeentehuis.

Ilha do Mel

De noordkant van dit eiland is grotendeels een natuurreservaat waar bijna niemand komt. Je kunt wel te voet naar Praia da Fortaleza; ongeveer een uur wandelen vanuit Nova Brasília. Het fort, Fortaleza da Barra, stamt uit 1767 en is in opdracht van de Portugese koning Dom José gebouwd om de baai te beschermen. Iets verderop staan nog de fundamenten van een kanon uit de Tweede Wereldoorlog dat gebruikt werd in de strijd tegen de Duitse u-boten. In en rondom Nova Brasiliá wonen de meeste eilandbewoners en is overdag en 's avonds het meeste te doen. Op een half uur wandelen van het plaatsje staat de Farol das Conchas, de vuurtoren die Pedro II liet bouwen (1872) om de zeevaarders de baai in te loodsen.

SUPERAGÜI, UNIEK NATUURGEBIED VOOR DE KUST

Ilha do Mel trekt voor de kust van Paraná de meeste toeristen, maar wie de moeite neemt om even door te varen langs het Ilha das Peças naar het **Parque Nacional do Superagüi**, komt in een vrijwel maagdelijk natuurgebied. Het maakt deel uit van de ecologische zone langs de kust van de staten São Paulo en Paraná; een enorme delta met eilanden vol mangroven, uitgestrekte stranden waar nauwelijks iemand komt en een vrijwel ongestoorde natuur met onder meer aapjes, papagaaien en dolfijnen.

Sinds 1989 heeft het overgrote deel ervan de status van nationaal park. Dat deel is niet toegankelijk, maar aan de zuidkant, niet ver van Ilha do Mel dus, zijn enkele nederzettingen waar wandelroutes zijn uitgezet.
De bootjes die je ernaartoe brengen varen omzichtig om Ilha das Peças heen naar Barra de Superagüi, een vissersdorpje direct aan het strand. Het spectaculairst is de route die loopt achter de branding van de oceaan; rechts het opspattende zoute schuim en de rollende golven, links de oogverblindend witte stranden.
Enkele vissers van Barra hebben hun huisje uitgebreid of een nieuwe pousada voor bezoekers gebouwd. Meteen op het strand vind je een paar barretjes, die tegelijk restaurant en ontmoetingsplek zijn. Je leeft hier écht op het strand.

Het Parque Nacional do Superagüi is een waar paradijs.

Vanuit het dorp loopt een pad, de Trilha da Lagoa, dwars door de ruige mangrovebegroeiing (de witte en de rode), langs een lagune naar Praia Deserta, het verlaten strand aan de oceaan. Langs het strand kun je vervolgens teruglopen naar Barra. Zo'n tochtje kun je doen in een paar uur en als je geluk hebt, zie je fraaie orchideeën en felgekleurde papegaaitjes. De meest voorkomende papegaaiensoort hier is de roodkop, *Chauá* genoemd (*Amazona brasiliensis*). Zeemeeuwen, fregatvogels en andere zeeschuimers zijn er volop aan het strand.

De boten van het dorp staan ter beschikking (prijs wel van tevoren afspreken!) om het gebied tussen de eilanden te verkennen. Vooral in de vroege ochtend en namiddag kom je er spelende dolfijnen tegen en papegaaienpaartjes. De diepgroene kustlijn met op de voorgrond de mangroven en het kabbelende water vormt een spectaculair natuurdecor. Je kunt zover varen als je wilt, zelfs tot aan het stadje Guaraqueçaba op het vasteland, de grootste nederzetting in dit natuurgebied.

ⓘ SUPERAGÜI. Net als voor Ilha de Mel vetrekken de boten naar Barra de Superagüi vanuit de haven van Paranagúa. De website www.superagui.net geeft veel nuttige informatie over het nationaal park, de flora en de fauna.

Een van de wereldwonderen: de watervallen bij Iguaçu

De kleinere zuidkant van Ilha do Mel heeft een aantal fantastische stranden: do Farol, Grande, do Miguel, da Fora, dos Encantadas. Het laatste strand is vanwege de hoge golfslag geliefd bij surfers. Je bereikt Ilha do Mel met de boot vanuit Pontal do Sul.

De kust

Langs de hele kust van Pontal do Sul tot Matinhos loopt een breed strand waaraan verschillende badplaatsen liggen. Er zijn ruime mogelijkheden voor overnachting, van hotels tot campings. De beste stranden liggen ten zuiden van Praia de Leste: Monçôes, Gaivotas, Betaras, Saint Etienne en Flamingo. Ze halen het qua schoonheid niet bij de stranden van Ilha do Mel, maar ze zijn toch een stop waard.

Bij **Matinhos** wordt het strand onderbroken door rotsen. Het strand van Matinhos loopt over in dat van **Caiobá**. Langs de boulevard heeft zich een lang lint van appartementsgebouwen gevormd. Met name Caiobá is een favoriete plek bij de zonaanbidders. De

beste stranden zijn Brava, Mansa en Prainha.

Aan de schilderachtige **Baía de Guaratuba** liggen geïsoleerde stranden tussen de rotsen en de dichte begroeiing. Ze zijn niet altijd even makkelijk te bereiken.

Je hebt een prachtig beeld van de baai als je met de pont oversteekt van Caiobá naar Guaratuba, om vandaar eventueel verder te reizen naar het zuiden, richting Florianópolis.

Guaratuba is de oudste badplaats aan de kust van Paraná. De beste stranden zijn Caieiras, midden tussen de vissers, en Brejatuba. Er zijn hier veel mogelijkheden om goed te eten en te stappen.

Parque Estadual de Vila Velha

Ongeveer 90 km van Curitiba ligt aan de weg naar Foz do Iguaçu de 'exotische stenen stad' Vila Velha. Het zijn formaties van zandsteen die door de tand des tijds vreemde vormen hebben gekregen en als natuurlijke sculpturen in het landschap oprijzen. Ze vormen de belangrijkste attractie in het Parque Estadual de Vila Velha. Behalve de steenformaties biedt het park nog meer grillige natuurverschijnselen. Op 3 km van Vila Velha bevinden zich drie reuzenkraters met een diepte van 100 m. Het water heeft hier in de loop van honderden jaren een fantastisch grottenstelsel, de *furnas*, gevormd. De kraters zijn ongeveer voor de helft gevuld met water. Vandaar de bijnaam *Caldeirão do Inferno* (Beker van de hel). In Furna 1 is een lift gebouwd, die je 50 m naar beneden brengt. Op een drijvend vlot kun je vervolgens genieten van de prachtige vormen in de grotten, die nog eens benadrukt worden door de lichteffecten.

Verder is er een grote lagune: de Lagoa Dourada, zo genoemd vanwege het prachtige kleurenspel van de stralen van de ondergaande zon op het water. Het natuurpark beslaat een immens gebied van rond de 5000 km². Er zijn volop mogelijkheden voor ontspanning: speeltuinen, zwemwater, eetgelegenheden en een skelterbaan.

Toch moet je er rekening mee houden dat de afstanden groot zijn. Ook al is er een minitrein die je van de ene naar de andere rotsformatie brengt, je moet altijd nog aardig wat lopen.

Het park is het gemakkelijkst te bereiken vanuit de stad Ponta Grossa, op 26 km afstand. Deze stad is groot geworden door de veetransporten van Rio Grande do Sul naar São Paulo. Tegenwoordig staat Ponta Grossa bekend als de 'hoofdstad van de soja'. Een groot deel van de sojaproductie in Paraná wordt hier verwerkt en opgeslagen voor verder transport.

Ponta Grossa is een moderne, dynamische stad, ruim opgezet en met veel groen. Reisbureaus organiseren dagtochten naar het nationaal park Vila Velha.

ℹ PARQUE ESTADUAL DE VILA VELHA. Geopend: dag. 8-18 uur.

FOZ DO IGUAÇU

In het uiterste westen van Paraná ligt een van de wereldwonderen van Brazilië: de Cataratas do Iguaçu, de watervallen van de Iguaçu-rivier. *Iguaçu* is Guarani voor 'grote rivier'. Een toepasselijker naam kan niet bedacht worden voor de 275 watervallen die samen voor een ongeëvenaard natuurspektakel zorgen. Een tiental kilometers verder hebben de Brazilianen zelf een ander wonder gerealiseerd: de Itaipústuwdam in de rivier de Paraná. Lang was dit de grootste waterkrachtcentrale ter wereld.

Voor een bezoek aan deze attracties is Foz do Iguaçu de beste uitvalsbasis. In verband met de bouw van de stuwdam is het plaatsje zeer snel gegroeid. In 1960 woonden er nog geen 30.000 inwoners, nu 280.000. De stad gaat er prat op zo'n zestig nationaliteiten te herbergen. Een multicultureel centrum dus. Foz heeft goede verbindingen door de lucht en over de weg.

Cataratas do Iguaçu

Foz do Iguaçu ligt aan de monding van de Iguaçu, daar waar de rivier in de Paraná stroomt. Foz betekent 'monding'. Enkele kilometers voor dat punt stort het water van de rivier zich vanaf het hoogland over een breedte van 3 km naar beneden het dal van de Paraná in. De gemiddelde hoogte van deze watervallen, de Cataratas do Iguaçu, bedraagt 65 m. Ze zijn weliswaar niet de hoogste maar wel de breedste ter wereld.

De rivier vormt in dit gebied de grens tussen Brazilië en Argentinië, wat betekent dat de watervallen een Braziliaanse en een Argentijnse kant hebben. Aan beide kanten is een nationaal park gevormd; in Brazilië is dat het Parque Nacional do Iguaçu.

Aan de Braziliaanse kant is het zicht op de watervallen het mooist. Vooral de

DE WATERVALLEN AAN DE ARGENTIJNSE KANT

Een bezoek aan de watervallen aan de Argentijnse kant bestaat doorgaans uit drie delen.
Het handigste is om eerst met de **Tren de la Selva** naar de Garganta del
Diablo te gaan. Vanaf het centraal station bij het bezoekerscentrum vertrekt deze om de drie kwartier. Een ritje duurt 20-25 minuten. Voor het
totale bezoek aan de Strot van de Duivel moet je twee uur rekenen.
De trein van Engelse makelij gaat langs de weelderige begroeiing in het
nationaal park. Hier begint het verhaal van de gids al: over de vele soorten bamboe, de cederbomen, de vruchten, de vogels en de vlinders.

Via een stevige, ijzeren catwalk van ongeveer een kilometer lengte loop
je over de snelstromende Iguazú. De gemiddelde diepte van de rivier is
hier nog niet eens zo opmerkelijk, zo'n twee meter. Wel valt de stroming
op. Bij normale regenval stroomt hier zo'n 1700 m^3 per seconde langs.
Hoe groot de kracht van de rivier is, moge blijken uit de overblijfselen
van eerdere loopbruggen, die in de jaren zeventig en tachtig zijn gebouwd, en helemaal kapot zijn geslagen. De nieuwe catwalk waarover
je nu loopt is in november 2002 geopend. Naarmate je verder loopt,
nemen de wolken condens en het zware geruis van het neerstortende
water heftigere vormen aan. Het uitkijkpunt biedt een adembenemend
schouwspel. Met een oorverdovend kabaal en gigantische waterwolken
dondert de rivier **de Strot van de Duivel** in. Als de wind niet sterk is en
het water je het zicht niet beneemt, zie je aan de overkant Brazilië liggen met als oriëntatiepunt de Posada das Cataratas, het luxe hotel in
koloniale stijl. De ervaring om zo dicht bij dit natuurgeweld te staan is
geweldig. Voor fraaie plaatjes moet het maar net goed uitkomen.
Als je even moet wachten bij het station is het schouwspel van de
Boyero cacique (*Cacicus haemorrhous*) aardig om te bekijken. Deze
zwarte vogels, met rode rug en gele snavel hebben de boom bij het drukste plekje in dit park uitgekozen om hun nesten te bouwen en jongen
groot te brengen. Hier zijn ze namelijk veilig voor hun natuurlijke vijand
de toekan, die juist ver weg van de drukte blijft. Ook groeien er op deze
plek diverse bamboesoorten en varens.

Neem vervolgens het treintje terug naar station Cataratas om naar
het tweede complex watervallen te gaan. Deze route heet het **Circuito
Superior**, de bovenste wandelroute, en je moet er ruim een uur voor
uittrekken. De balkons bieden vanuit wisselend perspectief een blik op
de watervallen. Bij de twee grote watervallen Ramirez en Bozetti heb je
een breed panorama van vrijwel de hele formatie, met het eiland **San
Martín** ervoor en de begroeiing. Dit is zonder twijfel een van de mooiste

plekjes aan de Argentijnse kant van de watervallen. De eerstvolgende watervallen zijn genoemd naar president Ramirez, die er in 1934 voor zorgde dat het nationaal park werd ingesteld, en Carlos Bozetti, een Italiaanse ondernemer en avonturier die de watervallen in 1882 herontdekte en ervoor zorgde dat ze nooit meer werden vergeten. Hem zijn de Argentijnen veel dankbaarheid verschuldigd, omdat hij het gebied inmiddels zo goed kende en de regering er dus voor kon waken dat de grens tussen Brazilië en Argentinië niet over het Isla San Martín werd getrokken – zoals de Brazilianen wilden – maar bij de Garganta del Diablo. Zodoende ligt driekwart van de watervallen nu op Argentijns grondgebied.

De route voert verder, onder meer langs de watervallen Adam en Eva, en komt uit bij de grootste val aan deze kant van de rivier. Ook hier is het water bijna met de hand aan te raken. Je hebt een fraai compleet beeld van het Isla San Martín, waar enkele scènes van de film *The Mission*, met Robert de Niro in de hoofdrol, zijn opgenomen.

De naam **Circuito Inferior** heeft alleen met de lagere ligging te maken en absoluut niets met de inferieure kwaliteit van de panorama's. Die zijn hier niet mis. Tijdens de wandeling van ruim een uur kom je langs balkons die een beeld geven van zowel de Garganta del Diablo als de andere watervallen in de rivier. Op de lage balkons, vrijwel tegen de watervallen aan, sta je oog in oog met de watermassa die als een zondvloed op je afkomt.

De lagere route ligt fraai tussen de tropische begroeiing. Leguanen, salamanders, af en toe een coati en overal vlinders, die soms zo tam zijn dat ze op je hand komen zitten. Boven de watervallen cirkelen roofvogels. Tegen het einde van de middag, als de zon laag staat, bestaat vooral vanaf deze plek een grote kans op een regenboog in de nevel van de lage watervallen.

Als onderdeel van deze lagere wandelroute kun je een boottocht maken op de rivier. Er loopt een pad tot aan de rivier. Hier krijg je een zwemvest uitgereikt (waterdichte kleding eventueel zelf meenemen). De snelle boten brengen je tot vlak onder de watervallen, zelfs tot in de Strot van de Duivel. De sensatie is optimaal als de boot even onder een vlaag water terechtkomt en iedereen in de boot in één klap doorweekt is.

ⓘ PARQUE NACIONAL IGUAZÚ, aan de Argentijnse kant dus, is dagelijks geopend van 8-19 uur (in de wintermaanden sluit het om 18 uur) en kost 18 Argentijnse pesos, omgerekend ongeveer € 6. Het handigste is om een excursie van een dag te boeken; dat kan bij alle reisbureautjes in Foz. Kijk op www.iguazuargentina.com voor meer informatie.

Met de boot naar Isla San Martín is een spectaculaire ervaring.

Garganta do Diabo (Duivelskeel), een complex van vijftien watervallen, is aan deze kant goed te zien. Per lift of via loopbruggen word je naar de mooiste panorama's geleid. Enorme witte wolken spuiten omhoog en donderend geraas markeert de plaats waar de watermassa naar beneden stort. De watervallen van de Garganta do Diabo zijn met 90 m de hoogste.

In de rivier beneden kun je goed **Ilha São Martin** zien liggen. Dit eiland is alleen te bereiken vanaf de Argentijnse kant. Vanaf de rotsen op dit eiland sta je oog in oog met het water. Ilha São Martin is als locatie gebruikt in de film *The Mission*, met in de hoofdrol Robert de Niro. De lokale gidsen weten veel te vertellen over de productie van die film, die hier enkele weken in beslag nam.

Spectaculair is het beeld van de watervallen vanuit de lucht per helikopter. Je kunt een rondvlucht maken over de watervallen met of zonder de Itaipú-stuwdam.

Wie een indruk wil krijgen van de rijke flora en fauna in dit gebied, moet zeer zeker in het **Parque Nacional do Iguaçu** een safari maken.

De Macuco Safari brengt je bijvoorbeeld met een jeep door het woud naar de oever van de rivier. Vandaar ga je vervolgens met een boot naar de schilderachtige Salto do Macuco. Met een andere speciale boot breng je een bezoek aan de canyon, die in de loop van duizenden jaren door de Iguaçu is gevormd. De duur van zo'n trip is twee uur.

Andere mogelijkheden zijn: een ecologische dagtocht in het park met uitvoerig aandacht voor de vogels, een bezoek aan de Macuco-waterval en Porto Bertoni. Moisés Santiago Bertoni, geboren in Zwitserland, was de eerste wetenschapper die een studie maakte van de rijke natuur in dit gebied. Van 1890 tot zijn dood in 1929 runde hij een onderzoekscentrum in de jungle van Paraguay. Onder deskundige leiding wordt een bezoek gebracht aan de nederzetting, die nog steeds intact is, met de bibliotheek, de drukkerij en het laboratorium van Bertioga.

Zonder problemen is de Argentijnse kant

te bezoeken. Daar kun je dichter bij een deel van de watervallen komen. Je staat vlak bij de plaats waar de bedrieglijk rustige rivier plotseling ophoudt en het water naar beneden stort. Ook beneden kun je veel dichter bij de watervallen komen. Je kunt op bepaalde plekken zelfs zwemmen.

Van deze kant is het eiland San Martin, zoals daar de naam is, te bezoeken en te beklimmen. In het hoogseizoen (dec.–feb.) kunnen de wachttijden voor de boten lang zijn.

De beste tijd om de watervallen van Iguaçu te bezoeken zijn juist in de Braziliaanse zomer, omdat dan het waterpeil in de rivier het hoogst is. Je moet de drukte en de hitte wel op de koop toe nemen. Voor foto's is, in verband met de stand van de zon, 's morgens vroeg de Braziliaanse en in de namiddag de Argentijnse kant het mooist.

ITAIPÚ-STUWDAM

Om in de energiebehoefte van een groot deel van Zuid-Brazilië te voorzien, begonnen de militairen in de jaren zeventig aan de bouw van de grootste dam ter wereld.

Aangezien de dam in de Paraná moest komen, werd het hele project een gezamenlijk initiatief van Brazilië en Paraguay. Dat leverde weinig problemen op want ook in Paraguay was een generaal aan het bewind die wel wat zag in zo'n mammoetproject: Alfredo Stroessner.

De naam *itaipú* kwam van de lokale indianen, die de rots midden in de rivier zo noemden omdat die 'zong in het stromende water'. Voor de bouw en het beheer van het damcomplex en de elektriciteitsinstallaties werd in 1973 de *Itaipú Binacional* opgericht. De Braziliaanse en de Paraguayaanse overheid nemen ieder voor de helft deel aan het project en hebben in principe recht op de helft van de geproduceerde energie. Brazilië neemt echter 95 procent van de energie af en betaalt Paraguay voor het verschil van 45 procent.

De bouw van de stuwdam was een huzarenstukje en heeft in totaal zo'n 10 miljard dollar gekost. Op de plaats van de dam is de rivier 400 m breed en op het diepste punt 60 m diep. Om de bedding droog te krijgen, moest een apart kanaal van 2 km lengte in de rotsen worden uitgehakt. De bouw van de dam begon in 1975 en werd voltooid in oktober 1982. Toen zakten twaalf reusachtige schuiven hydraulisch tot op de bodem van het afvoerkanaal. Met de operatie, die nog geen 8 minuten in beslag nam, was de rivier afgesloten. Twee weken later was het waterpeil achter de dam al 100 m hoger en begon het water door de spuigaten te stromen. In 1984 werd de eerste turbine in werking gesteld.

Het is prachtig om te zien hoe het water met een grote boog uit de gaten spuit. Maar minstens zo indrukwekkend is de omvang van het bouwwerk. Het hoogste punt van de dam bevindt zich op 225 m boven de rivierbedding. Het hele complex is vergelijkbaar met een flatgebouw van 75 verdiepingen hoog en 1 km breed. Immense turbines, 18 in totaal, produceren 12,6 miljoen kWh. Vanaf Foz en via transmissiestations wordt de stroom honderden kilometers ver naar de consumenten gebracht. Tien deelstaten, waaronder São Paulo, Rio de Janeiro, Minas Gerais, Mato Grosso en de drie zuidelijke staten, in totaal 70 procent van alle Brazilianen, zouden volgens de cijfers elektriciteit van Itaipú krijgen.

Bij een bezoek aan de dam en de elektriciteitscentrale vliegen de superlatieven en getallen je om de oren, de Brazilianen zijn er zichtbaar trots op. Ongeveer 80 procent van alle elektrische en mechanische onderdelen in de dam en de centrale is in het land zelf gemaakt.

Bezoeken aan de stuwdam en de elektriciteitscentrale vinden georganiseerd plaats. Je moet je daarvoor melden bij de hoofdingang van Itaipú Binacional, het kantoor van de Setor de Relações Públicas. Er wordt dan eerst een film vertoond over de bouw en de betekenis van Itaipú. Daarna maak je onder leiding van een gids een rondleiding.

ⓘ ITAIPÚ-STUWDAM. Rondleidingen: ma.-za. om 8, 9, 10, 14, 15 en 15.30 uur.

Musea

Niet ver van de hoofdingang van het damcomplex staat het **Ecomuseu de Itaipú** aan de Avenida Tancredo Neves, 6 km van Foz. In dit museum is veel aandacht voor de natuurlijke omgeving van het project en de inheemse bevolking. Al meer dan tien jaar wordt er onder de hoede van de Binacional uitgebreid onderzoek gedaan naar de planten- en diersoorten in het gebied. Er loopt een programma om dieren die door de werkzaamheden aan de dam zijn verdreven naar het gebied terug te brengen. Voor de oevers van het immense meer is een beheersplan gemaakt. In het museum krijg je een aardig beeld van deze activiteiten aan de hand van permanente en wisselende exposities. Er zijn een aquarium en een grote kas met alle planten en bloemen uit het gebied. Dit is een van de weinige musea in Brazilië waar speciaal aandacht aan de jeugdige bezoekers wordt gegeven.

ⓘ ECOMUSEU. Geopend: ma. en zo. 14-17, di.-za. 8,30-11.30 en 14-17.30 uur.

Andere uitstapjes

De Ponte Internacional da Amizade over de Paraná is het symbool van de goede relaties tussen Brazilië en Paraguay. Aan de overkant ligt **Ciudad del Este**, het voor-

malig Puerto Stroessner, genoemd naar de vroegere dictator. De stad leeft van het grenstoerisme. Direct achter de brug puilen de straten uit van de koopwaar, van elektronica tot leren sandalen. De winkels zijn vooral van Aziaten, de straat vooral van de indianen. Het is aardig om de totaal andere sfeer in Paraguay te proeven. Met Argentinië is Brazilië verbonden door de Ponte Internacional Tancredo Neves over de Iguaçu. Het Argentijnse Ciudad Puerto Iguazu is minder spectaculair dan Ciudad del Este.

Met de boot kun je naar het drielandenpunt, het **Marco das Três Fronteiras**, waar de Iguaçu en Paraná samenvloeien. De boten vertrekken vanaf Porto Meira, 9 km van Foz aan de Iguaçu.

ⓘ MARCO DAS TRÊS FRONTEIRAS. Vertrek van de boten 8-18 uur.

Verder zijn er tal van mogelijkheden voor ontspannen tochtjes, zoals vissen op het Lago de Itaipú en een bezoek aan enkele *fazendas*.

JOINVILLE

Ruim 40 km van de grens met de deelstaat Paraná ligt Joinville, ook wel de Cidade das Flores (Stad van de Bloemen) genoemd. Direct aan de snelweg BR-101, die Curitiba met Florianópolis verbindt, markeert een grote molen de plaats waar Joinville begint. *Chopp* (bier) staat er met grote letters op de molen geschreven; het kan niet missen.

Geschiedenis

Het verhaal van Joinville begint in 1843 als prinses Francisca Carolina, dochter van Pedro I, trouwt met Ferdinand Philipe, prins van Joinville en zoon van de Franse burgerkoning Louis-Philippe. Zij krijgen een stuk grond op de plek waar nu onder andere de stad Joinville ligt. De geschiedenis van de stad begint als een deel van

BOLSHOI-THEATERSCHOOL IN JOINVILLE

Voor het eerst in zijn bestaan opende het wereldberoemde Russische balletinstituut Bolshoi in 2000 een buitenlandse dependance. En het was niet in Washington, Tokyo, Rio de Janeiro of São Paulo, die ook allemaal in de race waren; het was de provinciestad Joinville die de primeur kreeg. Vermoedelijk heeft de naam en faam van het jaarlijkse internationale dansfestival in deze stad een grote rol gespeeld, en hielp de persoonlijke betrokkenheid van de eerste directeur Jô Braska Negrão ook een beetje. Haar schoonvader was Luis Carlos Prestes, meer dan een halve eeuw de leider van de Braziliaanse communistische partij. Hoe het ook zij, Joinville is apetrots dit instituut van wereldnaam te hebben binnengehaald.

Uit meer dan 100.000 dansende kinderen in de leeftijd 9-11 jaar in de deelstaat Santa Catarina, worden jaarlijks de meest talentvolle gekozen. Zij krijgen gezelschap van enkele tientallen 'toppertjes' uit de rest van Brazilië en de buurlanden. Op 5 procent na krijgen alle studenten een beurs voor de studie, het eten, de kleding en reizen. Bolshoi in Joinville geldt nu al als het mooiste instituut voor sociale stijging voor Braziliaanse kinderen uit de lagere inkomensgroepen. Sommige ouders richten hun hele dagelijkse bestaan erop in en verhuizen zelfs naar deze stad.

Het enthousiasme op de school, bij zowel de kinderen als de docenten, is aanstekelijk, de uitstraling enorm. En het wordt nog mooier: Oscar Niemeyer heeft voor de school en het theater een nieuw complex ontworpen, tegen de groene heuvels van de Morro do Boa Vista, net buiten de stad. Het moet een toonaangevend cultuurinstituut voor heel Latijns-Amerika worden.

ℹ️ ESCOLA BOLSHOI BRASIL. Iedere vrijdag is de school open voor bezoek, van 9-17 uur. Er is een klein museum. Kijk op www.escolabolshoi.com.br.

Dansles in de Braziliaanse dependance van het vermaarde Bolshoi Theater

het gebied door de prins verkocht wordt aan een reder uit Hamburg. Die zorgt er samen met een kolonistenvereniging in die Duitse stad voor dat op 9 maart 1851 de eerste Duitse, Zwitserse en Noorse kolonisten hier aankomen. In 1852 krijgt de nederzetting haar huidige naam, als eerbetoon aan de vorst die de kolonisatie mogelijk maakte.

Het begin was moeilijk, omdat er geen infrastructuur was en de Europeanen niet bekend waren met de mogelijkheden en beperkingen van de bodem en het klimaat. Maar na verloop van tijd bloeide het stadje op. In de omgeving kwamen suikerriet- en rijstplantages tot ontwikkeling. In het stadje verschenen de eerste fabrieken en Joinville werd langzaam een industrieel centrum met fabrieken voor metaalproducten, tricotage en voedingsmiddelen.

De stad telt tegenwoordig 450.000 inwoners en is ook bekend als handelscentrum en als bloemencentrum. Joinville is een grote stad, waar het verleden nog heel sterk voortleeft in de tradities, de festivals en in het uiterlijk van sommige bouwwerken.

Bezienswaardigheden

Het centrum van Joinville is in de loop der tijd gemoderniseerd. Toch heeft de stad, in tegenstelling tot veel andere grote steden in Brazilië, haar identiteit en beslotenheid kunnen vasthouden. Oude gebouwen zijn gerestaureerd en er zijn veel openbare ruimten.

Op de hoek van de Rua das Palmeiras en de Rua do Príncipe, de hoofdstraat, staan twee markante huizen uit het begin van de eeuw: de Farmácia Mináncora en Casa Richlina. De Rua das Palmeiras

(Palmenstraat) met aan weerszijden keizerlijke palmen en bloembedden met azalea's, geraniums en orchideeën is de mooiste illustratie van de band die de stad heeft met bloemen en planten.

Aan het eind van de straat staat een monumentaal gebouw, het Palácio dos Príncipes, waar sinds 1957 het **Museu Nacional de Imigração e Colonização** is gevestigd. Dit museum vertelt de geschiedenis van de kolonisatie van Joinville. Er zijn interessante documenten te zien, zoals de verkoopakte van de grond en de eerste kaart van het gebied. Verder bevinden er zich veel meubels en gebruiksvoorwerpen

Joinville, Museu Nacional de Imigração e Colonização

van vroeger; onder andere een prachtige gobelin uit 1922 met een afbeelding van de eerste eeuwviering van de Braziliaanse onafhankelijkheid.

ℹ MUSEU NACIONAL DE IMIGRAÇÃO E CO-LONIZAÇÃO. Geopend: di.-vr. 9-17, za., zo. en feestdag. 11-17 uur.

Het Praça Nereu Ramos is een belangrijke ontmoetingsplaats in de stad. Confeitaria Prestígio is een goede plek voor koffie en kaastaart, de specialiteit van het huis.

Steek de Avenida Juscelino Kubitschek over en loop de Rua Visconde de Taunay in, dan kom je bij Lojão Casa Hirt. Moderne en koloniale architectuur staan hier harmonieus bij elkaar. In deze straat zijn ook twee zaken met tal van lekkernijen: Confeitaria xv en Sorveitaria Bariloche.

Op het Praça da Bandeira (Plein van de Nationale Vlag) wappert de nationale vlag aan een mast van 47 m hoog. Ernaast staat het Monumento ao Migrante.

Het Praça Dario Salles is met z'n waterpartijen het mooiste park van de stad.

Iets verderop staat een ander belangrijk museum van Joinville, het **Museu Arqueológico de Sambaqui**. In de collectie bevinden zich voorwerpen uit de Braziliaanse prehistorie, waaronder keramiek en beenderen van de Sambaquis, een indianenvolk dat duizenden jaren geleden in de omgeving van Joinville woonde.

ℹ MUSEU ARQUEOLÓGICO DO SAMBAQUI. Geopend di.-vr. 9-17, za.-zo. 14-18 uur.

Wie nog meer wil zien van de kolonisatiegeschiedenis van Joinville moet doorlopen en een bezoek brengen aan het **Arquivo Histórico** (Rua Rio de Janeiro), dat een archief heeft met zeer veel geschriften (ca. 50.000 kilo papier) over de eerste bewoners en belangwekkende gebeurtenissen in Joinville: documenten, registers, kranten.

In het Casa da Memória (Rua 15 de Novembro 978) zijn ook documenten uit de beginjaren van Joinville te bezichtigen. Op het Cimitério do Imigrante ernaast rusten de eerste bewoners van de stad.

Joinville heeft nog enkele andere musea op cultuurgebied, zoals het Museu Fritz Alt, gewijd aan een lokale beeldhouwer en het Museu de Arte, gevestigd in een koloniaal huis uit 1864, met permanente en wisselende tentoonstellingen.

In de omgeving van de stad staan talrijke authentieke huizen, kerken en andere gebouwen uit de tijd van de kolonisten, met de karakteristieke daken, vakwerk en veranda's.

Festiviteiten

Grote bekendheid, nationaal en internationaal, geniet het Festival de Dança de Joinville dat in de tweede helft van juli plaatsvindt. Duizenden dansers uit heel Brazilië komen dan samen voor ballet, moderne dans, cursussen en workshops. Op 9 maart worden de Festejos de Joinville gehouden, waarbij de culturele en historische wortels van de stad centraal staan. Traditioneel is het bierfeest in oktober. In november wordt het Festa das Flores gehouden. Verder zijn er jaarlijks exposities van land- en tuinbouwproducten, keramiek, ambachten en textielproducten.

BLUMENAU

Bekender dan Joinville maar minder interessant is Blumenau. Deze stad (290.000 inw.) ligt 100 km zuidelijk van Joinville in de vallei van de Itajaí. In de hele vallei zijn de sporen van de Europese kolonisatie goed zichtbaar, waarvan Blumenau het mooiste voorbeeld is. Veel gebouwen hebben karakteristieke vakwerkgevels en puntdaken; de namen verwijzen naar Duitse of Zwitserse voorouders. Voor een kort bezoek is Blumenau zeker de moeite waard. Het is een toeristisch plaatsje, waar

Bier is onlosmakelijk verbonden met de cultuur in Blumenau.

menau weergegeven aan de hand van foto's, documenten en voorwerpen, zoals de muziekinstrumenten waar de Duitse immigranten zich mee vermaakten. Er zijn speciale zalen ingericht over de industrialisatie en de ontwikkeling van het transport en de communicatie in de regio. Vooral de totstandkoming van de voor de regio belangrijke spoorwegverbinding Itajaí–Blumenau is zeer interessant in het museum weergegeven.

ⓘ MUSEU HISTÓRICO DA FAMÍLIA COLONIAL. Geopend: di.-vr. 8-11.30 en 13.30-17.45, za. 8.30-12 uur.

de bezoekers op bepaalde tijdstippen van de dag en in het seizoen vrijwel de hele dag het straatbeeld bepalen. De terrassen, bierhallen en bierkelders puilen dan uit. Erg druk is het tijdens het Oktoberfest. In de stad zijn dan geen kamers meer te krijgen.

Verder is eigenlijk alleen het **Museu Histórico da Família Colonial** interessant. Het museum is opgezet door de Fundação Dr. Blumenau, de stichting die hoedt over het erfgoed van de stad en de naam heeft van de oprichter. In 1950, tijdens de eeuwviering van de stad, ontstond het idee om een museum voor dit doel op te richten. De collectie bestaat uit meubels, servies en andere eigendommen van de Blumenau's en Gaertners. De laatsten woonden oorspronkelijk in het huis. Daarnaast is de ontwikkeling van Blu-

De omgeving van Blumenau biedt goede wandelmogelijkheden. Er liggen twee natuurparken in de buurt. **Parque Ecológico Spitzkopf** (15 km van de stad) heeft wandelroutes langs watervallen, stroompjes en meren. De Ponte da Ponta Aguda (936 m) kan beklommen worden.

In het **Parque Ecológico Artex** worden onder leiding van een gids wandelingen door het Atlantische woud verzorgd.

POMERODE

Voor wie meer kennis wil nemen van met name de Duitse immigratiegeschiedenis in dit gebied is een bezoek aan Pomerode een aanrader. Dit plaatsje op 27 km van Blumenau is namelijk de meest Duitse nederzetting in Brazilië. In 1868 streek het echtpaar Friedrich en Henriette Weege uit Pommeren hier neer met hun kinderen. Voor hen was het een vruchtbaar gebied, want niet alleen kwamen er nog veel nako-

Welkom in 'Duits' Brazilië, een traditioneel restaurant in Pomerode!

melingen, ook werd de basis gelegd voor een winstgevende firma in de voedselproductie. Het huisje van Carl Weege, een van de zonen, is nog in oude staat te bezichtigen, met de meubels, gebruiksvoorwerpen, kleding en familiefoto's. In een apart gebouw staat de eerste molen waar voor de hele regio graan werd gemalen.

Het **Casa do Imigrante Carl Weege** staat, hoe kan het anders, aan de Rua Frederico Weege en is geopend di.–zo. van 9–12 en 13–17 uur.

Pomerode bestaat uit niet meer dan een paar straten, met vakwerkgevels. Ook in de omgeving staan volop authentieke boerderijen, die je het idee geven ergens in het Zwarte Woud te zijn. Er is een route uitgezet van zo'n 16 km langs deze monumentale gebouwen, in de zogenaamde Vale Europeu. Het is veel minder druk dan in Blumenau, behalve dan wanneer van 13–22 januari het **Festa Pomerana** wordt gevierd, met dansfestiviteiten, markt, muziekoptredens en cursussen. Ook het **Winterfest** in juli trekt

veel Brazilianen aan, die blijkbaar gek zijn op de Duitse sfeer en de historische achtergrond.

Bij de entree van het plaatsje staat een opvallende poort, met daarin het toeristenbureau. Daar is een plattegrond van het plaatsje, met bezienswaardigheden, *pousadas* en chalets om te eten en te overnachten, en natuurlijk de onmisbare *confeitarias*.

SERRA CATARINENSE

De hoogste bergtoppen in Zuid-Brazilië liggen in de Serra Catarinense. Op zo'n drie uur rijden van Florianópolis zit je in het hoogland van Santa Catarina. De twee plaatsjes Urubici en São Joaquim gaan er prat op de enige plaatsen in het land te zijn waar af en toe sneeuw valt. In menig restaurant of pousada tref je op de wand foto's aan van een wit landschap en sneeuwpret.

Voor de mooiste panorama's moet je aan de oostkant van het gebergte zijn, waar de scherpe rotskammen boven de boomgrens contrasteren met het weel-

De Serra Catarinense, met uitzicht over de kustvlakte

derige groene woud tegen de berghellingen. Er zijn drie van die plekken waar je je kunt vergapen aan de machtige natuurkrachten die dit landschap hebben gevormd.

De **Serra de Rio Rastro** bevindt zich op weg naar São Joaquim, vanuit Florianópolis en Imbituba. Een 15 km lange weg met haarspeldbochten brengt je naar boven.

Dichter bij Urubici (zo'n 30 km van het plaatsje) ligt de **Serra do Corvo Branco**, met meerdere uitzichtpunten en diverse wandelroutes. Een fantastisch gebied voor wandelaars.

De allerhoogste berg is de **Morra da Igreja** (1822 m hoog, op 25 km van Urubici), waar een luchtmachtbasis is gevestigd.

Een groot deel van het bergland tussen Urubici en São Joaquim behoort tot het Parque Nacional de São Joaquim. Er zijn wandelroutes uitgezet, je kunt er paardrijden en genieten van de plaatselijke lekkernijen zoals *queijo mel*, een kaas met honing vermengd, salami en zelfgemaakte confiture. Dit gebied is verder bekend om de appelproductie (*maças*). De karakteristieke boomsoort is de araucaria, die vanuit de verte lijkt op een sierlijke parasol. Op de stam groeien vaak orchideeën.

Vanwege de gauchotraditie is altijd in het weekend wel ergens een rodeo, met eten, drank en dansen.

ⓘ SERRA CATARINENSE. Informatie: www.serracatarinense.com; www.urubici-sc.com.br; www.portaldailha.com.br/saojoaquim.

De kust

Itajaí en Balneário de Camboriú zijn grote badplaatsen langs de kust van Santa Catarina. De zuidelijke stranden van **Itajaí** zijn het best. Vooral Praia de Cabeçudas en Praia dos Amores, respectievelijk 6 en 7 km van het centrum zijn rustig en schitterend gelegen. Er worden helaas op steeds meer plekken vakantiehuizen gebouwd.

Het iets onder Itajaí gelegen **Camboriú** maakt een spectaculaire groei door als badplaats voor rijke *paulistas* en Argentijnen.

Ten zuiden van Florianópolis zijn Garopaba en het koloniale plaatsje Laguna de beste badplaatsen. Garopaba is een goede plaats om te kamperen.

FLORIANÓPOLIS

De hoofdstad van de deelstaat Santa Catarina, Florianópolis, is gesticht in 1726. Het gebied rondom de stad, het eiland Santa Catarina en de kustlijn van het vasteland, maakte in die tijd een turbulente periode door. De Portugezen waren met de kolonisatie begonnen, nadat er in de 16de en vooral de 17de eeuw tal van invasies van andere Europese naties hadden plaatsgevonden. In februari 1777 veroverden Spaanse troepen het eiland, maar in oktober van dat jaar werd er een verdrag tussen Spanje en Portugal getekend, waarbij het eiland definitief aan de Portugezen toeviel. In de 19de eeuw werd de basis gelegd voor de economische ontwikkeling door de komst van de Europese immigranten. In 1894 kreeg de stad haar huidige naam, als eerbetoon aan maarschalk Floriano

Peixoto, president en voornaam politicus in de eerste jaren na de val van het keizerrijk.

Florianópolis (400.000 inw.) ligt voor het grootste deel op het eiland. Door de urbanisatie van de laatste halve eeuw is de groei op het vasteland vooral sterk geweest. Aan de belangrijke toegangswegen liggen zowel bedrijfsterreinen als *favelas*. De oudste brug is de markante stalen Ponte Hercílio Luz uit 1926. Twee nieuwe bruggen zijn tegenwoordig de belangrijkste verkeersaders over het water en geven op het eiland aansluiting op de rondweg die rondom de stad is aangelegd.

Florianópolis is een levendige stad, met een klein historisch centrum. De vestiging van de Universidade Federal de Santa Catarina zorgt voor een redelijk cultureel leven, maar de grootste drukte komt van het toerisme.

De laatste jaren vestigen veel paulistas zich in Florianópolis, vanwege de relaxte sfeer, de lagere kosten voor een goed appartement en vooral de grotere veiligheid in vergelijking met São Paulo. Doordeweeks

De gauchotraditie is sterk in Santa Catarina, ieder weekend is er wel ergens een rodeo.

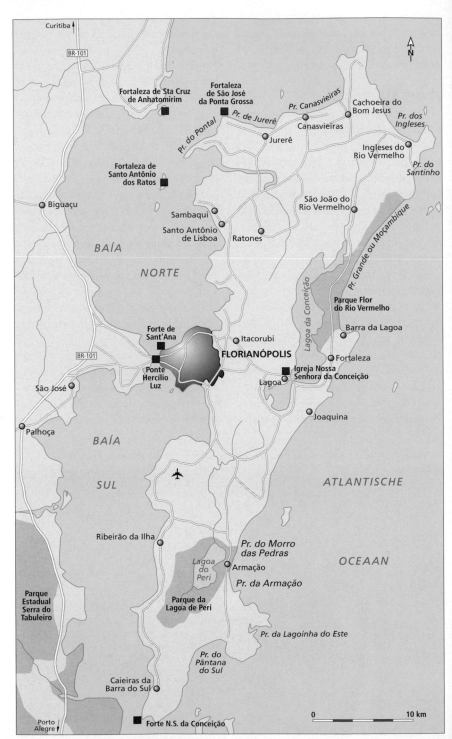

Ilha de Santa Catarina (Florianópolis)

zitten de vliegtuigen tussen de twee steden vol met forensen. Je ziet ook aan de verhoogde bouwactiviteit en de merkbare opmars van het uitgaansleven dat het goed gaat met de hoofdstad van Santa Catarina. Florianópolis is de toegangspoort tot Ilha de Santa Catarina. In de directe omgeving van de stad liggen meer dan veertig goede stranden en enkele mooie natuurgebieden. Voor Brazilianen uit de zuidelijke deelstaten, voor Uruguayanen en Argentijnen is het *Ilha da Magia*, de bijnaam voor het eiland, een favoriete vakantiebestemming. Het klimaat is gedurende het hele jaar gematigd, met een gemiddelde temperatuur van 22 °C.

Centrum

De bezienswaardigheden van de stad bevinden zich op loopafstand van elkaar. Het centrale plein is Praça 15 de Novembro, altijd levendig met straatverkoop en keuvelende mensen. Midden in het park heeft het toeristenbureau een kantoortje. Rondom staan enkele voorname gebouwen, zoals de **Catedral Metropolitana**. De bouw van deze kathedraal is begonnen in 1675 in opdracht van de stichter van de stad Francisco Dias Velho.

Een ander voornaam gebouw aan het plein is het **Palácio Cruz e Sousa**, het oude regeringspaleis van de deelstaat uit de 19de eeuw. Tijdens de regeringsperiode van gouverneur Hercílio Luz, 1895–1898, zijn nieuwe versieringen in marmer en steen aangebracht aan de gevel en in het interieur. In de jaren tachtig heeft het gebouw een grondige opknapbeurt gehad. Sinds 1986 dient het niet meer als gouvernementsgebouw, maar is het **Museu Histórico de Santa Catarina** erin gevestigd. Behalve meubels en persoonlijke eigendommen van vroegere gouverneurs is er aandacht voor de geschiedenis van de staat.

ℹ MUSEU HISTÓRICO DE SANTA CATARINA.
Geopend: di.-zo. 10-16 uur.

Aan het plein staat ook het hoofdpostkantoor. In een zijstraat bevindt zich het Casa Victor Meirelles, het geboortehuis van een van de beste 19de-eeuwse kunstschilders van Brazilië.

De straten die vanaf het Praça 15 de Novembro naar het noordwesten lopen, zoals de Rua Felipe Schmidt, vormen het zakencentrum. Niet ver hiervandaan bevinden zich twee andere markante bouwwerken: de Mercado Municipal en het Prédio da Alfândega (Gebouw van de Douane). Het laatste wordt beschouwd als een van de beste voorbeelden van neoklassieke bouwstijl in Brazilië. Tegenwoordig is het in gebruik als expositieruimte en markt voor kunstnijverheidsproducten.

Andere interessante plaatsen in de stad zijn de Igreja São Francisco da Ordem Terceira uit 1803 met barokaltaar en schilderingen van Victor Meirelles (Rua Deodoro), het Museu de Antropologia met de geschiedenis en voorwerpen van de inheemse bevolking, de Sambaqui (Campus Universitário) en het Museu de Arte de Santa Catarina (Centro Integrado de Cultura).

Forten

De Portugezen hebben op het eiland diverse forten gebouwd, waarvan enkele opvallend goed bewaard zijn gebleven. Vlak bij de Ponte Hercílio Luz ligt het mooi geconserveerde Forte de Sant' Ana (1765), waar het Museu de Armas in is gevestigd. Dit museum is gewijd aan de Polícia Militar, de militaire politie. Zuidoostelijk van de stad ligt Forte Santa Bárbara. Helemaal op de zuidpunt van het eiland liggen de overblijfselen van Fortaleza de Nossa Senhora da Conceição. Een even prachtige locatie op de

De Ponte Hercílio Luz, icoon van Florianópolis

rotsen heeft Forteleza de São José da Ponta Grossa (bij het Praia de Jurerê) uit 1740. Hiervan zijn alleen nog de ruïnes te zien.

Ook heel goed bewaard is Fortaleza de Santa Cruz de Anhatomirim (1744) op het gelijknamige eiland voor de kust van het vasteland; het is te bereiken per boot vanaf Praia do Antenor. Op het Ilha Ratones Grande staan nog resten van het Fortaleza de Santo Antônio (1740).

Ilha de Santa Catarina

Het eiland Santa Catarina is zo'n 50 km lang en 10 km breed. Het is vrij heuvelachtig met de hoogste delen (max. 100 m) aan de kant van het vasteland. Langs de gehele kustlijn liggen goede stranden, soms onderbroken door rotsen. Naar de oceaankant toe loopt het geleidelijker af, zodat daar duinlandschap en langere stranden konden ontstaan. Twee zoetwaterlagunes, de grote Lagoa da Conceição in het centrale deel van het eiland, en de kleinere Lagoa do Peri in het zuiden, onderbreken het heuvellandschap. Vooral de eerste wordt gebruikt voor watersport.

Het eiland is opgedeeld in negen districten, waarvan er een genoemd is naar de lagune: Lagoa da Conceição. De grootste en op één na oudste nederzetting is Lagoa (8000 inw.). De Igreja Nossa Senhora da Conceição uit 1751 is het belangrijkste monument. De schilderachtige omgeving, én de nabijheid van Florianópolis, hebben veel kunstenaars aangetrokken. Er zijn heerlijke restaurants waar je goed vis kunt eten. Andere kernen in dit district zijn Barra da Lagoa, een vissersplaatsje aan de oceaankust, en het historische Costa da Lagoa.

Santo Antônio de Lisboa (7350 inw.) aan de westkust is een oud havenplaatsje met kleine intieme straten en pleinen. Deze nederzetting is gesticht door immigranten uit de Azoren die door de Portugezen in de 17de eeuw hiernaartoe zijn gebracht. Sambaqui, iets noordelijker is de beste plaats om uit te gaan.

Canasvieiras en Cachoeira do Bom Jesus (samen 5500 inw.) in het noorden zijn in hoofdzaak vakantiedorpen, met hotels en avondleven, campings en vakantiehuizen.

De Igreja São Francisco de Paula uit 1830 is het enige opzienbarende bouwwerk. Het is ontspanning en vertier wat hier de klok slaat. Praia de Jurerê is het beste strand aan deze kant van het eiland.

In het noordoosten liggen São João do Rio Vermelho en Ingleses do Rio Vermelho. Het eerste (1230 inw.) is nog in hoofdzaak een agrarische nederzetting, die de vakantiegangers buiten de deur heeft weten te houden. Sommige oudere bewoners zijn nog nooit van hun leven in de grote stad geweest. Ingleses daarentegen heeft wel al volop met toerisme te maken. Het oude vissersdorp verandert langzaam in een populaire badplaats, vooral vanwege het prachtige strand en de duinen. Praia dos Ingleses is dus de moeite van het bezoeken waard. Datzelfde geldt voor de stranden die verder zuidelijk langs de oceaankust lopen: Praia do Santinho en Praia Grande ou Moçambique. Het water is kristalhelder en goed om te snorkelen en te duiken. De beste surflocatie op het eiland is Praia da Joaquina.

Nog zuidelijker gelegen zijn Praia do Morro das Pedras en Praia da Armação. Ook dit is een gebied met nogal wat vakantiewoningen en campings. Aan de zuidkant van het eiland zijn de stranden minder mooi. Caiacanguaçú, Tapera en Caierra zijn geïsoleerde plaatsjes. Het allerzuidelijkste punt is Praia dos Naufragados (Schipbreukelingen) met een vuurtoren en voor de kust het Forte Nossa Senhora da Conceição.

Aan de westkust ligt Ribeirão da Ilha, een ander plaatsje dat ontstond bij de vestiging van immigranten uit de Azoren. Net als Santo Antônio de Lisboa is de architectuur van de oorspronkelijke huisjes grotendeels intact gebleven.

Semana de Florianópolis

Een leuke periode om Florianópolis en het eiland te bezoeken is tijdens de Semana de Florianópolis in maart, met veel regionale muziek en folkloristische dansen.

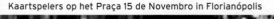

Kaartspelers op het Praça 15 de Novembro in Florianópolis

De gaucho-folklore is een vast onderdeel van het culturele programma in Rio Grande do Sul; hier een danseres in churrascaria Galpão Crioulo, Porto Alegre.

ervan dateert echter van 1930, en werd opgeleverd in 1986. Ook de historische gebouwen, waarin banken, wetenschappelijke instituten en musea zijn ondergebracht, stammen voor het grootste deel uit het begin van deze eeuw. Wat dan te doen in deze stad?

Het regeringspaleis van de gouverneur, **Palácio Piratini**, ingericht in Lodewijk-xvi-stijl en met muurschilderingen, mag er zijn, evenals de **Mercado Público** uit 1869 en fraai gerestaureerd in 1997.

Het aanbod op historisch en cultureel gebied is in Porto Alegre verrassend groot. Vooral de strijd voor de regionale onafhankelijkheid, de Farroupilha, en de gauchotraditie krijgen nogal wat aandacht in de musea, de festiviteiten en in de theaterprogramma's.

Zo geeft het **Museu Memorial do Rio Grande do Sul**, ondergebracht in het oude ptt-gebouw, aan de hand van officiële documenten, kaarten, foto's en persoonlijke getuigenissen een goed overzicht van de regionale geschiedenis.

Op de eerste verdieping bevindt zich een uniek persoonlijk archief van Pedro Corrêa do Lago; de meest uitgebreide verzameling originele documenten over de Braziliaanse samenleving.

PORTO ALEGRE

De in de zuidelijkste deelstaat Rio Grande do Sul gelegen havenstad Porto Alegre (1,5 miljoen inwoners) wordt weinig door toeristen bezocht. Dit komt vooral doordat de stad zo ver van de bekende toeristengebieden ligt: 1100 km van São Paulo en ook al 480 km van Florianópolis. Er zijn bovendien te weinig grote attracties, die het de moeite waard maken om de afstand te overbruggen.

De stad is gesticht in 1772 op de oever van de Rio Guaíba. Gebouwen uit die tijd zijn er nauwelijks nog. De opvallendste kerk is de **Catedral Metropolitana**, die in renaissancestijl is gebouwd. Het oudste deel

ℹ MUSEU MEMORIAL DO RIO GRANDE DO SUL. Praça da Alfândega 1020. Geopend di.-za. 10-18 uur. Bezoek aan het archief op afspraak.

In het **Museu de Arte do Rio Grande do Sul**, eveneens aan dit plein, exposeren kunstenaars uit het zuiden van Brazilië. Op de hoek van het Praça da Alfândega vind je het **Museu Santander Cultural**, een gerestaureerd 19de-eeuws pand dat nu dienstdoet als cultuurpaleis; voor tentoonstellingen van hedendaagse kunst, film en muziek. Met café en restaurant.

In het **Casa de Cultura Mário Quintana**, het oude Hotel Majestic, waar de bekende Braziliaanse dichter overleed, vinden interessante exposities, theater- en filmvoorstellingen plaats. Echt een plek die cultuur ademt. Het uitzicht over de rivier is geweldig!

Net als in Oberhausen en steeds meer andere oude industriesteden is ook hier de oude gasfabriek omgebouwd tot cultureel trefpunt. De **Usina do Gasômetro** is beslist een bezoek waard, al is het alleen maar voor het uitzicht vanaf 117 m hoogte over de stad en de rivier.

ℹ USINA DO GASÔMETRO. Avenida Presidente João Goulart 551. Geopend di.-zo. 10-22 uur.

Een absolute must voor geïnteresseerden in wetenschap en techniek is het **Museu de Ciência e Technologia** (PUC) op de campus van de universiteit. Op een interactieve manier en met behulp van zevenhonderd experimenten word je deelgenoot van grote ontdekkingen. Alleen al het planetarium is fenomenaal.

ℹ MUSEU DE CIÊNCIA E TECHNOLOGIA. Avenida Ipiranga 6681, Campus PUC, 7 km van het centrum. Geopend: di.-zo. 9-17 uur. Entree R$ 10, kinderen tot 12 jaar en studenten gratis.

Een bezoek aan de **Brique da Redenção** is verplicht als je typische souvenirs en betaalbare kunst wilt kopen uit deze contreien. Deze markt vind je iedere zondag van 10–16 uur aan het Praça Farroupilha, oftewel de Avenida José Bonifácio.

En dan is er natuurlijk voor de voetbalfans het stadion van Grêmio, de oude club van Ronaldinho, **Estádio Olímpico**, Largo Patrono Fernando Kroeff. Met museum over de club, de legendes en de trofeeën.

Vanuit Porto Alegre zijn er tochten te maken op de Rio Guaíba. Verder kun je een indruk krijgen van het dierenleven op de pampa bij **Pampas Safári** in Gravataí, 50 km noordelijk van Porto Alegre. Op een gebied van 50 ha lopen zebra's, buffels, antilopen, herten en lama's vrij rond. Iets dichterbij (in Sapucaia do Sul, 28 km) is de Zôológico do Estado (dierentuin) te bezoeken.

ℹ PAMPAS SAFÁRI. Bezoek: alleen met eigen auto.

SERRA GAÚCHA

Het kustgebergte ten noordoosten van Porto Alegre, voor Brazilianen bekend als de Serra Gaúcha, is de grootste trekpleister voor toeristen in Rio Grande do Sul. De groene berghellingen vol met pijnbomen worden afgewisseld door valleien met authentieke huizen van de eerste Duitse en Italiaanse immigranten die hier neerstreken. De gemengd Europese en Zuid-Amerikaanse tradities klinken door in de folkloristische feesten.

De bijnaam van deze streek is *Região das Hortênsias;* tijdens de rit door de bergen zal snel duidelijk worden waarom.

De twee meest karakteristieke plaatsen zijn Gramado en Canela (ieder ongeveer 22.000 inw.). Beide plaatsjes, op zo'n 8 km van elkaar, leven van de toeristen, met name Brazilianen, Uruguayanen en Argentijnen. Er zijn volop goede restaurants te vinden en natuurlijk chalets en hotels.

DE OPMARS VAN DE WIJN

Langzaamaan raken de wijnen uit het wijngebied in het zuiden van Brazilië uit de vergetelheid. De streek rond Bento Gonçalves, Caxias do Sul en Garibaldi produceert steeds betere wijnen, zowel witte, rode als mousserende wijn. Aan de basis staat de Italiaanse wijntraditie, meegenomen door de migranten die hier in de 19de eeuw neerstreken. De meest voorkomende druiven zijn de cabernet, cabernet sauvignon, merlot, tannat (een druif die veel in Uruguay voorkomt) en chardonnay. Aanvankelijk produceerden de wijnboeren in coöperatief verband, waardoor de wijnen met een gezamenlijk etiket voornamelijk voor de binnenlandse markt als tafelwijn werden verkocht. Sinds de jaren tachtig van de vorige eeuw maken de wijnhuizen hun eigen etiket.

Bento Gonçalves is een perfecte uitvalsbasis. Alles in deze stad van 80.000 inwoners verraadt de Italiaanse oorsprong en dan vooral uit de regio Veneto. Negentig procent van de bevolking heeft daar z'n voorouders. Ten westen van de stad ligt de **Vale dos Vinhedos**, waar je individueel of met een excursie de wijnhuizen kunt bezoeken. Ze zijn praktisch alle dagen van de week open, met meestal een lunchpauze tussen 12 en 14 uur. De wijngaarden liggen tegen de heuvelhellingen en zijn relatief klein van omvang. Zo'n twintig families zijn hier ruim honderd jaar geleden begonnen met de druiventeelt en de wijnproductie. De meeste zijn nog altijd familiebedrijven. Sommige zijn wel al uitgegroeid tot grote wijnhuizen, veelal met buitenlandse investeringen. Zo heeft Chandon hier z'n filiaal en produceert Miolo wijn van druiven uit meerdere gebieden in Rio Grande do Sul. Er worden nieuwe landerijen aangelegd tegen de grens met Uruguay.

In de vallei aan de oostkant van de stad, waar de eerste migranten zich vestigden, is eveneens een route uitgezet, de **Caminhos de Pedra**. De naam is een verwijzing naar de stenen (*pedras*) waarmee de succesvolle Italiaanse immigranten de fundering en het souterrain van hun huizen bouwden. De meeste zijn nog altijd bewoond en dankzij het project gerestaureerd, sommige zijn toegankelijk als restaurant, theehuis en patisserie, kaasmakerij of museum. Zo kun je in het *Casa da Ovelho* zien hoe schapenkaas wordt gemaakt. De *Cantina Strapazzon* is gespecialiseerd in salami, kaas en eigen wijn.

Druiven en verwijsbordjes

Gramado

De grote attractie van Gramado en Canela, hoe schilderachtig de plaatsjes zelf ook zijn, is de omgeving. In Gramado, niet ver van het centrum, liggen **Parque Knorr, Parque Joaquina Bier** en **Lago Negro**. Het zijn particuliere parken, aangelegd door vermogende Europese migranten, met meertjes, watervallen en veel bloemen. Er zijn diverse wandelroutes uitgezet.

Je kunt ook de *Fumacinha* nemen, een treintje dat vertrekt (in het zomerseizoen dagelijks) van het Praça Major Nicoletti, door het plaatsje rijdt en vervolgens Lago Negro aandoet. Mooi is ook de **Vale de Quilombo**, de vallei aan de noordoostkant van Gramado.

Verder is een bezoek aan het **Museu Hugo Daros,** Rua São Pedro 369, interessant. In dit museum wordt een overzicht gegeven van de Italiaanse en Duitse immigratie en de leefwijze van de eerste kolonisten.

Minimundo is een soort Braziliaans Madurodam met replica's op schaal van bekende Europese kastelen, in de Rua Horácio Cardoso/Rua Pedro Candiago.

De gezelligste tijd om Gramada te bezoeken is tijdens het *Festival de Cinema Latino* (begin augustus), als beroemdheden van de Braziliaanse en Latijns-Amerikaanse cinema hier neerstrijken.

De hoofdstraat is de Rua Borges de Medeiros met het festivalpaleis. Haaks erop vind je het voetgangersgebied en de confeitarias. Prawer is het fameust om de chocolade, waar de mensen in het hoogseizoen – de wintermaanden juni–augustus – in de rij staan om een tafeltje te bemachtigen. Alles is uit de eigen werkplaats. Witte chocolade met rozijnen, bonbons met kirsch, truffels en meer van die lekkernijen.

In de omgeving zijn paardrijtochten te maken en verder weg kun je trekken en raften in het bergland.

Canela

De weg tussen Gramado en Canela is een aaneenschakeling van hotels, restaurants en toeristische attracties, zoals een parfum-, chocolade- en een automuseum, **Hollywood Dream Cars**, gespecialiseerd in stijlvolle Amerikaanse sleeën uit de jaren veertig en vijftig. Absoluut de moeite waard is een bezoekje aan de **Mundo a Vapor**, het stoommuseum, niet te missen vanwege de opvallende gevel met een stoomlocomotief, die doorgeschoten lijkt naar buiten.

Canela, Mundo a Vapor, een museum over de verschijningsvormen van de stoommachine

In Canela en omgeving staan enkele bijzondere bouwwerken, zoals het **Castelinho Caracol**, gebouwd door de Duitse immigrantenfamilie Franzen. Het is volledig uit hout opgetrokken en nu als museum ingericht. De **Catedral da Pedra** van basalt bepaalt het beeld van het plaatsje, niet alleen vanwege de hoogte (65 m) maar vooral door haar typische architectuur (Engelse gotiek).

Vanuit Canela is een bezoek aan het **Parque Estadual do Caracol** aan te bevelen. Dit natuurgebied, op 9 km van het plaatsje in de richting van Gramado, biedt spectaculaire watervallen en valleien, begroeid met bijzondere bloemen en planten. Er zijn volop mogelijkheden voor paardrijden, kanoën en raften. Via dit park kom je in de **Vale da Ferradura**, een diep uitgesneden vallei.

Andere bezienswaardigheden in de buurt van Canela zijn het **Parque das Sequóias**, een enorm landgoed waar botanist Curt Mentz vele soorten bomen aanplantte, en de **Morros Pelado, Queimado** en **Dedão**, met wandelroutes en een schitterend uitzicht over de Vale do Quilombo.

Canela wordt vooral druk bezocht tijdens de paasweek (straatfestival), het *Festival Internacional de Teatro de Bonecos* (met grote papier-machéfiguren) in mei en het theaterfestival in augustus.

Parque Nacional dos Aparados da Serra

Zeer de moeite waard is een bezoek aan het Parque Nacional dos Aparados da Serra. Dit natuurgebied met oorspronkelijk woud (araucaria's) en grillige kloven ligt op de grens van Santa Catarina en Rio Grande do Sul. Het is zonder twijfel een van de mooiste plekjes in Zuid-Brazilië. Hoogtepunten zijn de Cánion do Itaimbézinho en de Cánion da Fortaleza met rotswanden van honderden meters hoog.

De makkelijkste manier om er te komen is met de bus (of eigen vervoer) vanuit Praia Grande naar Cambará do Sul; de ingang van het park ligt ongeveer halverwege. Neem ruim de tijd om hier te wandelen of paard te rijden.

De missies

In de 17de eeuw bouwden jezuïeten op de pampas enkele missieposten om de Guarani-indianen te bekeren. De jezuïeten raakten al gauw betrokken bij de strijd van de indianen tegen het meedogenloze geweld van de slavenhandelaren. De missies werden vrijplaatsen voor de indianen. Ze werden beschermd door de jezuïeten. En met succes. Ruim een eeuw lang maakten de jezuïeten vanuit de missies de dienst uit in het uitgestrekte gebied. Aanvallen van zowel Portugezen als Spanjaarden werden afgeslagen. Aan het einde van de 18de eeuw was het afgelopen, toen een overmacht van Portugese strijdkrachten de meeste missieposten innam en de jezuïeten werden uitgewezen.

Wie zich wil verdiepen in de eigenaardige geschiedenis van de missies moet naar Santo Angelo in het binnenland aan de RS-344. Vanuit dit stadje kun je excursies maken naar enkele voormalige missieposten. Naar **São Miguel das Missões,** waar de ruïnes van de kerk en enkele gebouwen te zien zijn. Er is een Museu das Missões ingericht met 's zomers dagelijks om 20 uur een geluid- en lichtspel.

Andere aardige plaatsjes zijn São Lourenço das Missôes, São João Batista en São Luíz Gonzaga.

Voor meer informatie: www.caminhodasmissoes.com.br.

De kust

Onder Porto Alegre ligt, 300 km lang, de Lagoa dos Patos. Deze lagune wordt van de oceaan afgesloten door een langgerekt schiereiland. Voor de stranden hoef je hier niet te komen; ze zijn monotoon, merendeels zonder bescherming en de stevige branding maakt zwemmen op de meeste plaatsen onmogelijk.

Wel heel bijzonder is het **Parque Nacional Lagoa do Peixe**, een 60 km lange lagune op het smalle schiereiland zelf, omgeven door zandduinen, waar trekvogels zich ophouden tijdens hun lange reis van noord naar zuid en vice versa. Je kunt er komen via het plaatsje Mostardas.

Aan de noordelijke kust van Rio Grande do Sul worden in de voorjaars- en zomermaanden de badplaatsen Torres, Capão da Canoa en Balneário Pinhal druk bezocht. Capão da Canoa ligt mooi tussen de lagunes en het strand. Er zijn goede mogelijkheden om te kamperen. De zuidelijke steden Pelotas en Rio Grande zijn centra van vleesproductie en export.

Voor informatie zie: www.cambaraonline.com.br. De beste bezoektijd is van mei tot en met augustus.

Bahia

9

BAKERMAT EN ZIEL

De deelstaat Bahia heeft een prachtige kust, een rijke historie en een fascinerende cultuur. Bahia is gezegend met ruim 900 km strand, soms met golvende duinen en lagunes en meestal begrensd door palmbomen. Er liggen beschermde natuurparken, verborgen stranden van een oogverblindende schoonheid en gezellig drukke stadsstranden. Er zijn romantische vissersplaatsjes, waar je zwemt tussen de visnetten en boten, maar ook luxe vakantieparadijzen met alles erop en eraan.

De stranden en het tropische klimaat met het hele jaar door zon maken Bahia tot een zeer aantrekkelijk vakantiegebied. Maar er is nog veel meer te beleven, want Bahia is de bakermat van Brazilië. Hier werd het land ontdekt. Bahia was, gelegen aan de rand van de Nieuwe Wereld, de toegangspoort voor ontdekkingsreizigers, missionarissen, avonturiers, immigranten en kooplieden. Van hieruit werd de Portugese kolonie de eerste eeuwen bestuurd. De hoofdstad Salvador was het centrum van de plantagesamenleving die langs de kust ontstond. Daar werden de suiker, tabak en cacao naar toe vervoerd om vervolgens te worden verscheept naar Europa. Ook was het de haven waar de goederen uit Europa het land binnenkwamen en waar de slavenschepen binnenliepen. Die historie is in Bahia goed zichtbaar gebleven. Op veel plaatsen lijkt de tijd te hebben stilgestaan. Er zijn prachtige voorbeelden van koloniale architectuur, onder meer in het oude centrum van Salvador en het nabijgelegen Cachoeira. Het fascinerendste van Bahia is de bevolking. In de cultuur van de *baianos* ligt de ziel van Brazilië.

BEVOLKING EN CULTUUR

Bahia heeft in vergelijking met andere staten in Brazilië de donkerste bevolking. De Afrikaanse oorsprong van de bevolking is in dit deel van Brazilië nog duidelijk zichtbaar en voelbaar – in de huidskleur en de gelaatstrekken, de kleding, de taal, de muziek, de eetgewoonten en vooral in het geloof. De mystiek en magie van de baianos doorspekken elk deel van het leven, maar bereiken hun hoogtepunt in de rituelen van de *candomblé*,

De 'Kust van de Ontdekking' in Bahia; waar het allemaal begon.

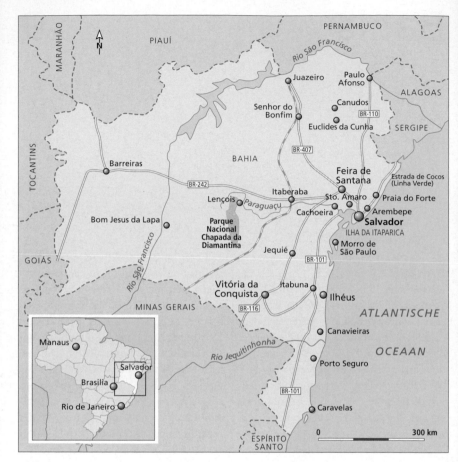

Bahia

macumba en *umbanda*. Tijdens de lange perioden dat 'heidense' gebruiken waren verboden, camoufleerden de slaven hun Afrikaanse goden en geesten met namen en eigenschappen van katholieke heiligen. Er ontstond een nieuw godendom dat zich losmaakte van West-Afrika en eigen riten ontwikkelde. Die feestdagen van geestelijken en heiligen worden nergens zo vrolijk gevierd als in Bahia.

Zowel in muziek en dans, als in andere cultuuruitingen komt de Afrikaanse invloed terug. Zo is de *capoeira* oorspronkelijk een vechtsport en afkomstig uit de tijd van de slavernij. De slaven mochten niet vechten en vonden in deze wonder-lijke mengeling van gymnastiek en voetvechttechniek een uitlaatklep. Capoeira is een danskunst, een gevecht dat lichaam en geest mobiliseert. Tegenwoordig is de capoeira typisch Bahiaanse folklore, die zowel in shows als op straat is te zien. Karakteristiek is de begeleiding met de *berimbau*, een houten muziekinstrument met één snaar en een gedroogde kalebas. De klanken van de berimbau bepalen het ritme waarop de lichamen harmonieus bewegen.

Andere regionale dansen zijn de *maculele*, de *bumba-meu-boi* en de *samba-de-roda*. Bij deze laatste dans vormen mannen en vrouwen samen een cirkel en terwijl zij

DE BAHIAANSE KEUKEN

De Bahiaanse keuken laat z'n invloed in heel Brazilië gelden. Een tafel met een volledig Bahiaans maal is niet alleen een culinair, maar tevens een visueel plezier. De rijke Bahiaanse keuken is een mengelmoes van Portugese, Afrikaanse en indiaanse invloeden. De basis vormen wortel, maniok en noten van de indianen. Schepen die terugkeerden vanuit het Verre Oosten brachten kaneel en kruidnagelen en West-Afrika leverde bananen, gember en *dendê* (palmolie) die gebruikt werd om het voedsel in te bereiden. Het koken werd door de slaven gedaan en hun culinaire gewoonten in combinatie met deze nieuwe ingrediënten deden een keuken ontstaan van vis-, garnalen- en kipstoofschotels. Voor degenen die beschikken over een ijzeren maag bieden de 'mama's' op de straathoek een keur van heerlijk gekruide exotische gerechten. Toch is het verstandiger om de lokale schotels te proberen in een betrouwbaar restaurant. Aan te bevelen is *moqueca*, een heerlijke visschotel met onder meer kokos, knoflook, uitjes, tomaten en peper en geserveerd met rijst en kokosmelk. Maar ook de stoofschotels als *vatapá* (vis of kip met gemalen noten) en *caruru de camarão* (met verse garnalen) zijn heerlijk. Voor degenen die *moqueca*, gebraden in dendê niet aandurven, biedt de *ensopado*-variant van de meeste gerechten een oplossing. Ensopado betekent dat het gerecht in de kokosmelk is gekookt; lichter en makkelijker verteerbaar dus.

zingen en klappen op de maat van een tamboerijn worden partners gekozen om midden in de groep hun sambapassen te tonen.

Feesten

Aan de vermenging van christendom en Afrikaanse mystiek zijn in Bahia tal van festiviteiten ontleend. Zo wordt nieuwjaarsdag in Salvador opgeluisterd door de indrukwekkende Boa Viagem (Goede Reis). Dit is een processie te water ter ere van 'de beschermster van de zeevaarders'. Een lange sliert van boten begeleidt het beeld van 'Nossa Senhora' in de baai naar het strand van Boa Viagem. De laatste etappe gaat van dat strand naar de gelijknamige kerk.

De derde donderdag in januari is in Salvador de dag van Bonfim met de prachtige kerk Nossa Senhor do Bonfim als middelpunt. Voordat het vier dagen durende festival losbarst, geven vrouwen in traditionele kleding de trappenpartij van de kerk een rituele en tegelijkertijd grondige wasbeurt.

Op de dag van Iemanjá, op 2 februari, zijn er overal langs de kust bijeenkomsten voor deze candomblé-godin van de zee; in de branding worden reukwater en witte bloemen geofferd. De vissers zouden zo worden verzekerd van een kalme zee.

Ook in Bahia is carnaval natuurlijk het grootste feest. Carnaval in Bahia is spontaner dan in Rio. Vier dagen lang wordt er op straat gedanst en muziek gemaakt, terwijl de *cachaça* rijkelijk vloeit. Het carnavalsfeest is hier doorspekt met symbolen en rituelen uit de candomblé. De *afoxés*, groepjes gelovigen, trekken de straat door met afbeeldingen van hun beschermheilige, meestal een Afrikaanse god. Een apart verschijnsel van het Bahiaanse carnaval zijn de *trios eléctricos*, muziekbands op wagens, die door de straten trekken.

Bijna iedere maand is er wel iets te vieren in Bahia en ook buiten de feestdagen kun je in de hoofdstad Salvador meestal wel terecht bij een candomblé-dienst of een capoeira-uitvoering. Er zijn enkele tempels die openstaan voor bezoekers. Deze candomblé-ceremonies zijn vanzelfsprekend 'gepolijst' en voorzien van geënsceneerd drama, maar toch bieden ze een goed beeld van de rituelen.

Economie

Ook Bahia moet het tegenwoordig voornamelijk hebben van de agrarische sector en de handel. Bahia is in Brazilië de grootste producent van cacao, maniok, sisal en ananas. Verder neemt de staat een vooraanstaande plaats in bij de productie van bonen, bananen en katoen. Veeteelt is belangrijk in het binnenland.

Industrie is in hoofdzaak gevestigd in en bij Salvador, onder andere in het aan de noordkant van de hoofdstad gelegen Aratu, en bij Camaçari (petrochemie). Salvador is de grote stad voor handel en dienstverlening.

Het toerisme in Bahia is sterk in opmars. Er wordt daarom fors geïnvesteerd in voorzieningen voor het toerisme. De meeste hotels staan in Salvador, van exclusief tot zeer eenvoudig; er zijn veel hotel- en appartementencomplexen langs de kust.

Van de noordoostelijke staten is Bahia er economisch en sociaal het minst slecht aan toe. Alleen het noordwesten van de staat heeft regelmatig periodes van droogte.

SALVADOR DA BAHIA

Geschiedenis

Salvador da Bahia, de volledige naam van de hoofdstad, is een prachtige oude koloniale stad, die dag en nacht bruist van activiteit. Er zijn veel oude bouwwerken te bezichtigen en er is veel te beleven door de rijke Bahiaanse cultuur. Voor zonnen,

Swingend straatcarnaval in Salvador met de mobiele trios eléctricos

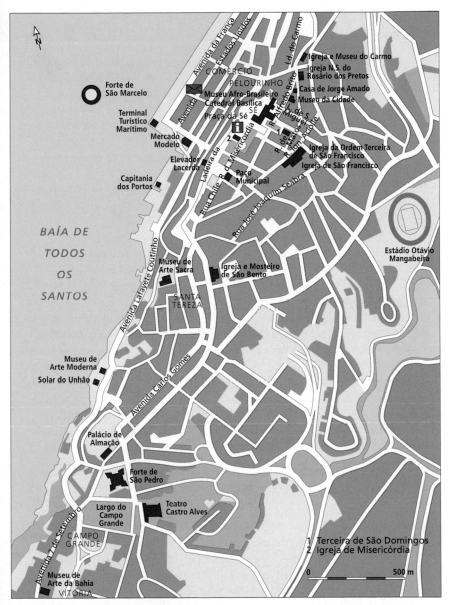

Historisch centrum van Salvador da Bahia

luieren en slenteren bieden de stranden en boulevards meer dan genoeg mogelijkheden.

Salvador is prachtig gelegen. De stad bevindt zich op een schiereiland, dat de Baía de Todos os Santos insluit. De naam van de baai is afgeleid van de dag dat Amerigo Vespucci hem ontdekte, op 1 november 1501 ofwel op Allerheiligen (Todos os Santos). De strategische functie is nu nog af te lezen aan het aantal forten en verdedigingswerken langs de kust.

In 1549 legde de Portugese missionaris Tomé de Souza de basis voor de stad op

OP ZOEK NAAR HOLLANDS BRAZILIË

In de vroege morgen van 8 mei 1624 dook een Hollandse vloot onder commando van Jacob Willekens en Piet Heyn op bij de Allerheiligenbaai. Om tien uur begonnen de beschietingen. Even daarvoor hadden de Hollanders een paar kilometer verderop 1200 soldaten en 300 matrozen aan land gezet. Zij openden de aanval aan de lage kant van de door 3000 soldaten verdedigde stad.

Het ronde fort São Marcelo, dat verdedigd werd door 600 soldaten en waar 15 schepen lagen, kon snel worden ingenomen.

Daarmee was een belangrijk bruggenhoofd gevestigd. Van twee kanten werd de stad nu belaagd. De strijd was snel beslist. De volgende morgen gaf Salvador zich over.

Vrijwel onmiddellijk hierna voer Jacob Willekens met een deel van de vloot naar het Caribisch gebied. Een tweede eskader werd met de behaalde buit naar Nederland teruggestuurd. Piet Heyn bleef iets langer, maar vertrok uiteindelijk met een aantal schepen naar Afrika om Portugese slavendepots te overvallen.

In Salvador lieten de Hollanders een slecht gedisciplineerd garnizoen achter, bestaande uit tweeduizend soldaten en zeventien schepen. Die hadden uiteindelijk geen kans tegen de zeventig oorlogsbodems en tienduizend manschappen waarmee de Portugezen in het voorjaar van 1625 de stad wilden heroveren.

Piet Heyn is sindsdien nog twee keer in Salvador terug geweest, maar het bleef toen bij wat plunderingen en intimidatie. Zo voer hij in 1627 met acht schepen en vier jachten de baai binnen. Toen hij er drie uur later weer uitvoer, sleepte hij 22 veroverde schepen achter zich aan. Het is stellig Heyns stoutste staaltje geweest, op het winnen van de Zilvervloot na.

Een laatste poging om het strategisch gelegen Salvador in te nemen werd in 1638 vanuit Recife ondernomen door Johan Maurits van Nassau. Recife was inmiddels een sterk Hollands bolwerk geworden vanwaaruit Johan Maurits als gouverneur van Brazilië de Hollandse macht trachtte uit te breiden. Met dertig oorlogsschepen en 2400 soldaten, aanzienlijk minder dan waar hij om had gevraagd, voer Johan Maurits naar het zuiden. Over de plaats waar hij met zijn manschappen aan land is gegaan, bestaat geen eenstemmigheid. Volgens sommigen zou dat 50 km ten noorden van Salvador zijn geweest, bij het plaatsje Garcia d'Avila. Toch lijkt het onwaarschijnlijk dat de Hollanders hier aan land zijn ge-

de plek waar nu het Praça Municipal ligt, bij de ingang van de Lacerda-lift in de bovenstad. De nederzetting was op de heuvel makkelijker te verdedigen dan aan de voet.

Sindsdien heeft Salvador zich ontwikkeld in een boven- en een benedenstad. De stad werd het handels- en bestuurscentrum van de Portugese kolonisten. Door

Fortaleza de São Lorenzo op Ilha de Itaparica, met een Hollandse achtergrond

gaan. Ze zouden over het strand naar Salvador zijn gelopen, maar die afstand is mede gezien de hoge temperaturen veel te groot. Veel waarschijnlijker is dat Johan Maurits in de buurt van het fort Monte Serrat is geland.

Het beleg van Maurits was geen succes. Er werden weliswaar enkele forten veroverd, maar de verliezen waren groot. Ten slotte werd er een staakt-het-vuren overeengekomen en Maurits droop met zijn overgebleven manschappen af. 'Wil men het met grote kosten genomen Brazilië behouden, of wil men het door ons veroverde involge van misplaatste zuinigheid ten gronde richten?' schreef hij woedend na zijn nederlaag aan de Heren XIX van de West-Indische Compagnie.

Holland had Salvador da Bahia weer uit handen moeten geven, omdat men verzuimd had het veroverde bezit voldoende te beveiligen. Van die fout leerde men wel.

Kerstmis 1629 voer een nieuwe vloot uit met Brazilië als reisdoel. Dit keer was niet de provincie Bahia het doelwit, maar Pernambuco, met het zeer welvarende Olinda en het minder aanzienlijke maar zwaar versterkte Recife.

de centrale ligging aan de Atlantische Oceaan werd de stad beschouwd als sleutel tot de overheersing van Zuid-Amerika en tot de scheepvaartroute naar Afrika en Indië. De aartsbisschop van Bahia heerste over de Afrikaanse bisdommen Angola en São Tomé. De stad verrijkte zich ten koste van slavenarbeid en door de suiker, tabak

ELEVADOR LACERDA, GEZICHT VAN DE STAD

Gezichtsbepalend voor het beeld van Salvador is de Elevador Lacerda. De lift, gebouwd door Carlos de Lacerda, is in 1930 in gebruik genomen. Daarvoor stond op dezelfde plaats een hydraulische lift, in de volksmond de *parafuso* (schroevendraaier) geheten, waarmee hoofdzakelijk goederen naar boven en beneden werden gebracht.

Soms glipte iemand de lift in, maar het gewone volk moest te voet naar boven, een vermoeiende onderneming maar voor hen de enige manier om in de bovenstad te komen. De rijken lieten zich met de koets naar boven brengen.

De Lacerda-lift was voor die tijd een geweldige moderniteit, die de bereikbaarheid van de boven- en de benedenstad enorm verbeterde voor iedereen. Voor de vormgeving van het monumentale bouwwerk liet De Lacerda zich inspireren door de art deco. In 2002 is de lift grondig gerestaureerd. De cabines 1 en 2 zijn de originele uit 1872, maar wel dichtgemaakt en van airco voorzien. De cabines 3 en 4 zijn in 1930 aangebracht. 's Avonds is de lift verlicht om het icoon van de stad nog meer accent te geven.

De boven- en benedenstad zijn verbonden door de Elevador Lacerda, 72 meter hoog en sinds 1930 mechanisch uitgevoerd.

en cacao die in het weelderige kustgebied werden geteeld.

De stad heeft ook talloze aanvallen van andere Europese mogendheden te verduren gehad. De Nederlanders hebben tussen 1624 en 1638 vier pogingen gedaan om Salvador te veroveren. Slechts één daarvan, onder leiding van Piet Heyn, lukte en resulteerde in een kortstondige bezetting.

Sinds 1763, het jaar dat Rio de Janeiro de hoofdstad werd, is de politieke en economische macht van de stad afgenomen. Salvador is echter altijd een centrum van Braziliaanse cultuur gebleven. Met twee miljoen inwoners is het de vierde stad van het land.

Salvador da Bahia is in de laatste decennia, zoals zoveel Braziliaanse steden, enorm hard gegroeid. Langs de hele kuststrook hebben monumentale villa's en groen plaatsgemaakt voor brede autowegen en kantoren. Het historische centrum in de bovenstad heeft de afgelopen jaren een grondige opknapbeurt gekregen en geldt als de grote toeristische trekpleister van de stad. Het moderne deel van de stad bevindt zich hoofdzakelijk aan de noordkant langs de Atlantische kust, waar ook de meeste uitgaansgelegenheden zijn.

Stadswandeling

De meeste bezienswaardigheden zijn te vinden in de oude stadskern; in de haven van de benedenstad, de Cidade Baixa, en op het kleinere schiereiland Itapagipana, maar vooral in de koloniale bovenstad, de Cidade Alta.

De bovenstad leent zich uitstekend voor een wandeling. In de schilderachtige wijk Pelourinho, op de met kasseien geplaveide straatjes en pleinen en tussen de pastelkleurige gevels lijkt de tijd te hebben stilgestaan. De talrijke grootse kerkelijke bouwwerken en de monumentale façades van sommige huizen verwijzen naar de tijd dat Salvador een van de belangrijkste steden in Zuid-Amerika was. De duur van de wandeling is ongeveer 4 uur.

Praça Tomé de Souza

Een mooi punt om de wandeling te beginnen is het Praça Tomé de Souza, bij de boveningang van de Lacerda-lift. Je hebt hier een schitterend uitzicht over de benedenstad en de baai met het eiland Itaparica. Direct beneden je zie je de Mercado Modelo en de oude haven. Vlak voor de kust ligt het ronde Forte de São Marcelo.

Het Praça Tomé de Souza, ook wel het Praça Municipal, is het bestuurscentrum van de stad. In het stalen platte gebouw, het Palácio Tomé de Souza, zetelt de burgemeester. Of je het mooi vindt of niet, de bouw ervan in 1986 was een huzaren-

stukje. Het werd namelijk in twee weken tijd opgetrokken.

De gemeenteraad huist in het oudste gebouw aan het plein, de Câmara Municipal, dat stamt uit 1660 en dienst heeft gedaan als zetel van de koloniale regering en als gevangenis.

Een indrukwekkend bouwwerk is het Palácio Rio Branco, dat in 1919 is neergezet op de plaats van de vroegere koloniale regeringsresidentie. Het gebouw doet nu deels dienst als ontvangstruimte voor officiële bezoeken en deels als onderkomen voor de Fundacão Cultural do Estado da Bahia.

Praça da Sé

Loop langs het moderne stadhuis naar het Santa Casa de Misericórdia uit de 17de eeuw. De voorkant is in renaissancestijl en het interieur is versierd met veel bladgoud.

Een ivoren Christusfiguur van 86 cm geldt als het mooiste heiligenbeeld in ivoor van Brazilië.

Naast de kerk bevond zich het eerste ziekenhuis van de stad.

Je loopt nu het levendige Praça da Sé op, het oude hart van de stad. Met de nieuwe inrichting van de openbare ruimte – het drukke busverkeer is er verbannen – komen de historische gegevens weer beter tot hun recht. In het voormalig aartsbisschoppelijk paleis zijn gemeentelijke diensten gevestigd.

Terreiro de Jesus

Tegen het Praça da Sé aan ligt de Terreiro de Jesus, met een van de mooiste kerken van Salvador.

De begrenzing van de twee pleinen wordt gevormd door de **Catedral Basílica**. De kathedraal is door de jezuïeten in 1657 gebouwd op de plaats waar eerst een kapel stond. Het bouwwerk heeft door z'n façade, opgetrokken uit Portugees *lioz-*

steen, een eenvoudige uitstraling. Maar het interieur vormt een onverwacht hoogtepunt van het bezoek aan de bovenstad.

De weelde van de dertien rijk versierde altaren in rococo- en renaissancestijl zijn een pure verrassing door de ingetogen manier waarop ze in het interieur verwerkt zijn.

Links naast het hoofdaltaar, goed afgesloten door een reusachtig hekwerk, bevindt zich het mooiste altaar. De gouden en zilveren relikwieën zijn versierd met kristal, smaragd en andere edelstenen.

ⓘ CATEDRAL BASÍLICA. Geopend: dag. 8-11.30 en 17.30 uur.

Terreiro betekent tuin en was een gebied achter de oude kapel waar de geestelijken zich konden ontspannen. Op deze plek, nu voor de kathedraal, hangt nog altijd die ontspannen sfeer. De keizerlijke palmen, die 350 tot 400 jaar oud zijn, zorgen voor de nodige beschutting tegen de felle zon. Net als de stenen waarmee de kerken werden gebouwd, zijn de palmen uit Portugal overgebracht.

De fontein was tot in de 19de eeuw de enige watervoorziening voor de stad. De smeedijzeren beeldengroep van twee goden en twee godinnen, met daarboven de godin van de overvloed, is een gift van Frankrijk aan Salvador. Op de voetstukken van de beelden staan de namen van de vier grote Braziliaanse rivieren.

Vlak voor de kathedraal op het plein staat een beeld van Manuel de Nobrega, die naar Brazilië kwam om de indianen te evangeliseren.

Naast de kathedraal staat de oudste medische faculteit van Brazilië, uit de tijd van koning Dom João VI. In dit gebouwencomplex zijn drie musea gevestigd. Het Memorial da Medicina heeft een verzameling oude medische instrumenten en boekwerken van de oude medische faculteit. Inmiddels wordt er gewerkt aan een nieuwe behuizing voor de collecties. In het Museu do Arqueologia e Etnologia zijn archeologische vondsten uit de omgeving van Salvador en gebruiksvoorwerpen van de inheemse bevolking te zien.

Verreweg het interessantst is het **Museu Afro-Brasileiro** op de begane grond, waar Afrikaanse kunst- en gebruiksvoorwerpen en prachtige kostuums voor de candomblé te zien zijn. Het hoogtepunt bestaat uit twintig cederhouten panelen van 3 m hoog en 1 m breed, die de verschillende *orixá's* (goden) afbeelden. Onder de beeltenissen van de goden zijn de liturgische dieren afgebeeld.

ⓘ MUSEU AFRO-BRASILEIRO. Geopend: ma.-vr. 9-18 uur.

Aan de andere kant van de Terreiro de Jesus grenst de dominicanenkerk Ordem Terceira de São Domingos. Deze kerk met een voorkant in rococostijl stamt uit de 17de en vroege 18de eeuw.

Aan de lange zijde van het plein staat de São Pedro dos Clérigos, een 18de-eeuws bouwwerk in rococostijl gemengd met neoklassieke invloeden.

Praça Anchieta

Het aansluitende Praça Anchieta was tot in de 19de eeuw het domein van de rijken. De versieringen aan de gevels herinneren met name aan de welvaart tijdens de cacaoperiode. Midden op het plein staat het Cruzeiro de São Francisco, het kruis van lioz-steen uit 1807, waar de gelovigen hun geloften aflegden.

Op het plein staat de **Igreja de São Francisco**, die in haar uitbundigheid precies het tegenovergestelde is van de kathedraal. Het interieur van deze kerk, waarvan de bouw tussen 1708 en 1750 plaatsvond, is een goed voorbeeld van de overdadige Braziliaanse barokstijl. Van onder tot boven is de kerk versierd met cherubijnen en tierelantijnen. De roze wolken, tropische vogels, mulattengezichten, mannen- en vrouwenfiguren zijn rijkelijk bedeeld met bladgoud. Op een van de zijaltaren is de beeltenis van de Heilige Petrus van Alcântara te vinden. Hij is op een sublieme manier uitgesneden uit een enkel stuk hout door Manoel Inácio da Costa. Het verhaal gaat dat de afgebeelde engelen in het altaarwerk van São Bernardito triest kijken, omdat het hier een zwarte heilige betreft.

Rechts van de kerk bevindt zich de ingang tot het klooster van de franciscanen. De plafondschildering binnen geldt als de eerste oefening in driedimensionale weergave in Zuid-Amerika.

De slaven hadden hun eigen ingang tot de kerk: links en rechts van de hoofdingang. In de kale ruimtes, een voor de mannen en een voor de vrouwen, konden ze de mis bijwonen. Een blik op het hoofdaltaar was hun niet gegund.

ℹ️ IGREJA DE EN CONVENTO SÃO FRANCISCO. Geopend: ma.-za. 8.30-17.30, zo. 13-17 uur.

vroeger juwelen en andere smokkelwaar onder de stoffen van de heiligen.

ℹ️ IGREJA DA ORDEM TERCEIRA DE SÃO FRANCISCO. Geopend ma.-vr. 8-17 uur.

Pelourinho
Via de Rua Ignácio Accioli of vanaf de

Het oude centrum toen het net was gerestaureerd en gemoderniseerd; de kleuren en het pleisterwerk zijn alweer vrijwel verdwenen.

Naast de 'gouden kerk' staat de **Igreja da Ordem Terceira de São Francisco**. Deze kerk stamt uit 1703 en bezit de fraaiste barokgevel van de stad. De levensgrote heiligenbeelden in deze kerk leidden naar men zegt een dubbel leven: smokkelaars, zo wil het volksverhaal, verborgen

Terreiro de Jesus via de Rua Alfredo Brito loop je de Pelourinho in. Nog niet zo lang geleden was dit een luidruchtige volksbuurt waar de armsten zich hadden gevestigd in de oude herenhuizen en woningen uit de vorige eeuw. De gebouwen waren sterk in verval geraakt en de buurt gold als onveilig.

Onder de voortvarende leiding van de toenmalige gouverneur is de wijk in het begin van de jaren negentig grondig opgeknapt. Zowel de staat Bahia als buitenlandse geldschieters, waaronder de Unesco, hebben daar financieel aan bijgedragen. Het Largo do Pelourinho, het eigenlijke plein, is tot cultureel erfgoed verklaard.

Nu geldt de hele Pelourinho als de belangrijkste toeristische trekpleister van de stad. Vervallen woonhuizen hebben plaatsgemaakt voor boetieks, ateliers en restaurants. Er zijn pleintjes gecreëerd waar muziek- en dansvoorstellingen worden georganiseerd. De andere kant van het verhaal is dat de voormalige bewoners voor een appel en een ei zijn uitgekocht en naar de verder van het centrum gelegen sloppenwijken zijn verbannen.

De naam *pelourinho* is afkomstig van de schandpalen op het plein waar tot in de 19de eeuw slaven en criminelen gestraft werden.

De twee typerendste bouwwerken aan het Largo do Pelourinho zijn het **Casa de** Jorge Amado en de **Igreja Nossa Senhora do Rosário dos Pretos**. Het eerste gebouw is een eerbetoon aan de grootste eigentijdse Bahiaanse schrijver. In het gebouw is een documentatiecentrum over de schrijver en zijn werk ingericht.

De Nossa Senhora do Rosário dos Pretos is in de 18de eeuw door en voor slaven gebouwd. De façade is een mengeling van barokke, rococo- en oosterse stijlelementen. In de kerk staat een beeld van de beschermvrouwe uit de 17de eeuw. Het was lange tijd de enige kerk waar slaven vrij in konden en waar zwarte priesters konden worden gewijd.

ⓘ IGREJA NOSSA SENHORA DO ROSÁRIO DOS PRETOS. Geopend: ma.-vr. 8-17.30, za. 9-17 en zo. 10-16 uur.

Om de hoek van het plein, in de Rua Gregório de Matos, bevindt zich het **Museu da Cidade** met curieuze voorwerpen uit de Bahiaanse folklore. Er schuin tegenover, vlak naast elkaar, hebben twee beroemde *blocos* voor het carnaval hun thuisbasis: de Filhos de Gandhi en Olo-

Praça Anchieta met op de achtergrond de Igreja de São Francisco

dum. Filhos de Gandhi is in 1949 opgericht door stuwadoors uit de haven en is de oudste *bloco carnavalesco* van de stad. De muziekstijl is afoxé, een mix van Afrikaanse en inheemse muziek en wordt sterk religieus bepaald. Olodum is de meest populaire bloco van dit moment. Ook hier domineert de Afrikaanse drum het ritme. Wekelijks wordt er geoefend op de muziek en de choreografie voor het optreden tijdens carnaval. Op zondagmiddag kun je terecht bij Filhos de Ghandi. Dinsdagavond is de avond om Olodum te bezoeken. Er wordt dan luidruchtig feestgevierd op het Pelourinho-plein.

Largo do Carmo

Voorbij het Largo do Pelourinho gaan twee straten omhoog naar een volgend interessant plein: het Largo do Carmo. In het begin van de 17de eeuw stonden hier al een kapel en een klooster. Het behoorde tot de veroveringen van Piet Heyn en werd in 1624 geplunderd. Gaten van kanonskogels zitten al meer dan driehonderd jaar in de buitenmuren. Op een gedenksteen bij de ingang van het klooster staat te lezen: *'Op 30 april 1625 werd op deze plaats de capitulatie van de Hollanders getekend.'*
De **Igreja do Carmo** (Ordem Primeira) uit het begin van de 18de eeuw heeft een zilveren altaarfront en een rijkelijk met bladgoud versierd interieur. Naast deze kerk, deels in het klooster dat momenteel dienst doet als vijfsterrenhotel, bevindt zich het **Museu do Carmo** met heiligenbeelden, iconen, zilveren en gouden religieuze voorwerpen en jacarandameubels uit de 18de eeuw. De sacristie van de kerk in rococostijl en het beeld van de dode Christus door de Bahiaanse beeldhouwer Francisco Xavier das Chagas zijn de belangrijkste bezienswaardigheden. In het beeld van cederhout zijn tweeduizend robijnen verwerkt als bloeddruppels. Op Goede Vrijdag wordt dit beeld rondgedragen tijdens de processie in de oude stad.
De **Igreja Ordem Terceira do Carmo** is in het begin van de 19de eeuw gebouwd op de plaats waar de kapel uit 1636 stond. De façade is in rococo- en neoklassieke stijl. Het interieur is eenvoudiger dan de kerk van de Ordem Primeira. De barokke versieringen zijn met een mengsel van walvisolie en goudstof, *tabla dourada*, afgewerkt. Let op de neptegels en de ijzeren balken onder het orgel.
ⓘ IGREJA ORDEM TERCEIRA DO CARMO. Geopend: dag. 9-13 en 14-18 uur. MUSEU DO CARMO. Geopend: ma.-za. 9-18, zo. 9-12 uur.

Overige bezienswaardigheden in Salvador

Museu de Arte Sacra

Dit museum aan de Rua do Sodré 276 is het belangrijkste museum van religieuze kunst in Brazilië. De collectie bestaat uit veel soorten heiligenbeelden in hout, aardewerk en ivoor, en uit schilderijen van Bijbelse taferelen uit alle delen van Brazilië. Het bouwwerk zelf is al fascinerend en biedt een schitterend uitzicht op de baai en de haven. Het is daarom niet verwonderlijk dat de stad van hieruit werd verdedigd tegen de aanvallen van de Hollanders in 1625. Tot 1840 was dit een karmelietenklooster. Sinds 1958 doet het dienst als museum.
Aan de plattegrond en de indeling is in al die tijd weinig veranderd. Zo kun je zitten in de ingebouwde biechtstoelen in de kerk en in de nissen waar de kloosterlingen zich terug konden trekken voor een gesprek of voor contemplatie.
Bezoek ook zeker de inpandige Igreja Santa Teresa de Avila uit 1697 met zeven altaren in barokke (4), Portugees barokke (1) en neoklassieke (2) stijl. Het met zilver bewerkte altaar is afkomstig uit de Sé-kerk, die plaats heeft moeten maken voor het gelijknamige plein.

ℹ MUSEU DE ARTE SACRA. Geopend: ma.-vr. 11.30-17.30 uur.

Solar do Unhão

Aan de baai, niet ver van het Campo Grande, staat Solar do Unhão, een prachtig voorbeeld van een *Casa Grande e Senzala* uit de suiker- en slaventijd. Het complex is gerestaureerd en huisvest nu onder meer het **Museu de Arte Moderna** en een restaurant. Het casa grande was oorspronkelijk (eind 17de eeuw) het huis van een rijke Portugees. Goed is te zien dat er toentertijd twee gescheiden werelden waren: het grote huis waar de koopman en z'n familie leefden, en de *senzala*, de donkere en vochtige kelders waar de slaven verbleven. De rails, waarover de karretjes met de koopwaar van en naar de schepen werden gereden, liggen er nog. Hier is nu een voortreffelijk restaurant gevestigd.

In de kapel zijn nog tot in de 19de eeuw diensten gehouden. In het museum hangen werken van Di Cavalcanti, Portinari

en Mário Cravo. Verder zijn er wisselende exposities.

ℹ MUSEU DE ARTE MODERNA. Geopend: di.-vr. 13-20, za. en zo. 15-21 uur.

Mosteiro de São Bento

Het Mosteiro de São Bento aan het Largo de São Bento dateert uit 1581 en is het oudste benedictijnenklooster van Latijns-Amerika. In 1624 is Piet Heyn hier naar binnengestormd door een deur die nog altijd 'De Hollandse Poort' heet. In de collectie van dit klooster bevindt zich een kaart uit 1625 met daarop een schets van de herovering van Salvador door de Portugezen. De manschappen en kanonnen zijn zeer gedetailleerd weergegeven. Op zondagochtend zijn er recitals.

ℹ MOSTEIRO DE SÃO BENTO. Geopend: ma.-vr. 6.30-12 en 16-19, za. 6.30-20.00 en zo. 6.30-12 uur.

Campo Grande

Je kunt de Avenida 7 de Setembro uitlopen tot aan het Palácio da Aclamação. De obelisk die deel uitmaakt van dit paleiscomplex is een herinnering aan de onafhankelijkheidsverklaring in 1822. Het paleis was tot voor kort de residentie van de gouverneur van Bahia.

Het Forte de São Pedro speelde een prominente rol in de strijd voor onafhankelijkheid in 1823. Nu is het fort in gebruik door het Braziliaanse leger.

Vervolgens kom je op het Campo Grande, waar de bevrijdingstroepen in 1823 de stad binnenkwamen. Het Campo Grande is tegenwoordig het grote ontmoetingsplein van de stad. Aan het plein staat het heropende Teatro Castro Alves, dat na een grondige renovatie nu de grootste theaterzaal van de stad heeft.

Ter nagedachtenis aan de smadelijke nederlaag van de Hollanders; aan de gevel van het voormalige Convento do Carmo

Het Forte Santo Antônio da Barra met de vuurtoren; een strategische locatie aan de baai.

Avenida 7 de Setembro

De Avenida 7 de Setembro loopt van de wijk Santa Tereza via São Pedro, Barra en Campo Grande naar de wijk Vitoria. Tussen de villa's uit het begin van de eeuw en de moderne hoogbouw staan twee interessante musea. In het **Museu de Arte da Bahia** (Avenida 7 de Setembro 2340) zijn naast wisselende exposities op de benedenverdieping, meubels, schilderijen en gebruiksvoorwerpen uit de drie voorgaande eeuwen samengebracht. Het **Museu Carlos Costa Pinto** (Avenida 7 de Setembro 2490) heeft eveneens een mooie verzameling meubels en voorwerpen uit deze periode.

In de uitgaanswijk Barra komt de Avenida 7 de Setembro uit bij het Praia Porto da Barra, het beste strand van Salvador. Vrijwel tegen het Forte de São Diogo staat de gedenksteen uit 1949, toen herdacht werd dat de eerste gouverneur van Brazilië, Tomé de Souza, hier voet aan wal zette.

Andere forten in de buurt zijn het 18de-eeuwse Forte de Santa Maria en het Forte de Santo Antônio da Barra uit 1598, dat strategisch gelegen is op de punt van het schiereiland, daar waar de oceaan en de Allerheiligenbaai elkaar ontmoeten. In dit laatste fort is het Museu Hidrográfico de Salvador gevestigd.

Mercado Modelo

De Mercado Modelo, de overdekte markt aan de haven, stamt uit 1861. Alles wat Bahia voortbrengt aan ambachtelijke artikelen is hier te vinden: lederwaren, houtsnijwerk, primitieve schilderkunst, Bahiaanse kleding, bedrukte T-shirts en muziekinstrumenten. De markt is bovendien een verzamelplaats van straathandelaren en straatartiesten. Als je het treft kun je buiten, aan de kant van de haven, een capoeira-voorstelling bijwonen. Op de eerste verdieping van het marktgebouw is een beroemd restaurant gevestigd: Camafeu de Oxóssi met heerlijke Bahiaanse gerechten. Vanaf het terras heb je een mooi uitzicht over de haven.

Voor de kust ligt **Forte de São Marcelo**, het fort dat door de Hollanders onder leiding van Piet Heyn werd veroverd. Bij toeval ontdekten de Hollanders in 1624 vijftien Spaanse en Portugese schepen. Voordat de vijand kon reageren had Heyn al toegeslagen. De ontreddering en paniek waren zo groot dat de Spanjaarden en Portugezen hun eigen schepen in brand staken en vluchtten. Het fort doet nu dienst als militaire opslagplaats.

Vanaf de Terminal Maritimo de Salvador vertrekt 's morgens vroeg een veerboot die de eilanden Dos Frades en Itaparica aan doet.

Monte Serrat

Een ander historisch stadsdeel is gelegen op de punt van het schiereiland Itapagipana. Neem de bus vanaf Comercio in de richting van Bonfim of Boa Viagem. Je passeert dan onder andere de drukke Mercado de São Joaquim, dé markt voor groente, fruit en vlees. De feesten rond de **Igreja Senhor do Bonfim** (1754) zijn een goed voorbeeld van de vermenging van het christelijk geloof en de Afrikaanse mystiek. Jaarlijks komen tienduizenden mensen naar deze kerk om de heilige Senhor do Bonfim te vragen om geluk, genezing of genade. Binnen hangen de muren vol met ex-voto's, foto's, wassen ledematen, sieraden, goud en zilver als dank voor het succes dat de heilige hun gaf. Rondom de kerk zijn kleine winkeltjes waar Afrikaanse beeldjes van heiligen te koop zijn.

Senhor do Bonfim is, net als de andere heiligen, zowel een katholieke als een Afrikaanse heilige. In het kerkje worden de ene dag katholieke missen gehouden, de andere dag vindt er een candomblé-sessie plaats.

ℹ️ IGREJA SENHOR DO BONFIM. Geopend: di.-zo. 6-12 en 14-18 uur.

De Igreja de Boa Viagem is vooral bekend vanwege de processie op nieuwjaarsdag. In de Nederlandse geschiedenis heeft het Forte Monte Serrat een rol gespeeld. Verscholen tussen de huizen staat het tegen een duinpan. De torens op de vier hoeken hebben de vorm van zoutvaatjes. Op een plakkaat bij de ingang is te lezen: '*Āos 17 Julho de 1624 foi morte neste sitio o general Hollandez João van Dordt*' ('Op 17 juli 1624 werd op deze plek de Hollandse generaal Jan van Dordt gedood'). Hij stierf tijdens een aanval op het strand. In het fort is een wapenmuseum gevestigd. Helemaal op de punt van het schiereiland, bij de vuurtoren en omringd door het kalme water van de baai, staat de Igreja Nossa Senhora de Monte Serrat. Het kerkje, uit 1592, is een van de oudste van de stad en is onlangs gerenoveerd.

OMGEVING VAN SALVADOR DA BAHIA

Stranden

De Atlantische kustlijn boven Salvador is een aaneenschakeling van goede stranden. Tussen Salvador en Itapoã liggen onder andere Praia Pituba, een langgerekt strand waar volop wordt gesurft op de hoge golven en de door palmen beschutte Jardim de Alá, het rustige Boca do Rio en het door mooie riffen omgeven Corsário. Voor kleine kinderen is Jaguaribe een uitermate geschikt strand vanwege het ondiepe water en de rustige zee.

Itapoã is een drukke badplaats. In de straatjes achter de boulevard zijn hotels en appartementen in alle prijsklassen te vinden. De hagelwitte duinen van de Lagoa de Abaete zijn zeer mooi.

Ten zuiden van Salvador is Guaibim, ongeveer 15 km na Valença, een van de betere stranden. Er zijn aan dit strand restaurants gevestigd die gerechten van

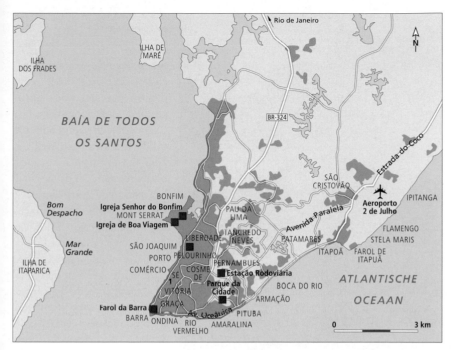

Omgeving van Salvador da Bahia

verse vis serveren. Verder bieden de eilanden in de baai ideale stranden.

ℹ️ VERVOER. Vanaf Porto da Barra vertrekt een bus, met opschrift Roteiro das Praias, met een route langs de kustweg, de Estrada de Coco, tot Praia da Flamengo. Andere bussen gaan vandaar weer verder.

De eilanden

Bij een verblijf in Salvador hoort een tochtje naar een van de vijftig eilanden in de Baía de Todos os Santos. Ilha dos Frades, Ilha de Maré en Ilha do Medo zijn ware paradijsjes met mooie stranden en vissersdorpjes. Ilha da Itaparica is het grootste eiland, dat zich eveneens uitstekend leent voor een dagtocht.

Itaparica

Het eiland Itaparica bestaat uit twee gemeenten: Itaparica en Vera Cruz. De laatste wordt door de lokale bevolking ook Mar Grande genoemd. Het eiland heeft ongeveer 50.000 inwoners, die voornamelijk van de visserij en het toerisme leven. In de vakantieweekeinden en gedurende het zomerseizoen loopt het eiland vol met toeristen uit alle delen van het land. Rijke *baianos* hebben kapitale villa's op het eiland.

De veerboot komt aan in Bom Despacho. Direct achter de steiger staan de bussen te wachten, die je naar alle stranden van het eiland brengen. De beste stranden zijn Ponta de Areia, Penha (vooral voor surfers), Conceição, Tairu, Aratuba, Berlinque en Cacha Pregos. Eetgelegenheden zijn bij de meeste stranden aanwezig.

Speciale boten zetten je af bij het plaatsje Itaparica. Direct aan de kade is een aantal goede restaurants gevestigd.

Itaparica is verder bekend om z'n mineraalwater. De bron daarvoor, de **Fonte da Bica**, bevindt zich eveneens aan de kade. De installaties stammen uit 1843. Aan het water, waarvan 46.000 liter per dag wordt

Ilha de Itaparica, water tappen bij de Fonte da Bica

en Maragojipe waren bloeiende stadjes in de 18de eeuw dankzij de suikerrietplantages in de omgeving. Vooral in Cachoeira zijn veel gebouwen uit die tijd intact gebleven. Ze zijn niet allemaal even goed onderhouden. Sinds de stad in 1970 van de Braziliaanse regering de status van nationaal monument kreeg, zijn enkele gebouwen gerestaureerd.

Het is de moeite waard een bezoek te brengen aan de **Igreja da Ordem Terceira do Carmo** uit 1745. De kerk heeft een mooie kapel gewijd aan Nossa Senhora dos Remédios, een hoofdaltaar in barokstijl, houten heiligenbeelden uit Macao en versieringen van Portugees tegelwerk (azulejos). Naast de kerk staat het klooster van de karmelieten.

geproduceerd, worden geneeskrachtige en vooral verjongende krachten toegeschreven.

In het oude stadje staat het **Fortaleza de São Lourenço**, dat in de 18de eeuw is gebouwd op de plek waar de Hollanders, ongeveer een eeuw eerder, een versterking hadden gebouwd.

Itaparica is aan de zuidkant door een brug verbonden met het vasteland. Via de historische plaatsjes Nazaré, Santo Amaro en Cachoeira kun je terugreizen naar Salvador. De afstand langs deze route bedraagt zo'n 180 km.

Cachoeira

Ten westen van Salvador, aan de overkant van de baai, liggen drie plaatsen, die vanwege de koloniale architectuur een bezoek waard zijn. Cachoeira, Santo Amaro

ℹ️ IGREJA DA ORDEM TERCEIRA DO CARMO. Geopend: di.-za. 17, vr. 14-18 uur.

Andere opmerkelijke gebouwen zijn: de Igreja Matriz Nossa Senhora do Rosário (17de eeuw), het Casa da Câmara e Cadeias (1698/1712), een oud gouvernementsgebouw en gevangenis dat nu in gebruik is voor de gemeenteraad en het Santa Casa de Misericórdia (1734).

Vanuit Cachoeira kun je een boottocht op de Rio Paraguaçu maken. In de tweede helft van augustus staat Cachoeira in het teken van het **Festa da Nossa Senhora da Boa Morte**. In de Bahiaanse cultuur neemt dit festival een belangrijke plaats in. Het is een voorbeeld van Afrikaanse invloeden in de religie. De oorsprong van dit feest ligt in het begin van de 19de eeuw, toen zwarte vrouwen zich organiseerden om een eind aan de slavernij te maken. De verering van Nossa Senhora da Boa Morte vond toen in de slavenbarakken plaats. Tijdens het ritueel werd gebeden voor de afschaffing van de slavernij en voor allen die hun leven daarvoor gegeven hadden. Na de afschaffing zette het 'zusterschap' de viering voort door middel van een echt feest. Nog altijd is de organisatie van het festival in handen van het zusterschap, dat uit zo'n veertig vrouwen bestaat. De rituelen tijdens de viering hebben een relatie met candomblé. Hoogtepunt zijn drie avondmaaltijden op vrijdag, zaterdag en zondag; elk met z'n eigen betekenis en handelingen. Duizenden toeristen wonen het feest jaarlijks bij.

LINHA VERDE

De kust van Bahia ten noorden van Salvador tot aan de staat Sergipe heet de Costa dos Coqueiros (kust van de kokospalmen). Dit hele gebied is een lust voor het oog en een zegen voor het lichaam. Tot op heden is dit gebied slechts op enkele plaatsen ontwikkeld voor toerisme. Dat zal veranderen als de 140 km lange Linha Verde klaar is. Die verbindt de Estrada do Cocos, ook al genoemd naar de kokospalmen die overal aanwezig zijn, met Sergipe. De gemeenten Entre Rios, Esplanada, Conde en Jandara worden door de verbinding aan de vergetelheid ontrukt.

De overheid van Bahia zegt zich bewust te zijn van de gevaren en wil een herhaling van de negatieve ontwikkeling, die gepaard ging met de aanleg van de weg Rio–Santos, voorkomen. Daar moesten de oorspronkelijke vissersgemeenschappen het veld ruimen voor luxehotels en vakantieparken. Dat mag langs de maagdelijke noordkust van Bahia niet gebeuren, zo zegt men. Een strook van 10 km breedte vanaf het strand langs de hele kustlijn is tot beschermd gebied verklaard. De natuur mag hier niet aangetast worden en de bedoeling is dat de oorspronkelijke bewoners niet hoeven te verhuizen.

Binnen enkele jaren zal duidelijk zijn of de overheid en de eigenaren van de grond langs de Linha Verde de druk kunnen weerstaan.

Praia do Forte

Een goed voorbeeld van verantwoorde ontwikkeling is Praia do Forte, zo'n 90 km ten noorden van Salvador.

De kustlijn bestaat uit een smal strand begrensd door kokospalmen. Daarachter liggen zoetwaterlagunes, gevormd door de rivieren die een uitweg naar zee zoeken.

Ondanks de vestiging van een groot hotel is men er tot nu toe in geslaagd om het natuurlijke karakter vast te houden. Dat is de opzet van de Duitse eigenaar Klaus Peter, die in het begin van de jaren tachtig een groot landgoed langs de kust kocht, inclusief 12 km strand. Eerst bouwde hij in het dorp de Pousada Por-do-Sol naast de vuurtoren aan het strand.

Iets later liet hij het Praia do Forte Resort Hotel bouwen. Dit hotel bestaat volledig uit laagbouw en is uit lokale bouwmaterialen opgetrokken, zodat het in harmonie met de omgeving is.

Inmiddels zijn er verschillende condominiumcomplexen bijgebouwd. Ook deze zijn gebonden aan strakke regels over de bouwmaterialen en de groenvoorziening. Voor elke boom bijvoorbeeld die wordt geveld, moeten er vijf worden teruggeplant.

Op het strand bij het dorp is een onderdeel van het **Projeto Tamar** gevestigd. Dit project heeft meer beschermde locaties langs de Bahiaanse kust onder zijn hoede, waar zeeschildpadden kunnen

DE SCHILDPADDEN VAN TAMAR

In Praia do Forte is het hoofdkwartier gevestigd van Tamar, wat staat voor *tartaruga marinha*, Portugees voor zeeschildpad. Jaarlijks komen 300.000 bezoekers langs om het verhaal van de zeeschildpad te horen en te bekijken wat Tamar doet om deze bijzondere dieren te redden. Wat ooit begon als een particulier initiatief van een bezorgd Braziliaans echtpaar, is uitgegroeid tot een instituut met wereldwijde bekendheid, waar miljoenen worden verdiend voor het goede doel.

Neca Neca en Guy Guagni dei Marcovaldi houden behalve van elkaar ook van de zee en het leven daarin. In 1977 maakt Guy, toen nog studerend, een fotoreportage van een slachtpartij op het strand van Atol das Rocas. De foto's van broedende schildpadden die in koelen bloede werden afgemaakt door vissers en handelaren, kwamen in een publiekstijdschrift en schokten de natie. Guy en zijn vriendin Neca Neca kregen de opdracht van de militaire regering om onderzoek te doen naar de schildpadden. Ze ontdekten dat er vijf soorten zeeschildpadden jaarlijks hun eieren komen leggen op de Braziliaanse stranden: de karetschildpad, de soepschildpad, de onechte karetschildpad, de lederschildpad en de gewone bastaardschildpad.

De **karetschildpad** (*Eretmochelys imbricata*; Engels: *hawksbill*) is een relatief kleine soort (90 cm). Hij heeft overlappende pantserplaten op de rug en twee paar kleine kopplaten tussen de ogen. De naam is ontleend aan de papegaaiensnavel.

De **soepschildpad** (*Chelonia mydas*; Engels: *green turtle*) heeft een ovaal pantser, bruin of olijfgroen, met een paar lange platen op de kop tussen de oren en vier paar ribbenplaten. De soepschildpad kan 1,8 m lang worden.

De **onechte karetschildpad** (*Caretta caretta*; Engels: *loggerhead turtle*) kenmerkt zich door vier smalle rugwervelplaten en de vijfde is trapeziumvormig. Het pantser is grijsbruin, het onderlichaam is crèmekleurig.

De **lederschildpad** (*Dermochelys coriacea;* Engels: *leatherback sea turtle*) is de grootste soort in Braziliaanse wateren. Hij kan 900 kilo zwaar en 2,3 m lang worden. Het lederachtige pantser is staalgrijs met witte of blauwe vlekken.

De **gewone bastaardschildpad** (*Lepidochelys olivacea*; Engels: *Olive Ridley Turtle*) komt het meeste voor. Hij heeft een olijfgroen- of grijs schild met zes paar ribbenplaten. Gewicht tot 65 kilo, lengte tot 70 cm.

broeden en kunnen worden bestudeerd. Van september tot maart is het strand bij Praia do Forte een broedplaats voor schildpadden. Als het donker is, kruipen ze bij honderden het strand op om daar hun eieren te leggen. In het seizoen kun je onder deskundige begeleiding excursies naar de broedplaatsen maken.

De schildpadden leven in het water voor de kust. De carnivoren eten ongewervelden, sponsen, schelpdieren en krabben, maar er zijn ook enkele soorten herbivoor. Ze paren in het water en leggen hun eieren 's nachts op rustige plekken aan de kust; een zandstrand heeft

de voorkeur. Daar leggen ze 80-150 eieren, die ze vervolgens toedekken met het warme zand. Tijdens dit werk zijn de schildpadden een makkelijke prooi voor vissers en jagers, die het hebben gemunt op het vlees en het pantser. Zo gauw de kleine schildpadden zijn geboren, maken ze gezamenlijk een weg naar boven door het zand en rennen naar de zee. Ook zij zijn zeer kwetsbaar.

Uit het onderzoek bleek dat met name de vier eerstgenoemde soorten voorgoed van de Braziliaanse kusten zouden verdwijnen als de slachtpartijen zouden doorgaan. Dit vormde het uitgangspunt voor het nationale project Tamar.

Inmiddels zijn er 21 stations die de kustlijn over zo'n 1000 km ten noorden en zuiden van Praia do Forte in de gaten houden. Honderden inwoners van dorpjes langs de kust zijn geschoold en waken over de nesten in het broedseizoen. Als de eieren op te kwetsbare plekken liggen, brengen ze die naar speciale broedstations. De afgelopen jaren heeft Tamar zo'n 3 miljoen jonge schildpadden uitgezet in zee.

🛈 PROJETO TAMAR, Praia do Forte, Bahia. Geopend: dag. 9-17.30 uur.

Zie verder www.projetotamar.org.br (ook in het engels).

Op de hoogste duin bij het plaatsje staat de ruïne van het kasteel **Garcia D'Avila**, genoemd naar en gebouwd door de man die samen met de eerste gouverneur, Tomé de Souza, naar Brazilië kwam. Het gebouw uit de 16de eeuw geldt als het enige kasteel van het land en als een van de oudste gebouwen. D'Avila bezat

Praia do Forte

een grondgebied dat doorliep tot in de tegenwoordige staat Maranhão. Tien generaties van de familie D'Avila hebben tot in de 19de eeuw op deze strategische heuvel gewoond. Sinds 1850 is het kasteel in verval geraakt. Een nazaat van de familie van D'Avila wil het bouwwerk gaan restaureren.

Andere mooie stranden en plaatsen aan de kust op de weg naar Praia do Forte zijn: Ipitanga, Jauá, het voormalige hippiedorp Arembepe, Guarajuba en Itacimirim. De stranden zijn vanaf de Estrada do Cocos via verharde wegen te bereiken.

Noordelijk van Praia do Forte, langs de nieuwe Linha Verde, ligt het strand van Imbassaí, een langgerekte halfwoestijnachtige strook met daarachter een lagune. Het is een goede plek voor surfers en vissers. Er zijn al een paar pousadas gevestigd.

Subaúma, Baixio de Palame, Barra do Itariri, Sítio, Conde en Mangue Seco zijn vissersdorpjes die stuk voor stuk aan mooie stranden liggen. De duinen, de lagunes en de palmbomen vormen een onvergetelijk decor. Niet voor niets werd in Mangue Seco een telenovela (📖 pp. 82-83) opgenomen, gebaseerd op het werk van Jorge Amado.

De kust van Bahia (1)

HET ZUIDEN VAN BAHIA

Ten zuiden van Salvador ligt het grootste deel van de Bahiaanse kustlijn. Onder de Baia de Todos os Santos begint de Costa do Dendê, de dendêpalmkust, met als grote trekpleister het idyllische Morro de São Paulo. Daarna komt de Costa do Cacao, de naam zegt het, waar het zwaartepunt van de cacaoproductie ligt. De stad Ilhéus getuigt van een roemrijk verleden en is vereeuwigd in de romans van Jorge Amado. Langs de kust liggen schitterende stranden en natuurgebieden. Vervolgens kom je bij de Costa do Descobrimento ('Kust van de Ontdekkingen'), waar Portugese zeelieden in de 16de eeuw voor het eerst voet op Braziliaanse bodem zetten. Porto Seguro is hier de grote badplaats. Iets zuidelijker liggen intiemere plaatsjes als Arraial D'Ajuda, Trancoso en Prado.

Het zuidelijkste stuk van de Bahiaanse kust staat bekend als de Costa das Baleias, de walviskust, met nog overwegend vissersnederzettingen. Voor de kust liggen de Abrolhos, een eilandengroep, beschermd natuurgebied, waar bijzondere vogels broeden en walvissen de winter doorbrengen.

Genoemde delen van de Bahiaanse kust zijn slechts op een paar plaatsen onderling verbonden. Op zo'n 30 tot 40 km van de kustlijn vormt de BR-101, de hoofdweg van Salvador naar Rio, de voornaamste verbinding.

De zuidkust is het snelst te bereiken vanuit Salvador, via het eiland Itaparica en het plaatsje Nazaré.

Valença

Het eerste stadje dat je tegenkomt op weg naar het zuiden, is Valença, aan de BA-250 vanaf Nazaré. Je komt bijna vanzelf terecht bij de brug over de Rio Una en het haventje. Valença leeft van de visserij en de handel. In de bloeitijd was er een levendige handel in cacao en suiker. Iets later kwam de textielproductie. Er staan nog enkele oude textielfabrieken. Tegenwoordig ligt het zwaartepunt van de economie bij het haventje, waar de vis binnenkomt, de boten voor Morro de São Paulo liggen, en scheepswerven gevestigd zijn. De bouw van houten vissersboten en zeilboten schijnt nog op dezelfde wijze plaats te vinden als in de 18de eeuw. Zo gauw het licht wordt weerklinkt het geluid van timmeren en zagen. Als je er langs vaart ruik je het verse hout. Op een heuvel, met fraai uitzicht op het plaatsje, staat het oudste bouwwerk (1799): de Igreja Nossa Senhora do Amparo. De kerk is fraai versierd met azulejos. In de omgeving van Valença liggen een paar goede stranden. Het mooiste strand is dat van **Guaibim** (22 km van Valença), waar je goed kunt surfen en kunt douchen onder de watervallen in de Rio Guaibim. Een ander historisch plaatsje in de buurt is Cairu met twee gebouwen uit de tijd dat de eerste Portugezen zich in dit gebied vestigden: de Igreja Nossa Senhora do Rosário en het Convento de Santo Antônio (allebei uit 1661).

Sinds Morro de São Paulo bekend is geworden als strandparadijs levert het toerisme ook Valença werk en inkomen. Meteen bij aankomst kun je kiezen uit de sjouwers, gidsen, fruit- en drankverkopers. Er zijn verscheidene restaurants in de straten rond de haven, waar je goed kunt lunchen, en de hele dag door varen boten op en neer naar Morro.

Morro de São Paulo

Er zijn van die plekken die zo verrassend mooi zijn, dat ze je bij de eerste aanblik compleet overvallen. Een dergelijke ervaring onderga je gegarandeerd als je in Morro de São Paulo bij het tweede of derde strand aankomt. Dit moet de plek zijn die je altijd hebt gedroomd,

Morro de São Paulo

het tropische decor van een romantische film. Morro de São Paulo op het Ilha de Tinharé is echt een paradijs. Steile rotsen en verscholen stranden, afgewisseld met palmwouden zorgen voor een fantastisch landschap. Het water is gedurende de zomermaanden kristalhelder. De stranden zijn genummerd: Praia Segunda, Praia Terceira en Praia Quarta zijn het mooist. Vooral langs de laatste twee kun je heerlijk slenteren.

Morro de São Paulo bestaat uit een paar straten en een centraal pleintje, allemaal onverhard. Auto's komen er niet. Nog niet zo lang geleden leefden er uitsluitend vissers. Tegenwoordig heeft het toerisme bezit genomen van Morro.

Er zijn een paar bezienswaardigheden. De toegangspoort, bij de aanlegstijger voor de boten vanuit Valença, stamt uit de 17de eeuw. Dit is een overblijfsel van de versterking die de Portugezen aan de noordkant van het eiland hadden gebouwd. Van het **Fortaleza de Morro de São Paulo** zijn helaas alleen nog ruïnes over. De bouw van dit fort begon in 1630. Vanuit het fort moest de zuidelijke toegang tot de Allerheiligenbaai worden bewaakt. In 1822 en 1823 hadden Britse troepen onder leiding van Lord Cochrane zich meester gemaakt van het fort. Gezichtsbepalend in Morro is de **Capela Nossa Senhora da Luz**. De huidige kerk stamt uit de 19de eeuw en verving de oude kapel waar vanuit Nossa Senhora da Luz, zoals de legende vertelt, haar mysterieuze licht verspreidde dat de vijand, zoals onder andere Piet Heyn, ervan weerhield om aan te vallen.

Natuurlijk staat bij een verblijf in Morro het genieten van strand, zon en het ongedwongen sfeertje voorop. Toch zou je een excursie naar het naburige eiland **Boipeba** niet mogen missen. Deze dagtocht per boot of tractor brengt je naar volledig maagdelijke stranden; eerst aan de zuidoostkant van Ilha de Tinharé het kilometerslange Praia de Garapuá, en vervolgens op het Ilha de Boipeba het Praia de Tassimirim. Volgens het weekblad *Istoé* behoort dit strand tot de top tien van Brazilië. Eén ding is zeker: voor de liefhebbers van totale rust is dit dé plek. In een van de strandrestaurants van het vissersplaatsje Boipeba wordt meestal de lunch gebruikt.

Wie langer in Boipeba wil blijven, kan terecht in een van de kleine pousadas, ook direct aan het strand.

Boipeba is rechtstreeks vanuit Valença met de boot te bereiken (4 uur varen).

Zo'n 65 km onder Valença ligt **Camamu**, een historisch plaatsje uit de begintijd van de Portugese kolonisatie. Van hieruit zijn met de boot tochten te maken naar de eilanden in de Baia de Camamu. Ilha Barra Grande is leuk, met een vissersplaatsje en fraaie stranden. Na Camamu buigt de BA-250 zich het binnenland in naar de BR 101.

Als de hoofdweg de Rio de Contas kruist kun je afslaan naar Itacaré aan de kust.

DE CACAOKUST

Itacaré

Itacaré is een van de meest recente ontdekkingen aan de Bahiaanse kust. Het markeert het noordelijke punt van de Costa do Cacau, de Cacaokust. Aan de landkant is Itacaré omsloten door de oorspronkelijke Atlantische kustvegetatie, hier en daar opengekapt voor een plantage. Aan de zeekant liggen fantastische stranden, met zwem- en surfmogelijkheden. De omgeving leent zich uitstekend voor lange wandelingen in het woud of over het strand.

Itacaré is een sfeervol plaatsje. De naam stamt af van *Ita*, wat 'steen' betekent in het Tupi, en *Karé*, wat staat voor 'gebogen' of 'bocht' in het Guarani. Driehonderd jaar gelden bouwden jezuïeten er een kerk, de Igreja Madre de São Miguel, en een huis. Dat zijn de voornaamste monumenten. Voor de rest heeft Itacaré vooral natuurschoon. Praia do Pontal, aan de noordkant, ligt midden tussen de kokosbomen en heeft zeer hoge golven. Je kunt er alleen met de boot komen. Aan de zuidkant ligt een tiental stranden, het een nog mooier dan het ander. Enkele tips: Tiririca, Ribeira, Prainhas en Engenhoca.

Bahia Adventure organiseert kanotochten in het natuurgebied achter de kokospalmen.

De meeste zijn alleen met de boot of over bospaden te bereiken. Zo ligt het schitterende Praia Prainhas op 40 min. wandelen van Ribeira.

Praia das Conchas, vlak bij het centrum, waar de meeste restaurants en pousadas zijn gevestigd, heeft een rif en is een goede duiklocatie.

Er wordt hard gewerkt aan een nieuwe weg langs de kust rechtstreeks van Ilhéus naar Itacaré (65 km). Dat zal de ontwikkeling van Itacaré een enorme impuls geven. De vraag is wat er over zal blijven van het intieme sfeertje dat er nu nog hangt. De Bahiaanse overheid is zich gelukkig van de gevaren bewust. Samen met de federale universiteit van Bahia en het ministerie van Milieu en Natuurlijke Hulpbronnen (IBAMA) is er een ontwikkelingsplan voor het gebied gemaakt, dat het behoud van de natuurlijke schoonheid moet waarborgen.

Vanaf Itacaré kun je met de bus binnendoor via Uruçuca naar Ilhéus. De reis duurt vier tot vijf uur, afhankelijk van het aantal stops onderweg, en voert door een gebied van cacaoplantages. Wil je sneller in Ilhéus zijn (en de nieuwe weg is nog niet klaar), dan moet je terug naar de hoofdweg en via Itabuna reizen.

Itabuna is een industriestad en centrum van de cacaohandel. De stad zelf is niet zo interessant. Langs de weg naar Ilhéus zijn wel enkele bezienswaardigheden.

Op ongeveer 20 km van Itabuna is het **Centro de Pesquisa do Cacau (Ceplac)** gevestigd, een onderzoekscentrum waar je uitleg over de cacaoproductie en een rondleiding kunt krijgen.

ⓘ CEPLAC. Geopend: ma.-vr. 8.30-10.30 en 13.30-15.30 uur, tel. 31243014.

Wat verder naar Ilhéus, aan de weg, bevindt zich de Fazenda Primavera. Wie de sfeer wil proeven op een cacaoplantage moet hier langsgaan. Plantage-eigenaar Virgílio Costa de Amorim ontvangt de bezoekers meestal zelf. Eerst krijg je een glaasje zelfgemaakte likeur of cacaodrank en vervolgens een rondleiding per koets op de fazenda. Virgílio laat de cacaobomen zien, vertelt over de schimmelziekte die de cacaoproductie in Bahia bedreigt en hoe de boeren proberen deze te lijf te gaan. De grootste bezienswaardigheid is het plantagehuis, waar de familie van Virgílio Amorim al ruim tweehonderd jaar en zes generaties lang woont. Er staan oude meubels, er hangen foto's van z'n voorouders. Er is een aparte slangenkamer waar de cobra's verblijven; deze slangen zijn op de cacaoplantage van groot belang, omdat ze ratten en andere dieren verdrijven die de plant kunnen vernietigen.

Trots laat Virgílio de slaapkamer zien waar scènes voor de in Brazilië beroemde telenovela *Renascer* is opgenomen. Het meest bijzondere is het officiële eigendomspapier van de fazenda uit 1816, dat de Portugese koning Dom João VI heeft ondertekend.

ⓘ FAZENDA PRIMAVERA. Bezoek: op afspraak, tel. 073-2313996, kosten ongeveer US$ 10.

Ilhéus

Ilhéus is de cacaostad van Bahia en Brazilië. De nederzetting São Jorge de Ilhéus bestond al ruim drie eeuwen en leefde hoofdzakelijk van de suikerproductie en- handel, toen eind 19de eeuw de cacaoplant vanuit het Amazonegebied in Bahia werd geïntroduceerd. Ilhéus werd het centrum van de productie. In 1881 kreeg het stadsrechten en begon de grote bloeitijd. De *coronels* (letterlijk: kolonels), grootgrondbezitters en cacaoplanters, die elkaar vaak op leven en dood bevochten met eigen legertjes, lieten indrukwekkende stadsvilla's neerzetten. Ilhéus was het toneel van de strijd om de macht, geld en vrouwen.

De schrijver Jorge Amado, die z'n jeugd in de stad doorbracht, heeft die periode vereeuwigd in zijn romans. Voor deze meesterverteller waren de intriges, de uitspattingen en de romantiek van de jaren twintig en dertig een onuitputtelijke inspiratiebron.

Wie de roman *Gabriela, Cravo e Canela* heeft gelezen en door de oude straten van deze stad loopt, ziet het verhaal voor zich. De bar Vesúvio op het plein, een belangrijke plek in de romance tussen Nacib en Gabriela, bestaat echt en is inmiddels een toeristische attractie. Ook de ruïne van Bataclã, het cabaret en luxe bordeel van Maria Machadão, staat er. Er zijn plannen om het te restaureren.

In de jaren zestig en zeventig kregen Ilhéus en omgeving de rekening gepresenteerd voor de grote afhankelijkheid van één product. De economie stortte in met de prijsdaling voor cacao en later door de ziekten die de aanplant troffen. Grootschalige modernisering is gelukkig uitgebleven, zodat de stad zichzelf is gebleven. De verloedering heeft veel gebouwen in haar greep. Toch geeft dat juist een bepaalde charme.

Bezienswaardigheden

Het centrum van Ilhéus is compact en gemakkelijk te belopen. Gezichtsbepalend voor de stad is de **Catedral de São Sebastião**, waarvan de bouw in 1931 begon en in 1967 werd afgerond. Aan de gotische torens, Griekse pilaren, romaanse gewelven en middeleeuwse deurpartijen is dat niet af te zien.

Achter de kathedraal, op de Outeiro (heuvel) de São Sebastião, bevindt zich de oudste heilige plek van Ilhéus, de kapel van **Nossa Senhora de Lourdes de Fatima** (1534). Iedere bezoeker van deze plek nam uit bijgeloof een steen mee, waarmee de kapel uiteindelijk is opgetrokken. Overblijfselen van een oud

kanon markeren de plek waar de nederzetting is gesticht. Vanaf de heuvel heb je een goed zicht op de Baia do Pontal en de oude haven met opslagloodsen voor cacao en de wijk Pontal aan de overkant van de baai. Aan de oceaankant van de heuvel ligt het stadsstrand en op de punt van de baai Morro de Pernambuco met vuurtoren.

Op het plein van de kathedraal bevindt zich dus **Bar Vesúvio**, met veel verwijzingen naar de tijd van de cacaoboeren en hun mooie vrouwen. De straatjes die uitkomen op het plein vormen het commerciële en culturele hart van Ilhéus. In de Rua Jorge Amado, op nr. 21, is het **Casa de Cultura Jorge Amado** gevestigd. De schrijver woonde hier met z'n ouders van zijn eerste tot z'n achttiende levensjaar. Het is de plek waar zijn schrijversloopbaan begon. Hij schreef hier z'n eerste boek *O País do Carnaval*.

Het huis is gerestaureerd en als cultureel centrum in de zomer van 1997 in gebruik genomen. Er is vanzelfsprekend veel aandacht voor de werken en het leven van de bekendste Braziliaanse schrijver. Zo hangen er foto's van ontmoetingen met andere grote schrijvers en kunstenaars.

ⓘ CASA DE JORGE AMADO. Geopend: di. 9-12 en 14-18, za. 9-13 uur.

Drie huizen verder staat het Casa dos Artistas, een ander gerestaureerd pand met exposities van hedendaagse kunstenaars uit Bahia en Brazilië. Via het Praça Antonio Muniz kun je doorlopen naar Rua dos Coroneis, zo genoemd omdat hier enkele van de legendarische cacaoboeren woonden (de officiële naam is Rua Antônio Lavigne de Lemos). Aan het eind van deze straat ligt het Praça Rui Barbosa met de moederkerk van de stad, de **Igreja Matriz de São Jorge**, gebouwd in 1556. De authentieke bouwmaterialen zijn hier en daar te zien: leem, stukken koraal, aangemaakt met walvisolie voor de kleefwerking en natuurlijk de Portugese azulejos, die als ballast op de schepen meegingen. In de ruimte naast het altaar is een klein museum van heiligenbeelden en andere religieuze objecten ingericht.

ℹ️ IGREJA MATRIN DE SÃO JORGE. Geopend: di.-zo. 8-11 en 14-17.30 uur.

Het fraaiste uitzicht over de stad en de kust heb je vanaf het Largo Nossa Senhora de Piedade, bij de gelijknamige kerk. Je komt hier het snelst via de Rua Bento Berilo, achter de Igreja São Jorge. Alles over de geschiedenis en cultuur van cacao wordt verteld in het **Museu Regional do Cacau**, in een fraai gerestaureerd bouwwerk aan Rua A.L. Lemos 126.

ℹ️ MUSEU REGIONAL DO CACAU. Geopend: di.-zo. 14-18, 's zomers ook 9-12 uur.

Wie zich wil verdiepen in de erotische kant van chocolade, moet vooral naar de **Chocolate Caseiro Ilhéus**, een chocoladefabriek aan de uitvalsweg naar Uruçuca (het noorden). Het huis is makkelijk herkenbaar aan z'n gevel met houtwerk. Je krijgt er uitleg over de potentieverhogende werking van chocolade en kunt exemplaren kopen van de opzienbarende *linha erótica*, de erotische lijn van chocolade.

ℹ️ CHOCOLATE CASEIRO ILHÉUS. Tel. 073-2315300, te bereiken met de bus naar 'Rio Mar' en 'N. Costa'.

De omgeving van Ilhéus

Ilhéus is rijkelijk bedeeld met een mooie natuurlijke omgeving. Drie rivieren komen bij de stad samen en vormen zijtakken en lagunes voordat ze de oceaan in stromen.

Lagoa Encantada

Lagoa Encantada, 34 km noordelijk van de stad, is een schitterend recreatiegebied. De lagune van ongeveer 5 x 5 km

wordt gevormd door verscheidene grote rivieren. Vlakbij ligt Praia do Norte, een van de betere stranden aan de noordkant van Ilhéus. De tocht naar de lagune voert door de cacaoplantages en door het Atlantische regenwoud.

ℹ️ LAGOA ENCANTADA. Bereikbaar: met de bus vanuit Ilhéus via Sambaituba; ook verzorgde dagtochten, informeer bij Ilhéustus of Grou Viagens.

Aan de zuidkant van Ilhéus liggen de beste stranden. Je komt er via de wijk Pontal, vroeger een apart vissersdorp. Eerst Praia da Concha (4 km), Praia do Sul (5 km) met rifformaties, en dan Praia dos Millionários (7 km). Dit is de beste plek aan de kust bij Ilhéus, met veel restaurants, bars en clubs aan het strand. Hier vind je ook het beste adres voor livemuziek ('s avonds): de Barraca do Farol.

Olivença

Iets zuidelijker (18 km van Ilhéus) ligt **Olivença**, bekend vanwege z'n minerale bron. Deze is ontdekt in 1945; het water bleek rijk te zijn aan calcium, ijzer, magnesium en fosfor en daardoor heilzaam voor maag- en darmkwalen. Het Balneário de Tororomba heeft een bad voor volwassenen en een voor kinderen. Je kunt er lekker eten.

Een andere bezienswaardigheid in Olivença is de Igreja Nossa Senhora da Escada, gebouwd door jezuïeten samen met de inheemse bevolking in de 17de eeuw. De doopvont is van origineel Carrara-marmer.

De twee beste stranden bij Olivença zijn Praia Jairi (met watervallen), en het 15 km zuidelijker gelegen Canabrava (met kokospalmen).

ℹ️ OLIVENÇA. Bereikbaar: Olivença en alle stranden ten zuiden van Ilhéus zijn makkelijk te bereiken met de bus vanuit Ilhéus, bus 'Olivença'.

Una

Een heel bijzondere ervaring is een bezoek aan het **Reserva Biológica de Una**,
zo'n 60 km ten zuiden van Ilhéus bij
het plaatsje Una. In dit beschermde gebied wonen de laatste exemplaren van
het leeuwaapje, de *mico-leão-da-cara-
dourada* (letterlijk: leeuwaapje met het
gouden gezicht). Ze leven hier in hun
natuurlijke habitat, het Atlantisch regenwoud. Door het verdwijnen van het
bos en door de jacht is er nog slechts een
honderdtal over. Er zijn wandeltochten
met gids door het woud en zelfs een stuk
door de boomkruinen heen; verder kun
je een bezoek brengen aan plantages met
cacaobomen en diverse soorten palmen.
Vanuit het vissersdorpje Pedras de Una
kun je boottochten maken op de Rio
Maruim. Una heeft 50 km lang strand
langs de kust, meestal verlaten. Het
mooiste stukje is Ilha de Comandatuba.

ℹ️ UNA. Bereikbaar: rechtstreeks met de bus
(eens per twee uur) vanuit Ilhéus; voor bezoeken aan het reservaat bel dr. Saturnino Neto
Souza, tel. 2362166, of informeer bij Ilhéustur.

Canavieiras

Bijna 20 km lang voortreffelijke stranden, kokospalmplantages, Atlantisch
regenwoud, riviereilanden en mangro-
vebossen met veel vogels (reigers, papagaaien, zwaluwen en meeuwen) en een
uitbundig waterleven, monumenten uit
de 18de en 19de eeuw; dat is wat Canavieiras te bieden heeft. Dit aansprekende
stukje kust ligt ruim 100 km ten zuiden
van Ilhéus. Vanouds is het een cacaopro-
ductiegebied en daarvan is nog veel te
zien, bijvoorbeeld op de Fazenda Cubí-
culo waar in 1749 de eerste cacaoboom
van Bahia werd geplant. In de omgeving
zijn verder tal van mogelijkheden om
van de natuur te genieten.
Om verder naar het zuiden (Porto Seguro) door te reizen moet je met de bus

De kust van Bahia (2)

naar Itapebi, aan de BR-101 of met de boot
(2.30 uur) naar Belmonte en vandaar
door naar Porto Seguro of Eunápolis.

DE KUST VAN DE ONTDEKKING

De naam van deze kust, Costa do Descobrimento (Kust van de Ontdekking),
verwijst naar 1500 toen Cabral in de
buurt aan land ging. Een paar plaatsjes
aan deze kust bevechten elkaar de eer de
plek te zijn geweest waar de Portugezen
het eerst aan land gingen. De Portugezen
werden overvallen door de schoonheid
van de kust en de vriendelijkheid van de
bewoners, de Tupininquin (een stam van
de Tupi-indianen). Langs de kust zijn tal
van overblijfselen te zien van de vroegste
Portugese kolonisatie in Brazilië.

Lange tijd leefden de inwoners van de visserij en landbouw, nagenoeg zonder contact met het achterland. Totdat het vissersdorp en vooral de tropische stranden in de jaren zeventig werden ontdekt door jongeren die langs de kust trokken. Sommigen zijn nooit meer weggegaan en Porto Seguro onderging een ware metamorfose. Kleine nederzettingen in de buurt, **Arraial d'Ajuda** en **Trancoso**, ondergingen hetzelfde lot. De nieuwkomers die zich permanent in de plaatsjes vestigden, zijn nu verreweg in de meerderheid ten opzichte van de oorspronkelijke bewoners. En wat is het geheim: over bijna 92 km lengte strand, riffen, lagunes en uitgestrekte palmwouden. Wonder boven wonder is er in de kleinere plaatsen nog iets van de vroegere sfeer overgebleven.

Porto Seguro

De drukste badplaats aan de zuidkust van Bahia is Porto Seguro. In dertig jaar tijd zijn hier de accommodaties en infrastructuur uit de grond gestampt die je kunt verwachten bij een toptoeristenbestemming. De Amerikanen noemen het een *tourist trap* (toeristenval). Alles wat hier gebeurt, is commercieel, en de vraag is dan altijd of de prijs die daarvoor moet worden betaald, nog wel in overeenstemming is met het gebodene.

Toch heeft Porto Seguro ook de wat kritischer bezoeker nog best wat te bieden. Op de stranden is niets aan te merken, de riffen zijn fantastisch, een bezoek aan de overblijfselen van de oude nederzetting is interessant en het avondleven is sfeervol en soms verrassend.

Het stadje Porto Seguro zelf ligt aan de monding van de Rio Buranhém. Pas tegen het einde van de middag komt het tot leven. Dan veranderen de Avenida Portugal en een deel van de Avenida Beira Mar in de *Passarela do Álcool*, één lange rij winkels, restaurants, bars en kleurrijk met fruit en bloemen aangeklede kraampjes waar je kunt kennismaken met de plaatselijke specialiteit, de *capeta*, een cocktail van fruit, guarana en wodka of cachaça.

De bezienswaardigheden zijn te vinden in de **Cidade Alta**, de bovenstad. Vanuit het centrum kun je er makkelijk komen via de Avenida 22 de Abril en het Praça do Cabral. Een trap leidt naar boven, anders met de auto de borden volgen.

De Cidade Alta van Porto Seguro is sinds 1973 nationaal cultureel erfgoed, omdat dit de eerste nederzetting van de Portugezen was. Een kolossaal en nogal lelijk monument voor de ontdekking markeert het begin van de historische nederzetting. Op de tegelwanden zijn onder meer de drie karvelen afgebeeld waarmee Cabral aankwam, het kruis van de Orde van Christus (symbool van de Portugese Kroon) en de drie eerste *capitânias* aan de noordoostkust (Bahia de Todos os Santos, Ilhéus en Porto Seguro).

De **Igreja de São Benedito** is het eerste echte monument dat je tegenkomt. Dit kerkje, ook bekend als São Pedro en Nossa Senhora do Rosário, is gebouwd in 1551 door de jezuïeten. Het was sober ingericht en bestemd voor de zwarte bevolking. Ze zaten op de grond of namen zelf bankjes mee. Heel goed zijn bij de ingang de bouwmaterialen te onderscheiden waarmee in die begintijd werd gebouwd; het raamwerk van *pau brasil* werd opgevuld met leem, stukjes koraal, walvisgraat en walvisolie voor de kleefwerking. Een aardig detail is het slot in de zijdeur, vormgegeven als een 3 als verwijzing naar de 'derde orde' (de kerk was dus bestemd voor het gewone volk).

Naast de kerk bevinden zich de overblijfselen van het Colégio Jesuíta, verblijf en school van de jezuïeten.

Op het plein staat een rijtje huizen uit de

Capoeira, de mateloos populaire Afrikaanse 'vecht-dans'-sport

18de eeuw. Ze zijn onderling met elkaar verbonden om het vluchten makkelijker te maken bij aanvallen van buiten. Vanaf het eerste plein heb je al een mooi uitzicht op de kust, de riffen en de natuurlijke haven.

Het tweede plein is historisch het meest interessant. Hier staat de *marco da posse*, de marmeren steen waarmee de Portugezen in 1503 het bezit van Brazilië voor de Portugese Kroon bevestigden.

De **Nossa Senhora da Penha** en het oude gemeentehuis annex gevangenis zijn de twee andere monumenten op dit plein. Het oudste deel van de kerk stamt uit 1535 en is gebouwd in opdracht van Pedro de Campos Tourinho, de eerste *donatório* van de capitânia Porto Seguro. In de 18de eeuw is er uitgebreid en zijn er verfraaiingen aangebracht, zoals de barokke kuif. Opmerkelijk aan de buitenkant is de toren met het piramidevormige dak, bedekt met porseleinen tegels. Ze weerkaatsten het zonlicht en waren zodoende een baken voor de zeevaarders. In de kerk staat het houten beeld van São Francisco de Assis, het oudste heili-

genbeeld op Braziliaanse bodem. Verder een beeld van de beschermvrouwe van de stad, Nossa Senhora da Penha, wier feest in de stad uitgebreid wordt gevierd op 8 september.

Het **Paço Municipal**, het oude gemeentehuis, met daaronder de vroegere **Cadeia** (gevangenis) is onlangs gerestaureerd en doet nu dienst als Museu do Descobrimento.

Op het derde plein van de bovenstad staat echt de oudste kerk, de **Nossa Senhora da Misericórdia** (ook wel de Senhor dos Passos genoemd). De kerk stamt uit 1526 en is ook weer heel sober gebouwd en ingericht. Bij het houten barokke altaar staan de beelden van onder meer São Batista, São Pedro en São Antônio.

Op dit plein staan tentjes waar je regionale lekkernijen kunt proeven en kopen, zoals zelfgemaakte cachaça, heerlijke kokoskoeken en potentieverhogende drankjes met zeer suggestieve etiketten. Ook is er een demonstratie van de bereiding van cacao. Capoeira-dansers zorgen voor muzikale intermezzo's.

Stranden en riffen

De badplaats Porto Seguro bestaat uit een kilometerslange strook langs de weg naar Santa Cruz Cabrália, met aan de ene kant van de weg de hotels en bungalowparken, en aan de andere kant de stranden met de *luaus*, de strandpaviljoens. Praia do Cruzeiro ligt het dichtst bij de stad. De beste stranden zijn echter Curuípe (3 km van Porto Seguro), Taperapuã (7 km), do Rio dos Manguas (9 km), da Ponta Grande (12 km). Karakteristiek voor deze kust zijn de riffen en de lagunes. Bij eb ontstaan er tientallen 'meertjes' met bij het rif uitstekende mogelijkheden voor snorkelaars om het koraal te bekijken. Een van de drukst bezochte plekken is dan **Recife de Fora**, een koraalplaat waar je met de schoener naar toe kunt. Je blijft daar dan tot het water weer gaat stijgen.

❶ RECIFE DE FORA. De boten, schoeners en kajaks vertrekken vanaf de Avenida 22 de abril en Avenida Portugal en vanaf Ponta do Mutá, 13,5 km van Porto Seguro.

's Avonds zijn de *luaus* de plek waar je naar toe moet. Iedere avond heeft een ander strandpaviljoen livemuziek. Dit is de gelegenheid om de *lambada* te leren dansen. Bij de toegangsprijs is het transport van en naar Porto Seguro inbegrepen.

In Porto Seguro zijn 's avonds behalve de Passarela do Álcool, het uitgaansstraatje *O Beco* en het *Praça da Bandeira* gezellig. Probeer zeker een plaatsje op het terras te krijgen voor de show van Sotton, een van de bekendste travestieacts in Brazilië.

Festiviteiten

Naast het feest van Nossa Senhora da Penha (8 september) worden vooral het dansfeest Bumba Meu Boi, afkomstig uit de Maranhão en het Amazonegebied, in januari, en de Semana do Descobrimento (de Week van de Ontdekking) eind april uitbundig gevierd.

Santa Cruz Cabrália

Zoals de naam al doet vermoeden, kom je hier op de plek waar Cabral mogelijk aan land is gegaan. Op 6 km voor het plaatsje zelf ligt Coroa Vermelha. Een groot houten kruis bij het strand markeert de plek waar Cabral en zijn mannen de eerste missen hebben opgedragen, respectievelijk op 29 april en 1 mei 1500. Rondom het monument staan stalletjes van Pataxó-indianen, waar je door hen gemaakte souvenirs kunt kopen.

Het strand van Coroa Vermelha, zelf ook geen verkeerde plek, wordt gevolgd door Praia Mutari en Praia Lençois. Er is hier nog niet zoveel bebouwing, zodat het vrij rustig is en je fantastische strandwandelingen kunt maken.

Santa Cruz Cabrália is een leuk plaatsje, dat het vooral moet hebben van de excursies in de omgeving. Vanaf de kade aan de Rio João de Tiba kun je een tocht per schoener maken naar **Coroa Alta**, een plaat koraal die bij eb voor een groot deel droogvalt en waar dan kristalheldere poelen ontstaan. Onderweg bezoek je dan Ilha do Paraíso (Paradijseiland), waar een familie zelfgemaakte cake en zoetwaren verkoopt, en het betoverende strand van Santo André.

❶ COROA ALTA. Excursie vanaf Santo Cruz Cabrália aan de kade, of boeken bij een reisbureau (vervoer vanaf het hotel en een maaltijd is dan inbegrepen).

Wie wat meer tijd heeft, moet beslist een bezoek brengen aan de historische stad met de Igreja de Nossa Senhora da Conceição (1630), overblijfselen van een gebouw van de jezuïeten (17de eeuw) en het oude bestuursgebouw (18de eeuw). Bij het laatste bouwwerk heb je een fraai uitzicht over de omgeving.

Zo gauw de BA-001 gereed is, kun je vanaf Santa Cruz eerst met het pontje en dan over land helemaal doorrijden naar **Belmonte** aan de Rio Jequitinhonha, zo'n 40 km noordelijker. Gegeven de schitterende stranden, de forse golfslag en het groene achterland zal deze plaats de komende tijd ook drukker worden. Een goed moment om Belmonte te bezoeken, is op 15 september, als de twee (!) filharmonische orkesten zichzelf presenteren aan de lokale gemeenschap, of van 7–16 juli als het feest wordt gevierd van de beschermvrouwe Nossa Senhora do Carmo.

Arraial d'Ajuda

De meest spannende plaatsjes en mooiste stranden van de Costa do Descobrimento liggen ten zuiden van Porto Seguro. Neem de boot of het pontje over de Rio Buranhém (10 min.). Daar staan bussen en minibusjes klaar om je naar Arraial d'Ajuda te brengen. De tocht over 6 km gaat langs de stranden, de pousada en het splinternieuwe Paradise Water Park. Dit waterpretpark is ecologisch verantwoord opgezet en een paradijs voor kinderen. Je hoeft er niet alleen van de glijbanen af. Het strand dat er bij hoort is *ótimo* (zeer goed) zoals de Brazilianen zeggen.

In tegenstelling tot Porto Seguro heeft Arraial nog de oorspronkelijke sfeer vast weten te houden. Dat is mede te danken aan de Brazilianen en buitenlanders (vooral Fransen en Italianen) die zich er de afgelopen twintig jaar hebben gevestigd. Ze hebben bijvoorbeeld de asfaltering van de straten en wegen tegengehouden. Arraial gaat door voor 'alternatieve' badplaats, wat dat ook moge betekenen. Er zijn in ieder geval tientallen pousadas, restaurants, barretjes en boetieks; meestal zijn ze in handen van buitenlanders. De omgeving is groen, de sfeer is uiterst relaxed. Het centrum van Arraial ligt op een rots

en is makkelijk te belopen. Voornaamste bouwwerk is de **Nossa Senhora d'Ajuda**, van 1549 tot 1551 gebouwd door jezuïeten. Het verhaal van de kerk is interessanter dan het gebouw zelf. Dat verhaal begint met het vinden van een Mariabeeldje door de houtskoolbrander Pedro Chula. Hij nam het mee naar huis, maar de volgende dag lag het weer op de plek waar hij het had gevonden. Hij en de jezuïeten zagen dat als een teken en besloten daar een kapel te bouwen, eerst met de ingang aan de zeekant. Tot twee keer toe stortte het kerkje tijdens de bouw in; totdat de ingang aan de landkant werd gemaakt. Het grote feest voor de beschermvrouw vindt plaats op 15 augustus.

Vanaf het pleintje met de kerk, waar je een goed uitzicht op de kust hebt, loop je via de Rua 'Brodway', met winkeltjes en horeca, naar de Caminho da Praia, de weg die afloopt naar het strand. Onderweg passeer je O Beco das Cores, een knus en dichtbegroeid straatje met allerlei bars en restaurants; 's avonds een ontmoetingspunt. Het dichtstbijzijnde strand is Praia Mucugê, met veel gezellige bars en restaurants. Net als bij Porto Seguro liggen voor de stranden bij Arraial riffen. Je kunt een kajak huren en ernaartoe varen of begeleide excursies maken.

Iets verder naar het zuiden, bij Praia Pitinga en Praia da Lagoa Azul, is de kustlijn nog mooier en de golfslag sterker.

Trancoso en Caraíva

Nog verder zuidelijk liggen Trancoso en Caraíva. Wie de ongemakken van het massatoerisme wil ontvluchten en zelfs het 'alternatieve' sfeertje van Arraial te veel is, kan optimaal genieten in Trancoso en Caraíva. Hier is de oorspronkelijke bevolking nog in de meerderheid. Je moet er wat voor over hebben om er te komen, want er is slechts een verharde, stoffige weg, maar dat garandeert ook de

WALVISSEN KIJKEN

Onderweg naar de Abrolhos en zeker in de periode juli-november kun je op volle zee getuige zijn van een bijzonder spektakel: spelende bultrug-walvissen. De Abrolhos vormen namelijk het voornaamste broedgebied in het zuidwestelijk deel van de Atlantische Oceaan. Gedurende de winter trekken ze van de wateren bij Antarctica naar het warmere water voor de kust van Noordoost-Brazilië.

Een bultrug (*Megaptera novaeangliae*) is familie van de walvisachtigen (Cetacea), wordt maximaal 19 m lang en kan een gewicht van 48 ton krijgen. Hij heeft een zwart lichaam met kin-, keel- en borstvinnen. Jonge bultruggen hebben witte vinnen. De kop heeft een vrij spitse vorm. Rond

De Abrolhos

de bek zitten knobbels met tastharen, waarmee obstakels worden gesignaleerd. De bultrug heeft baarden met een gemiddelde lengte van 70 cm waarmee het zeewater wordt gezeefd en de krillkreeftjes achterblijven. De bultrug heeft een dubbel spuitgat. De staart bestaat uit vrij lange horizontale vinnen.

rust. 7 km voor Trancoso kun je afslaan naar Praia de Taípe, een kalm strand bij de monding van de Rio Taípe. Je kunt er voortreffelijk lunchen aan het strand, een kajak huren voor een tochtje op de rivier en ultralight vliegen.

Trancoso ligt, net als Arraial en de oude stad van Porto Seguro, op een rots. Het centrale plein is gebouwd in de vorm van een vierkant. Dat is hier goed te zien. De indianen bouwden hun nederzettingen zo in verband met de verdediging, de jezuïeten hebben dat concept overgenomen. Zij stichtten het dorpje en bouwden in 1656 de Nossa Senhora de São João, net als in Arraial met de ingang van de zee af gekeerd.

Voor de kerk staan de banieren van São Brás en São Jorge. In januari en februari is er groot feest te ere van deze twee beschermers.

Trancoso heeft mooie stranden; erg 'in'

Officieel zijn er geen toeristische excursies naar de walvissen mogelijk. De dieren moeten zo weinig mogelijk in hun natuurlijke gedrag worden gestoord. Maar in combinatie met een bezoek aan de Abrolhos is het wel mogelijk om van een afstand foto's te maken.

De boot mag officieel niet dichterbij komen dan 50 m. De motor gaat uit en de camera wordt in de aanslag gehouden. Als de walvissen liggen te zonnen, steekt de staartvin boven water uit, alsof hij wat op de bodem zoekt. Een andere keer zijn ze aan het spelen en komt een groot deel van het kolossale lichaam boven water uit. Soms komen ze zelf in de richting van de boot, minder dan 30 m van je vandaan.

Met ondersteuning van de Braziliaanse natuurbeschermingsorganisatie IBAMA en het Wereldnatuurfonds doet het Instituto Baleia Jubarte onderzoek naar de walvissen. Zo registreren ze alle dieren die ze zien. Door middel van foto-identificatie proberen ze achter het gedrag van de dieren te komen. Vragen die momenteel in het onderzoek centraal staan, zijn:
- Waar gaan de mannetjes naar toe en waar komen zij vandaan?
- Waar in de Atlantische Oceaan blijven de walvisgezinnen gedurende de zomermaanden?
- Zijn de vrouwtjes die hier jaarlijks komen steeds dezelfde?

Veel aandacht is er ook voor de invloed van menselijke activiteiten op het gedrag van de walvissen. Verstoren de vissers en de boten met nieuwsgierige toeristen het verblijf van de walvissen niet te veel? Komen de boten toch niet te dichtbij?
De resultaten van het onderzoek worden wereldwijd vergeleken, want ook op andere plaatsen, zoals in het Caribische gebied, bij Newfoundland, Noorwegen, de Azoren en Nieuw-Zeeland, is onderzoek naar de walvissen gaande.

is om over het strand van Arraial naar Trancoso te wandelen. Ook paardrijden is hier populair.

Caraíva is een dorpje waar voornamelijk Pataxó-indianen wonen. Er zijn geen elektriciteit en telefoon, autorijden is niet toegestaan. Voor liefhebbers van de natuur en rust dus ideaal. Je kunt hier uren wandelen of tochtjes per kano maken op de Rio Caraíva, bijvoorbeeld naar andere dorpen van de Pataxó in het Parque Nacional de Monte Pascoal. Caraíva ligt namelijk tegen dat nationaal park aan. De officiële ingang bereik je via de BR-101. Het avondleven bestaat uit het luisteren naar de verhalen van de vissers op het Praça dos Mentirosos (het plein van de liegbeesten). Om 10 uur gaat de generator uit en is het echt donker. Dan rest een fabelachtig mooie sterrenhemel, als het tenminste niet bewolkt is.

DE WALVISKUST

Ter hoogte van het **Parque Nacional de Monte Pascoal** ligt de scheiding tussen de Kust van de Ontdekking en de Walviskust. Met uitzondering van Prado zijn de stranden hier minder aantrekkelijk, maar daar staat tegenover dat er fantastische natuurexcursies te maken zijn.

Monte Pascoal

Met Pasen in het jaar 1500 voer de Portugese expeditie onder leiding van Pedro Álvares Cabral voor de kust van Bahia langs. Ze werden getroffen door een berg met een vreemdsoortige vorm, als een enorme hand met de wijsvinger omhoog. De berg kreeg de naam Paasberg.

Sinds kort is het een beschermd natuurgebied, met nog overgebleven oorspronkelijk Atlantisch regenwoud en vele soorten bomen, bloemen en planten, zowel inheems als ingevoerd. Er leven beschermde apensoorten, die elders in Brazilië nog maar zeer sporadisch voorkomen, zoals de zwarte spinaap. Behalve veel vogels kun je op de oever van de Rio Caraíva capivara's tegenkomen, en als je geluk hebt slangen. Liefhebbers kunnen de 536 m hoge Monte Pascoal beklimmen, die een adembenemend panorama biedt van de omgeving tot aan de zee. In het gebied leven Pataxó. De overheid probeert ze te betrekken bij de plannen voor toeristische projecten in het nationaal park. Vaak zijn het Pataxó die je begeleiden op een bootexcursie vanuit Caraíva. Een van de projecten is de bouw van een bezoekerscentrum bij de hoofdingang aan de BR-101.

ℹ️ **MONTE PASCOAL.** Excursies in en informatie over het nationaal park bij IBAMA in Salvador, tel. 071-2407322, en in Itamaraju, tel. 073-2941110.

Prado

De BA-489 brengt je vanuit Itamaraju aan de kust bij Prado. Het plaatsje zelf is gemoedelijk gebleven, ondanks de komst van nogal wat pousadas en hotels de afgelopen tien tot twintig jaar. De stranden noordelijk van Prado zijn de voornaamste attractie. De kustlijn bestaat afwisselend uit lagunes, rotsen met bronnen en watervallen, palmenaanplant en riffen voor de kust. Lagoa Grande (3 km van Prado) en vooral het stuk tussen Praia Paixão en Praia Tororão zijn het mooist. Bij het laatste strand is een 3 m hoge waterval.

Meer naar het zuiden toe wordt de zee ruwer.

Alcobaça

De volgende kustplaats is Alcobaça. Ook hier gebeurt niet echt veel. In het seizoen speelt het leven zich af aan de lange kustweg, die men wil gaan herinrichten tot een heuse boulevard. Bij de strandtenten is het dan gezellig. Maar het water is door de golfslag een beetje troebel. Veel huizen aan de kust zijn vakantiehuizen van Brazilianen uit de grote steden, die hier de zomermaanden doorbrengen. Buiten het seizoen is er daarom weinig leven in de brouwerij. In het centrum zijn een paar pleinen waar iedereen 's avonds naar toe trekt. Daar vind je wat restaurants, terrasjes en winkeltjes. Voorzichtig is zelfs in Alcobaça de opmars van het toerisme zichtbaar. In het oude centrum aan het Praça Pedro Muniz, vlak bij de monding van de Rio Itanhém, staan enkele historische panden: de kerk, het gemeentehuis en het patershuis uit de 17de eeuw, op de hoek van de Rua Pedro Muniz en Silva Jardim. Deze koloniale panden moeten nodig worden gerestaureerd. Er zijn vanzelfsprekend grootse plannen, zelfs om de hele kuststrook tot ecologisch reservaat te maken. De visserscoöperatie, het **Casa das Marisqueiras**, bij de haven moet er deel van uit gaan maken. Ze voelen zich zeer vereerd als je ze een bezoek brengt.

Maskergenten (*Sula dactylatra*) op de Abrolhos

De grootste attractie van Alcobaça ligt 70 km voor de kust: de Abrolhos. Vanuit Alcobaça of het iets zuidelijker gelegen Caravelas worden er excursies naar toe georganiseerd.

Caravelas

Veel is er niet te beleven, maar de haven aan de Rio Caravelas is net iets groter dan die van Alcobaça en daarom vertrekken hier de meeste boten naar de Abrolhos. In Caravelas zijn bovendien tal van organisaties gevestigd die bemoeienis hebben met de eilandengroep.

Parque Marinho de Abrolhos

De Abrolhos-archipel is de belangrijkste koraalformatie in het zuidwestelijk deel van de Atlantische Oceaan. Vijf eilanden maken er deel van uit: Redonda, Siriba, Guarita, Sueste en Santa Bárbara. Het laatste hoort net bij het nationaal park, omdat het grondgebied is van de Braziliaanse marine, die er een basis heeft.

De Abrolhos zijn met name bijzonder vanwege de soorten koraal, de trekvogels en de walvissen die er komen broeden. Van de achttien koraalsoorten zijn er sommige die alleen op deze plek voorkomen. Ze hebben zich volledig aangepast aan de specifieke omstandigheden. Zo heeft de *Mussismilia brasiliensis*, een van de voornaamste vormers van het rif, de vorm van een paddenstoel, om optimaal van het licht gebruik te maken. Er hangt hier namelijk vaak bewolking en het water is regelmatig troebel, terwijl de meeste koraalsoorten groeien met veel zon en in helder water.

Vanwege de riffen zijn de Abrolhos een visrijk gebied. Dit, en het feit dat er weinig mensen komen, zijn belangrijke redenen waarom de vogels hier komen broeden. Vaste bewoners zijn de Amerikaanse fregatvogel (*Fregata magnificens*), de Maskergent (*Sula dactylatra*) en de Bruine gent (*Sula leucogaster*), en de Bonte stern (*Sterna fuscata*).

Gedurende de winter en de lente verblijven een paar honderd walvissen, afkomstig van het Zuidpoolgebied, in de warme wateren rond de Abrolhos om zich voort te planten. Het is de soort die bekend staat als bultrug of langarmvinvis (*Megaptera novae angliae*), een gedrongen familielid van de baardwalvis. Ze kunnen 10 tot 16 m lang worden.

In de vroege 19de eeuw ontdekte Charles Darwin, op zijn reis met de 'Beagle', al het bijzondere dierenleven van de Abrolhos. Het duurder echter tot 1983 voordat de Braziliaanse regering de archipel tot beschermd gebied verklaarde. Daarvoor hadden met name vissers de eilanden en het koraal grote schade toegebracht.

Sinds april 1996 doet het Instituto Baleia Jubarte onderzoek naar de walvissen. Het zorgvuldig voorlichten van de bezoekers behoort tot hun activiteiten. In Caravelas hebben ze een kantoor met een expositieruimte.

Alle eilanden, met één uitzondering, zijn nu streng verboden te betreden. Bezoekers mogen alleen het gebied met een officiële gids betreden en het aantal bezoekers en boten per week is gelimiteerd. Je moet je laten registreren bij IBAMA; in het geval van een excursie doet het reisbureau dat voor je.

Er zijn meerdaagse excursies, je blijft dan twee of drie dagen bij de eilanden, of snelle bezoeken in één dag. In het laatste geval ga je met een speedboot vanuit Caravelas. In alle gevallen zijn zeebenen gewenst.

Maar een bezoek aan de Abrolhos is een onvergetelijke ervaring, helemaal als je onderweg walvissen tegenkomt. De boten mogen niet dichterbij dan 50 m komen. Maar dan nog is het een fantastisch gezicht om de walvisfamilies te zien spelen en luieren in de zon, midden op de oceaan.

Ook een bezoek aan een van de volledig door de vogels ondergeschetn eilanden vergeet je niet gauw. En dan is het natuurlijk een schitterende plek om te snorkelen.

ⓘ ABROLHOS. De beste periode om walvissen te spotten op de Abrolhos is van juli tot november. Om te snorkelen en te duiken is de periode december-maart beter, met goed zicht en een aangename watertemperatuur. De kortste weg ernaartoe duurt 2.30 uur en is vanuit Caravelas met snelle motorboten; vertrek om 7.30 uur. Je betaalt R$ 180 voor de dagexcursie. Abrolhos Embarcações is een specialist in dergelijke dagtochten.

De eigen website (ook in het Engels) van het nationaal park is: www.ilhasdeabrolhos.com.br. Het Instituto Baleia Jubarte, een non-profit- en niet-gouvernementele organisatie die onderzoek doet naar de walvissen bij de Abrolhos, is gevestigd aan de Rua Grauça. Uitgebreide informatie vind je op de website: www.baleiajubarte.com.br.

HET BINNENLAND

In het noordwesten van de staat Bahia begint de *sertão*, een dor landschap met doornige struiken, dat het leven bijkans onmogelijk maakt. Een gekmakende omgeving, die velen naar de grote steden aan de kust en naar het zuidoosten heeft gedreven. In dit gebied trokken legendarische figuren als Antonio Conselheiro (Antonio de Raadgever) en Lampião rond, die opkwamen voor de armen en de havelozen. Conselheiro dacht in de jaren zeventig van de 19de eeuw met zijn leger verschoppelingen in **Canudos** 'Gods Rijk op aarde' te bouwen. Hij trotseerde het federale leger en leverde grote veldslagen, maar verloor uiteindelijk. Van dat 'hemelse' Canudos bleef geen steen op de andere staan; het werd volledig vernietigd met alle inwoners erbij. In het nieuw gestichte Canudos staat alleen een monument dat herinnert aan toen. In oktober komen hier *sertanejos* bijeen om te gedenken en te bidden om gespaard te worden voor nieuwe droogte.

Achter de bergketens Serra do Tombador en Serra São Francisco, ligt de machtige Rio São Francisco. Vanaf de stad **Juazeiro** vormt deze rivier, de grootste van het

Chapada Diamantina, het ruige binnenland

noordoosten, de scheiding met de deel-staat Pernambuco. Op twee plaatsen zijn achter stuwdammen enorme zoetwa-termeren gevormd: bij de Sobradinho-dam, 50 km van Juazeiro, en bij de Paulo Afonso-dam, verder naar het oosten. Juazeiro (130.000 inw.) is een oude pleis-terplaats in de sertão aan de weg naar het noorden. Het Museu Regional do São Francisco vertelt alles over het leven op en aan de grote rivier.

Vanuit Juazeiro worden excursies ver-zorgd naar de Sobradinho-dam en naar enkele mooie natuurgebieden, waaronder de Gruta do Convento (5,6 km lengte). Je kunt ook tochten op de rivier maken, zelfs tot Xique-Xique, een tocht van 200 km. In plaatsen aan de Rio São Francisco, zoals Juazeiro, Bom Jesus de Lapa, Paulo Afonso en Xingó en diep in het binnenland bij Rio de Contas (750 km van Salvador) en zelfs bij Barreiras (900 km van Salvador) probeert men natuurtoerisme van de grond te krijgen. Je kunt er vissen, wandelen, vaartochten maken. Het kristalheldere water van de bronnen, stroomversnellingen en watervallen bij Barreiras zijn wonderschoon, maar de afstand tot de chitectuur ook de moeite van een bezoek waard.

De Chapada Diamantina

Behalve stranden, historische steden en een interessante cultuur heeft Bahia ook nog het Parque Nacional da Chapada Diamantina. Deze hooggelegen regio, centraal in de staat, was ooit de rijkste van Brazilië. Dat was in de tijd dat er goud en diamanten gedolven werden. De rijkdom is voorbij, de natuur is nog altijd over-

Grillige bergkammen in de deelstaat Bahia, de Chapada Diamantina

kust is een probleem. Je moet ernaartoe vliegen of een busreis van 1 à 1,5 dag voor over hebben. Dat is alleen te doen als je het combineert met bijvoorbeeld een bezoek aan Bom Jesus de Lapa (800 km van Salvador), begin augustus, als daar een groots religieus festival plaatsvindt. Rio de Contas is vanwege de barokke ar- weldigend. Het is een savannelandschap, onderbroken door rotsen met watervallen, grotten en wilde bloemen, waaronder orchideeën, bij de waterbronnen. De uitvalsbasis voor tochten in dit wonderlijke gebied, midden in het droge binnenland van Bahia, is het stadje **Lençóis**. Van daaruit kun je een bezoek brengen aan

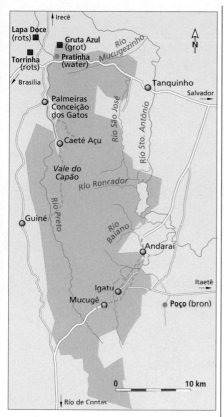

Chapada Diamantina

Er zijn in de Chapada zowel dagtochten als meerdaagse tochten te maken.

ⓘ CHAPADA DIAMANTINA. Voor uitgebreide informatie over de natuur, wandelroutes en accommodatie: wwwguichapadadiamantina. com.br.

Lençóis zelf is een leuk plaatsje, een typisch voorbeeld van een mijnnederzetting, die te maken kreeg met een snelle groei, korte bloei en harde neergang. De eerste diamanten werden gevonden in 1822. Het trok meteen gelukzoekers aan uit de hele kolonie. In 1856 was Lençóis al een stad. Tegen het einde van de 19de eeuw was het al weer over door prijsdalingen, de afschaffing van de slavernij en concurrentie (met name Zuid-Afrika). Verscheidene bouwwerken uit de roemruchte diamantentijd zijn behouden gebleven, zoals de Mercado Público en de bebouwing van het Praça Horácio de Matos.

Nu leeft Lençóis van de landbouw en het toerisme. Januari is een goede maand om dit plaatsje en de Chapada te bezoeken. Er zijn dan in Lençois religieuze en culturele festiviteiten, onder andere voor de beschermheilige Senhor dos Passos en er zijn regelmatig *jarê*-ceremonies, de eigen versie van de candomblé.

de Cachoeira da Fumaça (ook wel Glass genoemd naar de missionaris George Glass), een waterval van 422 m hoog, de Morro da Pai Inácio gaan beklimmen, of een van de grotten bezoeken. Zo is de Gruta do Lapão de grootste grot in zandsteen van Zuid-Amerika.

Het noordoosten

10

DROOG EN WEERBARSTIG

Het 'Afrika van Brazilië', zo wordt het noordoosten van het land vaak aangeduid. De problemen zijn er immens. Het klimaat is weerbarstig, het leven is hard en de armoede is groot. Niet voor niets hebben de meeste inwoners het dorre binnenland, de *sertão*, verlaten en zich gevestigd in de kuststrook. Honderdduizenden zijn nog verder getrokken naar het rijke zuidoosten.

Maar het noordoosten bestaat niet alleen uit de sertão. Langs de kust liggen historische nederzettingen met veel herinneringen aan de koloniale tijd. Olinda is de mooiste plaats; in de 17de eeuw is het nagenoeg verwoest door de Hollanders, maar daarna weer opgebouwd en nu goeddeels nog in de oude staat.

Een aantal van die historische plaatsen is uitgegroeid tot miljoenensteden zoals Recife en Fortaleza; moderne metropolen, dynamisch en kleurrijk. *Sertanejos* proberen er een nieuwe toekomst op te bouwen en grote investeerders zetten er nieuwe woonwijken, hotels, kantoorgebouwen en winkelcentra neer.

En dan is er de kust, de zonnige kant van het noordoosten: duizenden kilometers zonovergoten strand, met daarachter een prachtig duin- en lagunelandschap, onderbroken door bossen vol palmen. Voor de kust zorgen riffen bij laag water voor grote natuurlijke zwembaden en kristalheldere aquaria; het is een lustoord voor zwemmers, snorkelaars en duikers. Deze duizenden kilometers lange kust is nu vooral door Brazilianen uit het zuiden ontdekt, die de kille en natte wintermaanden onderbreken met een korte vakantie in het warme noordoosten. De kusten van de staten Pernambuco, Maranhão, Paraíba, Rio Grande do Norte en Ceará geven de laatste jaren de snelste stijging van het aantal toeristen in heel Brazilië te zien.

De kust, een grote uitdaging

Geografisch gezien worden negen deelstaten tot het noordoosten van Brazilië gerekend: Maranhão, Piauí, Ceará, Rio Grande do Norte, Paraíba, Pernambuco, Alagoas, Sergipe en Bahia. Samen beslaan ze 18 procent van het totale grondgebied, terwijl 29 procent van de totale Braziliaanse bevolking er woont.

De duinen langs de hele noordelijke kust vormen dé grote attractie.

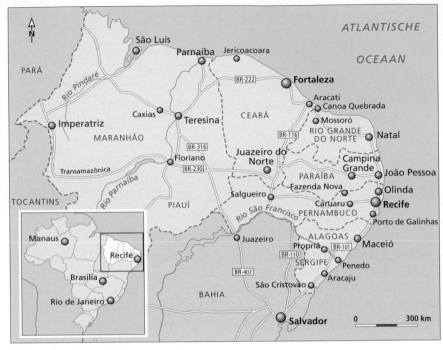

Het noordoosten

Het overgrote deel van de bevolking (80 procent) woont in de kuststreek, de *litoral*, waar de grond het vruchtbaarst is en waar regelmatig regen valt. De oorspronkelijke dichte tropische begroeiing, de *Mata Atlântica*, is nagenoeg verdwenen door de ontginning die er vanaf de 16de en 17de eeuw heeft plaatsgevonden. De aanleg van grote plantages voor tropische gewassen, zoals suikerriet, bracht de regio toen veel welvaart. Afrikaanse slaven werden aangevoerd om het werk op de plantages te doen. De sporen van de Afrikaanse afstamming zijn goed zichtbaar in de kuststeden en dan vooral daar waar het zwaartepunt van de plantagecultuur lag: in Pernambuco en Bahia. Verder naar het noorden toe heeft de bevolking meer indiaans en Europees bloed.
Al in de 18de eeuw raakte de plantagesamenleving in verval. Het noordoosten werd een vergeten gebied, waar de politieke en economische structuur verstarde. Tot op de dag van vandaag heeft een handvol rijke families van grootgrondbezitters, handelaren en politici in elke deelstaat de macht in handen.
Suikerriet is nog wel het eerste product in de kuststreek. De oude *engenhos* voor de verwerking van suikerriet zijn vervangen door moderne distilleerderijen ten behoeve van de melasse- en alcoholproductie. Daarnaast zijn tabak, cacao en citrusvruchten aangeplant. In het binnenland liggen grote veeboerderijen. In enkele grote steden heeft zich industrie gevestigd. Toch is de industriële ontwikkeling ver achter gebleven bij die in andere delen van Brazilië. De ontwikkeling van de werkgelegenheid in de kuststeden heeft lang geen gelijke tred gehouden met de massale toeloop van arme boeren uit het binnenland. Alle grote steden in het noordoosten hebben grote favelas in

rivierdalen, moerassen en langs de kust. Van alle Braziliaanse steden scoren die in het noordoosten het hoogst als het gaat om werkloosheid, armoede, ziektes en kindersterfte.

De deelstaat Maranhão en een groot deel van Piauí zijn een overgangsgebied tussen de droge sertão en het vochtige Amazonegebied. Het klimaat is er betrouwbaarder en gunstiger voor landbouw en veeteelt. Deze regio is vooral bekend om de exploitatie van de babaçu-palm. De olienoten hiervan worden gebruikt voor de zeepproductie.

Nogal wat kolonisten uit de sertão hebben zich in de jaren zeventig in deze regio gevestigd om een nieuw bestaan op te bouwen. Met de uitbreiding van het wegennet in de periode daarna zijn er ook grote ondernemingen en rijke boeren neergestreken. Vooral de aanleg van de spoorlijn van het rijke ertsgebied van Carajás naar São Luís aan de kust heeft de speculatie en grondconflicten doen toenemen. De havenstad São Luís heeft door de belangrijke achterlandverbinding en vestiging van enkele zware industrieën een grote economische impuls gekregen.

De sertão, Braziliës woestijn

Het grootste deel van het noordoosten bestaat uit sertão. Uit vroegere tijden stamt het romantische beeld van de *vaqueiro sertanejo*, de cowboy van het noordoosten, die met het vee door de schrale natuur trok. De veeteelt kwam op om de plantages aan de kust van vlees, huiden en lastdieren te voorzien.

Maar dat is al lang niet meer het overheersende beeld in het binnenland van het noordoosten. Sinds jaar en dag wordt deze regio gekenmerkt door weinig en onregelmatige regenval. Deze zogenaamde Polígono das Secas (droogtegebied) strekt zich uit van het uiterste noorden van de deelstaat Minas Gerais, over het grootste deel van Bahia naar de kust van Ceará, een gebied dat ongeveer driekwart van het hele noordoosten beslaat. Er zijn jaren dat er helemáál geen regen valt. Eindeloos strekt het verdorde landschap met de doornige *caatinga*, de kenmerkende begroeiing in dit gebied, zich uit. Van het kleine beetje regen dat er valt, proberen de arme boeren hun eigen voedsel te verbouwen: bonen, maniok en maïs. Soms lopen er wat kippen, geiten en een koe rond hun huisje.

Beeld van *forró*-accordionist; muzikanten die met hun ballades onlosmakelijk met de sertão zijn verbonden

HET RELIGIEUZE GEVOEL VAN DE SERTANEJOS

'Men bidt dagelijks tot God om regen. Wie een zieke koe heeft, trekt magische cirkels rond de patiënt en smeekt de heilige Barbara om hulp. Eeuwen droogte, afgewisseld met overstromingen en systematische verwaarlozing door autoriteiten hebben een volk gecreëerd dat in stilte lijdt,' zegt een priester uit de regio. 'Nergens in Brazilië wordt met zoveel overgave het paasfeest gevierd. De sertanejo identificeert zich met lijden en de kruisweg; niet met wederopstanding.' Dit fragment uit de reportage 'Droogte in Brazilië spaart alleen de acacia's' van Ineke Holtwijk (in *de Volkskrant*, 13 mei 1993) tekent het diepreligieuze gevoel van de sertanejos. Ze zijn vroom en zeer bijgelovig, getuige ook de magische betekenis die sommige figuren soms krijgen. De wonderen van pater Cicero, de dorpspriester van Juazeiro do Norte rond de eeuwwisseling, bieden houvast in het onzekere bestaan. Duizenden ondernemen jaarlijks een ware pelgrimstocht naar het plaatsje van padre Cicero in het uiterste zuiden van Ceará.
Een andere legendarische figuur was Antônio Conselheiro (Antonio de Raadgever), die de verschoppelingen als een soort 'uitverkoren volk' zag tegen de onrechtvaardige en immorele samenleving.
Het onrechtvaardige bestaan van de *nordestino* is meestal het motief in de van mystiek en religie doorspekte *literatura de cordel*, de waslijnliteratuur. Een muzikale uitlaatklep is de *forró*.

Maar als de droogte weer toeslaat, kunnen ze alles verliezen. Honger en ziekte teisteren in die tijden het gebied. De sertanejos rest dan niets anders dan te hopen dat de hulp van de regering hen nu eindelijk eens bereikt en dat de hemel hun smeekbeden om regen verhoort.

Ontwikkelingsbeleid
Vanaf het begin van deze eeuw zijn er pogingen ondernomen om de droogteperiodes in het noordoosten beter op te kunnen vangen en de ontwikkeling van de sertão te stimuleren. Er werden putten geslagen, dammen gebouwd en wegen aangelegd om het vervoer van water en voedsel te vergemakkelijken. In 1959 werd door president Kubitschek de SUDENE, de ontwikkelingsorganisatie voor het noordoosten, opgezet om de vooruitgang te bevorderen. De bouw van grote dammen in de rivier de São Francisco heeft de greep op het water vergroot. Sindsdien is de hoeveelheid geïrrigeerde grond in het noordoosten verveelvoudigd. Maar het zijn vooral de grootgrondbezitters die daarvan profiteren. Van de beloofde landhervorming is weinig terechtgekomen, terwijl de moderne geïrrigeerde landbouw en grootschalige veeteelt bij de rivieren de kleine boeren hebben verdreven. Zelfs bij de periodieke noodhulp trekken de arme sertanejos doorgaans aan het kortste eind. Legio zijn de voorbeelden telkens weer, dat clans van machtige boeren, handelaren en politici schaamteloos misbruik maken van de voedselhulp en ontwikkelingsprojecten.

Bonecos gigantes, grote poppen van papier-maché, die tijdens het carnaval in het noordoosten een belangrijke rol spele-

ARACAJU

Twee redenen om een bezoek aan Aracaju te brengen, zijn het strand en de festivals. De hoofdstad van Sergipe is gesticht in 1855 en telt ruim 500.000 inwoners. De mooiste plek van de stad is de Colina de Santo Antônio, precies daar waar de eerste nederzetting ontstond. De heuvel biedt een mooi uitzicht op de stad, de kust en de monding van de Rio Sergipe. Tegen de horizon tekenen zich de contouren af van de ongeveer twintig boortorens van Petrobrás voor de kust.

De wijk **Atalaia Velha** is de beste plek om te verblijven. Het strand is niet zo bijzonder, maar het boulevardleven maakt een hoop goed. Vooral op zaterdag en zondag is er van alles te doen. Er wordt geflaneerd, gesport, gedronken en gegeten. Overal klinkt het ritme van de samba, bossa nova of lambada. Er zijn verschillende muziekcafés en clubs waar forró wordt gespeeld.

Goede stranden aan de zuidkant van de stad zijn: Praia do Robalo (12 km), Praia dos Náufragos (15 km) en Praia do Refúgio (18 km). Ze bevinden zich langs de Rodovia President José Sarney (SE-438) en zijn met de bus vanuit de stad makkelijk te bereiken.

Feesten

Aracaju begint in Brazilië nationale bekendheid te krijgen als stad van de folklore. Op 1 januari wordt de zeevaardersprocessie ter ere van Bom Jesus dos Navegantes gehouden. Het eerste weekend van het jaar staat in het teken van Santos Reis met veel muziek, dansen en sportieve gevechten. De Festas Juninas, de oogstfestiviteiten ter ere van São João zijn uitgegroeid tot een groots volksfeest. De tweede helft van november wordt het Festa da Laranja gevierd en op 8 december staat alles in Atalaia Velha in het teken van de Iemanjá-processie.

Omgeving van Aracaju

In de buurt van Aracaju ligt een tweetal interessante historische plaatsjes: São Cristovão en Laranjeiras. Hier zijn stoffige straatjes en romantische pleintjes met kasseien, verveloze oude monumentale gebouwen en soms herinnert een rijk kerkgebouw of een oude schoorsteen aan de bloeitijd van de suikerplantages.

Ruim 25 km ten zuidwesten van Aracaju ligt **São Cristovão**, gesticht in 1590. Bezoek er in ieder geval de Igreja Senhor dos Passos, die tussen 1739 en 1743 gebouwd is, de Igreja da Ordem Terceira do Carmo uit dezelfde periode en de Igreja do Convento de São Francisco uit 1693. In het laatstgenoemde klooster is het **Museu de Arte Sacra** gevestigd, een bijzonder interessant museum, met religieuze beelden en kunstvoorwerpen uit de 17de, 18de en 19de eeuw. De kapel is fraai gedecoreerd met religieuze wandschilderingen.

ⓘ MUSEU DE ARTE SACRA. Geopend: di.-vr. 9-17, za.-zo. 10-17.30 uur.

Ook interessant is het Museu de Sergipe in het oude gouverneurspaleis, dat veel over de geschiedenis en de folklore van de staat laat zien.

ⓘ MUSEU DE SERGIPE. Geopend: di.-zo. 13-17 uur.

São Cristovão is tegenwoordig bekend vanwege de *briceletes*, krokante biscuits met een vleugje limoensmaak. Ze worden gemaakt volgens het recept van twee benedictijner nonnen. Aan de weg naar het plaatsje Itaporanga, ongeveer 10 km van São Cristovão, zijn overblijfselen te zien van de Igreja dos Capuchinos die door Hollandse troepen verwoest is.

Nauwelijks 20 km ten noordwesten van Aracaju ligt **Laranjeiras**, een oud plaatsje (25.000 inw.) midden tussen de suikerrietplantages.
Het aantal kerkjes in en rondom Laranjeiras is opmerkelijk en heeft alles te maken met de rijke geschiedenis van de suikerplantages in het gebied. De mooiste kerk in Laranjeiras is de Capela de Sant'Aninha uit 1875. Het altaar is bewerkt met mozaïeken in goud en versierd met porseleinen beelden uit de 18de eeuw. De heuvel, waar de kerk op staat, kijkt uit op het plaatsje en de omgeving. Eenzelfde mooie locatie heeft de Igreja do Bonfim. Deze kerk is gebouwd in 1836 en onlangs gerenoveerd. De derde kerk op een heuvel maar dan iets buiten Laranjeiras, is die van Nossa Senhora de Comandaroba. Deze kerk is door de jezuïeten in 1734 gebouwd, maar is nu verlaten en in verval geraakt.

De jezuïeten zijn trouwens erg actief geweest in Laranjeiras. Aan de oude weg naar Aracaju hebben ze een klooster en een kerk gebouwd, die nu onderdeel uitmaken van de fazenda Retiro. Boeiend is het **Museu Afro-Brasileiro**, met objecten en achtergronden betreffende de volksreligies in het noordoosten; met beelden van *orixás*, de candomblé-ceremonies.

ⓘ MUSEU AFRO-BRASILIEIRO. Rua José do Prado Franco 19. Geopend: di.-vr. 10-17 en za.-zo. 13-17 uur.

RIO SÃO FRANCISCO

De grens tussen de deelstaten Sergipe en Alagoas wordt gevormd door de Rio São Francisco, de grootste rivier in het noordoosten van Brazilië. **Velho Chico** (Oude Chico), zoals de oeverbewoners de rivier noemen, is een bron van leven, zeker in het droge achterland van het noordoosten. In de koloniale tijd was São Francisco de toegangspoort tot het onbekende binnenland. De rivier was de eerste verbinding van koloniaal Brazilië in het noordoosten met het rijke mijngebied in Minas Gerais.
De drukte op de rivier is sterk afgenomen nadat op verschillende plaatsen grote stuwdammen zijn gebouwd. Toch zijn er aan de benedenloop nog heel wat vissers

die van de rivier leven. Velho Chico leeft voort in legendes, liedjes en in het geloof van de vissers. Er zouden kwade geesten in de rivier huizen, die kunnen worden verdreven door monsterlijke houten koppen op de boeg van de boot te plaatsen. Deze *carrancas*, half mens en half dier, zijn tegenwoordig in alle formaten als houtsnijwerk te koop.

Een bijverdienste voor de vissers vormen de tochtjes op de rivier die ze met toeristen maken.

De BR-101 kruist de São Francisco bij **Propriá**, een wat in verval geraakte pleisterplaats voor het weg- en scheepvaartverkeer. De kade is een aardige plek voor een kort verblijf. Het restaurant O Mangaba kijkt uit op de plek waar boten aanleggen, de pont vertrekt en auto's worden gewassen. Vooral 's zondags is dit dé ontmoetingsplek in het stadje.

Penedo

Penedo is een stadje uit de 17de en 18de eeuw in de deelstaat Alagoas. Het oudste deel ligt op een klip, een strategische locatie aan de Rio São Francisco. Niet voor niets bouwde Johan Maurits van Nassau hier in de Hollandse tijd een fort. Het was de uiterste grens van het gebied dat de Hollanders van 1624 tot 1654 bezet hielden. '*Ik heb*,' schreef hij, '*een gunstige plek gevonden om de oorlog op vijandelijk gebied over te brengen. Onze jachten kunnen tot hier opvaren... De rivier munt uit door goede eigenschappen. De bodem heeft slechts behoefte aan kolonisten om deze eenzaamheid tot welvaart te brengen.*' Maurits vroeg de West-Indische Compagnie om Duitse immigranten, en als dat niet zou lukken, om de werkhuizen van Amsterdam maar open te zetten, '*opdat het galeigeboefte worde losgelaten, opdat het hier zijn vorige schande uitzweete en voor de gemenebest nuttig zij*'. (uit: 'Hollands Brazilië', door Max Pam in *Avenue*, juni 1987). Van het Forte de Maurício de Nassau resten slechts wat ruïnes. Er is onder meer een restaurant op de plaats van het fort gevestigd, Forte

Vissen op de Rio São Francisco

Veel transport gaat in het noordoosten met mens- en dierkracht.

da Rocheira, met een subliem uitzicht over de rivier. Wandel van de nauwe en steile straatjes op de klip naar het deel van de stad dat later aan de oever van de rivier is ontstaan.

De mooiste bouwwerken in Penedo zijn het **Convento de São Francisco** met de **Igreja Nossa Senhora dos Anjos** (gebouwd in de periode 1708–1784), met een prachtig marmeren altaar in barokstijl en de **Igreja Nossa Senhora da Corrente**, met een overweldigend gouden altaar en onder andere bewerkingen met Engels keramiek en azulejos (Portugese tegels).

ℹ️ IGREJA NOSSA SENHORA DOS ANJOS. Geopend: di.-vr. 8-11.30 en 14-17, za.-zo. 8-11 uur. IGREJA NOSSA SENHORA DA CORRENTE. Geopend: di.-za. 8-17 en zo. 9-16 uur.

Penedo heeft nog andere bezienswaardige monumenten, waaronder kerken en historische gebouwen, zoals het **Teatro 7 de Setembro** uit 1884 met een fraaie beeldengroep en het Cruz de Pedra in Byzantijnse stijl. Dit is neergezet ter nagedachtenis aan de overwin-ning op de Hollanders hier in 1645. Het **Museu do Paço Imperial** geeft een aardig beeld van de tijd van het keizerrijk, en vooral van het bezoek dat Pedro II aan het plaatsje bracht.

ℹ️ MUSEU DO PAÇO IMPERIAL. Praça 12 de Abril. Geopend: di.-za. 11-17 en zo. 8-12 uur.

In het **Casa do Penedo** krijg je een historisch overzicht van het plaatsje aan de hand van oude kaarten, foto's, documenten, meubels en servies.

ℹ️ CASA DO PENEDO. Rua João Pessôa 126. Geopend 8-12 en 14-18 uur.

Leuk om te doen is een boottocht maken op de rivier, bijvoorbeeld naar de watervallen in de Rio São Francisco bij het **Praia da Peba**, een geweldig gebied om te zwemmen en te wandelen in de zandduinen. De tocht duurt 2.30 uur en kost R$ 100 (voor een boot met vier personen). Nog spectaculairder is een ritje per buggy over Praia do Peba naar die watervallen (R$ 100 voor 3 personen). Je vertrekt vanaf de Pontal da Peba.

MACEIÓ

Maceió, de hoofdstad van de deelstaat Alagoas, is nog maar pas door het toerisme ontdekt en heeft zich sindsdien ontpopt als een van de nieuwe vakantiebestemmingen aan de noordoostkust.

De stad is in de 18de eeuw ontstaan bij een suikerplantage aan de monding van de Maçayó, de naam die de Tupi-indianen aan de rivier hadden gegeven. Al snel overvleugelde de nieuwe nederzetting de oude regionale bestuurszetel Alagoas, het huidige Marechal Deodoro. Op 16 december 1839 werd Maceió officieel de hoofdstad van de provincie.

Maceió is met ruim 600.000 inwoners de grootste industrie- en handelsstad tussen Salvador en Recife. Door haar ligging tussen de kust en twee grote lagunes, is de stad rijkelijk bedeeld met mooie plekjes.

Bezienswaardigheden

In het centrum zijn de Rua João Pessoa en de Rua Comércio de hoofdstraten. Veel bezienswaardige historische bouwwerken zijn er niet. Een prominent gebouw aan het Praça Dom Pedro II is de Catedral de Nossa Senhora dos Prazeres uit 1840.

Museo Théo Brandão is gewijd aan de geschiedenis van de staat Alagoas en met name de koffieproductie, terwijl de cultuur aandacht krijgt in aparte exposities en optredens van folkloristische groepen. Er zijn tevens een uitgebreide bibliotheek en souvenirwinkel.

ℹ MUSEO THÉO BRANDÃO. Avenida da Paz 1490. Geopend di.-vr. 9-12 en 14-17, za.-zo. 15-18 uur.

De oudste kerk van de stad is de Igreja Nossa Senhora do Rosário uit 1829. Aan het einde van de Rua João Pessoa ligt het Praça Bom Jesus dos Martirios (ook Praça Floriano Peixoto genoemd) met daaraan de gelijknamige kerk uit 1870. Aan de overkant van de kerk bevindt zich de Pinacoteca do Palácio dos Martirios, waarin de deelstaatregering is gevestigd. Altijd leuk om te bezoeken is de lokale markt. In Maceió staat de **Mercado Municipal** aan het Parque Rio Branco. Een goede plaats om keramiek, houtsnijwerk, schilderijen, kleding of andere regionale souvenirs te kopen.

ℹ MERCADO MUNICIPAL. Geopend: dag. 8-18 uur.

Stranden

Voor de kust liggen koraalriffen en zandbanken die bij laag water ondiepe poelen vormen. Laat je er met een *jangada*, de boot of beter gezegd het vlot van de vissers in het noordoosten, naar toe brengen.

Praia da Pajuçara heeft een levendige boulevard, maar is vanwege vervuiling ongeschikt om te zwemmen. Om te zwemmen zijn de noordelijker gelegen Praia da Ponta Verde en Praia da Jatiúca beter geschikt. Praia da Ponta Verde begint het eerder genoemde Praia da Pajuçara steeds meer naar de kroon te steken wat betreft strand- en avondleven. Er zijn gezellige bars en muziekcafés. In de wijk achter de boulevard komen steeds meer restaurants en hotels. De riffen voor de kust bieden goede mogelijkheden om te duiken en te snorkelen.

Praia da Jatiúca is vanwege de hogere golven populair bij surfers. De nabijgelegen Lagoa da Anta is zeer geschikt om te windsurfen.

Verreweg de mooiste stranden liggen nog noordelijker, bij Pratagi (16 km) en Ipioca (18 km). **Praia Pratagi**, gelegen tussen de kokospalmen, heeft een breed strand en een mooi rif voor de kust. Zeer de moeite waard is een tochtje met de schoener op de **Lagoa de Mundaú**.

Je maakt een tocht van 4 uur door het kustgebied, met negen eilanden, een fantastisch natuurgebied. De boot maakt een stop om een frisse duik te nemen en wat te eten.

Je betaalt R$ 20 zonder en R$ 30 met lunch. Vertrek bij Pontal da Barra, 10 km ten zuiden van het centrum.

Feesten

De traditionele feesten van de regio zijn in Maceió grote toeristische attracties geworden. De periode december tot begin januari (Driekoningen) staat in het teken van de Ciclo Natalino, festiviteiten rond de geboorte van Christus. Er zijn folkloristische optredens en optochten. Karakteristiek zijn de *chegança*, een voorstelling waarin het leven op zee centraal staat, en de *pastoril*, die bestaat uit zang en dans rond religieuze thema's. Een vast onderdeel van de decemberfeesten is ook de *reisado*, wanneer verklede groepjes langs de huizen gaan om de geboorte van de Messias aan te kondigen. De festiviteiten vinden vooral plaats in het centrum op het Praça Afrânio Jorge en het Praia de Pajuçara. Op de boulevard zijn dan grote muziekoptredens en altijd is er een daverend strandfeest.

Andere jaarlijkse feesten zijn de Festas Juninas (22–29 jun.) met muziek, dans en speciale gerechten en Iemanjá (8 dec.) ter ere van de zeegodin in de candomblé/umbanda-religie.

DE KUST VAN ALAGOAS

Door de aanleg van een nieuwe kustweg, de Rodovia AL-101, zijn vissersdorpen en stranden langs de kust van Alagoas ontsloten. De weg slingert zich door het palmwoud, langs lagunes en oogstrelende stranden. Ten zuiden van Maceió zijn plaatsjes als Pontal do Coruripe (142 km van Maceió), Feliz Deserto (155 km) en Barra de São Miguel (34 km) aan de ver-

getelheid ontrukt. Ze ontwikkelen zich tot tropische paradijsjes met meestal minimale voorzieningen maar een fantastische natuurlijke omgeving. De mooiste stranden zijn Praia do Batel (8 km ten noorden van Coruripe) en Praia do Gunga ten zuiden van Barra. Dit laatste strand is alleen per boot vanuit de haven van Barra te bereiken. Het rif zorgt voor een natuurlijk aquarium met prachtige koraalformaties en kleurrijke vissen. Praia do Francês is een plaats waar veel inwoners uit Maceió in het weekend naar toe gaan. De lagunes, die in dit gebied veelvuldig voorkomen, zijn in trek bij watersporters. Vanuit Pontal da Barra en Roteira worden er boottochten georganiseerd op de lagune en de rivier. Vlak bij Praia do Francês, 31 km van Maceió, ligt het historische stadje **Marechal Deodoro**. In deze vroegere hoofdstad van Alagoas zijn veel bouwwerken uit de koloniale tijd bewaard gebleven, zoals het Convento de São Francisco uit 1684 en de Matriz Nossa Senhora da Conceição uit 1755.

Aan de noordkant van Maceió zijn Paripueira (29 km), Barra de Camaragibe (74 km) en de historische plaatsjes Porto de Pedras (105 km) en Maragoji (136 km) als badplaats in opkomst. Bij Porto de Pedras gingen de Hollanders in 1633 aan land om een aantal vernietigende slagen toe te brengen aan de Portugese nederzettingen in dit gebied.

In Maragoji gaan de ontwikkelingen snel. Tussen de kokospalmen aan het strand zijn verschillende hotelcomplexen gebouwd.

ⓘ BEREIKBAARHEID. Alle genoemde plaatsen zijn per bus rechtstreeks vanuit Maceió te bereiken.

RECIFE: IN DE VOETSPOREN VAN JOHAN MAURITS

De hoofdstad van Pernambuco, Recife,

wordt de stad van de bruggen genoemd. Verschillende rivieren doorsnijden de stad voordat ze uitmonden in de Atlantische Oceaan. Veelvuldig wordt Recife vergeleken met Venetië, maar daar is wel wat verbeelding voor nodig. Pernambuco is een van de armste deelstaten van Brazilië geworden en dat straalt af op de hoofdstad.

De stad heeft twee zeer verschillende gezichten. Het oude stadshart rondom de haven is een druk commercieel centrum. De straten in de wijken Recife, São José, Santo Antônio en Pombal zijn vol bedrijvigheid. Stap voor stap krijgen vervallen historische bouwwerken een opknapbeurt.

De zuidkant van de stad, langs de kust, is een andere wereld. Vooral de wijk Boa Viagem is de plaats van de betere hotels, goede restaurants en dure winkels.

Geschiedenis

Het oude centrum van Recife ligt rond de Bacia de Santo Amaro, de plaats waar de Rio Capibaribe en de Rio Beberibe samenkomen. De vroegste beschrijving van de nederzetting achter het rif dateert van 1537. Het langgerekte rif voor de kust vormde een uitstekende natuurlijke beschutting voor een haven. De nederzetting ontleende er z'n naam aan: *recife* (rif).

Recife stond aanvankelijk in de schaduw van Olinda. Dat veranderde met de komst van de Hollanders.

De stad Recife bloeide in de 18de eeuw op als belangrijk knooppunt voor handel en bestuur. De wijken Santo Antônio en São José kregen toen hun huidige vorm, met bestuursgebouwen en vooral kerken.

Aan het begin van de 20ste eeuw breidde de stad zich uit aan de overkant van de Rio Capibari. Overeenkomstig de tijdgeest kreeg Recife z'n brede avenues, statige pleinen en smaakvol ontworpen parken. De spoorbaan deed z'n intrede en er werden nieuwe bruggen gebouwd. Later deze eeuw kreeg Recife als groot-

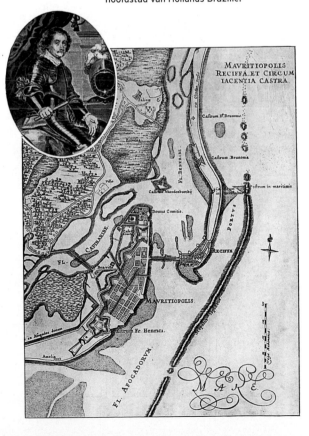

Mauritsstad was van 1630-1654 de hoofdstad van Hollands Brazilië.

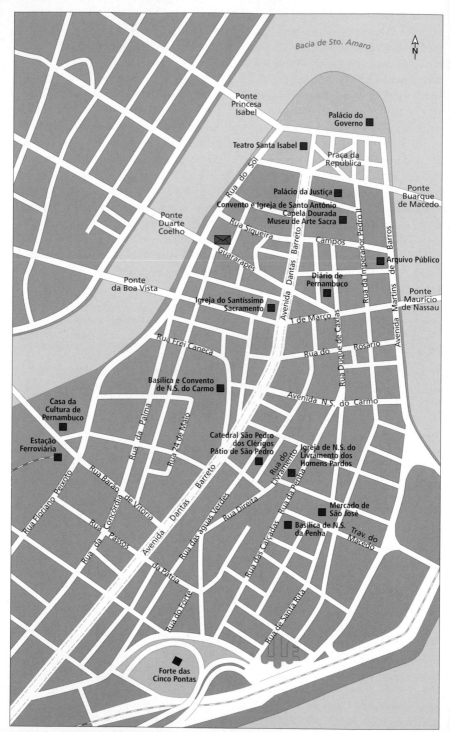

Bacia de Sto. Amaro

Ponte
Princesa
Isabel

Palácio do
Governo

Teatro Santa Isabel

Praça da
República

Rua do Sol

Ponte
Buarque
de Macedo

Palácio da Justiça

Convento e Igreja de Santo Antônio
Capela Dourada
Museu de Arte Sacra

Rua Siqueira

Ponte
Duarte
Coelho

Guararapes

Campos

Arquivo Público

Rua da Imperador Pedro II

Barros

Avenida Dantas Barreto

Diário de
Pernambuco

Ponte
da Boa Vista

Igreja do Santíssimo
Sacramento

Ponte
Maurício
de Nassau

Avenida Martins de Barros

1 de Março

Rua Frei Caneca

Rua do Rosário

Rua Duque de Caxias

Basílica e Convento
de N.S. do Carmo

Avenida N.S. do Carmo

Casa da
Cultura de
Pernambuco

Rua da Palma

Rua 21 de Maio

Catedral São Pedro
dos Clérigos
Pátio de São Pedro

Igreja de N.S. do
Livramento dos
Homens Pardos

Estação
Ferroviária

Rua do Livramento

Rua Barão de Vitória

Rua Floriano Peixoto

Avenida Dantas Barreto

Rua Direita

Rua da Penha

Mercado de
São José

Rua da Concórdia

Rua das águas Verdes

Basílica de N.S.
da Penha

Trav. do
Macedo

Rua da Passos

Rua das Calçadas

da Pátria

Rua do Forte

Rua de Santa Rita

Forte das
Cinco Pontas

Historisch centrum van Recife: São José en Santo Antônio

MAURITSSTAD

Recife was van 1630-1654 de hoofdstad van Hollands Brazilië. De Hollanders bouwden een tiental forten, waaronder het Forte do Brum (De Bruyne) in het oude stadsdeel Recife, Forte das Cinco Puntas, Forte Frederico Henrique (Frederik Hendrik) en Forte Ernesto in de huidige stadswijken Santo Antônio en São José. Vooral onder de bezielende leiding van Johan Maurits, die hier verbleef van 1637 tot 1642, werden de laatstgenoemde wijken het hart van een nieuwe stad: *Mauritsstad*. Op de punt van dit schiereiland liet Maurits zijn Vrijburg (Palácio do Friburgo) bouwen. Op de plaats waar nu het Convento de Carmo staat, werd door Maurits een tweede paleis gebouwd: Mooizicht (Boa Vista). Met de ervaring van de Hollanders werden wateren gekanaliseerd en bruggen gebouwd. De eerste vaste brug die Maurits liet bouwen tussen Recife en Santo Antônio draagt zijn naam.

Kaartenmakers en tekenaars, maar vooral de schilder Frans Post, hebben de beelden van Mauritsstad voor het nageslacht vastgelegd. Van de bouwwerken uit de Hollandse tijd is weinig overgebleven. Alleen het Forte das Cinco Pontas en het Forte do Brum zijn overgebleven, al zijn ze verschillende keren verbouwd.

---

ste stad in het noordoosten een enorme stroom migranten uit het droge binnenland te verwerken. Aan de west- en noordkant van de stad ontstonden uitgestrekte favelas. Aan de zuidkant ontstond een nieuwe wijk, Boa Viagem, die zich ontwikkelde als een modern, rijk stadsdeel met een grote aantrekkingskracht op toeristen.

Wandeling in de oude stad

Deze wandeling voert door de oudste wijken: Recife, São José en Santo Antônio. Duur: 4 tot 5 uur.

Het Praça da República is een goed beginpunt voor een verkenning van het centrum. Tegenover elkaar staan de gebouwen van de uitvoerende en de rechterlijke macht: het Palácio do Governo en het Palácio da Justiça, met in het midden een schaduwrijke paleistuin.

Oorspronkelijk stond op de plaats van het Palácio do Governo het door Maurits van Nassau gebouwde Palácio do Friburgo. Het moet een prachtig bouwwerk geweest zijn, omgeven door monumentale tuinen. Een aantal delen van het paleis is in het uit 1841 stammende, huidige gebouw gehandhaafd.

Een derde opvallend gebouw op het plein is het **Teatro Santa Isabel**. Dit bouwwerk in neoklassieke stijl dateert van 1850 en is nog altijd het cultuurpaleis van de stad. De voorname families hebben er hun eigen loges, net als de burgemeester en de gouverneur. De mooiste ruimte is de blauwe zaal met een portret van onder andere de Franse architect van het theater, Louis Lèger Vauthier.

ⓘ TEATRO SANTA ISABEL. Rondleidingen: op verzoek; informeer bij de achteringang. Iedere zondag zijn er klassieke concerten.

Dicht bij de hoek met de Rua do Imperador Pedro ii hangt een plaquette, waarop staat

De Mauritsbrug, de verbinding
tussen Santo Antônio en Recife

al voor de kapel is een bezoek aan
dit museum meer dan aan te bevelen.
Op dinsdag worden de straatjes
rond de kerk bevolkt door een
in lompen gehulde menigte, die
wacht op het wekelijks uitdelen
van brood door de geestelijken.
ⓘ MUSEU FRANCISCANA DE ARTE
SACRA. Geopend: ma.-vr. 8-11.30 en
14-17, za. 8-11.30 uur.

Loop langs het oude gebouw van
de Biblioteca Pública met de opvallende Ionische zuilen. Sinds
1975 is hier het Arquivo Público
gevestigd. Sla bij de drukke Rua
1º de Março rechtsaf. Aan het
Praça da Independência staat het
hoofdgebouw van *O Diário de
Pernambuco*, de grootste krant

dat hier vroeger het door de Hollanders
gebouwde fort Ernesto stond. Iets verder
in de Rua do Imperador staat de door de
franciscanen al in 1606 gebouwde Igreja e
Convento Franciscano de Santo Antônio.
In de Hollandse tijd werd fort Ernesto eromheen gebouwd. De grote trekpleister in
de kerk is de **Capela Dourada**, de Gouden
Kapel. Deze kapel, gebouwd in een tijdsbestek van slechts zestien maanden tijd
tussen 1696 en 1697, is een sublieme combinatie van gouden ornamenten en schil-
derstukken. Van het plafond tot onder
aan de wanden zijn religieuze portretten
en taferelen afgebeeld, onderbroken door
weldadig met bladgoud versierde nissen
met heiligenbeelden.
Vanuit de kerk is de Capela Dourada af-
geschermd door een groot hekwerk. De
kapel is te bezichtigen vanuit het **Museu
Franciscana de Arte Sacra**, waarvan de
ingang zich naast de kerk bevindt. Alleen

van de staat en de oudste nog verschij-
nende in Latijns-Amerika.
De **Igreja do Santíssimo Sacramento**
(Matriz de Santo Antônio) aan de
overkant van de brede Avenida Dantas
Barreto valt op door haar overdadige
voorgevel in Portugese barokstijl. Het
interieur is een mengeling van barokke
en neoklassieke stijlen.
ⓘ IGREJA DO SANTÍSSIMO SACRAMENTO.
Geopend: 7-12 en 14-18 uur.

De Avenida Dantas Barreto is de grote
verkeersader in het centrum. Op het
Praça da Independência kruist hij een
andere brede en drukke straat, de Avenida Guararapes.
Vervolg de route aan de westkant van de
Rua Dantas Barreto tot je op het volgende plein komt. Rechts staan de **Basílica e
Convento de Nossa Senhora do Carmo**
uit de 17de eeuw. De kerk stamt uit 1663

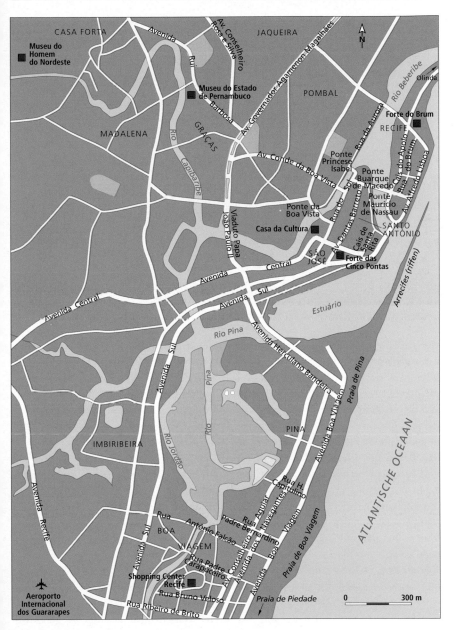

Het centrum van Recife

en het klooster is iets later toegevoegd, in 1687. Ze staan op de plaats waar vroeger het Palácio da Boa Vista stond. Van het buitenverblijf van Johan Maurits van Nassau is alleen de nooit afgebouwde toren overgebleven. De kerk en het klooster staan er erg verwaarloosd bij. Het interieur van de kerk bestaat overwegend uit met goudverf beschilderd houtsnijwerk. **❶ BASÍLICA E CONVENTO DE NOSSA SENHORA DO CARMO. Geopend: ma.-vr. 7-19, za.-zo. 8-12 uur.**

Dansen tijdens de junifeesten op het Pátio de São Pedro

Het gezelligste plein in het centrum van Recife om even uit te rusten en wat te eten, is de Pátio de São Pedro. Het pleintje ligt verscholen achter de huizen aan de oostkant van de Avenida Dantas Barreto. Een opvallend bouwwerk tussen de 19de-eeuwse huizen is de **Catedral de São Pedro dos Clérigos**. Deze kerk uit 1782 (gerestaureerd in 1858) is een voorbeeld van barokke architectuur. De altaren zijn van marmer en zandsteen. Het schilderwerk met driedimensionale werking op het plafond is van João de Deus Sepulveda.

ℹ CATEDRAL DE SÃO PEDRO DE LOS CLÉRI-GOS. Geopend: ma.-vr. 8-11.30 en 14-16 uur.

Ga nu binnendoor naar de Rua do Livramento. Hier staat de Igreja de Nossa Senhora do Livramento dos Homens Pardos, een kerk gebouwd tussen 1694 en 1722.
Loop de drukke marktstraat Rua da Penha in; links bevindt zich de opmerkelijke **Basílica de Nossa Senhora da Penha** uit 1852. Dit is de enige tempel in Recife.

Met de Korinthische zuilen en de mooi bewerkte zware deuren van jacarandahout doet deze kerk romaans aan. In het interieur is veel marmer verwerkt.
ℹ BASÍLICA DE NOSSA SENHORA DA PENHA. Geopend: di.-za. 8-11 en 15-17, zo. 7-9 uur.

Dit hele gebied met drukke straatjes vol uitgestalde waar en kraampjes hoort bij de Mercado São José. Het eigenlijke marktgebouw is eveneens een werkstuk van de Franse architect Vauthier uit 1875.
Uiteindelijk kom je via de Rua das Calçadas aan bij het **Forte das Cinco Pontas**, waarin het **Museu da Cidade** is gevestigd. Het oorspronkelijke fort is gebouwd door de Hollanders in 1630. Op 16 januari 1654 werden op deze plaats de laatste Hollanders tot overgave gedwongen.
Door de curieuze vorm noemde de bevolking dit het 'fort met de vijf punten'. Ook na de volledige vernietiging in 1677 en de bouw van een nieuw fort (Forte São Thiago) met slechts vier punten, bleef

de oude naam in de volksmond gehandhaafd. Sinds 1982 is het volledig gerestaureerde fort in gebruik als museum, waarin de stadsontwikkeling met kaarten en foto's wordt geschetst. Er is veel aandacht voor de Hollandse periode met unieke etsen en kaarten van Mauriciópolis en Olinda.

ℹ️ MUSEU DA CIDADE DO RECIFE, FORTE DAS CINCO PONTAS. Geopend: di.-vr. 9-18, za. en zo. 13-17 uur.

Restauratie van oud Recife

De oudste stadswijk Recife krijgt langzaamaan weer de nodige allure, nu op diverse plaatsen gebouwen zijn of worden gerestaureerd. Komend vanaf Santo Antônio, meteen rechts van de Ponte Mauricio de Nassau, staat het gerenoveerde complex van de **Alfândega**. De verwaarloosde douanegebouwen zijn met respect voor de oude architectuur omgebouwd tot luxe winkelcentrum. Op de begane grond zit een aantal winkels voor de betere souvenirs. Op de tweede verdieping heeft investeerder Banco do Brasil een kleine expositie ingericht over de oudste geschiedenis van de stad. Vooral de maquettes bieden een goed beeld van de nederzetting in de 16de en de 17de eeuw.

Via de Rua Marquês de Olinda loop je vervolgens naar het **Marco Zero**. Dit 'nulpunt' is de plek waar de stad is gesticht. Het gebied eromheen ondergaat een grondige opknapbeurt en dat is hard nodig, want sommige gebouwen stonden op instorten. Aan het pleintje staan onder meer de Terminal Maritimo aan het water, en het Instituto Cultural Bandepe, een gebouw uit begin 20ste eeuw waar nu exposities plaatsvinden. De obelisk aan de overkant van het water is een kunstwerk van kunstenaar Francisco Brennand, net als de beelden eromheen.

De Rua do Bom Jesus, voorheen Rua dos Judeus, vormt het hart van de oude joodse wijk in Recife. In de Portugese tijd werden de joden vervolgd, maar onder de Hollanders kregen ze ruimte om hun geloof te belijden. De succesvollere joodse kooplieden lieten aan deze straat,

Forte das Cinco Pontas, overblijfsel uit de Hollandse tijd

buiten de oorspronkelijke stadsgrens, hun huizen bouwen. De eerste synagoge **Kahel Zur Israel** dateert uit 1639 en was gevestigd op de eerste verdieping. In het gerestaureerde gebouw is nu het **Centro Cultural Judaico de Pernambuco** gevestigd, een klein museum gewijd aan de geschiedenis van de joodse gemeenschap in deze contreien. De uitleg is ook in het Engels en dat is toch wel bijzonder. Met prenten uit Amsterdam en op de eerste verdieping een gerenoveerde versie van de oude synagoge, de eerste in de Nieuwe Wereld!

ⓘ SYNAGOGE KAHEL ZUR ISRAEL. Rua do Bom Jesus. Geopend di.-vr. 9-16.30 en zo. 15-18.30 uur. Entree 4 R$.

In de avond komt de straat helemaal tot leven als de barretjes opengaan en de terrasjes vol raken. Aan het Praca do Arsenal, met een palmenrijke tuin, staat de **Torre Malakoff**. Deze voormalige uitkijktoren in Moorse stijl huisvest tegenwoordig een cultureel centrum. De toren kan van di.–zo. worden beklommen van 15–20 uur. Helemaal aan het eind van de Rua Alfredo Lisboa, die langs de havenloodsen voert, staat **Forte do Brum** met daarin het Museo Militar.

ⓘ FORTE DO BRUM/MUSEO MILITAR. Geopend di.-vr. 9-16.30, za. en zo. 14-17 uur.

Andere bezienswaardigheden

Recife heeft nog andere interessante musea. In het **Museu do Estado de Pernambuco**, Avenida Rui Barbosa 960 in de oudere villawijk Graças, komt de Hollandse periode aan de orde. Er bevinden zich drie manshoge panelen over de belangrijke veldslagen die de Portugezen met de Hollanders leverden, waaronder die bij Guararapes in 1709.

ⓘ MUSEU DO ESTADO DE PERNAMBUCO. Geopend: di.-zo. 9-17, za. en zo. 14-17 uur.

In de voormalige stadsgevangenis in het oude centrum aan de rivier de Capibaribe is nu het **Casa da Cultura** gevestigd. In 1975 werd de gevangenis omgevormd tot cultureel centrum. In de voormalige cellen worden nu ambachtelijke producten en souvenirs verkocht. Er zijn regelmatig folkloristische voorstellingen.

De eerste synagoge in Amerika staat in Recife, in de oude Rua dos Judeus.

KUNSTSCHATTEN IN EEN DROOMKASTEEL

Als je komt aanrijden bij het **Instituto Ricardo Brennand** knipper je eerst even met je ogen. Zie ik wat ik zie? Een Normandisch kasteel tegen de groene heuvels van Várzea, een wijk van Recife.

Inderdaad, de droom die werkelijkheid is geworden. Na een leven lang reizen en kunst verzamelen, kan Ricardo Brennand hier eindelijk zijn enorme collectie historische kaarten, schilderijen, beelden, meubels en wapens een vaste plek geven; zodanig dat iedereen ervan kan genieten. De entree van het schilderijenmuseum is welhaast alsof je een sacrale ruimte binnentreedt. Aan de hand van de kaarten van Recife en Mauritspolis krijg je een beeld van hoe de stad zich ontwikkelde. De prenten en schilderijen van Frans Post zijn hoogtepunten. Ze vertellen het verhaal van de stad en de omgeving, over de plantages in het

Een opmerkelijke verzameling kunst in het Instituto Ricardo Brennand

achterland, over de koloniale samenleving. Je kunt de digitale versie doorbladeren van een rijkelijk door Frans Post en kaartenmaker Georg Markgraf geïllustreerd boek. De Franse tapijten en Italiaanse sculpturen geven de bezoeker het idee in een Europees kunstmuseum te wandelen. In het kasteel is de collectie middeleeuwse zwaarden, messen en wapenuitrusting ondergebracht in het nieuw opgebouwde kasteel. Aan de wand hangen veelal romantische doeken van onder meer Jean Baptiste Debret en Émile Taunay.

Bij het complex bevinden zich een beeldentuin, met kopieën van bekende werken van grote meesters als Rodin, en een uitgebreide bibliotheek.

ℹ️ INSTITUTO RICARDO BRENNAND. Alameda Antônio Brennand (Várzea). Geopend ma.-zo. 8-17 uur. Aangezien het complex nogal excentrisch ligt ten opzichte van de stad is het raadzaam om een taxi te nemen als je op eigen gelegenheid wilt gaan. Zie voor een eerste oriëntatie www.institutoricardobrennand.org.br.

ⓘ CASA DA CULTURA. Geopend: ma.-za. 9-18, zo. 10-17 uur.

ⓘ OFICINA BRENNAND. Propriedade Santos Cosme e Damião. Geopend ma.-vr. 8-17 uur, www.brennand.com.br.

Verreweg het interessantste museum is het **Instituto Ricardo Brennand**, grotendeels opgebouwd uit de particuliere collectie van industrieel en kunstverzamelaar Ricardo Brennand. Als je een beter beeld wilt hebben van de Hollandse periode in Pernambuco en Recife moet je hiernaartoe. Brennand heeft de grootste verzameling originele kaarten en schilderijen uit die tijd samengebracht. Het opmerkelijke complex ligt aan de westkant van de stad in de wijk Várzea, tussen de schaarse resten van het Atlantische regenwoud.

Niet ver van het instituut, aan de andere kant van de Rio Capibaribe vind je **Oficina Brennand**. In een oude steenfabriek heeft beeldhouwer Francisco Brennand zijn atelier en beeldentuin ondergebracht. Aan zijn werk is duidelijk te zien dat hij zijn inspiratie opdoet in de kunst en religiebeleving in Azië, maar ook in die van de oorspronkelijke bewoners in Brazilië.

Aardig voor een bezoek zijn verder: Mercado São José, de oude markt aan het Praça D. Vital in São José, dagelijks van 6–17.30, alleen op zondag 6–12 uur. Originele souvenirs vind je ook op de Feira de Artesanato do Recife Antigo, Rua Bom Jesus; alleen op zondag van 14–20 uur.

Stranden

Praia de Boa Viagem is het beste strand van de stad. Enkele kilometers lang strekt het zich uit langs de gelijknamige wijk, op loopafstand van de hotels en met goede voorzieningen voor een hapje en een drankje.

Dicht bij het oude stadscentrum ligt Praia do Pina. Door de vervuiling is dit strand minder geschikt om te zwemmen, maar de levendigheid van de vissers maakt een hoop goed.

Wat meer naar het zuiden liggen Praia

Kijk uit voor haaien; waarschuwingsbord op het strand van Boa Viagem

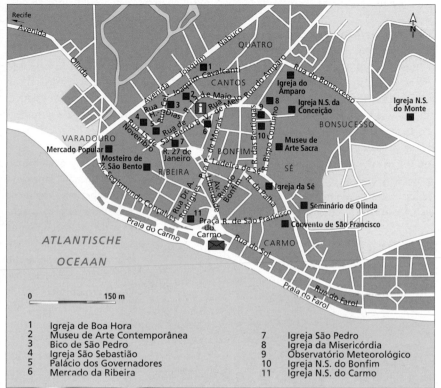

Olinda

Candeias (13 km vanaf Boa Viagem) en Praia do Paiva (17 km). Ze zijn met de bus te bereiken en doorgaans rustiger dan het strand in Recife.

Feesten

Recife heeft net als Salvador de reputatie carnavalsstad van het noorden te zijn. De festiviteiten zijn doorspekt met folklore uit het noordoosten. *Frevo* is de karakteristieke carnavalsmuziek in Pernambuco, gebaseerd op een snel ritme, waarop acrobatisch gedanst wordt. Frevo-dansers, ook wel *passistas* genoemd, hebben iets weg van circusartiesten.

De carnavalsoptochten worden opgesierd door grote religieuze of populaire figuren van papier-maché die door de straten schuiven. In de *maracatu*, te vergelijken met de *afoxé* in Bahia, worden muziek en theater vermengd en zijn Afrikaanse invloeden zichtbaar.

Andere grootse festiviteiten zijn Calvário de Frei Caneca (eerste helft januari), Festival de Cirandas (mei, Pátio de São Pedro) en Nossa Senhora do Carmo (11–16 juli, bij de kerk). Altijd worden die feesten opgeluisterd door straatmuzikanten die forró, de muziek van het noordoosten, spelen.

OLINDA: EEN STAP TERUG IN DE TIJD

Geschiedenis

'O linda situação para uma vila' (Wat een prachtige plek voor een nederzetting) zou de eerste Portugese gezant die hier

kwam, Duarte Coelho Pereira, hebben gezegd.

Dat was in 1535 en zo is de naam van het stadje ontstaan. De ligging is inderdaad fantastisch: op een heuvel met uitzicht over de kustlijn en het achterland.

Officieel is Olinda op 12 maart 1537 gesticht. Vijf jaar later introduceerden de Portugezen suikerriet en werden de eerste plantages aangelegd. Olinda groeide snel uit tot een welvarend bestuurlijk en religieus centrum van dit deel van de nieuwe kolonie. De geestelijkheid bouwde kerken, kloosters en scholen. De Hollanders maakten in 1631 een abrupt eind aan deze voorspoedige ontwikkeling. Olinda werd in brand geschoten, geplunderd en grotendeels verwoest. Het was aan de verlichte geest van Maurits van Nassau te danken dat niet alle documenten over de tijd van vóór de Hollandse invasie zijn vernietigd. Maurits was weliswaar niet de grondlegger van Olinda, maar liet de geschiedenis van de stad wel documenteren.

In de tweede helft van de 17de eeuw bouwden de Portugezen Olinda langzaam weer op. Op 10 november 1710 voelde de bevolking van het stadje zich zo machtig dat ze een poging deed, onder leiding van Bernardo Vieira de Melo, om Pernambuco om te vormen tot een onafhankelijke republiek.

In 1980 werd het stadje aangemerkt als nationaal monument en in 1982 als ecologische stad in Brazilië. Op 14 december van dat jaar werd Olinda door de Unesco tot cultureel erfgoed verklaard.

Stadswandeling

Eigenlijk is Olinda één groot openluchtmuseum. Deze wandeling, die 3 à 4 uur in beslag neemt, voert langs de grote bezienswaardigheden.

Je begint op de Praça

Olinda, met op de achtergrond de skyline van Recife

do Carmo. Jonge gidsen wachten je al op, druk zwaaiend met hun officiële pasje. Ooit is een pater dit als werkverschaffingsproject voor jongens begonnen. Ze geven goede begeleiding en brengen je naar alle gewenste plaatsen.

Op de heuvel links staat de Igreja de Nossa Senhora do Carmo, de eerste kerk van de karmelieten op Braziliaans grondgebied. De fundamenten dateren van 1588. De muziektent op het plein is in de 19de eeuw gebouwd ter ere van de afschaffing van de slavernij. Daarom heet dit plein Praça da Abolicão. Het ijzerwerk is afkomstig uit Engeland. Op het plein zijn verder de letterenfaculteit en het historisch instituut van Olinda gevestigd.

De steile Rua de Sao Francisco, een straatje dat ook *ladera* (heuvel) wordt genoemd, voert langs enkele villa's naar het **Convento de São Francisco**, het eerste franciscanenklooster in Brazilië. Het eerste gebouw stamt uit 1585, maar werd door brand tijdens de inval van de Hollanders in 1631 verwoest.

Twee kapellen en de bijbehorende Igreja Nossa Senhora das Neves (Onze Lieve Vrouwe van de Sneeuw) zijn een bezoek meer dan waard. De Capela de São Roque uit 1811 is onder andere versierd met Portugees tegelwerk (azulejos). De Capela de Sant'Ana heeft prachtig schilderwerk met afbeeldingen van onder andere het leven van de beschermvrouwe Sant'Ana.

ℹ️ CONVENTO DE SÃO FRANCISCO. Geopend: ma.-vr. 7-12 en 14-17, za. 7-12 uur.

Boven op de heuvel, waar je een mooi panorama van de kust hebt, staan twee van de weinige bewaard gebleven bouwwerken uit de 16de eeuw: het **Seminário de Olinda** en de **Igreja de Nossa Senhora da Graça** uit 1552. Het seminarie, in 1575 door de jezuïeten gebouwd, had indertijd grote invloed op het bestuur en het gewone leven in de provincie. De Hollanders vestigden zich korte tijd in dit klooster, dat als enige gespaard bleef tijdens de inval.

ℹ️ SEMINÁRIO DE OLINDA, IGREJA DE NOSSA SENHORA DA GRAÇA. Geopend: dag. 8-12 en 15-17 uur.

Loop verder door naar het Praça da Sé met souvenirstalletjes en terrasjes. Vanwege het uitzicht op Recife is dit 's avonds een onvergetelijke plek om wat te eten en te drinken. De eerste parochiekerk die in het noordoosten van Brazilië gebouwd werd in 1540, stond op de plaats van de **Igreja da Sé**. De huidige kerk is gebouwd in 1654. Bij de ingang is een afbeelding van Senhor Salvador do Mundo, de Verlosser, te zien. Tegenwoordig is dit de kathedraal van het aartsbisdom Olinda en Recife. Loop door de kerk heen naar het terras rechts en geniet van het fantastische uitzicht: een toepasselijke plek om de kerk van het 'zien' ('Sé') neer te zetten.

ℹ️ IGREJA DA SÉ. Geopend: ma.-za. 8-12 en 14-17 uur.

Rechts op het plein bevindt zich het **Museu de Arte Sacra de Pernambuco**. Behalve religieuze taferelen en beelden afkomstig uit de verschillende kerken en kloosters in de buurt, zijn eigentijdse versies van de kruisweg te zien. Het museum is gevestigd in het oude bisschoppelijk paleis uit de 17de eeuw.

ℹ️ MUSEU DE ARTE SACRA DE PERNAMBUCO. Geopend: ma.-vr. 9-12 uur.

De Alto da Sé is een van de vier staties in de kruiswegprocessie die op Goede Vrijdag plaatsvindt. Verder staat op het plein het observatorium van waaruit in 1860 de eerste komeet boven Latijns-Amerika werd gesignaleerd. Deze werd prompt de komeet Olinda genoemd.

Ga vervolgens over de originele bestrating van de Ladeira da Misericórdia naar beneden. De slaven droegen de stenen van het plaveisel bij de aanleg op hun hoofd naar boven, vandaar de naam *cabeças da negra*.

De uit 1540 stammende **Igreja da Misericórdia** (herbouwd in 1634) is binnen weldadig versierd met houtsnijwerk, bladgoud en schilderingen.

De wandeling gaat verder heuvelopwaarts, de Rua Bernardo Vieira de Melo in. In deze straat zijn ateliers en antiekwinkels gevestigd, waar vooral religieuze voorwerpen worden verkocht.

Ongeveer halverwege aan je linkerhand is de **Mercado da Ribeira**. Dit is de beste plaats in Olinda om kunstnijverheidsartikelen en souvenirs te kopen. Al sinds de 17de eeuw doen dit pleintje en het aanpalende gebouw dienst als markt, eerst voor slaven, later voedsel en tegenwoordig souvenirs.

Tegenover de markt zijn de laatste overblijfselen van de oude senaat, waar Bernardo Vieira de Melo op 10 november 1710 voor het eerst in de Braziliaanse geschiedenis de onafhankelijkheid uitriep. Elk jaar op dezelfde dag wordt deze gebeurtenis herdacht.

In de Rua 13 de Maio staat het Museu de Arte Contemporânea.

Van de Rua Bernardo Vieira de Melo gaat een trap naar beneden.

Loop dan de Rua São Bento in. Rechts aan het plein staat het gemeentehuis, dat vroeger het gouverneurspaleis was. Aan het eind bevindt zich het **Mosteiro de São Bento**. Benedictijner monniken bouwden hier in 1582 een eerste verblijfplaats. Na de verwoesting door de Hollanders werd het klooster herbouwd. In de 18de eeuw werd de huidige kerk toegevoegd. De **Basilica de São Bento** wordt gezien als de mooiste van Olinda. De barokke façade en het hoofdaltaar gelden als pronkstukken van de Braziliaanse barok.

ⓘ IGREJA DE SÃO BENTO. Geopend: dag. 8-11 en 14-17 uur.

Gids voor de Basílica de São Bento, volgens velen de mooiste kerk in Olinda

Feesten

Het hele jaar door zijn er festiviteiten in Olinda, en deze zijn voor een groot deel gebaseerd op de rijke traditie van de stad.

Carnaval in Olinda is een uitbundig en artistiek gebeuren, dat ieder jaar meer bezoekers trekt. Grote poppen van papier-maché, *bonecos gigantes*, gaan voor de dansende massa uit, die de nauwe straten en pleinen dan bevolkt. Net als in Salvador en Recife is het carnaval in Olinda nog echt een volksfeest, waar iedereen op straat aan mee doet.

Iedere vrijdagavond is er een Serenata (maanlichtparade), een wandeling door het historische centrum, die om 22 uur begint bij de Igreja Matriz de Sao Pedro Martir.

DE KUST VAN PERNAMBUCO

Olinda is vanuit historisch oogpunt de grootste attractie aan de kust van Pernambuco. Daarnaast biedt de hele kust ten noorden en ten zuiden van Recife goede mogelijkheden voor een korte strandvakantie.

Ongeveer 65 km in zuidelijke richting aan de kustweg ligt **Porto de Galinhas**. Een tiental jaren geleden was dit nog een slapend vissersdorp. Er zijn sindsdien veel hotels en pousadas verrezen, en het plaatsje is erg in trek om er een weekend- annex vakantiehuis te laten bouwen. Het geheim van Porto de Galinhas zijn de ongerepte stranden, de koraalriffen en de kokospalmen.

Vanwege de branding is het niet overal even veilig zwemmen. De beste stranden zijn: Praia Porto de Galinhas, bij het dorp met natuurlijke 'zwembaden' gevormd door het rif, Praia da Gamboa (1 km) en Praia do Cupe (3 km) ten noorden van het dorp, en Praia Maracaípe (5 km) met goede surfmogelijkheden en Praia Enseadinha (9 km) aan de zuidkant. De

echte liefhebbers moeten nog een stuk verder naar het zuiden, naar de prachtige stranden Praia do Serramby (47 km) en Praia das Cacimbas (48 km) met mooie koraalrifformaties.

Vanuit Porto de Galinhas zijn excursies mogelijk naar **Sirinhaem**, eveneens met goede stranden en met enkele historische bouwwerken uit het begin van de 17de eeuw.

Iets noordelijk van Porto de Galinhas ligt het vissersplaatsje Nossa Senhora do O. Op het lokale plein, dat 's avonds fel verlicht is, kun je een vleugje typisch dorpsleven opsnuiven. Er is een redelijk restaurant en zelfs een terras.

Bij het plaatsje Cabo zijn de stranden Gaibu, Calhetas en do Cabo de Santo Agostino aan te bevelen.

Ook ten noorden van Recife en Olinda liggen mooie stranden zoals Praia do Pau Amarelo (14 km van Olinda), bij het gelijknamige fort uit 1719, Praia da Conceicão (18 km) en Praia Maria Farinha (22 km). Bij het laatste strand kun je bovendien een boottocht op de Rio Jaguaribe maken.

Itamaracá

De exotische en historisch interessante omgeving van het eiland Itamaracá nodigt uit hier een dagje te blijven.

Fort Orange is sinds de restauratie enkele jaren geleden een trekpleister. Het originele bouwwerk, dat de Hollanders er in 1631 bouwden, is al meteen afgebroken toen de Portugezen het weer in handen kregen. In 1654 bouwden ze er hun eigen fort om het naburige Igarassu te verdedigen. Bij het fort hebben kunstenaars hun werkateliers.

De ligging aan een prachtig wit strand is schitterend. De eerste nederzetting op het eiland, Vilha Velha, stamt uit 1526 en was de eerste zeehaven van het noordoosten. In dit plaatsje staat de Igreja Nossa Senhora da Conceicão, eveneens uit de 16de eeuw en gerestaureerd in 1985. Van de Igreja Nossa Senhora do Pilar uit 1894 is het stenen kruis in de zee gebouwd.

Een grote attractie op het eiland is het **Ecoparque Peixe-Boi & Cia**, gewijd aan een uniek zeezoogdier: de zoutwatermanati. Deze wordt bedreigd in Brazilië; voor de hele kust van Espírito Santo tot Amapá zouden er nog maar zo'n 400 zijn. In vergelijking met z'n zoetwaterbroertje, die vooral in het Amazonegebied voorkomt, is de zoutwatermanati een stuk kleiner. In het ecopark krijg je een film te zien over dit unieke dier en kun je hem in levenden lijve zien in z'n oorspronkelijke leefgebied, de mangroven, aan de kust.

❶ ECOPARQUE PEIXE-BOI & CIA. ESTRADO DO FORTE (5 km van het Praia do Forte Orange). Geopend di.-zo. 10-16 uur.

Itamaracá is gezegend met een twintigtal paradijselijke stranden. Vooral het rif rond de Coroa do Avião is geweldig om te snorkelen en te duiken. Aan de weg van Olinda naar Itamaracá ligt het historische plaatsje Igarassu met enkele koloniale gebouwen, zoals het Convento de Santo Antônio uit 1588 en de Igreja de São Cosme e São Damião.

Wat betreft de Hollandse periode zijn in Noordoost-Brazilië nog twee plaatsen interessant. In het **Parque Histórico Nacional dos Guararapes**, op de Monte Guararapes, wordt een overzicht gegeven van de veldslagen die het einde inluidden van de Hollandse tijd in Brazilië. In september wordt er in de openlucht een gigantisch volksspektakel opgevoerd ter herinnering aan de veldslag bij Guararapes in de zomer van 1649.

FOLKLORE IN HET BINNENLAND

Twee plaatsen in de sertão zijn de moeite van de reis en de ontberingen zeker waard: Caruaru in Pernambuco, met vlakbij Fazenda Nova en Juazeiro do Norte in het zuiden van Ceará.

Caruaru (270.000 inw.) is het centrum van de forró in Brazilië. De beste tijd om dat te ervaren is tijdens

Kokossap als dorstlesser

FERNANDO DE NORONHA

Op de eilandengroep Fernando de Noronha waan je je werkelijk in het paradijs. Niet voor niets wordt deze exotische plek door gerenommeerde internationale reismagazines en televisieprogramma's beschouwd als een van de mooiste vakantiebestemmingen.

De vulkanische eilanden, 21 in getal, liggen op 354 km van de Braziliaanse kust, in de Atlantische Oceaan. Ze behoren tot de deelstaat Pernambuco.

Het grootste eiland is Ilha de Fernando de Noronha, met ruim 90 procent van het landoppervlak van de archipel. Het klimaat is er tropisch met een grote regentijd van januari tot augustus. De rest van het jaar is het erg droog en warm. In de loop van de tijd is de oorspronkelijke vegetatie grotendeels gekapt en vervangen door wijnranken. De minder goede grond is begroeid met struiken.

Afgezien van de fantastische stranden bevinden de grootste schatten van Fernando de Noronha zich op en onder water. De eilanden gelden als het beste duikgebied van Brazilië, met schitterend koraal en een bonte tropische zeevogel- en viswereld. Schildpadden, dolfijnen, fregatten, pelikanen en albatrossen vind je hier in overvloed.

Het zicht onder water is fenomenaal, behalve in de periode januari-maart als de oceaan wat ruwer is. Projeto Tamar heeft er speciale projecten om het broedgebied van de schildpadden te beschermen.

Gelukkig is het reizen naar deze eilanden relatief duur en is de natuur goed beschermd; verreweg het grootste deel van de eilanden is nationaal park. Massatoerisme is hier dus niet mogelijk en grote hotels zijn er derhalve niet. Je verblijft in een pousada, vaak niet meer dan een uitgebouwd woonhuis van de oorspronkelijke bevolking. Dat maakt een verblijf op deze eilanden nog eens extra exclusief. Je kunt hier optimaal genieten van de natuur, de rust en de lokale visgerechten. *Bolinhos de tubalhão* zijn de specialiteit; de bekende gefrituurde deeg- of vleesballetjes, maar hier gevuld met gemalen haaienvlees.

ℹ️ FERNANDO DE NORONHA, bereikbaar met het vliegtuig vanuit Natal en Recife. Boek een pousada van tevoren, om verzekerd te zijn van een slaapplek.

Voor verdere informatie zie www.fernandodenoronha.pe.gov.br.

---

de Festas Juninas (junifeesten) ter ere van São João. Een deel van het centrum is voor die gelegenheid omgetoverd in de sfeer van een typisch gehucht in de sertão: het Pátio do Forró. Er zijn volop optredens van forró-muzikanten, op podia en op straat. Vast onderdeel is ieder jaar een hommage aan Luiz Gonzaga, die Caruaru in zijn liedjes vereeuwigde. In de houten huisjes aan de Pátio do Forró kun je kennis maken met regionale gerechten als *bolo de milho*, *pé-de-moleque*, *pamonha* en *canjica* (allemaal op basis van geraspte maïs, kokos en suiker). Natuurlijk vloeit de *cachaça* rijkelijk. In het Casa do Mestre Vitalino wordt gedemonstreerd

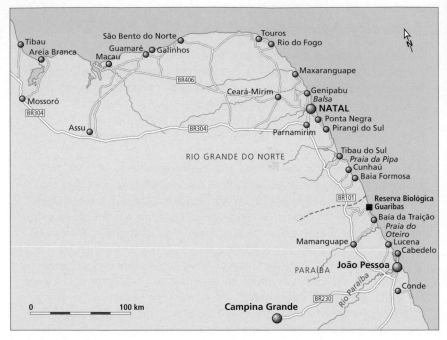

De kust van Paraíba

hoe de bekende poppetjes van klei worden gemaakt. Werk van Mestre Vitalino, die met kleifiguren beroemd is geworden, is tevens te zien in het Museu do Barro. Er zijn meer feesten gedurende het jaar in Caruaru, zoals de Feira Regional do Artesão tijdens de Heilige Week en de Festas Natalinas, rond de kersttijd. Dagelijks is er vrijmarkt aan de Rio do Comércio met regionale producten, kunstnijverheid en straatartiesten. Vanouds is dit de grote trekpleister, waar de junifeesten aanvankelijk plaatsvonden. Van heinde en ver komen de sertanejos om voorraden in te slaan, producten te verkopen of vertier te zoeken.

Op 51 km van Caruaru ligt **Fazenda Nova**, een op het eerste gezicht vergeten plaatsje in de sertão, totdat in de Heilige Week de kruisweg wordt nagespeeld in het Nova Jerusalém-openluchttheater. In dit theater uit de jaren zestig zijn straatjes van Jeruzalem nagebouwd.

Vlak bij het theater bevindt zich het Parque das Esculturas met eigenaardige, 4 m hoge beelden van alledaagse figuren en volkshelden uit de sertão.

Juazeiro do Norte (170.000 inw.) is de stad van padre Cicero, de priesterheld van de arme sertanejos rond de eeuwwisseling, die wonderen kon verrichten. De grootste attractie, letterlijk en figuurlijk, is een 27 m hoog beeld van de man in z'n karakteristieke pose, met hoedje en stok.

Op 1 en 2 november ondernemen duizenden gelovigen hun pelgrimstocht naar Juazeiro. Op 24 maart wordt zijn verjaardag gevierd. Behalve het beeld zijn de Capela de Nossa Senhora de Perpétua Socorro en het Casa dos Milagres, beide aan het Praça do Socorro, drukbezochte plaatsen. In de kerk ligt padre Cícero begraven, in het huis brengen de pelgrims hun ex-voto's. Er is een museum met voorwerpen van en wetenswaardigheden over de priester: het Memorial Padre Cícero.

Ten westen van Juazeiro do Norte ligt de Chapada do Ariripe, een natuurpark met watervallen, meren en grotten.

JOÃO PESSOA

De hoofdstad van de staat Paraíba is gesticht op 5 augustus 1585 en is daarmee de op twee na oudste stad in Brazilië. João Pessoa (600.000 inw.) is een ruim opgezette stad met veel pleinen en brede boulevards. En vooral met veel groen in de vorm van parken, tuinen en kleurige beplanting. Centraal in de stad ligt het stadspark, het Parque Sólon de Lucena, bestaande uit een groot rond meer met daaromheen tuinen en keizerlijke palmen.

Niet ver van het park liggen drie pleinen in elkaars verlengde: het Praça João Pessoa, het Praça 1817 en het Praça Vidal Negreiros. Op het eerstgenoemde plein, ook het plein van de paleizen genoemd, staan twee gebouwen die door de jezuïeten zijn neergezet. Het Palácio da Redenção was vroeger een oud jezuïetenklooster en in het oude jezuïetencollege huist het hooggerechtshof. Verder staat het gebouw van het staatsparlement aan dit plein.

Via het Praça Vidal Negreiros en de brede Avenida Duque de Caxias kom je bij het Praça São Francisco. Het complex van de **Igreja de São Francisco** en het **Convento de Santo Antônio** zijn de voornaamste bouwwerken van de stad. Ze stammen uit de 16de, 17de en 18de eeuw. De façade van de kerk, de Capela Dourada en de Capela da Ordem Terceiro de São Francisco zijn prachtige voorbeelden van barokke architectuur. In het klooster is het Museu da Cultura Popular gevestigd.

Stranden

Het beste strand bij de stad João Pessoa is Praia Tambaú, ten oosten van het cen-

trum. Voor de kust ligt Picazinho, een rif dat bij eb een natuurlijk zwembad vormt. Je kunt er met een *jangada* of catamaran naar toe varen.

Ook ten noorden en ten zuiden van de stad is de kust rijkelijk voorzien van mooie stranden met schaduwrijke plekjes onder de kokospalmen. Aan te bevelen zijn aan de noordkant: Praia do Poco (10 km), Praia Manaíra (8km) en Praia do Bessa (11 km). In het zuiden is Cabo Branco (14 km) een markante plek. Deze kaap is het oostelijkste punt van Zuid-Amerika.

Vanuit João Pessoa zijn uitstapjes mogelijk naar **Cabedelo**, een oud havenstadje op de punt van het schiereiland. Er bevinden zich ruïnes van een fort uit de 16de eeuw en enkele mooie stranden.

NATAL

Samen met Fortaleza (750.000 inwoners) is Natal de populairste vakantiebestemming aan de noordoostkust. Natal is synoniem voor zon, zee, strand en enorme duinen waar je met een buggy overheen kunt crossen.

De hoofdstad van Rio Grande do Norte ontleent haar naam aan de dag dat de Portugezen de stad stichtten: Kerstmis 1598. Het eerste bouwwerk van de stad was het **Forte dos Reis Magos**, op de landengte waar de Rio Potengi uitmondt in de oceaan. De bouw ervan begon op Driekoningen in 1599. Het fort is het belangrijkste bouwwerk van de stad.

ⓘ FORTE DOS REIS MAGOS. Geopend: di.-zo. 8-16.30 uur.

Een opvallend monumentaal bouwwerk is het Teatro Alberto Maranhão aan het Praça Augusto Severo, dat stamt uit 1904 en gebouwd is in neoklassieke stijl.

Het interessantste museum in Natal is het **Museu Câmara Cascudo**, met een uitgebreide collectie over de vroege en huidige bewoners van het Amazonegebied.

Natal, Forte de Reis Magos, vissers op de voorgrond, de stad op de achtergrond

Er zijn fossielen, skeletten en gevonden gebruiksvoorwerpen te zien alsmede kleding en voorwerpen die horen bij de folklore en religieuze gebruiken van de huidige bewoners.

ℹ️ MUSEU CÂMARA CASCUDO, Avenida Hermes da Fonseca 1440, Geopend: di.-vr. 8-10.30 en 14-16.30, za.-zo. 13-17 uur.

In de oude gevangenis van de stad is het **Centro de Turismo** gehuisvest, dat bestaat uit souvenirwinkeltjes, ruimtes voor folkloristische optredens en exposities.

DE KUST VAN RIO GRANDE DO NORTE

Genipabu

Het mooie Praia do Forte begint aan de voet van het Forte dos Reis Magos. Een langgerekt rif voor de kust breekt de golven en zorgt voor rustig water. In het verlengde hiervan aan de oostkant van de stad zijn Praia do Meio en Praia dos Artistas aantrekkelijke stranden. Maar ze halen het niet bij de stranden ten noor-den van de stad. Praia Redinha (20 km), Praia Santa Rita (25 km) en vooral Praia Genipabu, op 30 km van de stad, zijn van een oogverblindende schoonheid.

De duinen van Genipabu verplaatsen zich door de wind. Een rit met een terreinwagen of buggy is een onvergetelijke ervaring. In Genipabu vind je een tiental pousadas en enkele goede restaurants bij het strand.

Behalve naar de duinen van Genipabu zijn vanuit Natal makkelijk uitstapjes te maken naar de ruimtevaartbasis Barreira do Inferno, 19 km ten noorden van de stad (bezoek uitsluitend op woensdag), de lagune van Jacuma, 53 km ten noorden van Natal in de gemeente Extremoz en naar de betoverende stranden van Pirangi, Muriú en Prainha.

ℹ️ BOOTTOCHT COTOVELO, PIRANGI. Vertrek: van de kade in het centrum van Natal; de tocht duurt 2 uur.

Touros

Ten noorden van Natal (ca. 85 km) ligt Touros. De rit naar deze bijzonder mooie plek is zelf al prachtig. Je rijdt langs verlaten stranden, duinen en kokospalmen.

De kust bij Touros is rijkelijk voorzien van ondiepe rifformaties, waar jangadas naar toe varen. Sommige stranden zijn goed geschikt om te surfen.

De beste stranden zijn Praia de Touros, Praia Cajueiro, Ponta do Santo Cristo en São Miguel do Gostoso. Bij het laatste strand, 26 km ten noorden van Touros, zijn pousadas.

Tibau do sul

Het mooiste plekje verder zuidelijk aan de kust van Rio Grande do Norte is Tibau do Sul, 88 km van Natal, dat zeer in trek is bij naturisten. Stuk voor stuk zijn de stranden aan deze kust een equivalent voor het aardse paradijs. Vraag naar Praia do Madeiro, Praia da Pipa, Praia do Amor of Praia do Moloque, die alle nog geen 10 km van het dorpje vandaan liggen. Niet overal zijn overnachtingsmogelijkheden. Bij het Praia da Pipa staan enkele pousadas.

FORTALEZA

De hoofdstad van de staat Ceará is het Benidorm van Noordoost-Brazilië. Langs de stranden van Iracema en Meireles, aan de noordkant van Fortaleza, is in korte tijd de ene na de andere torenflat gebouwd. Het hele jaar door is het druk, maar vooral tijdens de zomer- en wintervakantie puilen de hotels uit van de Braziliaanse gezinnen. De laatste tijd ontdekken ook buitenlanders de kust van Ceará. Fortaleza onderhoudt tegenwoordig zelfs rechtstreekse verbindingen met Buenos Aires, Miami en meerdere Europese steden. Er wordt druk gewerkt aan het vergroten van de accommodatiecapaciteit en de infrastructuur ten behoeve van het toerisme.

Bezienswaardigheden

Fortaleza is na Salvador de grootste stad in Noordoost-Brazilië. De deelstaat Ceará heeft 7,5 miljoen inwoners, waarvan er 2,5 miljoen in Fortaleza wonen.

Fortaleza is in 1611 gesticht door de Portugees Martim Soares Moreno. Bij de monding van de Rio Ceará bouwde hij een fort en daar ontleent de stad haar naam aan. Van die eerste nederzetting en het fort is niets meer over. Wel is het fort dat de Hollanders bouwden, Schoonenborgh, nog goeddeels intact. Het staat midden in het huidige centrum en is door de Portugezen omgedoopt tot Forte

De kust van Ceará

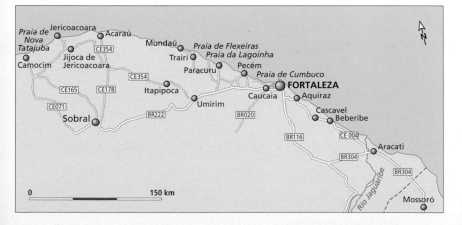

Nossa Senhora da Assuncão. Het doet dienst als hoofdkwartier van de militaire politie en kan niet worden bezocht.

Net als in Natal is de gevangenis uit de vorige eeuw omgevormd tot Centro de Turismo. Behalve souvenirs, die verkocht worden in de oude cellen, kun je er informatie over activiteiten krijgen bij de toeristenbalie.

Het enige noemenswaardige gebouw in het stadscentrum is het in 1910 gebouwde **Teatro José de Alencar**. Het theater aan het gelijknamige plein is een hommage aan deze beroemde schrijver uit Ceará. Zijn standbeeld staat eveneens op het plein. Het theater heeft een opvallende stalen constructie en is gebouwd in art-nouveaustijl.

ⓘ TEATRO JOSÉ DE ALENCAR. Geopend: ma.-vr. 8-11 en 14-18 uur.

Stranden

De stranden van Iracema en Meireles in Fortaleza zijn gezellig. In de strandbarretjes eet je voor een habbekrats een heerlijke verse visschotel. Er is bovendien goed te zwemmen omdat de stranden achter de haven aan de rustige kant van de kust liggen. De boulevard is een uitstalkast van koopwaar. Er zijn straatmuzikanten, die proberen boven het geluid van de cassetterecorders uit te komen, en er wordt vanzelfsprekend druk geflaneerd. Na middernacht verplaatst de drukte zich naar de disco's en de nachtclubs in de zijstraten.

Iets zuidelijker ligt het veel geprezen **Praia do Futuro**, 8 km van het centrum. Het kilometerslange strand hier is beroemd om de duinen die erachter liggen. Die duinen raken langzamerhand aardig volgebouwd. Het strand is breed en rustiger dan in de stad. Je kunt er in de talrijke restaurants goed eten. Maar langs Praia do Futuro staat de straffe zuidoostpassaat, die bovendien voor hoge golven zorgt. Zwemmen, zeker voor kinderen, is hier gevaarlijk. Voor rafters is het ideaal!

ⓘ PRAIA DO FUTURO. Bereikbaar: vanuit het

Windsurfers bij Preá

centrum rijden er bussen via de Avenida Beira Mar (een speciale strandbus, de Jardineiro) en vanaf de Avenida da Abolicão, de grote straat achter de zeeboulevard.

Een mooier duinlandschap vind je nog zuidelijker van Fortaleza, bij Praia Porta das Dunas, 26 km van Fortaleza. Het Beach Park is een goede plaats voor kinderen om te zwemmen en te spelen.

ℹ️ PRAIA PORTO DAS DUNAS: je kunt hier buggy's huren om de duinen te verkennen.

Naar Praia Porto das Dunas kun je vanaf de Avenida da Abolicão met de bus komen.

Feesten

In het Centro de Turismo worden tijdens de Festas Juninas (junifeesten) en de Semana do Folclore (laatste week augustus) muziek- en theatervoorstellingen georganiseerd. Heel sfeervol is de Regata de Jangadas, gedurende de tweede helft van juli voor de stranden van Meireles en Mucuripe. Ter gelegenheid van de regatta zijn er tal van festiviteiten, waaronder muziekoptredens op de boulevard van Meireles.

DE KUST VAN CEARÁ

Morro Branco

Aan de kust van Ceará ten zuiden van Fortaleza liggen Cascavel, Beberibe, Aracati en Icapuí. Beberibe (78 km van Fortaleza) is een goede uitvalsbasis voor een tochtje langs de kust. Het mooiste strand, met enkele pousadas, is Praia de Morro Branco. Dit strand staat bekend om z'n gekleurde zand.

Mooie plekjes in de omgeving van Beberibe zijn Praia do Diogo met de Fonte do Desejo (wensfontein), de duinen en lagune van Praia Uruaú, Prainha de Canto Verde en Barra de Sucatinga.

Canoa Quebrada

De grote trekpleister aan de zuidelijke kust is **Praia da Canoa Quebrada** in de gemeente Aracati (142 km ten zuiden van Fortaleza), met z'n fantastische duinlandschap en daarachter lagunes omzoomd door kokospalmen. De beste manier om het gebied te bezoeken is per buggy. Behalve Praia da Canoa Quebrada is in dit gebied ook de natuur van Praia da Ponta Grossa en van de Lagoa do Mato zeer mooi. Deze prachtige streek, relatief dicht bij de bewoonde wereld, heeft de laatste jaren gezorgd voor een grote toeloop van toeristen naar Canoa Quebrada.

De westelijke stranden

Nog ongerepter zijn de stranden aan de kust ten westen van Fortaleza. De stranden van Icarai, Tabuba en Cumbuco, zo'n 35 km van de stad, bieden volop mogelijkheden om te zonnen, zwemmen en te genieten van de omgeving. Buggytochten onder leiding van geoefende chauffeurs zijn hier de grote attractie. Je kunt kiezen uit de gewone en de wilde variant. Wat de laatste betreft: met grote snelheid van een steile duinhelling afdalen is minstens zo spannend als een ritje in een achtbaan. De buggytochten voeren langs de Lagoa de Parnamirim en Praia do Cumbuco.

Jericoacoara

Ingeklemd tussen de zandduinen en een tweetal rotsachtige bergen ligt, op 300 km ten westen van Fortaleza, Jericoacoara, in de volksmond Jeri. Sedert de jaren zeventig van de vorige eeuw heeft dit plaatsje zich ontwikkeld van een vissersdorpje en hippieparadijsje tot een veelbezochte badplaats. In vergelijking met andere badplaatsen langs de kust van Ceará, zoals Fortaleza en Canoa Quebrada heeft Jeri z'n charme weten te behouden. Er wonen permanent rond de 1200 mensen

OP HET DUIN VAN EEN ONDERGAANDE ZON

In Jeri zelf is de grote attractie de *pôr do sol*, de ondergaande zon. Het is een van de weinige plekken in Brazilië waar de zon boven zee ondergaat; door de ligging van Jeri op een schiereiland en aan de noordkust. Het plaatsje heeft er z'n naam aan ontleend. Vissers zagen, komende vanuit het oosten, in de vorm van de rotsen en de ondergaande zon een krokodil die aan het eind van de dag lag te drogen in het laatste zonlicht. *Jacaré* is krokodil, *coarar* is in het noorden van Brazilië synoniem voor *secar* (drogen). Jacarécoara werd in de loop der tijd verbasterd tot Jericoacoara.

Rond vijf uur in de middag beklimmen de tijdelijke bewoners van Jeri het duin dat het dichtst bij het plaatsje ligt, om de ondergaande zon te bewonderen. Het Duna do pôr do sol verkleurt dan langzaam van wit naar oker, oranje en roestbruin. Ambulante verkopers verzorgen koele drankjes tijdens het spektakel om de keel te smeren.

Zandsurfen bij zonsondergang in Jericoacoara

Het duin is tevens in trek bij zandsurfers; voor een paar real laten ze je graag op hun zelfgemaakte boarden naar beneden gaan.

Direct na zonsondergang verplaatst het publiek zich naar het hoofdstrand, waar capoeira-dansers de dag met hun onnavolgbare bewegingen afsluiten.

en in het hoogseizoen verdubbelt dat aantal. In de loop van de tijd zijn er ruim negentig pousadas verrezen, groot en klein; toch zijn er nog steeds zeven straten van zand, waar je lekker kunt eten, een borrel kunt drinken en naar muziek kunt luisteren.

Het duingebied dat Jeri omsluit is tot nationaal park verklaard, zodat verdere groei van de badplaats is uitgesloten. De bebouwing mag niet hoger zijn dan de bladeren van de palmbomen. Vanwege de afstand zijn er ook weinig dagbezoekers vanuit Fortaleza.

De aantrekkelijkheid van Jeri schuilt behalve in de sfeer ook in de ongerepte natuur van oceaankust, zandduinen en lagunes. In het Parque Nacional de Jericoacoara is uitsluitend toegang mogelijk via vaste paden. Crossen met de buggy's door de zandduinen is er dus niet bij. Daar staat tegenover dat een wandeling, een ritje met de buggy door het achterland en helemaal een paardrijtocht over de uitgezette routes een geweldige ervaring is.

Wat verder in het achterland liggen de **Lagoa Azul** en **Lagoa Paraiso**, twee lagunes, die het hele jaar door kristalhelder regenwater hebben. Vanuit Jeri kun je er excursies per buggy naartoe maken. Eerst rijd je over het strand naar **Preá**, een kleine vissersnederzetting, die is ontdekt door de wind- en kitesurfers omdat er acht maanden per jaar gegarandeerd sterke wind is en geen gevaar van barracuda's en haaien.

Daarna cross je over de zandduinen – deze liggen net buiten het nationaal park – en door de struikvegetatie naar de diepblauwe meertjes. Beide lagunes hebben restaurants en terrasjes, en op de Lagoa Azul zijn zelfs zeiltochtjes te maken.

Andere excursies zijn te maken naar de plaatsjes Velha en Nova Tatajuba; het oude vissersplaatsje is twintig jaar geleden door de wandelende duinen verwoest. Op een heuvel, waar zo'n honderdvijftig huisjes en een kerkje hebben gestaan, vertellen overlevenden aan bezoekers hun bijzondere verhaal. Op foto's kun je zien hoe het zand zich langzaam meester maakte van de nederzetting.

De bewoners hebben, zonder enige steun van de overheid, op een nieuwe plek hun nieuwe huizen gebouwd.

Een excursie naar de lagunes vanuit Jeri kost voor 3 tot 4 uur R$ 150 per buggy (max. 5 personen), een paardrijtocht (met gids) op volbloed Braziliaanse paarden R$ 15 per uur.

De delta van de Parnaíba

Het verhaal gaat dat de Portugese zeevaarder Nicolau de Resende in 1571 z'n schip en een deel van de bemanning verloor op de zandbanken in de monding van een grote rivier. Tot z'n verbijstering spoelde ook het meeste goud dat hij bij zich had weg uit het wrak. Hij probeerde nog te redden wat er te redden viel en verdwaalde in een doolhof van riviertjes, moerassen, mangroven, riviereilanden en duinen. Hij raakte steeds meer gefascineerd door de schoonheid van het gebied en vergat na verloop van tijd de verloren goudschat.

Het is het verhaal van de Parnaíba-delta, met 2700 km² de grootste in Noord- en Zuid-Amerika en alleen de mindere van de Nijl en de Mekong. De delta ligt op de grens van de deelstaten Piauí en Maranhão. Er bestaan onvoldoende superlatieven om dit schitterende natuurgebied mee te kwalificeren. Er zijn vijf grote stroken land: Igaraçu, Canárias, Caju, Melancieira en Tutóia. Ze worden doorsneden door kanaaltjes, stroompjes, en vormen een paradijs voor watervogels en talrijke andere diersoorten. In de 19de eeuw werd de eeuwige rust

Lençois Maranhenses, de Laguna Tropical bij Atins

in dit natuurgebied tijdelijk verstoord door de exploitatie van de *carnauba*, een palmsoort die behalve sterk bouw- en meubelhout een was oplevert die uitstekend geschikt bleek voor industriële doeleinden (onder andere 45-toeren platen). De Engelse familie Clark, sinds 1847 woonachtig in het gebied, stond aan de basis van deze economische boom en heeft er een fortuin mee verdiend. Nazaten beijveren zich vandaag de dag om de onschatbare natuurrijkdom van de delta te beschermen.

De delta van de Parnaíba is het gemakkelijkst te bereiken vanuit Parnaíba, de hoofdstad van Piauí. In de stad zelf is weinig te beleven, behalve in de oude haven aan een zijarm van de rivier. Daar zijn de pakhuizen en handelsgebouwen gerestaureerd en hebben zich restaurants, enkele bars en souvenirwinkeltjes gevestigd.

Lençois Maranhenses

DUINEN EN LAGUNES ALS EEN FATA MORGANA

Na drie uur rijden vanuit São Luis komen we aan bij Barreirinhas, de Poort naar de Lençois Maranhenses, zo lezen we op de aankondigingen langs de weg. Aan de reclames te zien zijn er aardig wat pousadas in dit plaatsje. Wij slapen hier niet, maar reizen door naar Atins, dat nog dichter bij het grote duingebied ligt. Aan de kade in de rivier ligt een bootje op ons te wachten. Terwijl de plaatselijke jeugd zich vermaakt in het water, wordt onze bagage overgeladen.

De tocht over de Rio Preguiças duurt ruim anderhalf uur en verveelt geen moment. We passeren kleine nederzettingen met huisjes op palen. Kinderen springen van de aanlegsteigers, af en toe duikt er een bootje op uit het groen langs de oever. Naarmate we dichter bij de kust komen, verandert de vegetatie en worden de mangrovestruiken dichter. Hier is het water nog zoet.

Ineens breekt de oeverbegroeiing open en liggen er oogverblindend witte duinen als een fata morgana voor ons. Het bootje legt er aan. Er is een barak, waar we wat kunnen drinken. De grote attractie hier zijn echter de aapjes, die zo tam zijn dat ze uit de hand eten. Natuurlijk willen de kinderen hierna de duinen opklauteren.

De tocht gaat verder via Mandacaru, een wat grotere nederzetting met enkele restaurants. Het water wordt steeds zouter, de duinen worden talrijker. Dan bereiken we Atins, vlak voordat de rivier uitmondt in de oceaan. Het einde van de wereld, zo kun je Atins het best omschrijven. Het vissersdorp van enkele tientallen families leeft van de zee. De huisjes staan verscholen tussen de struikvegetatie. De paden bestaan uit rul zand. Het strand is overdag lekker breed en nodigt uit voor een flinke wandeling.

Vanuit Atins rijden we eerst met een zware truck naar het begin van de duinen. Daar beginnen we onder leiding van onze gids, geboren en getogen in Atins, aan de wandeltocht van ruim 10 km dwars door het landschap van zandduinen en lagunes naar de kust. De zon brandt genadeloos, maar we zijn goed ingesmeerd en beschermd met een petje of hoedje. Golvende lijnen en rimpels van zand, een wazige laag stuifzand net boven het oppervlak, een eenzame palmboom als een teken van leven; we blijven fotograferen. Afwisselend lopen we door het zand, duin op, duin af, en door de ondiepe lagunes. Na de regentijd vallen de meeste snel droog; ze laten nog een wat drassige bedding achter. De grotere lagunes moeten we doorwaden met de rugzakjes boven ons hoofd. Het water vormt een welkome afkoeling.

Dan openbaart zich de Laguna Tropical, langgerekt en kristalhelder, als een onwezenlijk visioen. De steile zandhellingen lopen direct het water in. Tijd voor een verfrissend bad, waar we ons blijven vergapen aan de uitzonderlijke schoonheid van de omgeving. Een plek waar je nooit meer weg zou willen.

Dankzij het Projecto Reviver, krijgen de monumenten van het historische centrum in São Luís een opknapbeurt.

Van hieruit maak je boottochten voor een hele dag of meerdere dagen naar de eilanden in de delta.

Lençois Maranhenses

Na de watervallen van Iguaçu en de rotskust bij Rio vormen de duinen van Maranhão ongetwijfeld het spectaculairste landschap in Brazilië. Ze strekken zich uit langs de oceaankust iets ten oosten van hoofdstad São Luís tot voorbij Caburé. Een fenomenaal golvend zandlandschap van bijna 300 km dat wordt afgewisseld met lagunes van regenwater. Het grootste duinengebied, de Lençois Grandes, is het gemakkelijkst te bereiken vanuit Barreirinhas of Atins. Van daaruit maak je één- of meerdaagse excursies onder begeleiding van een gids. Overnachtingsmogelijkheden in de duinen zelf zijn er bij Queimada dos Britos. Daar liggen de grootste lagunes, die het hele jaar water hebben. De kleinere drogen langzaam op als de regentijd (maart–juni) achter de rug is.

Vanuit Atins ligt de **Laguna Tropical** op loopafstand. De langgerekte lagune met kristalhelder water, ingeklemd tussen de zandduinen, is zonder twijfel de allermooiste. Het kost moeite om na een kort verblijf voor een verfrissende duik weer weg te gaan!

Ten oosten van de Rio Preguiças liggen de Lençois Pequenos, de kleine duinen.

Wil je van zowel de grote als de kleine duinen genieten, maak dan de reis via Barreirinha of over de Rio Preguiças naar Atins, blijf daar een paar dagen en reis vervolgens door via Caburé naar Tutoya en verder oostwaarts naar Parnaïba en Fortaleza, of andersom natuurlijk.

SÃO LUÍS

De hoofdstad van de deelstaat Maranhão, São Luís (950.000 inw.), is een economische groeipool aan de noordelijke kust. São Luís is de grote uitvoerhaven van mineralen uit het Amazonegebied. Vooral door de aanleg van de spoorlijn naar het rijke mijngebied van de Serra do

Carajás heeft de economie van São Luís nieuwe impulsen gekregen.

Gelukkig is het historisch karakter van de stad bewaard gebleven.

De stad is door de Fransman Daniel de La Touche gesticht in 1612. Precies op de punt van de Baía de São Marcos bouwde hij een fort ter ere van de Franse koning, Forte de Santo Antônio. Er zijn alleen nog enkele ruïnes van over bij het Praia Ponte d'Areia. Ook de Hollanders waren korte tijd heer en meester in dit gebied (1641–1644). Maar de Portugezen slaagden erin ook deze indringers te verslaan.

São Luís werd een handelscentrum voor de Portugezen, wat heden ten dage wordt weerspiegeld in de talrijke klassieke gebouwen. In het Centro Histórico kun je een aardige wandeling maken in de wijk **Praia Grande**, die momenteel een grondige opknapbeurt krijgt. In de nauwe en

São Luís

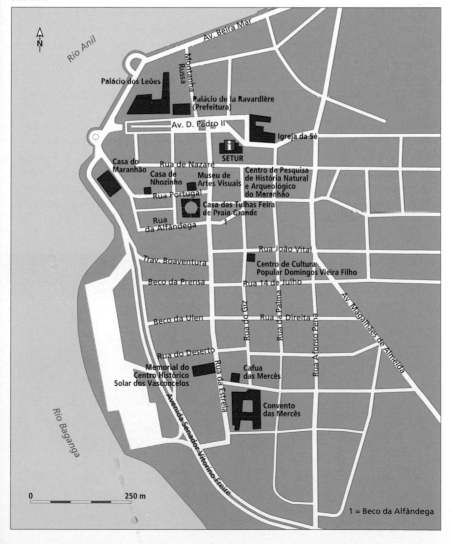

0   250 m

1 = Beco da Alfândega

steile straatjes met de huizen met typerende tegelversiering (azulejos), herleeft de Portugese tijd.

Er staan in totaal zo'n 300, deels door de Unesco, tot monument verklaarde gebouwen, merendeels uit de 18de en begin 19de eeuw. Karakteristiek is de stijl van *portas-e-janelas*, langwerpige deuren en ramen die helemaal opengezet kunnen worden, om 's avonds de hitte uit de gebouwen te laten blazen door de zeebries. Pas later zijn de azulejos geplaatst om de zonnestralen af te ketsen en de verwering van de gevel tegen te gaan.

Midden in Praia Grande, aan de Rua da Alfândega, staat het reeds gerestaureerde **Casa das Tulhas** uit 1820, de markt, waar je streekproducten en souvenirs kunt kopen.

Tegenover de markt staat het **Museu de Artes Visuais**, een fraai gerestaureerd bouwwerk, met voornamelijk werk van hedendaagse Braziliaanse kunstenaars.

Aan dezelfde straat, in de richting van de baai, vind je ook het **Casa de Nhozinho**, genoemd naar een bekend regionaal kunstenaar en gewijd aan de volkscultuur van Noord-Brazilië. Zo zijn er attributen te bezichtigen die bij *bumba-meu-boi* worden gebruikt, en miniatuurfiguren uit de volksverhalen.

ⓘ MUSEU DE ARTES VISUAIS, CASA DE NHOZINHO. Allebei geopend di.-zo. 9-18 uur.

Aan het eind van dezelfde straat, aan de baai, staat het **Casa do Maranhão**. Dit voormalige douanegebouw doet dienst als cultureel centrum, met exposities en informatieve presentaties. Je krijgt er achtergrond over *bumba-meu-boi*. Op de eerste verdieping kun je zien hoe de restauratie van het oude centrum in z'n werk gaat.

ⓘ CASA DO MARINHÃO. Rua do Trapiche. Geopend di.-zo. 9-19 uur.

Het **Centro de Cultura Popular** is een ander cultuurcentrum dat is ondergebracht in een opgeknapt pand, uit de 19de eeuw in dit geval. De collectie in het museum bestaat uit kleding, attributen

Ontmoetingsplek in het historisch centrum van São Luís

en beeldmateriaal van het carnaval en andere volksfeesten.

ℹ CENTRO DE CULTURA POPULAR. Rua do Giz 221. Geopend di.-zo. 9-19 uur.

Aan de zuidkant van het oude centrum, in de Rua da Estrela zijn al verschillende statige panden opgeknapt. Ze fungeren als restaurant, zoals O Armazém da Estrela, of doen dienst als expositieruimte, dan wel verkooppunt van streekgebonden artikelen. Daarvan is het **Memorial do Centro Histórico Solar dos Vasconcelos** een voorbeeld; een fraai bouwwerk gewijd aan de architectuur van de oude stad en met veel modellen op schaal van (zeil)boten, die karakteristiek zijn voor de Maranhão.

In de Rua Jacinto Maia staat de **Cafua das Mercês**, de plek waar vroeger de slaven werden verhandeld. Nu is het Museu do Negro er gevestigd, met aandacht voor de slaventijd, de oorsprong van de slaven en de Afro-Braziliaanse cultuur.

ℹ CAFUA DAS MERCÊS. Geopend ma.-vr. 9-18 uur.

Tegenover de oude slavenmarkt stond voorheen het **Convento das Mercês**, in de 17de eeuw gebouwd voor de Orde van de Zalige Maria Mercedes. Het is sinds de 19de eeuw sterk in verval geraakt, deels afgebroken en herbouwd als militaire en brandweerkazerne. Na de restauratie doet het dienst als **Museu da Memória Republicana** en O Memorial José Sarney. Je krijgt er een redelijk overzicht van de nationale geschiedenis. De documentatie en presentaties over de recente geschiedenis en over de overleden president Sarney zijn vernieuwend voor heel Brazilië.

ℹ MUSEU DA MEMÓRIA REPUBLICANA. Rua da Palma. Geopend di.-vr. 10-18 en za. 10-17 uur.

Aan de noordkant van het oude stadshart, te bereiken via stenen trappen zoals de Beco Catarina Mina op de Avenida Dom Pedro ii.

Historische bezienswaardigheden zijn de **Catedral da Sé**, waarvan het eerste deel al in 1629 werd gebouwd en het Palácio dos Leões uit 1776, dat nu de zetel van de deelstaatregering is. Ook het stadsbestuur is ondergebracht in een gebouw aan dit plein. Twee andere belangwekkende historische gebouwen in São Luís zijn de Igreja dos Remédios uit 1860 aan het gelijknamige plein en het Teatro Arthur Azevedo (1815–1817) aan de Rua do Sol. Dit is het oudste theater van de stad en een van de oudste in Zuid-Amerika.

De leukste tijd om Sao Luís te bezoeken is tijdens de Festas Junhinas (juni) en vooral tijdens het Bumba-meu-boi (tweede helft juni) als er veel regionale folkloristische opvoeringen zijn.

Aan de andere kant van de baai van São Luís ligt het historische stadje **Alcântara**, de buitenplaats van de aristocratie van São Luís.

Zeker de moeite van het bezoeken waard zijn daar de barokke Igreja Nossa Senhora do Carmo (1663), de Matriz de São Matias (1648), de gerestaureerde Pelourinho (1648), de ruïnes van het Casa do Imperador, en het Museu de Alcântara, met heilige voorwerpen, kunst, koloniale meubels en schilderijen.

Amazone

11

DE LAATSTE GRENS

Het Amazonegebied is de natuurlijke schatkamer van Brazilië en het rijkste tropische regenwoud in de wereld. Nergens anders is zoveel rijkdom aan planten en dieren.

In de grond bevinden zich enorme voorraden edelmetalen en waardevolle ertsen; dit is een gebied vol fascinerend leven en geheimen. Fascinerend zijn ook de oorspronkelijke bewoners. Het leven van de indianenvolken heeft voor ons nog veel mysteries. Pas de laatste jaren beseft men hoe waardevol de indiaanse cultuur is.

Al die rijkdom strekt zich uit over een immens gebied van maar liefst 4 miljoen km²; het vormt meer dan de helft van het totale Braziliaanse grondgebied. Het Amazonewoud loopt door in Bolivia, Peru, Ecuador, Colombia, Venezuela, Guyana, Suriname en Frans-Guyana. Het hart van het Amazonegebied in Brazilië bevindt zich in de grote deelstaten Pará en Amazonas en in de kleinere deelstaten Amapá, Roirama en Acre. De levensader van het hele gebied is de **Rio Amazonas**, met talloze zijtakken. Als riviersysteem is de Amazone het grootste in de wereld. Onderweg naar zee verandert de rivier verschillende keren van naam: in Brazilië wordt hij de Solimões, die zich bij Manaus samenvoegt met de Rio Negro uit het noorden. Pas dan heet de rivier officieel Amazonas.

Grote zijrivieren komen daar weer op uit: de Madeira, de Tapajós, de Xingu en de Tocantins. Hun water komt van de plateaus in Centraal-Brazilië. Officieel worden ook delen van de deelstaten Maranhão, Tocantins, Mato Grosso en Rondônia tot het Amazonegebied gerekend.

Voor het overgrote deel bestaat het Amazonegebied uit *terra firme*, de hoger gelegen gronden. De terra firme is niet zo vruchtbaar. Er heerst een perfect maar kwetsbaar biologisch evenwicht, waarin een wonderlijke planten- en dierenwereld kan gedijen. Hoe kwetsbaar dit evenwicht is, blijkt als de natuurlijke vegetatie wordt gekapt.

De nederzettingen zijn aan de oevers van de rivieren te vinden, daar waar de terra firme overgaat in *várzea*. Deze halfjaarlijks onder water lopende gronden zijn vruchtbaarder.

Visverkopers in de haven van Belém

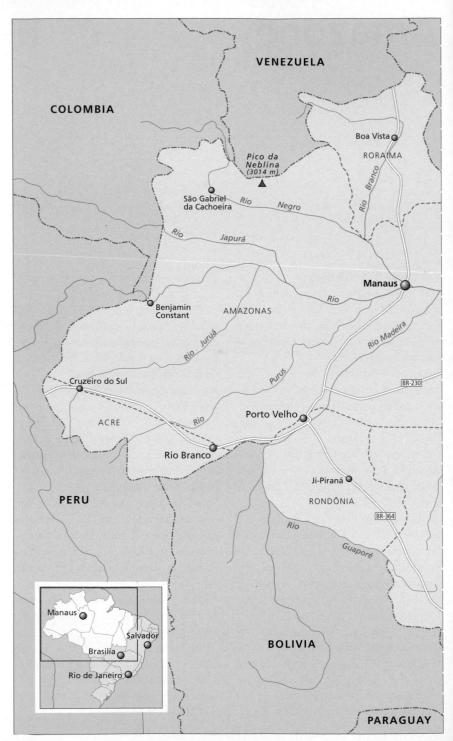

Amazone

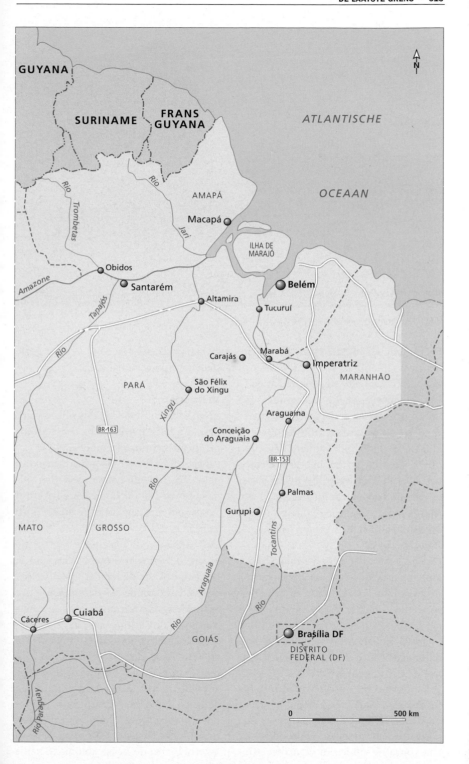

Caboclos, de oeverbewoners, leven van de rivier.

Hier houden de mensen wat vee en worden maïs, maniok en bonen verbouwd voor eigen behoefte en voor de handel.

Het gebied waar de Rio Amazonas in zee 'uitmondt' is een fantastisch natuurfenomeen, dat bestaat uit honderden kleinere rivieren en eilanden; het is een uniek ecosysteem in het grensgebied van zoet en zout water. Bij Belém is het estuarium (de monding) 300 km breed. Ilha de Marajó, het eiland dat midden in dit estuarium ligt, is groter dan menig Europees land.

Geschat wordt dat er op de totale bevolking van rond de 10 miljoen inwoners nog ongeveer 800.000 indianen in het Amazonegebied wonen (waarvan 150.000 in het Braziliaanse deel). Er leven meer dan honderd indianenvolken in het gebied. Sommige hebben slechts sporadisch contact met de buitenwereld.

Het grootste deel van de bevolking in het Braziliaanse Amazonegebied is *mameluco* of *caboclo*, dat wil zeggen mensen met indiaanse en Portugese voorouders. Ze zijn vooral te vinden in de nederzettingen langs de rivieren en in de twee grote steden Manaus en Belém.

Visioenen

Altijd leefden de oorspronkelijke bewoners van het Amazonegebied in harmonie met de natuurlijke omgeving. De visvangst, de jacht en het verzamelen van wilde vruchten en planten leverden voldoende voedsel op. Soms werd het dieet aangevuld met gewassen die bij het dorp werden geteeld.

De oprukkende westerse civilisatie bracht de *seringeiros* (rubbertappers) in het woud. Voor de handel tapten ze het sap, de latex, uit de *Hevea brasiliensis*. De ontdekking van die boom was de eerste stap in de ontsluiting van het Amazonegebied. Het rubbertijdperk, tussen 1880 en 1914, deed Belém opbloeien en Manaus ontstaan. Er werden fabelachtige kapitalen verdiend aan de exploitatie van de latex, dankzij het Braziliaanse monopolie op de productie. Dat duurde voort totdat in de Eerste Wereldoorlog de plantagerubber in de Britse kolonie Maleisië

ECOTOERISME

De zorg om het voortbestaan van het tropisch regenwoud heeft tot een nieuw soort toerisme geleid: het ecotoerisme. Je kunt als ecotoerist kennismaken met de flora en fauna, de lokale bevolking en de milieuproblemen. Het hogere doel zou zijn om zo meer bewustzijn te kweken voor het behoud van het tropische regenwoud. De inkomsten van dit toerisme zouden ten goede moeten komen aan beschermingsmaatregelen en alternatieve, niet-schadelijke ontwikkeling in het gebied. In dit verband startte de Braziliaanse toeristenorganisatie in Manaus in 1988 een nationale campagne voor het ecotoerisme.

In Belém en Manaus zijn tientallen reisbureaus die excursies verzorgen. Er zijn dagtochten en meerdaagse tochten met verblijf in een junglehotel. In de arrangementen is meestal een junglewandeling inbegrepen met uitleg over bomen, planten en dieren, een avondtocht waarbij naar kaaimannen wordt gezocht, een bezoek aan caboclos langs de rivier en een ochtend of middag vissen.

Sommige organisaties verzorgen speciale arrangementen, zoals trektochten, speciale apensafari's en cursussen 'overleven in de jungle'. De ervaringen met jungletochten in het Amazonegebied zijn tot dusver wisselend geweest. Vaak klagen reizigers over de slechte begeleiding en het gegeven dat ze voor veel geld eigenlijk weinig spectaculairs hebben gezien. Ecotoerisme is een gat in de markt, waar ook 'handige' jongens in gesprongen zijn. Het is daarom aan te raden het kaf van het koren te scheiden (zie tips in het hoofdstuk 'Praktische Informatie'). Maar zelfs dan nog kan een bezoek aan de jungle tegenvallen als de verwachtingen te hoog gespannen zijn. Daarom is een waarschuwing vooraf op zijn plaats: verwacht van een jungletocht niet dat je terechtkomt in een grote dierentuin zonder hekken. De dieren leven in het Amazonegebied zeer verspreid en zijn vooral overdag moeilijk te zien. Het indrukwekkende van de jungle zit 'm vooral in de uitgestrektheid, de grote verscheidenheid aan flora en in het besef van de macht van de natuur.

Toerisme in het Amazonegebied, een nieuwe bestaansbron en bedreiging

opkwam. Zaden van de *hevea brasiliensis* waren via de Londense Kew Gardens in Maleisië terechtgekomen. De plantages produceerden veel meer, doordat de bomen dichter bij elkaar stonden en ziektes beter bestreden konden worden. In de jaren twintig deed de Amerikaanse autofabrikant Henry Ford een poging om de rubberindustrie nieuw leven in te blazen. Bij Santarém liet hij twee grote plantages aanleggen, waarvan een met de naam Fordlândia. De plantagegewijze productie van rubber in Brazilië was echter geen succes, vooral omdat men de plantenziekten niet kon uitbannen.

De Amazone bleef inspireren tot grootse droomvisioenen. In de jaren zestig dacht een andere Amerikaanse grootindustri-

eel, Daniel Ludwig, een compleet geïntegreerde hout- en papierindustrie in het woud te kunnen vestigen. Daarvoor kocht hij een groot stuk grond aan de Rio Jarí ten noordwesten van Belém. Een drijvende cellulosefabriek werd hier via de monding van de Amazone naar toe gevaren. Naar verluidt investeerde Ludwig bijna een miljard dollar in het project, hij bouwde nederzettingen en zorgde voor een goede infrastructuur. Toch bleek het tevergeefs, want de commerciële onderneming was niet rendabel. Opnieuw bleek de kwetsbare ecologie van het tropisch regenwoud niet geschikt voor de commercie.

DE ONTSLUITING

Het plan van Daniel Ludwig paste in het programma dat het militaire regime in de jaren zestig voor het Amazonegebied bedacht en waarmee de grootschalige ontsluiting begon. Met nieuwe wegen van Brasília naar Belém, van Cuiabá naar Porto Velho en de Transamazônica werd het grote groene woud opengegooid. In 1974 ontstond het PoloAmazoniaproject. Daarin waren vijftien ontwikkelingspolen aangewezen van waaruit de industriële ontwikkeling plaats moest vinden. Behalve de mijnbouw zouden er verwerkingsindustrieën van zowel minerale als agrarische grondstoffen moeten komen. Tegelijkertijd zouden arme en landloze boeren uit de overbevolkte kustgebieden en de

Latex, ooit het vloeibare goud van de Amazone

droge *sertão* in het nieuwe gebied een bestaan op moeten bouwen.

Een van de grootste ontwikkelingsprojecten in het Amazonegebied is Projecto Carajás. In de bergen van Carajás in het zuiden van de staat Pará liggen grote voorraden waardevolle ertsen, waaronder bauxiet, ijzererts, koper, nikkel, mangaan en zelfs goud. Met name de ontdekte bauxiet- en ijzerertsreserves gelden als de meest omvangrijke in de wereld.

Met behulp van buitenlandse multinationals worden die voorraden nu ontgonnen. De overheid heeft de afgelopen decennia de nodige infrastructuur aangelegd. Zo werd in de Rio Tocantins de Tucuruí-stuwdam gebouwd ten behoeve van de elektriciteitsopwekking. Voor het transport van de ertsen is een 900 km lange spoorlijn van Carajás naar de havenstad São Luís aangelegd. Buitenlandse bedrijven en grote Braziliaanse firma's hebben in het zuiden van Pará op grote schaal geïnvesteerd in de agrarische sector. Aangemoedigd door lucratieve belastingmaatregelen en voordelen belegden auto-, staal- en voedselfabrikanten hun winsten in bijvoorbeeld veeboerderijen.

Veeteelt is sinds de jaren zeventig de belangrijkste economische activiteit in het Amazonegebied, gevolgd door de mijnbouw en de houtproductie.

Om de ontwikkeling van het Amazonegebied te stimuleren is bij Manaus de Zona Franca (vrijhandelszone) ingesteld. Tientallen internationale bedrijven hebben er grote assemblagehallen. De onderdelen voor tv's, geluidsapparatuur, foto- en filmtoestellen en horloges komen in containers aan, worden in elkaar gezet en weer geëxporteerd. Behalve van het gunstige belastingklimaat profiteren de bedrijven er van de lage lonen.

Conflicten

De ontwikkeling van het Amazonegebied gaat in hoog tempo. De modernisering en uitbreiding van de infrastructuur, de mijnbouw en de industrie hebben honderdduizenden werklozen aangetrokken. Langs iedere nieuwe weg vestigen zich landloze boeren uit andere delen van Brazilië. Maar het bestaan diep in het oerwoud is voor velen nauwelijks een verbetering. Zo werd de geplande landbouwkolonisatie langs de Transamazônica een grote mislukking. De boeren zaten ver van de bewoonde wereld en werden geplaagd door malaria. De grootste tegenvaller was de onvruchtbaarheid van de bodem. Na verloop van tijd trokken de kolonisten verder het binnenland in of kwamen toch weer terecht in de sloppenwijken van de steden.

Op andere plaatsen krijgen de kolonisten al snel te maken met de belangen van grootgrondbezitters, houthandelaren en veeboeren. Ook die laten hun oog op het nieuwe gebied vallen. In Rondônia bijvoorbeeld vestigden zich in de jaren zeventig veel kleine boeren uit de zuidoostelijke deelstaten, zoals São Paulo en Paraná. De bevolking van Rondônia verviervoudigde in tien jaar tijd. Veel kleine boeren zijn sindsdien verdreven of uitgekocht door de grootschalige landbouw- en veeteeltbedrijven. Vooral die grootschalige ontwikkeling had desastreuze gevolgen voor de natuurlijke vegetatie. Binnen enkele jaren was een kwart van het oppervlak van Rondônia ontbost.

De deelstaat Acre in het uiterste zuidwesten is een van de laatste stukken van het Amazonegebied, die eraan moesten geloven. In de gemeente Xapuri, ten zuidwesten van de hoofdstad Rio Branco, is tussen 1977 en 1984 een derde van het woud verdwenen. Dat waren alleen al in dit gebied 180.000 rubberbomen, 80.000 brasilnotenbomen en 120.000 tropische hardhoutbomen.

De spanningen tussen de verschillende

belangengroepen lopen soms volledig uit de hand. De meeste volwassen mannen beschikken over een wapen. Moorden zijn een dagelijkse zaak geworden: soms is de oorzaak een uit de hand gelopen ruzie, maar vaker wordt er doelbewust uit de weg geruimd.

Een triest hoogtepunt was de moord op Chico Mendes. Op 22 december 1988 werd hij voor de deur van zijn huis in Xapuri doodgeschoten. Hij verzette zich tegen de ontbossing en de schaamteloze praktijken van de veeboeren in het gebied, die zich met diefstal, bedreiging en moord meester maakten van de grond. Chico Mendes probeerde als voorzitter van de nationale bond van rubbertappers een verbond te smeden met de indianen. Hij wilde exploitatiereservaten, waarbij de rubbertappers, kleine kolonisten en indianen op een ecologisch verantwoorde wijze producten van het oerwoud zouden ontginnen, zoals dat vroeger ook ging.

Oppositie

Ondanks het geweld groeit de oppositie tegen de allesontziende kaalslag in het Amazonegebied. Niemand weet precies hoeveel procent van het oerwoud al verdwenen is, waarschijnlijk al tussen de tien en vijftien procent. Milieuorganisaties en wetenschappers in Brazilië en daarbuiten, wijzen op de waarde van het tropisch regenwoud. Ze waarschuwen voor een catastrofe als de exploitatie in haar huidige vorm doorgaat. Door de publieke opinie gedwongen, heeft de Braziliaanse regering haar koers al wat bijgesteld. De belastingvoordelen voor grote bedrijven zijn teruggedraaid en er wordt scherper toezicht gehouden op grootschalige ontbossing. De beste bondgenoot van het tropisch regenwoud is evenwel de economische crisis, waardoor de overheidsinvesteringen in het Amazonegebied sterk zijn afgenomen.

De Braziliaanse regering kan in ieder geval niet meer om de indianen heen. Veel volken zijn sinds de jaren zestig verdreven uit hun natuurlijke territorium. Maar nu

Doorkijkje in het nog schijnbaar eindeloze woud

Houthandel is nu, naast de mijnbouw, de pijler van de economie.

verzetten ze zich heftig tegen indringers, en niet zonder succes. Het verzet van de Kayapó-indianen tegen de bouw van de Altamira-Xingú-dammen was hierin een belangrijk moment. De indianenvolken zijn zich beter gaan organiseren. Sinds 1988 hebben ze dezelfde rechten als alle andere Brazilianen en moeten overeenkomstig behandeld worden.

Het verhaal van de Yanomami-indianen geeft niettemin aan dat de strijd op leven en dood nog steeds uitgevochten wordt. De Yanomami bewonen een sterk begeerd stuk oerwoud in de deelstaat Roraima met rijke ertsvoorraden, waaronder goud.

In 1991 kregen de Yanomami officieel hun territorium toegewezen. Goudzoekers en andere ongewenste indringers moesten verdwijnen. De afbakening van het gebied verliep moeizaam door de tegenwerking van de lokale autoriteiten. Er waren voortdurend schermutselingen tussen indianen en goudzoekers. In augustus 1993 vielen er zestien doden bij een slachting onder de indianen. Opnieuw door de publieke opinie gedwongen nam de federale overheid verdere maatregelen.

Maar de plaatselijke politiek bleef dwars liggen. Volgens berichten moedigden lokale politici de goudzoekers heimelijk aan. Zij vinden het maar niets dat een derde van hun deelstaat in een 'park' is veranderd. De gouverneur van Roraima deed de slachtpartij zelfs af als 'een verzinsel' van de indianen.

BELÉM: DE TOEGANGSPOORT

Belém is de toegangspoort tot het Amazonegebied. De havenstad ligt zeer strategisch op het vasteland van Pará, waar de Rio Guama uitmondt in de Baía do Guajará.

De grote belangstelling van de Europese machten voor dit gebied in de tijd van de eerste expedities naar deze regio, was voor de Portugese koloniale regering de aanleiding om een versterking te bouwen in de monding van de Amazonerivier. Op 12 januari 1616 is de stad officieel gesticht. Troepen onder leiding van Francisco Caldeira Castelo Branco gingen, ongeveer op de plaats waar nu het Forte do Castelo staat, aan land. Vanwege het

EEN RIJKE KEUKEN

Het Amazonegebied, en met name Pará, heeft een rijke en authentieke keuken. De oorsprong ligt natuurlijk in het overdadige aanbod dat het tropisch regenwoud biedt aan vruchten, planten en dieren. De recepten gaan terug op de eetgewoontes van de indianen in de regio.

Pato-no-tucupi is de bekendste schotel. Eend wordt eerst geroosterd en dan gekookt in *tucupi*, het gele vocht dat onttrokken wordt aan manioksap. De schotel wordt opgediend met jambu-blaadjes. *Pirarucu* is de grootste vis die in de Amazone gevangen wordt. Hij kan 2,5 m lang en 80 kilo zwaar worden. De naam ontleent hij aan de roodachtige kleur; *piraru'ku* is in het Tupi het woord voor 'rode vis'. Pirarucu is zeer smaakvol, vooral als de vis gekookt is. Hij wordt ook gebakken opgediend.

Tacacá is een heerlijke soep van garnalen en jambu-bladeren, soms gemengd met stukjes eend en tapiocaballetjes.

Heel speciaal is *maniçoba*. De bladeren van de maniok worden minstens vier dagen gekookt en daarna bereid met verschillende kruiden en gemengd met gebakken chorizo en spek.

Vraag ook eens naar de kleinere en heel smakelijke vissen, zoals *curimata*, *jaraqui* en *pacu*. Altijd lekker is *dourado*.

Met de komst van het ecologische tijdperk zijn de typische indiaanse wildgerechten in de meeste restaurants van de menukaart verdwenen. De miereneter en het gordeldier mogen niet meer voor massaconsumptie gevangen worden, net als de kaaimannen en slangen. Je zult dus tevergeefs zoeken naar *tartarugadas*, eieren en vlees van schilddieren, *rabo de jacaré* (de staart van de kaaiman) en *postas de sucuri* (gehakt slangenvlees).

De basis van veel gerechten vormt de sappige zoetwatervis. En van de vele vruchten maken ze overheerlijke sorbets.

Liefdesdrank te koop op de Ver-o-Peso-markt

tijdstip, zo vlak na Kerstmis, noemden ze de stad naar Bethlehem.

De grote bloeitijd voor Belém was rond de eeuwwisseling dankzij de 'rubberboom'. De welvaart van toen is nog af te lezen aan de architectuur en de uitbreiding van de stad in die tijd. Belém heeft met de neoklassieke gebouwen en de brede straten en pleinen een Europese uitstraling. Dat is helemaal niet zo vreemd, want zelfs tot in de jaren vijftig was de stad door de zeehandel meer met Europa verbonden dan met de zuidelijke Braziliaanse staten. Pas met de aanleg van de weg Belém–Brasília in 1960 en de toename van het vliegverkeer is daar verandering in gekomen.

Met anderhalf miljoen inwoners is Belém de grootste metropool op de evenaar. De stad is vooral een handelscentrum waar het hardhout, paranoten en andere producten van het tropisch regenwoud verscheept worden. Het toerisme ontwikkelt zich snel in Belém, omdat het voor veel bezoekers de eerste halte is tijdens een bezoek aan het Amazonegebied.

Belém is een groene stad. Dat is vooral te danken aan de duizenden mangobomen (inmiddels 23.000) die de brede avenues overkappen als een groen tunnelnetwerk.

Ver-o-Peso

Een bezoek aan Belém moet eigenlijk beginnen bij de **Mercado Ver-o-Peso** in het oude centrum van de stad. Een wandeling over deze beroemde markt in Belém geeft een goed beeld van de talrijke producten die Pará voortbrengt.

De naam van de markt is ontleend aan de oude functie van deze plek bij de haven. Alle producten die de stad binnenkwamen, moesten hier gewogen worden: *ver o peso* ('het gewicht zien').

De variatie in het aanbod van de vruchten is verbazingwekkend. Aparte kraampjes verkopen tientallen soorten vruchtenconcentraat om limonade, ijs of andere lekkernijen van te maken. Minstens zo groot zijn de groente- en kruideniersafdeling. Speciale aandacht vraagt de afdeling voor

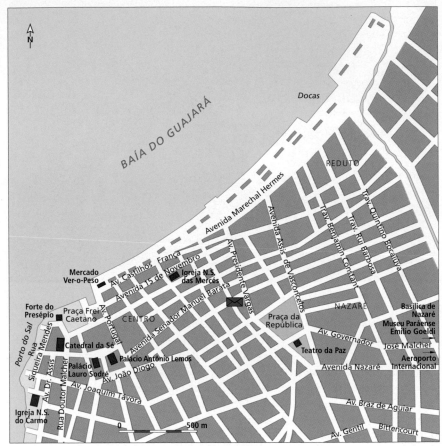

Belém

medicinale planten. Voor elk kwaaltje lijkt een middel aanwezig, of het nu gaat om de potentie, een maagkwaal of kanker. En de marktverkoper vertelt je er desgewenst bij hoe je ze moet gebruiken.

Een ander indrukwekkend deel van de markt is de overdekte vishal. Enorme zoetwatervissen met soms een lengte van 1,5 m kijken je met opengesperde bekken aan. Achter in de hal zijn de meest vreemde artikelen te koop die bij inheemse en Afro-Braziliaanse religieuze rituelen gebruikt worden. Verder zijn er afdelingen voor lekkere geurtjes, servies, potten en vazen, rieten producten, textiel en lederwaren.

ℹ MERCADO VER-O-PESO. Geopend: (officieel) 4-14 uur.

Het oude centrum

Lopend vanaf de Mercado Ver-o-Peso, langs de haven, kom je eerst op het Praça do Relógio (Plein van de Klok). De ijzeren klok uit Glasgow, neergezet in 1931, is een prachtig symbool van de komst van de industriële samenleving en de zakelijkheid, maar ook van de kopieerdrift van alles wat Europees was. Achter dit plein staan twee stadspaleizen: het Palácio Antônio Lemos (uit 1883), vanwege de opvallend blauwe kleur ook wel het *Palaceta Azul* (het Blauwe Paleis) genoemd, en het Palácio Lauro Sodré, voorheen het Palácio dos Governadores. In het eerste is een deel van het stadhuis en het **Museu do Arte de Belém** gevestigd.

Je waant je in de bloeitijd van de stad, aan het eind van de 19de eeuw; met veel antiek en schilderijen van Cândido Portinari en Alfredo Volpi en minder bekende plaatselijke kunstenaars.

ⓘ MUSEU DO ARTE DE BELÉM. Praça Dom Pedro II. Geopend di.-vr. 9-18 en za.-zo. 9-13 uur.

Met het ontwerp voor het voormalige Palácio dos Governadores gaf architect Antônio José Landi zijn visitekaartje af. Deze van oorsprong Italiaanse bouwmeester heeft als geen ander zijn stempel gedrukt op de 18de-eeuwse architectuur in het oude centrum.

Loop vervolgens verder naar de **Catedral da Sé**. De kathedraal heeft een barokke voorgevel uit 1771, die nauwelijks verraadt wat voor pracht en praal je binnen aantreft. Landi was betrokken bij het afbouwen van het indrukwekkende interieur in neoklassieke stijl met elf altaren. Hij ontwierp onder meer de kapel, de dwarsbeuk, de preekstoelen, het orgel en de tochtschermen. Achttien koperen kroonluchters zorgen voor de verlichting.

ⓘ CATEDRAL DA SÉ. Geopend: ma. 14-18, di.-vr. 7-12 en 14-19, za.-zo. 6-11 en 17-20.30 uur.

Tegenover de kathedraal is het Praça Frei Caetano Brandão met drie monumentale bouwwerken. Met de rug naar de kathedraal zie je rechts het **Colégio de Santo Alexandre**, waar architect Landi in de kapel zijn eerste ontwerp in Belém realiseerde.

In dit voormalige jezuïetenklooster is thans het **Museu de Arte Sacra** ondergebracht, met veel religieuze kunstwerken die voorheen over de vele kerken en kloosters van de stad waren verspreid.

ⓘ MUSEU DE ARTE SACRA. Geopend di.-vr. 13-18 en za.-zo. 9-13 uur.

Dan het **Forte do Presépio**, het eerste bouwwerk van de stad uit 1622. Aanvankelijk had het een vierkante vorm. In de 18de eeuw is het fort grondig onder handen genomen en uitgebreid. Bij de restauratie enkele jaren terug zijn de muren toegankelijk gemaakt, zodat je als bezoeker kunt mijmeren bij het uitzicht over de rivier en de stad.

In het fort is het kleine, maar interessante **Museu do Encontro** gevestigd. Op moderne, aanschouwelijke wijze zijn de ontmoeting en later de confrontatie tussen de Oude en Nieuwe Wereld in beeld gebracht aan de hand van de komst van de Portugezen naar het Amazonegebied.

ⓘ MUSEU DO ENCONTRO. In het fort. Geopend: di.-vr. 10-18 en za.-zo. 10-20 uur.

Tot slot vind je aan het plein het zogenaamde **Casa das 11 Janelas** (het Huis met de 11 Vensters), gebouwd voor een rijke plantage-eigenaar in 1768. Daarna kwam het in handen van de staat Pará, die Antônio José Landi opdracht gaf het stadspaleis om te vormen tot ziekenhuis. Het Hospital Real heeft inmiddels weer plaatsgemaakt voor een expositiecentrum.

De Rua Siqueira Mendes is een aardig straatje met winkels en werkplaatsen, waar de drukte van weleer is verdwenen doordat het belang afnam van de Porto do Sal (de Zouthaven). Aan het eind van de straat staan de **Igreja** en het **Convento do Carmo**. Het kerkje en de naburige kapel zijn oorspronkelijk uit de 17de eeuw. Landi werd een eeuw later betrokken bij de reconstructie. Vooral aan de versieringen van het schip en de dwarsbeuk is de hand van de meester te herkennen.

Wat verder weg van het oude stadshart, aan het Praça Amazonas, is een interessant complex te bezichtigen. In de oude stadsgevangenis, die een paar jaar geleden nog voor wereldnieuws zorgde vanwege een bloedige opstand, zijn het **Museu de Gemas do Pará** en expositieruimtes gevestigd. Alle soorten edelstenen die in Pará worden gevonden, zijn te zien in de ruimtes, die van elkaar zijn gescheiden door dikke muren. Om de meerwaarde voor de economie te verhogen, stimuleert de deelstaatregering ateliers en edelsmederijen.

Rond de binnenplaats zijn nog enkele voormalige cellen te bezoeken, waar gevangenen met 10–20 man waren opgesloten in onmenselijke omstandigheden. In de vroegere sportzaal is een centrum voor regionale souvenirs gevestigd.

ⓘ MUSEU DE GEMAS DO PARÁ. Praça Amazona. Geopend: di.-za. 10-20 en zo. 15-20 uur.

Teatro da Paz

Het deel van het centrum van Belém dat het meest verbonden is met de bloeitijd van de rubber is het Praça da República en omgeving. Vooral het **Teatro da Paz** straalt de welvaart en voornaamheid van het fin-de-siècle uit. Het theater is gebouwd in 1874 en geïnspireerd op de Scala in Milaan. De Bar do Parque in dezelfde neoklassieke stijl is de ontmoetingsplaats bij uitstek in het centrum.

Van het Praça da República loopt de Avenida Nazaré naar de twee overige grote bezienswaardigheden in Belém. In de wijk Nazaré zitten de betere winkels, restaurants en bars.

Nazaré

Aan het Praça Justo Chermont, in de wijk Nazaré, staat de belangrijkste en mooiste kerk: de **Basílica de Nazaré**. Op 24 oktober 1909 vond de inwijding van deze in romaanse stijl gebouwde basiliek plaats, die grotendeels is opgetrokken uit allerlei soorten Italiaans marmer. De gebrandschilderde ramen zijn van Venetiaans glas en ook de magnifieke mozaïeken in de zijaltaren komen uit Italië.

De Basílica de Nazaré vormt het cen-

De indrukwekkende bladeren van de *Victoria amazonica* in de botanische tuin van Emílio Goeldi

CÍRIO DE NAZARÉ

De grootste katholieke processie van Brazilië vindt in Belém plaats.
Op het Círio de Nazaré komen ruim een miljoen gelovigen af. De grote
processie is gebaseerd op de legende, die verhaalt over de verschijning
van een Mariabeeld op de plek waar nu de basiliek staat. De caboclo, die
het beeld vond, nam het mee naar zijn huisje aan de oever van de rivier.
Maar telkens zag hij het beeld terug op de vindplaats.

De tweede week
van oktober
barst het feest
los, als een ge-
trouwe replica
van het beeld
naar de Matriz
de Ananindeua
gaat, een klein
kerkje op 40 km
van de stad. De
volgende dag
gaat het, verge-
zeld door hon-
derden schepen

en bootjes, via de rivier terug
naar de stad, waar het beeldje
in de kathedraal van Sé wordt
opgesteld. Op zondagmorgen,
na de mis van 6 uur, start de
processie, die het beeld terug-
brengt naar de basiliek.
Sinds 1855 speelt de *corda* in
de processie een belangrijke
rol. Het dikke touw waaraan de
ossen vroeger vastzaten die
de berliner met het beeld trokken, wordt nu door duizenden
gedragen.

De Basílica de Nazaré en het beeld
van de Maagd, dat tijdens de Círio
de Nazaré de hoofdrol vervult

PAPEGAAIENEILAND

Ilha dos Papagaios (Papegaaieneiland) ligt in de monding van de Rio Guamá, recht tegenover Belém. Het is een bijzondere ervaring om duizenden papegaaien te horen en zien ontwaken.

'Precies om 4 uur, in alle vroegte, komt de jeep voor rijden om ons naar de boot te brengen. De rit door de lege straten gaat nu snel. Het is nog altijd donker als we over de steiger lopen. Dankzij het schijnsel van de maan is dit een verantwoorde onderneming. Op de boot, een *gaiola* met één dek, wacht Cicero ons op. Hij is blijkbaar net op, want hij loopt er een beetje afwezig en nurks bij.

De boot vaart weg in de nacht, ons jungleavontuur is begonnen. Het inktzwarte water glinstert in het maanlicht. Ondanks het vroege uur zijn we niet de enige boot op het water. Regelmatig passeren we kleinere motorboten, die met onzichtbare lading in de richting van de stad varen. Ver weg schijnen de lichten van de Mercado Ver-o-Peso. Na een halfuur varen komen we aan bij het eiland. Als de motor is afgezet, draait Cicero een lamp vast in z'n fitting. Even zien we niets. Cicero klapt een bord open waarop de baai en de monding van de rivier te zien zijn. Hij vertelt over de eilanden, de overstromingsvlakten en het vasteland.

Dit eiland, Ilha dos Papagaios, is als zodanig twintig jaar geleden ontdekt, nadat er een papegaaienfamilie was neergestreken. Inmiddels zijn het er zo'n 1300. Het bijzondere van de papegaaien is dat ze zeer monogaam zijn. Altijd vliegen ze in paren, eventueel met de kleintjes tot drie maanden oud erbij, maar zelden alleen. Dan gaat het licht weer uit. Langzaam krijgt de wereld om ons heen kleur. De contouren van het eiland worden groen. En plotseling begint het. Eerst nog schoorvoetend en apart, maar dan in koor; een oorverdovend gekrijs. Het is nu zo ver licht dat we ze ook zien; kleine stipjes, die dansen boven de boomkruinen. Dan fladderen er steeds meer over ons heen. Ze vliegen inderdaad

---

trum van het grootste religieuze feest in Belém: de Círio de Nazaré. Elk jaar op de tweede zondag in oktober eindigt de processie ter ere van de Maagd Maria op het plein, waar ter afsluiting een mis in de openlucht wordt gehouden. In de crypte van de basiliek is een museum ingericht, het **Museu do Círio de Nazaré**, over deze enorm drukbezochte dag in Belém.

❶ BASÍLICA DE NAZARÉ, MUSEU DO CÍRIO DE NAZARÉ. Geopend: 6.30-11.30 en 15-18 uur, museum di.-vr. 13-18, za.-zo. 9-13 uur.

Museum Goeldi

Een verplicht nummer bij een bezoek aan Belém is het **Museu Paráense Emílio Goeldi**. Eigenlijk is het een botanische tuin en dierentuin met flora en fauna uit het Amazonegebied. Het museum is in 1866 opgericht en draagt de naam van de Zwitserse onderzoeker die in de vorige eeuw naar Pará kwam voor onderzoek in het tropische regenwoud. Behalve als museum doet dit instituut dienst als onderzoekscentrum op zoölogisch, botanisch,

Gids Cicero, een oude bekende tijdens de excursies bij Belém

in paren en gaan naar het vasteland om voedsel te halen, vooral fruit, dat hier het hele jaar door voorradig is.
Na een halfuur is het voorbij.
De helft van de papegaaien lijkt naar de overkant te zijn gevlogen, de andere helft heeft beschutting gezocht tegen de warmte van de dag.
De boot brengt ons naar de andere oever van de rivier. Als we vlak bij de waterkant zijn, begint Cicero een boeiend verhaal over het leven van de caboclos en de rijke natuur waar ze van en mee leven. We draaien langzaam een *igarapé* in, een natuurlijk kanaal. De overhangende takken zijn soms bijna te grijpen. We zien een apenfamilie, hoog in een boom van tak naar tak slingeren. Felgekleurde parkieten vliegen op voor de boot. Cicero geniet merkbaar en gaat steeds enthousiaster vertellen. Later blijkt dat hij opgegroeid is in het woud. Voordat hij gids werd, werkte hij tien jaar als gouddelver.'

ⓘ ILHA DOS PAPAGAIOS, een halve of hele dagtocht, vertrek om 4 uur.

ecologisch en geografisch gebied. Er zijn 800 planten- en 600 diersoorten in het museum verzameld. Je krijgt er een uitstekende indruk van de gevarieerde flora en fauna van dit fascinerende gebied. De *Hevea brasiliensis*, de *pau brasil* en andere prachtexemplaren zijn enkele van de vele soorten woudreuzen die je in de jungle aantreft. Een speciale plaats is ingeruimd voor de *Victoria amazonica*, een waterlelie met bladeren van 1 tot 2 m breed. Behalve bomen en planten zijn enkele diersoorten uit het oerwoud in het park samengebracht. Er zijn regelmatig tentoonstellingen gewijd aan de inheemse kunst en folklore.

ⓘ MUSEU PARAENSE EMÍLIO GOELDI. Geopend: di.-za. 9-17 uur.

Aan het waterfront
Belém is langzaamaan weer een stad aan het water dankzij enkele projecten om de oevers voor bezoekers toegankelijk te maken. Vlak bij het centrum zijn de **Estação**

Een terrasje pakken en flaneren langs het water kan nu bij de Estação das Docas.

das Docas een enorme trekpleister. De plek waar de stapels tropisch hardhout lagen opgeslagen, is omgetoverd tot een sfeervolle wandelboulevard met restaurants en terrasjes aan de Baía do Guajará. 's Avonds is dit dé plek om te kijken en gezien te worden. Aan de kade liggen de boten voor een tochtje op de rivier.

Aan de Rio Guamá, op een deel van het terrein van de marinebasis, is **Mangal das Garças**, een mooi park, aangelegd met uiteenlopende attracties. De vlindertuin en het aviarium voor papagaaitjes zijn voor groot en klein een leuke ervaring. De oude vuurtoren biedt een fraai uitzicht over de omgeving. Er is een uitstekend restaurant op het terrein gekomen met daaronder een museum gewijd aan de scheepvaart. Via een steiger kun je tot aan de rivier lopen.

ⓘ MANGAL DAS GARÇAS. Geopend di.-zo. 10-18 uur.

MONDING VAN DE AMAZONE

De omgeving van Belém, met name de monding van de Amazone, biedt veel mogelijkheden voor excursies. Er is een tiental reisorganisaties die voor toeristen programma's verzorgen, variërend van een halve dagtocht op de rivier tot enkele dagen verblijf op Marajó. Op verzoek maken ze speciale excursies.

Tocht op de Rio Guamá

Om een indruk te krijgen van de natuur en het leven in het riviergebied van de Amazone volstaat al een tocht van een halve of een hele dag op de Rio Guamá en de Rio Guajará.

Je maakt de tocht in een kleurrijk geschilderde watertaxi, een gaiola, die voor de bewoners in het rivierengebied het enige vervoermiddel is. Het is onvoorstelbaar: op nog geen kwartier varen van de drukke stad Belém ben je volledig opgenomen in een overweldigend landschap van water en dichte tropische begroeiing.

De tocht gaat langs een caboclo-huis

en langs de karakteristieke flora van het Amazonegebied. De gids vertelt over de bijzondere kenmerken van de planten en de bomen.

Marajó

Het grootste eiland in de monding van de Amazone is Ilha de Marajó. Dit eiland beslaat een oppervlakte van bijna 50.000 km² en is daarmee het grootste riviereiland ter wereld. Door de werking van het zoete water van de Tocantins en de Amazone en het zoute oceaanwater is een uniek landschap ontstaan. Er zijn prairies, jungles, waterrijke vlakten en weilanden. De laatste ontstaan vooral in de regenperiode van januari tot juni, als beide rivieren grote hoeveelheden water afvoeren. Talrijke grote en kleine rivieren doorsnijden het landschap en bij de twee plaatsjes Salvaterra en Joanes liggen goede stranden.

Marajó is een paradijs voor natuurliefhebbers. Felrode ibissen komen er veelvuldig voor, net als verschillende soorten ara's en papegaaien. Het brakke water is een ideale broedplaats voor vis en in de zijrivieren op het eiland vind je kaaimannen. Zeer karakteristiek voor Marajó zijn de waterbuffels. Het fokken van deze dieren is, naast de visserij, de belangrijkste economische activiteit op het eiland. Vooral aan de west- en noordkant van het eiland liggen grote ranches, waar duizenden buffels door het water waden of op de droge grasvlaktes grazen.

De meeste boten vanuit Belém komen aan in Camará, dat een deelgemeente van Salvaterra is. Bussen brengen je vervolgens naar alle gewenste bestemmingen op het eiland.

Soure, de andere grote gemeente op het eiland, wordt, omdat het een levendig plaatsje is, het meest door vakantiegangers bezocht. Het stadje is vanuit Camará met de boot te bereiken. Het heeft ook een vliegveld, met vluchten naar Belém. Soure is de beste basis voor een tocht naar het binnenland van Marajó. Vanuit de hotels zijn er excursies naar buffelranches, leerlooierijen en pottenbakkerijen. Marajó is in Brazilië bekend om de keramiek die er vandaan komt. In het Museu do Marajó, in Cachoeira do Arari, zijn daar diverse mooie voorbeelden van te zien. De oudste exemplaren dateren van 980 v.Chr.

Mosquiero

Als je wat meer tijd hebt te besteden in Belém is een bezoek aan Mosquiero een leuk uitje. Dit eiland, op ongeveer 60 km van de stad, is de favoriete weekend- en vakantiebestemming van de inwoners van Belém. Aan het begin van de 20ste eeuw lieten de gegoede families uit Belém er hun chalets neerzetten. Deze buitenhuizen, qua vorm geïnspireerd op de Zwitserse chalets en qua architectuur op de art nouveau, vormen naast de stranden de voornaamste attractie.

Het binnenland van Pará

Vanuit Belém gaan er dagelijks bussen naar het zuidelijke deel van de staat. Ongeveer 650 km zuidelijker ligt Marabá (190.000 inw.), de grootste stad in Zuid-Pará. Het is een typische pioniersstad. Sinds de bouw van de Tucuruí-stuwdam en het begin van de mijnbouw bij Carajás is de stad snel gegroeid. Buiten het centrum zijn de wegen en andere voorzieningen gebrekkig; de favelas zijn gebouwd tot in het moeras.

Marabá is een goede uitvalsbasis voor een bezoek aan de stuwdam of het mijngebied. Je kunt er ook prima vissen.

BOOTREIZEN OP DE AMAZONE

Een reis van enkele dagen op de Amazone is natuurlijk de beste manier om

Aan de kade bij Santarém

het leven op de rivier te leren kennen. Er zijn speciale passagiersboten die je in drie dagen naar Santarém brengen en in zes dagen naar Manaus. Stroomafwaarts duurt de reis een dag korter. De boten van ENASA, de staatsscheepvaartmaatschappij, zijn het comfortabelst. Je slaapt er in hutten voor twee of vier personen. Veel sfeervoller zijn de kleurrijke tweedeksboten van particuliere ondernemingen, die regelmatige vaardiensten tussen de oeverplaatsen verzorgen. De grotere boten beschikken over eersteklas hutten, maar meestal slaap je aan dek, en dan kan het druk zijn. Ook sommige vrachtboten nemen passagiers mee.

Bereid je voor zo'n reis op de Amazone goed voor. Het is handig om je eigen hangmat mee te nemen, die je op de markt voor een paar tientjes kan kopen. De maaltijden aan boord zijn eenvoudig en het drinkwater is onbetrouwbaar. Neem zelf water in flessen, andere drank, fruit en tussendoortjes mee. Vergeet niet om wat te lezen mee te nemen. Want hoe raar het ook klinkt, zelfs varen op deze machtige rivier, die zo breed is dat je soms de oevers nauwelijks ziet, kan op den duur gaan vervelen. Daarbij hebben zeker de kleinere passagiersboten en vrachtschepen vaak oponthoud.

Een bijzondere boottocht is die naar Macapá, de hoofdstad van de meest noordoostelijke staat van Brazilië. Je kruist dan de monding van de Amazone en krijgt een goede indruk van de enorme omvang ervan, alsmede van de fantastische natuur. Ilha Caviana (5000 km²), Ilha Mexicana (1500 km²) en Ilha Grande de Gurupá (4000 km²) zijn de grootste van de kleinere eilanden. Tussen de twee eerste genoemde eilanden manifesteert zich een paar keer per jaar de *pororoca*, vloedgolven van 5 à 6 m hoog, die verwoestend tekeergaan in de monding van de rivier en langs de kust. Vandaar de naam van de doorvaart Canal Perigoso. De pororoca, een combinatie van springtij in de oceaan en hoogwater in de rivier, komt vooral voor in de maanden april–juni. Behalve bij Marajó doet dit bijzondere natuurfenomeen zich voor in de monding van de Rio Araguari in de deelstaat Amapá.

SANTARÉM

Ongeveer 700 km en drie dagen varen van Belém ligt Santarém, dat zich ontwikkelt als een interessante toeristische bestemming. Deze levendige havenstad (270.000 inw.) ligt op het punt waar de Rio Tapajós en de Rio Amazonas samenvloeien. Dat is meteen een van de grote attracties van de stad. Je kunt een boottocht maken naar de plaats waar het blauwgroene water van de Rio Tapajós het bruine water van de Rio Amazonas ontmoet en kilometerslang naast elkaar blijft stromen.

Ook een bezoekje aan het vogelrijke Lago do Maicá, aan de gelijknamige rivier, is een mooie ervaring. Voor vogelspotters zijn er speciale excursies bij het krieken van de dag of tijdens de schemering.

De mooiste boottochten maak je op de Rio Tapajós, een brede rivier waarvan de oevers gekenmerkt worden door witte stranden. Op ongeveer 2.30 uur varen (35 km over de weg) van Santarém ligt **Vila de Alter do Chão**, de plaats van de eerste Portugese nederzetting in dit gebied. Het heeft een idyllisch strand en een interessant museum over inheemse volken.

Voor visliefhebbers zijn er speciale tochten. De grootste uitdaging is om te proberen een *tucunaré*, een grote zoetwatervis uit het gebied, te vangen.

In Santarém zelf is vooral de sfeer aangenaam. De stad is niet zo groot als Belém of Manaus en geeft een aardig beeld van het leven aan de oever van de Rio Amazonas. Aan de kade is het altijd levendig en vol met bootjes die allerlei producten uit de omgeving aanvoeren.

Ten zuiden van Santarém liggen de plantages **Fordlândia** en **Belterra** die Henry Ford aanlegde om de rubberproductie weer op gang te brengen. De werkplaatsen en verroeste machines staan er nog. Belterra (68 km van Santarém) is makkelijk te bereiken met de bus.

ℹ BELTERRA. Een excursie duurt 4-5 uur.
Bus: busstation Avenida Rui Barbosa, vertrek 11 uur, terug 14.30 uur.

Paradijs aan de rivier, Alter do Chão aan de Rio Tapajós

MONTE ALEGRE: EEN UITSTAPJE IN DE PREHISTORIE

Onze gids Nelsi Neif Sadeck is geboren en getogen in Monte Alegre en komt uit een vooraanstaande familie – half Portugees, half Libanees/Syrisch – in het plaatsje. Het statige familiehuis neemt een prominente positie in aan de hoofdstraat tussen de kade en het hoger gelegen kerkplein. Het is zo'n huis uit de romans van Gabriel García Márquez; met een bordes in de schaduw van de grote boom, waarvandaan de hoofdpersoon zittend in een schommelstoel de straat strategisch in de gaten kan houden. Eenmaal vertrokken, zijn we al snel buiten de bewoonde wereld. De weg voert door een savannelandschap met hier en daar wat vee.

We gaan van de hoofdweg af en nu wordt duidelijk waarom een wagen met vierwielaandrijving noodzakelijk is. De weg zit vol met gaten en is hier en daar weggespoeld. Op andere plaatsen ligt weer rul zand. Het landschap is fascinerend: meer struiken dan bomen, en dat in het Amazonegebied. In de verte doemt de Serra do Ererê op. Dit gebergte bestaat hoofdzakelijk uit tertiair gesteente. Het vormt een scheiding tussen enerzijds het plateau dat doorloopt tot de grens met de Guyana's en anderzijds het stroomgebied van de Amazone.

De eerste stop is bij de Serra da Lua (Maan), het meest westelijke punt van de Serra do Ererê. We moeten stevig klauteren om, over stenen en door

het struikgewas heen, bij de rotstekeningen te komen. De berg is genoemd naar de symbolen die hier duizenden jaren geleden tegen de bergwand geschilderd zijn; mensenfiguren met hoofden in de vorm van concentrische cirkels in de kleuren rood en geel. Volgens Nelsi gaat het om een visualisering van de eclips van de zon en de maan. De zon is rood; de baan eromheen geel en dan weer rood. Opmerkelijk is de figuur die uit de lucht lijkt te vallen met een groot oog in de vorm van een cirkel en een stralenkrans, of zijn het haren... Er zijn allerlei kleinere figuren – ze hebben nog het meest weg van kinderen – en afbeeldingen van gezichten en handen, ook weer met cirkels erin. Ergens links staat het jaartal 1766 geschreven.

Rotsschilderingen bij Monte Alegre; waar kwamen de eerste Brazilianen vandaan?

Ook al slaat de verwering hier en daar toe, het is verbazingwekkend hoe goed de schilderingen in de openlucht hebben standgehouden. Nelsi vertelt dat de verfsubstantie uit hematiet is gehaald, een ijzerhoudende steen. Bij deze plek zijn voorwerpen van aardewerk gevonden, die zouden wijzen op de aanwezigheid van mensen hier zo'n 7500 jaar geleden.

We rijden verder en komen bij vreemdsoortige stenen rotsen die uit het groen oprijzen. Vlakbij ligt de Serra de Paituna, waar we weer gaan klimmen. Er zijn schilderingen van mannelijke en vrouwelijke symbolen, een vrouw die een kind baart, en cirkels die onderling verbonden zijn als in een chemische formule. Er is een kalender geschilderd, die overeenkomt met de tijdsindeling zoals de Maya's die in het zuiden van Mexico hanteerden. Van bovenaf de bergen hebben we een fascinerend zicht op het machtige stroomgebied van de rivier, dat zich hier honderden kilometers uitstrekt.

De stop bij de Caverna da Serra Pintada is het meest spectaculair. Dit is de enige grot in dit gebied waarin tot nu toe wandschilderingen zijn gevonden. Tot op het plafond zijn afbeeldingen geschilderd, onder andere van een slang, een man in een soort omhulsel – misschien een graf – en weer veel handen.

Op deze plaats heeft professor Roosevelt van de University of Illinois haar onderzoek gedaan. Nelsi begeleidde het onderzoeksteam. Er is ruim 2 m diep gegraven op zoek naar overblijfselen van organisch en niet-organisch materiaal. Er werden stenen voorwerpen gevonden, pijlpunten, ceramiek, vruchten- en plantenresten en ook overblijfselen van dieren. Met verschillende dateringstechnieken is de ouderdom berekend. Daaruit bleek dat hier 11.200 jaar geleden mensen moeten hebben geleefd.

Deze eerste bewoners van de grot waren paleo-indianen die leefden van de jacht, visvangst en fruit verzamelen. Tussen 10.000 en 7800 jaar is de grot onbewoond geweest. Daarna kwamen er weer mensen in te wonen; deze leefden voornamelijk van de visvangst. Uit een latere periode, die 3500 jaar geleden begon, stammen de sporen van maniok. Nog later gebruikten de bewoners van dit gebied de grot als tijdelijke voedselopslagplaats. Een kleine 400 jaar geleden kwamen de Europeanen en werd de grot verlaten.

De mensen uit Monte Alegre waren al langer op de hoogte van het bestaan van rotsschilderingen en de pijlpunten in de grotten van de Serras do Ererê en Paituna. Zij brachten de onderzoekers naar de plek.

De tocht in de prehistorie eindigt op de Mirante de Ererê, een van de hoogste punten van het gebergte. Onder de top zijn de eerste rotsschilderingen te zien die door een westerling werden ontdekt. Dat was Alfred Russel Wallace, de vader van de zoögeografie en wegbereider van de evolutietheorie van Charles Darwin. Hij streek neer in Monte Alegre tijdens zijn vier jaar durende wetenschappelijke expeditie in de 19de eeuw.

Aan de BR-163 van Santarém naar Ru-rópolis – waar de Rodovia Transama-zônico langskomt – ligt op ongeveer 83 km van Santarém de hoofdingang tot het **Floresta Nacional do Tapajós**. Het is een 650.000 ha groot beschermd maagdelijk tropisch regenwoud. Voor wie daar een beeld van wil hebben, is dit absoluut een verplichte stop.

❶ FLORESTA NACIONAL. Neem contact op met IBAMA in Santarém, Avenida Tapajós 2267, tel. 091-5223476/5223032. BUS. Alle bussen naar Rurópolis (en vervolgens naar Altamira of Cuiabá) stoppen desgevraagd bij de ingang van het bos.

Een bezoek aan **Monte Alegre** en de rotsschilderingen van de Serra do Ererê is de meest bijzondere excursie die je in de omgeving van Santarém kunt ma-ken. Deze plek was in april 1996 even wereldnieuws toen hier de vondst werd bevestigd van sporen op de rotsen en de grond van ruim 11.000 jaar oud, daar-mee de tot nu toe oudste vondst in de Nieuwe Wereld. De rotstekeningen zijn verrassend goed bewaard gebleven en hebben een intrigerende symboliek. De omgeving van de rotsen zelf is evengoed een bezoek waard.

❶ ROTSSCHILDERINGEN. Tochten: onder lei-ding van goede gids.

MANAUS: HOOFDSTAD VAN HET AMAZONEGEBIED

Manaus ligt op de noordoever van de Rio Negro, niet ver van de plaats waar deze rivier samenkomt met de Rio Solimões en verder gaat als Rio Amazonas.

De hoofdstad van de staat Amazonas is nog vrij jong. Zij dankt haar ontstaan aan de ontdekking van rubber in het Amazonegebied. Rond de eeuwwisseling groeide de stad in nog geen 25 jaar uit tot een economisch centrum van wereldfor-maat. De rubberbaronnen lieten protse-rige villa's neerzetten en probeerden de stad met namaak-Europese bouwwer-ken een wereldse uitstraling te geven. Het verhaal gaat dat ze zelfs hun was-goed naar Lissabon stuurden en dat hun vrouwen de salons van Parijs bezochten.

Op de boot is het vaak vol!

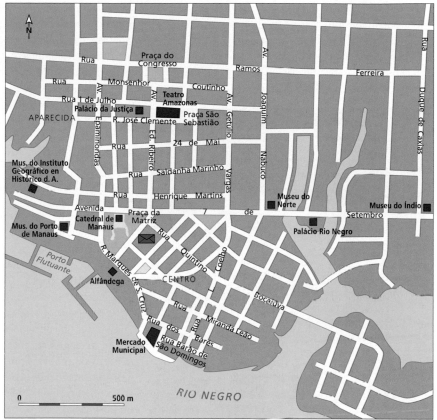

Manaus

Na 1915 was het met de Braziliaanse rubber gedaan en ook met de glorietijd van Manaus. De rijken trokken weg, de stad viel terug naar het niveau van een provinciale handelsstad en de monumenten raakten in verval.

Pas nadat Manaus en omgeving in de jaren zestig tot belastingvrije zone, Zona Franca, waren verklaard, trok de economie weer aan. Er wordt nu weer veel geld verdiend in Manaus, echter niet door iedereen. Daarvan getuigen de talrijke favelas op palen in de lager gelegen delen van de stad. Ze vormen een groot contrast met de nieuwe villawijken, zoals Adrianópolis, die op de heuvels van de stad liggen.

Manaus straalt nog altijd de sfeer uit van een *boomtown*. Er zijn een aanzienlijke Japanse en Chinese kolonie, en verder wonen er heel wat Amerikaanse, Europese en natuurlijk Braziliaanse zakenlieden. Behalve vanuit economisch oogpunt is de stad van weinig belang. Dat blijkt in de weekenden als de straten in het centrum van de stad uitgestorven zijn. Zij die het zich kunnen veroorloven trekken weg, zo gauw ze kunnen, naar de stranden langs de Rio Negro of elders. Voor de toerist is Manaus, naast de enkele karakteristieke gebouwen uit de rubbertijd, de basis voor een bezoek aan het tropisch regenwoud.

Bezienswaardigheden

Het absolute summum van de grootheidswaan tijdens de bloeitijd was de bouw van het **Teatro Amazonas**, een theater in Italiaanse renaissancestijl. Het ijzerwerk van onder andere de trappen en de koegebeeld. De ontvangstkamer op de eerste verdieping heeft indrukwekkende schilderwerken. De vloer is een puzzel van verschillende soorten Braziliaans houtwerk. Vijftien miljoen dollar kostte de bouw van het theater en dat was ook voor die tijd een heleboel geld. Maar het was dan ook een machtig bouwwerk dat, staande op een van de heuvels van de stad, als menselijke schepping als het ware boven de natuur verheven was. Op 31 december 1896 was de gedenkwaardige opening met de uitvoering van de Italiaanse opera *La Gioconda*.

Ondanks de goede bedoelingen en de grootse plannen van de rubberbaronnen lukte het niet de echte grote operagezelschappen uit Europa naar Manaus te halen. De lange reis (twee maanden in een stoomboot op de oceaan en dan nog twee weken op de Amazone) en het hete en vochtige klimaat met kans op gele koorts of cholera waren een weinig aanlokkelijk perspectief. Grote namen zoals Caruso en Sara Bernhardt verschenen wel op de affiches, maar zijn zelf nooit in het theater geweest.

Italiaanse renaissance in Manaus

pel kwam uit Engeland, het witte marmer uit Carrara, het roze marmer uit Verona, het kristal in de luchters uit Venetië en de stoffen uit Frankrijk. De plafondschildering is een perspectiefweergave van de onderkant van de Eiffeltoren met in drie vlakken afbeeldingen van de muzen: muziek, dans en tragedie.

Op het toneeldoek, dat in Frankrijk is geschilderd, is het samenvloeien van de rivieren Rio Negro en de Rio Solimões af

Na 1915 was de bloeitijd helemaal voorbij. Tijdens de Tweede Wereldoorlog deed het theater dienst als hoofdkwartier en opslagplaats van een Amerikaanse exportfirma. Nadien bleef het moeilijk het theater te exploiteren. In 1990 onderging het theater een grote renovatie. Het bouwwerk staat er nu weer bij als in z'n glorietijd. Maar de eerste grote opera moet nog komen.

ℹ️ TEATRO AMAZONAS. Geopend: ma.-za. 9-16 uur.

Het plein voor het theater, dat op een rubberlaag is aangelegd teneinde het geluid van de paardenkoetsen te dempen, bevat een interessant monument. Het beeldt de vijf continenten uit en is in 1902 neergezet ter gelegenheid van de openstelling van de Amazone voor het internationale scheepvaartverkeer.

In het oude stadscentrum van Manaus bij de haven staan nog twee monumentale bouwwerken. Aan de oever van de rivier staat de **Mercado Municipal** uit 1882, waarvan het ontwerp werd gemaakt door Eiffel naar voorbeeld van de Hallen in Parijs. Alle onderdelen werden naar Manaus verscheept en daar in elkaar gezet. Deze markt is de goedkoopste plek om kunstnijverheid uit de regio te kopen. Verderop in de Rua Marquês de Santa Cruz staat de voormalige **Alfândega** (douanegebouw). Opmerkelijk is ook de oude drijvende kade in de haven. Zowel de Alfândega als deze kade is in Liverpool uitgedacht en gemaakt. In 1902 zijn de onderdelen naar Manaus overgebracht en ter plaatse in elkaar gezet.

Aan de Avenida 7 de Setembro staat het goed bewaard gebleven paleis van een van de rubberbaronnen: het **Palácio Rio Negro**. Waldemar Scholz, een puissant rijke rubberhandelaar uit Duitsland, heeft het laten bouwen. In 1955 verkochten zijn nazaten het aan de Braziliaanse overheid en nu doet het prachtige pand dienst als zetel van de gouverneur.

ℹ️ PALÁCIO RIO NEGRO. Geopend: di.-vr. 10-17, za.-zo. 14-18 uur.

Even verderop op de brug is goed te zien hoe elk stukje grond in Manaus gebruikt wordt. De armsten bouwen hun huizen op palen tegen de rivieroever aan.

Het oude stadscentrum bij de haven is leuk om doorheen te wandelen. Op het Praça Adalberto Vale staat het gebouw van de FUNAI, een overheidsorganisatie die de belangen van de indiaanse bevolking heet te behartigen. Hier is ArtIndia gevestigd, de afdeling die zich bezighoudt met de verkoop van indiaanse nijverheidsartikelen. Eigenlijk is dit een groothandel voor inheemse gebruiks- en kunstvoorwerpen, maar toeristen kunnen er rechtstreeks kopen. Verder kun je in het voetgangersgebied in het centrum van Manaus van alles en nog wat belastingvrij kopen.

Musea

Het **Museu do Índio** mag bij een bezoek aan Manaus zeker niet vergeten worden. In dit museum zijn de gebruiken en alledaagse voorwerpen van de indianenstammen in dit deel van het Amazonegebied in beeld gebracht. Zo wordt er uitgebreid aandacht besteed aan de inwijdingsrituelen, de opvoeding, de jacht en het begrafenisritueel. Een aparte zaal is ingericht met informatie en voorwerpen met betrekking tot de missieposten in het gebied.

ℹ️ MUSEU DO ÍNDIO, Geopend: ma.-vr. 8-11.30 en 14-16.30, za. 8-11.30 uur.

Ook interessant is het **Museu do Homem do Norte**, over de bevolking van het Amazonegebied, met een uitgebreide bibliotheek.

ℹ️ MUSEU DO HOMEM DO NORTE, Avenida 7 de Setembro 1385, Rua Duque de Caxias 356. Geopend: ma.-do. 8-12 en 13-17, vr. 13-17 uur.

De toegang tot het **Museu de Ciências Naturais** is prijzig en het museum ligt wel erg afgelegen (Colonia Cachoeira Grande), maar het bezit een prachtige collectie opgezette vissen, vlinders en insecten uit het Amazonegebied en het

RIO NEGRO EN RIO BRANCO

De Rio Negro en de Rio Branco voeden de Amazone vanuit het noorden. De rivieren komen uit het grensgebied van Colombia, Venezuela, Guyana en Brazilië. Er liggen bergkammen die de scheiding vormen tussen het stroomgebied van de Orinoco en dat van de Amazone; een gebied vol mysteries in verleden en heden. Hier dachten conquistadores en avonturiers in het verleden hun eldorado te vinden. Hier brachten wetenschappers als Alexander von Humboldt, Alfred Russel Wallace en Richard Spruce een fascinerende wereld in kaart. En hier werd enkele tientallen jaren geleden het volk van de Yanomami 'ontdekt', tot dan toe de grootste groep onbedorven indianen van het Amazonegebied. Tegenwoordig zoeken duizenden *garimpeiros* en handelaars hún eldorado in dit nog goeddeels onbekende en moeilijk bereikbare gebied, wat hierdoor ook wel de laatste 'grens' van Zuid-Amerika wordt genoemd. Samen met de grote veeboeren en houthandelaren vormen de nieuwkomers een grote bedreiging voor de oorspronkelijke bewoners en de natuurlijke flora en fauna. Met name Braziliës meest noordelijke deelstaat Roraima staat bol van de conflicten.

Er bevinden zich in het stroomgebied van beide rivieren verscheidene bijzondere natuurparken, die een bezoek aan dit nogal afgelegen gebied beslist de moeite waard maken.

De Rio Negro voert geen lichtbruin, maar donkerbruin tot 'zwart' water aan. Vandaar de naam. De cola-achtige kleur heeft z'n oorsprong in de oeroude gesteenten in het brongebied en langs de bovenloop. Dit gesteente is sterk poreus, wat ertoe leidt dat regenwater organisch en ijzerhoudend materiaal meevoert en er een chemische reactie plaatsvindt die een heldere donkere kleur veroorzaakt.

Vanwege de hoge zuurgraad is de Rio Negro niet zo'n voedselrijke rivier. Dit betekent dat er relatief minder dierenleven in en aan de rivier voorkomt. De economische ontwikkeling aan deze rivier is daarom bij lange na niet zo stormachtig geweest als bijvoorbeeld langs de Rio Solimões en de Rio Madeira. Voor de rubberproductie is de Rio Negro nauwelijks van belang geweest. De minerale rijkdom is niet van dien aard dat er een grote instroom van goudzoekers en mijnbouwondernemingen heeft plaatsgevonden. Het gevolg is dat het bootverkeer op de Rio Negro lang niet zo intensief is als op andere zijrivieren van de grote Amazone.

Gezien vanuit het belang van het natuurbehoud en de inheemse bevolking zijn die mindere economische perspec-

Aan de oever van de Rio Negro, bij São Gabriel da Cachoeira

tieven juist een zegen. Vrijwel de gehele bovenloop van de rivier in Brazilië is tot beschermd gebied verklaard voor de indianen of maakt deel uit van een natuurreservaat. In het gebied van de Rio Negro vormen de Baniwa, Baré, Dessano, Turiano en Tukano de grootste inheemse bevolkingsgroepen. Meer stroomafwaarts ligt een drietal natuurparken: bij de Pico da Neblina, de hoogste berg van Brazilië, bij de Rio Jaú, en bij het samenvloeien met de Rio Branco.

Nog zuidelijker ligt de Anavilhanas Archipel, een schitterend natuurfenomeen, dat bestaat uit honderden eilanden in de rivier. Uiteindelijk komt de Rio Negro, na zo'n 1300 km, even ten zuiden van de grote havenstad Manaus samen met de Amazone. Daar zorgt het samenvloeien van het bruine en het zwarte water eveneens voor een opmerkelijk natuurspektakel. De waterscheiding van de Rio Branco met het stroomgebied van de Orinoco vormt voor zowel Brazilië als Guyana de grens met Venezuela. De Monte Roraima is een opmerkelijk natuurmonument op het drielandenpunt.

Ook grote delen van de bovenloop van de Rio Branco zijn beschermd gebied, ofwel voor de inheemse bevolking, ofwel vanwege de kwetsbare en bijzondere natuur.

Het overgrote deel van het gebied tussen de beide rivieren is het grondgebied van de Yanomami, totaal zo'n 92.000 ha. Helemaal in het noorden van Roraima, tegen de grens met Venezuela, ligt het gebied van de Macuxi-indianen, het Area Indígena Raposa/Serra do Sol.

Hoe er te komen

Tot in de jaren zeventig was het zo goed als onmogelijk aan de bovenloop van de Rio Negro en de Rio Branco te komen. Er waren slechts geïsoleerde nederzettingen aan de rivier en missieposten in het woud. De vestiging van militaire bases en de ontdekking van rijke ertsvelden gaven sommige plaatsjes een geweldige economische impuls. Vooral **Boa Vista**, de hoofdstad van de Braziliaanse deelstaat Roraima, ontwikkelde zich tot een stedelijk centrum van belang, goed te bereiken met het vliegtuig vanuit Venezuela en de grote steden in Brazilië. De stad aan de Rio Branco is sinds de jaren zeventig ook bereikbaar over de weg vanuit Manaus, dat wil zeggen buiten de regentijd. Want als de tropische regenperiode losbarst, verandert deze half verharde weg in een langgerekte modderpoel.

São Gabriel da Cachoeira is aan de bovenloop van de Rio Negro de best bereikbare plaats. Vandaar kunnen tochten worden gemaakt naar het Parque Nacional Pico da Neblina en naar Venezuela. San Carlos de Rio Negro in Venezuela is het meest noordelijke plaatsje dat over de rivier te bereiken is. Hier vlakbij begint de Casiquiare, de waterverbinding met de Orinoco, rond 1800 ontdekt door von Humboldt. Er is vanuit San Carlos tevens een vliegverbinding met Puerto Ayacucho aan de Orinoco.

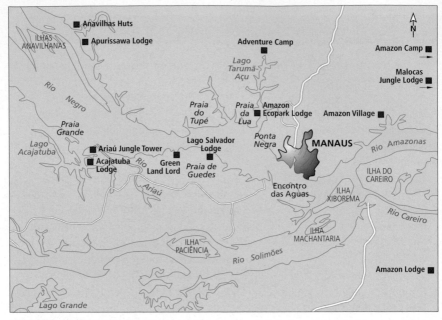

Omgeving van Manaus

is de enige plek om in een aquarium de grootste vis in de Amazone te zien: de pirarucu, de vis met de rode staart, zoals de indianen hem noemen.

ℹ️ MUSEU DE CIÊNCIAS NATURAIS. Geopend: ma.-za. 9-12 en 14-17 uur; het museum is het eenvoudigst te bereiken met een taxi.

Een gespecialiseerde bibliotheek over het Amazonegebied is te vinden in het Museu do Instituto Geográfico e Histórico do Amazonas (Rua Bernardo Ramos 1117, Centro). En voor onderzoek naar de flora en fauna in het gebied kun je terecht in het Instituto Nacional de Pesquisa da Amazonia (INPA; Alameda Cosme Ferreira 1756).

OMGEVING VAN MANAUS

Encontro das Aguas
Een verplicht nummer is een boottocht naar de Encontro das Aguas, waar de Rio Solimões en de Rio Negro gescheiden naast elkaar stromen zonder dat het water zich noemenswaardig mengt. De gidsen op de boot doen graag geloven dat deze rivier met aan een kant van de boot het bruine en aan de andere kant het zwarte water een soort wereldwonder is. In feite gaat het om verschil in soortelijk gewicht, samenstelling en vooral de zuurgraad. Elk hotel in Manaus verzorgt boottochten.

Amazon Ecopark
Voor diegenen die niet de tijd hebben voor een meerdaags verblijf in het tropisch regenwoud, én die een grote groep apen in hun natuurlijke omgeving van dichtbij willen zien, is een bezoek aan het Amazon Ecopark een alternatief. Het park ligt op drie kwartier varen aan een igarapé van de Rio Tarumã, een zijrivier van de Rio Negro achter Hotel Tropical. De boottocht ernaartoe is al de moeite waard, omdat je langs de jachthavens van Manaus komt, met enkele fraaie stranden (van augustus tot december). Het park ligt midden in het regenwoud,

JUNGLETOCHTEN EN JUNGLEHOTELS

In het **Seringal Vila Paraíso** krijgt de bezoeker een aardig beeld van het leven van de rubbertappers aan het begin van de 20ste eeuw. Het park is ingericht voor de opnamen van een film en sindsdien voor publiek opengesteld. Een boottochtje door de igarapé is bij de excursie inbegrepen.

ⓘ SERINGAL VILA PARAÍSO. Te bereiken met de boot (1.30 uur) vanaf de Marina do David (Ponta Negra); open wo.-zo. 8-16 uur. R$ 60-80.

In Manaus bestaan tientallen bedrijfjes die excursies naar en verblijf in het tropisch regenwoud aanbieden. De kwaliteit van de begeleiding en de verzorging loopt sterk uiteen, net als de prijzen.

Junglehotels

In de omgeving van Manaus ligt een achttal junglehotels. Op twee na liggen ze allemaal aan of in het stroomgebied van de Rio Negro. Voor een verblijf is dat prettiger omdat er door de hogere zuurgraad van het water veel minder muskieten zijn.

Er kan een keuze gemaakt worden uit meerdaagse arrangementen waarbij het eten, de tochten en de begeleiding zijn inbegrepen. De accommodatie verschilt nogal. De Ariaú Jungle Tower is een fantastisch hotel met alles erop en eraan; er is zelfs een tarzanhut in een boom met apen eromheen. De prijzen zijn er dan ook naar. Andere accommodatie, zoals het Amazon Village, is daarentegen veel meer aangepast aan de omringende natuur. De hutjes liggen verscholen onder de bomen en er wordt een minimum aan comfort geboden.

ⓘ JUNGLETOCHTEN: als je zelf ter plekke een jungletocht wilt maken of een hotel wilt boeken, verdient het aanbeveling om je goed te oriënteren. Een goede naam hebben Amazon Explorers, Nature Safari, Rio Amazonas, Selvatur en Green Planet Tour. Adressen en telefoonnummers bij Praktische Informatie.

aan colakleurige kreken, met in de winter brede witte strandjes. Het bijzondere van dit park zijn de speciale projecten. Zo is er een Orchidaria, een tuin met wel duizend orchideeën en 87 verschillende soorten, een tuin met medicinale planten en een plek om vogels te kijken. Grote trekpleister is het Amazon Primates Rehabilitation Center, een project dat in 1993 is opgezet in samenwerking met de Amazon Forest Foundation. Dieren die illegaal zijn gevangen voor de handel of die bij mensen in de stad als huisdier werden gehouden, komen hier terecht. In het Monkey Forest leven momenteel zo'n tweehonderd apen van uiteenlopende soorten. Zoveel zie je er nergens in het Amazonegebied bij elkaar.

Een meerdaags verblijf is mogelijk in een van de redelijk luxe uitgevoerde hutten. Net als bij andere junglehotels kun je wandelen in het tropisch regenwoud en langs de rivieroevers jacarés, kaaimannen, spotten.

EILANDEN IN DE RIO NEGRO

Op verscheidene plaatsen in de Rio Negro zorgen langwerpige begroeide eilanden voor een grillig rivierlandschap dat wisselt met de seizoenen. In de droge tijd vallen ze gedeeltelijk droog. Ze krijgen dan witte stranden als langwerpige kragen die glinsteren in het felle zonlicht en die langzaam verdwijnen in het colakleurige water. Het water in de rivier staat van augustus tot oktober zo laag dat de rotsachtige bodem verraderlijk dicht onder de oppervlakte ligt. Alleen een geoefend oog kan aan de kleine kolken en stroomversnellingen zien waar het gevaar loert.

In de regenmaanden verdwijnen de eilanden gedeeltelijk of volledig onder water. De dieren van de terra firme zijn dan al vertrokken, en wat overblijft, is het groen, de hoge rotsen en de vogels. Het water van de igarapés, de kreken van de eilanden, komt dan hoog genoeg om een bezoek te kunnen brengen aan het binnenste van deze bijzondere wereld midden op de grote rivier.

Mariuá

Bij Barcelos ligt de Mariuá-archipel, een groep van meer dan 700 eilanden. Naar men zegt is dit de grootste groep riviereilanden ter wereld. Wie de moeite neemt om dit gebied te bezoeken, ongeveer halverwege de Rio Negro van São Gabriel da Cachoeira naar Manaus, treedt binnen in een fascinerende wereld, waar geen eind aan lijkt te komen. Er zijn grote eilanden als Ilha Maporé en Ilha da Jararaca, die samen net zo groot zijn als de Nederlandse waddeneilanden bij elkaar. Er zijn ook kleine eilanden die alleen bij laag water droog komen te staan en oogverblindend witte stranden vormen.

De toegang is via Barcelos, dat driemaal per week een vliegverbinding heeft met Manaus en São Gabriel.

ℹ️ AMAZON ECOPARK. Excursie van een halve dag: 9-13 of 14.30-18 uur. Vertrek: vanaf Tropical Hotel. Bespreken: Amazon Ecopark Lodge & Tourism, www.amazonecopark.com.br.

Ponta Negra

In het weekend en tijdens feestdagen is een deel van de inwoners van Manaus te vinden bij Ponta Negra. In de gloriedagen van de stad was dit een populaire plek om te picknicken. Als het strand droog ligt, vanaf augustus tot december, zoeken jong en oud hier verkoeling. Er is een brede boulevard gemaakt, met sportaccommo-daties, een auditorium, restaurants en terrassen. Ook buiten het strandseizoen is er van alles te doen. Op 24 oktober, de Dag van Manaus, wordt de stichting van de stad gevierd met een groot muziekspektakel.

ℹ️ PONTA NEGRA. Bereikbaar: vanuit Manaus, Praça da Matriz met bus 120.

Parque Ecológico Janauary

Het Parque Ecológico de Janauary omspant 9000 ha natuurgebied. De ligging, op een klein uurtje varen van Manaus, maakt het tot een van de meest bezochte

Anavilhanas

Beter toegankelijk is de Anavilhanas Archipel, in de benedenloop van de Rio Negro, 150 km ten noordwesten van Manaus. Deze archipel bestaat uit ongeveer 400 eilanden over een lengte van 90 km in de rivier. De eilanden, doorsneden door hon-

derden grote en kleine igarapés, *igapós* en meren, lijken zich door het jaar heen te verplaatsen in de rivier. De wisselende waterstand zorgt voor een volstrekt ander landschap in de droge en de natte maanden. Als het water gaat stijgen, vanaf januari tot mei, verdwijnt ruim de helft van de eilanden onder water. De droge tijd, van juni tot september, is een goede periode om dit gebied te bezoeken. De eilanden zijn dan optimaal toegankelijk, ook al is een goede gids altijd noodzakelijk om de weg te vinden in het labyrint van kreken, meertjes en rivieren. Het water daalt geleidelijk en het dierenleven is het uitbundigst als ook de grotere zoogdieren zoals de jaguar, de miereneter en verscheidene soorten apen op de eilanden te vinden zijn.
De Anavilhanas beslaan een oppervlakte van 350.000 ha en zijn sinds 1981 tot beschermd gebied verklaard: het Estação Ecológica das Anavilhanas.

ecologische parken in dit deel van het Amazonegebied. De meest voorkomende ecosystemen van het tropisch regenwoud zijn er te bezoeken. Er is terra firme, várzea en igapó met de daarbij behorende flora en fauna. Er zijn grotere en kleinere meren, zoals het Lago Janauary en het Lago Victoria Regia, genoemd naar de bijzondere waterplant. Bij een excursie hoort een tochtje per kano door de dichte begroeiing van de igarapés, de *furos* of de *paranás* en een lunch op een drijvend restaurant. En meestal wordt op de terugreis nog het samenvloeien van de Rio Negro en de Amazonas bezocht. De reisbureaus in Manaus bieden praktisch allemaal dagtochten aan naar dit park.

Vissen op de Amazone

Vissen op deze rivier is een onvergetelijke ervaring voor zowel de amateur als de sportvisser. Hoe moeizaam het is om dieren in het woud te vinden, zo eenvoudig is het om een vis boven water te halen. Tucunaré, *tambaqui*, piranha en baars zijn veel gevangen vissen door sportvissers. Vanwege de snel toenemende interesse uit de Verenigde Staten en Europese landen zijn er nu speciale visarrangementen voor de Amazone, de Rio Solimôes en in mindere mate de Rio Negro. De beste maanden zijn sept., okt. en nov., als het water stijgt.

ⓘ INFORMATIE. Amazon Explorers, tel. 092-6333319, fax 092-2345753; Negrotours, tel. en fax 092-2361411; Solucão Assessoria e Planejamento, tel. 092-2345955 en fax 092-2337470.

Parintins ligt 420 km ten oosten van Manaus, op het enorme riviereiland Ilha Tupinambarana dat wordt omgeven door de rivieren Amazone, Madeira en Uraria.

Boi-bumbá

Boi-bumbá gaat terug op de rituele 'dans van de stier' waarmee de inheemse bevolking vanouds belangwekkende gebeurtenissen viert, zoals het oogsten van

Een rijke fauna

PARINTINS EN BOI-BUMBÁ

In het plaatsje Parintins klopt gedurende de laatste dagen van de maand juni het hart van de Amazonecultuur. Duizenden bezoekers voegen zich dan bij de bevolking van het plaatsje en z'n omgeving om samen het feest van *boi-bumbá* te vieren. In betrekkelijk korte tijd heeft dit zomerfestival zich ontwikkeld tot de grootste culturele attractie in het Amazonegebied.

de maniok, het binnenhalen van de vis, de inwijding van het meisje tot de volwassenheid, of het overwinnen van de vijand. In de loop der tijd is deze folklore vermengd geraakt met de gebruiken van de caboclos. Boi-bumbá weerspiegelt nu allerlei aspecten van het leven in het regenwoud en aan de oever van de grote rivier. Het is een groot kleurrijk volksfeest, vol met symboliek en passie, met dans en muziek, waarin de invloeden van de Afrikaanse, de Europese en de indiaanse cultuur zijn terug te vinden. De voornaamste dagen zijn 28, 29 en 30 juni.

Als een rode draad door het feest loopt de gespeelde en gedanste 'confrontatie' tussen de twee ossen: Caprichoso en Garantido, de eerste uitgebeeld in de kleuren blauw en wit, de tweede in het rood en wit. Een beetje vergelijkbaar met de grote sambascholen uit Rio dansen, spelen en zingen de honderden vertegenwoordigers van de beide 'ossen' hun verhaal. Daarbij worden mythische en volksfiguren uitgebeeld, alsmede karakteristieke dieren uit het woud. Er zijn goden, indiaanse hoofdmannen, koninginnen, boeren, vissers, troubadours en zwervers, vogels en roofdieren; allemaal in prachtige kostuums met symbolische kleuren en attributen. Het spektakel vindt plaats in het Bumbódromo, een speciale arena, die het silhouet van Parintins volledig domineert. In de vorm van de arena is symbolisch het karakteristieke landschap van de Amazone uitgebeeld. Twee lange kanten vormen de oevers van de grote rivier. De andere lange kant, haaks daarop, staat voor de Andes, waar de bronnen van de rivier liggen. En de overdekte eretribune is Marajó, het eiland in de monding van de rivier, de uitgang naar de zee.

ⓘ PARINTINS. Bereikbaar: goed te bereiken, zowel vanuit Manaus als Santarém, door de lucht en over het water.

NIEUWE RIJKDOM

De kolonisten in Brazilië, de *bandeirantes*, trokken diep de wouden in op zoek
naar slaven en om opstandige indianenstammen te overmeesteren. Naarmate
de goudkoorts in Minas Gerais om zich
heen greep, werd de zoektocht naar goud
en zilver het hoofdmotief om ook in het
westen ernaar op zoek te gaan.

De bandeirantes kwamen even ver als
waar de huidige staten Mato Grosso en
Mato Grosso do Sul zich nu bevinden.
Het gebied van de rivieren de Paraguay,
de Iguaçu en de Paraná was makkelijk
toegankelijk en leidde tot botsingen met
de Spanjaarden.

Aan de bovenloop van de Rio Cuiabá
werd in het begin van de 18de eeuw goud
ontdekt. Vervolgens trokken avonturiers
het gebied in en zo ontstonden de eerste
nederzettingen in Mato Grosso: Poconé,
Livramento en Cuiabá.

In 1750 werd bij het verdrag van Madrid
de grens tussen Spaans en Portugees
grondgebied bepaald. De Portugezen
bouwden later in dezelfde eeuw de versterkingen Corumbá en Miranda om
zich van de toegang tot het mijngebied te
verzekeren. Cuiabá en omgeving werden
het centrum voor de goud- en diamant-
winning in dit deel van Brazilië.

Conflicten met Paraguay wezen de regering in Rio de Janeiro op het strategische
belang van Mato Grosso. De kolonisatie
kreeg hierdoor extra impulsen en zo ontstonden bij Ponta Porã grote theeplantages. Toch bleven plaatsen als Cuiabá geïsoleerde nederzettingen. Cândido Mariano
da Silva Rondon verrichtte rond 1900
baanbrekend werk met de aanleg van een
telegraafverbinding naar Cuiabá en met
de stichting van de nieuwe nederzetting
Porto Velho. De verlenging van de spoorlijn via Três Lagoas, Campo Grande naar
Miranda en Corumbá was de reden van
het ontstaan van grote veeboerderijen in
de Pantanal.

De echt grote ontwikkeling en alles wat
daar mee samenhangt in het noordelijk
deel van Mato Grosso kwam pas na 1968,
toen de Panamerica Sul van Cuiabá naar
Porto Velho gereed kwam. Vanaf dat moment heeft de frontiersamenleving zich
razendsnel naar het westen verplaatst.

De grootste toeristische trekpleister in
het westen van Brazilië is de Pantanal, een

Os Guerreiros van Bruno Giorgi, een ode aan de pioniers en avonturiers die Brasília bouwden

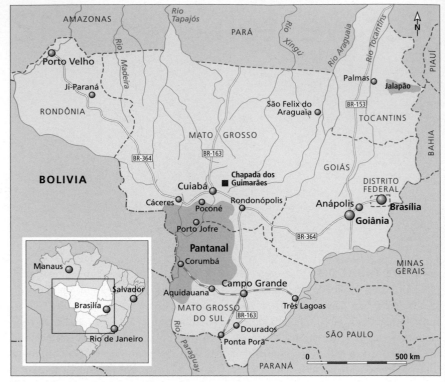

Het westen

ongekend rijk natuurgebied. De grootste bezienswaardigheid van het middenwesten is Brasília, de futuristische hoofdstad van Brazilië.

De federale hoofdstad kan als uitvalsbasis dienen voor twee nog niet zo lang ontsloten bijzondere natuurgebieden: de Chapada dos Veadeiros in de staat Goias, en de Jalapão in de jongste deelstaat Tocantins.

BRASÍLIA: EEN VISIOEN IN STEEN

Iedereen die Brasília voor het eerst ziet, zal getroffen worden door de ruime opzet en strakke vormgeving.

De eerste tien tot twintig jaar was Brasília louter een stad van ambtenaren. Door de verhuizing van het volledige federale overheidsapparaat waren ze gedwongen ver van de dynamische centra Rio en São Paulo te wonen. Dat deden ze alleen gedurende de werkweek. Vrijdag reisden ze massaal terug naar de kust, waar hun gezinnen waren blijven wonen. Na verloop van tijd vestigden toch steeds meer ambtenaren zich met hun gezin in Brasília. Ze kregen aantrekkelijke premies voor de verhuizing, maar het allerbelangrijkste was dat de voorzieningen in de hoofdstad langzamerhand beter werden.

Met scholen en speelruimte op loopafstand, goede winkelvoorzieningen in de buurt, de sociale clubs langs het meer en niet te vergeten de ruimte, veel groen en de schone lucht is Brasília een goede woonplaats geworden.

Het federaal district (Distrito Federal; DF) heeft inmiddels ruim 1,6 miljoen inwoners, waarvan driekwart niet in de stad Brasília woont maar in de satellietsteden daaromheen. Na São Paulo, Rio, Belo Horizonte en Salvador is Brasília DF de vijfde stad van Brazilië. Behalve als zetel van de federale overheid is Brasília van belang als handelscentrum.

Geschiedenis

Het idee om de hoofdstad naar het binnenland te verplaatsen, was al geopperd door Tiradentes tijdens de opstand in de deelstaat Minas Gerais in 1789. Hij wilde een nieuwe hoofdstad in die staat vestigen. In 1891 wees de eerste regering van de republiek Brazilië de hoogvlakte van Goiás aan als locatie, omdat zij centraal gelegen was en op die plek de drie grote rivieren, Amazonas, Paraná en São Francisco, ontspringen. De nieuwe hoofdstad, ver weg van de oude koloniale bolwerken van de macht, Salvador en Rio, moest het begin inluiden van een nieuwe tijd.

In de 19de eeuw kreeg Don Giovanni Bosco (1815–1888), een Italiaanse priester en oprichter van de orde der salesianen, een visioen waarin hij een nieuwe stad op het zuidelijk halfrond zou hebben gezien. De stad zou volgens hem een grote rol gaan spelen in de geschiedenis van Brazilië en heel Zuid-Amerika.

De profetie van João Bosco, zoals deze heilige in Brazilië heet, was voor president Juscelino Kubitschek een spirituele onderbouwing voor zijn ideaal om de stad te bouwen. De werkelijke bouw begon dan ook tijdens zijn regeerperiode.

Voor Kubitschek was de bouw van Brasília een absolute voorwaarde om de ontwikkeling van het land ruimtelijk gezien evenwichtiger te laten verlopen. Brazilië is een immens land, maar de economie, de politiek en de cultuur spelen zich af op een strook van hoogstens enkele honderden kilometers breed langs de kust. De nieuwe hoofdstad moest het symbool worden van het nieuwe Brazilië, waarin het pas opengelegde binnenland geïntegreerd zou zijn, vond Kubitschek.

Hij bracht een team van talentvolle architecten en stedenbouwers bij elkaar met de opdracht de stad te bouwen vóór het eind van zijn ambtstermijn. In 1956 werd begonnen met de bouw. Lúcio Costa tekende voor het opmerkelijke ontwerp: de stad kreeg de vorm van een vliegtuig. Er

Markante architectuur van Niemeyer, het Congresso Nacional in Brasília

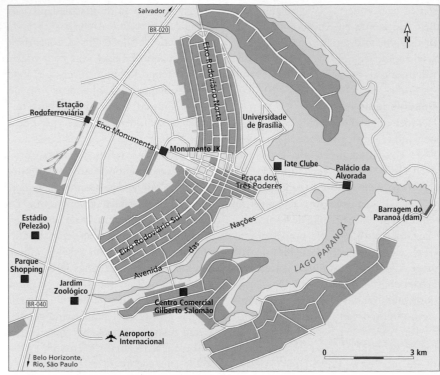

Brasília

is een strakke functionele scheiding in de stad aangebracht, geïnspireerd op de ideeën van Le Corbusier. De romp kreeg de naam **Eixo Monumental**, de centrale as waaraan, de naam zegt het al, alle belangrijke gebouwen liggen. De architectuur van Oscar Niemeyer zorgt voor een harmonisch geheel. Opvallend zijn de ongelijkvloerse kruisingen waarmee de ontwerpers hun tijd ver vooruit waren. Het verkeer in Brasília verloopt geordend, een groot contrast met de chaos en vervuiling in de overige grote steden.

De keerzijde van de medaille is dat in het centrale deel van de stad de mens beslist niet centraal heeft gestaan. Aan voetgangers leek aanvankelijk niet gedacht, hetgeen mooi geïllustreerd wordt door de uitgelopen voetpaden op de gazons.

Ook een groot verschil met de overvolle steden aan de kust vormen de woonwijken van Brasília. Deze zijn volgens een vast patroon gesitueerd in de noord- en zuidvleugel van de stad, langs de **Eixo Rodoviário (norte e sul)**. De mensen wonen in *blocos* en *quadras*. Een bloco (blok) bestaat uit 11 flatgebouwen met zes verdiepingen of 33 flatgebouwen met drie verdiepingen. De ruimte tussen de gebouwen bestaat uit groen- en speelvoorzieningen. Vier blocos vormen een quadra en hebben wijkvoorzieningen als een school, een gezondheidspost, een postkantoor en een winkelstraat. De winkelstraten van enkele quadras hebben zich ontwikkeld tot uitgaansbuurt en brengen de stad de levendigheid, die in het begin heeft ontbroken. Een groot meer, het Lago Paranoá, dat gevormd wordt door een dam in de rivier, zorgt voor landschappelijke afwisseling en recreatieruimte. Voor het ontwerp van parken en vijvers was Roberto Burle Marx verantwoordelijk.

De bouw van Brasília was een huzarenstukje. Behalve de vormgeving trok vooral het bouwtempo overal in de wereld de aandacht. Op 21 april 1960 werd de hoofdstad ingewijd.

Het regeringscentrum

Een bezoek aan Brasília begint altijd op de Eixo Monumental. De 'punt' van het stratenplan van Brasília wordt gevormd door het **Praça dos Três Poderes**. Net zoals een vliegtuig vanuit de cockpit wordt bestuurd, wordt het land vanuit dit 'Plein van de Drie Machten' bestuurd.

In het ontwerp van Lúcio Costa wordt de harmonie tussen de wetgevende, de uitvoerende en de rechterlijke macht weerspiegeld in de driehoekige vorm van het plein: elke macht heeft zijn hoofdgebouw op een van de punten.

Zoals de Eiffeltoren het beeld van Parijs bepaalt, zo is het parlementsgebouw gezichtsbepalend voor Brasília. In het **Congresso Nacional** zetelt zowel de Senaat als het Huis van Afgevaardigden. Oscar Niemeyer heeft de balans in de democratie uitgebeeld door twee halve schalen. De gesloten koepel bevindt zich boven de senaatszaal, onder de omgedraaide, open koepel vergaderen de afgevaardigden. De werkruimtes en administratie zijn gehuisvest in twee torenflats met 28 verdiepingen, die elkaars spiegelbeeld zijn. 's Avonds geeft de verlichting het bouwwerk een bijna surrealistisch beeld. Vanaf het dak heb je een goed zicht op de symmetrie in het stadsplan.

ⓘ CONGRESSO NACIONAL. Geopend: ma.-vr. 9-12 en 14.30-16.30, za.-zo. 9-14 uur.

In het **Palácio do Planalto** oefent de president zijn functie uit. Ertegenover bevindt zich het Supremo Tribunal Federal, de zetel van de Federale Hoge Raad. Het beeld *A Justica* is van Alfredo Ceschiatti. Let op het opvallende verschil in het ontwerp tussen beide gebouwen tegenover elkaar. Het gebouw van het federale gerechtshof is zo laagdrempelig mogelijk ontworpen; het recht moet immers voor

Markante architectuur vormt het visitekaartje van de hoofdstad: het Congresso Nacional.

iedereen gelijk zijn. De ingang van het Palácio de Planalto ligt daarentegen op de eerste verdieping; om bij de macht te komen moet je wel wat moeite doen.

Beide gebouwen zijn sublieme creaties, die met hun buitenste betonnen omhulling van bogen en lamellen dansen boven hun fundamenten.

ⓘ SUPREMO TRIBUNAL FEDERAL. Geopend: 10-18 uur.

Een andere opvallende sculptuur op het plein is *Os Guerreiros* van Bruno Giorgi. Dit beeld is een ode aan de pioniers en avonturiers die aan de basis stonden van de bouw van de nieuwe hoofdstad.

In een van de draagmuren van het **Museu Histórico de Brasília** is het hoofd van Juscelino Kubitschek uitgebeeld in basaltsteen. Op de muur aan de andere kant tegenover het congresgebouw is in chronologische volgorde de verhuizing van de regeringszetel van Rio de Janeiro naar Brasília afgebeeld. In het museum wordt de geschiedenis van de stad in beeld gebracht.

ⓘ MUSEU HISTÓRICO DE BRASÍLIA. Geopend: di.-vr. 9-17 uur.

Vrij toegankelijk is de onder het plein gelegen **Espacio Lúcio Costa**, een zaal met een recent bijgewerkte maquette van de stad. Aan de muur hangen replica's van de originele tekeningen en eerste ontwerpen van Costa's stadsplan.

ⓘ ESPACIO LÚCIO COSTA. Geopend: di.-zo. 9-18 uur.

Ter herdenking aan de overwinning van de democratie op de militaire dictatuur van de jaren zestig en zeventig is het **Panteão da Pátria** gebouwd. Dit gebouw, in de vorm van een vredesduif, is de meest recente toevoeging aan het Praça dos Três Poderes. Het bouwwerk heeft de naam gekregen van ex-president Tancredo Neves, die Brazilië naar de Nieuwe Republiek leidde. In het gebouw is de vrijheidsstrijd afgebeeld in een muurschildering van João Camara over de heldhaftige poging van Tiradentes om in de 18de eeuw al het koloniale bewind omver te werpen.

Het Hooggerechtshof met Vrouwe Justitia

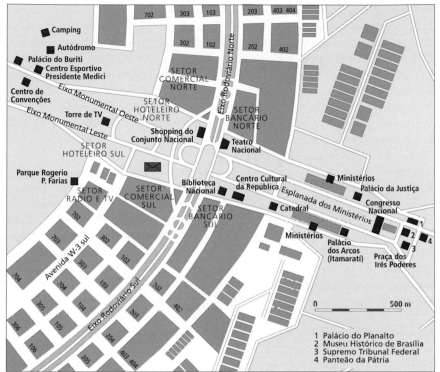

Centrum van Brasília

ⓘ PANTEÃO DA PÁTRIA. Geopend: di.-vr. 9-18, za. en zo. 10-18 uur.

Het Praça dos Três Poderes biedt een goed zicht op het Lago Paranoá. Aan het meer zijn zo'n veertig clubs gevestigd, waar de middenklasse en hogere klasse van Brasília een groot deel van het weekend doorbrengen. Aan de overkant van het meer liggen de mooiste woondistricten. In de volksmond heet dit gedeelte 'de stad van de zwembaden'; er zouden er meer dan 25.000 zijn.

Beneden aan de oever van het meer staan de ambtsresidenties van de president en van de vicepresident. Het **Palácio da Alvorada**, waar de president van Brazilië bij kan komen van een vermoeiende dag in het Planalto, was het eerste gebouw dat in Brasília werd gebouwd. In november 1957 was het gereed. Rondom het gebouw loopt een overdekte passage, waarvan het dak wordt ondersteund door U-vormige pilaren.

Veel kleiner is het Palácio do Jaburu, het onderkomen van de vicepresident. Vooral de tuin, ontworpen door Roberto Burle Marx, geeft het bouwwerk een zeer mooi accent. In de tuin staan veel fruitbomen die in de omgeving voorkomen.

Aan weerskanten van de Eixo Monumental had Lúcio Costa de **Esplanada dos Ministérios** bedacht. Oscar Niemeyer ontwierp zestien identieke en twee afwijkende ministeriegebouwen. Door de uitbreiding van het ambtenarenkorps zijn achter de meeste ministeries inmiddels gebouwen bijgebouwd. Ook die zijn weer naar een ontwerp van Niemeyer geconstrueerd.

Twee pronkstukken van de architect zijn de ministeries van Buitenlandse Zaken en Justitie. Het eerste bevindt zich in het **Palácio do Itamaratí** aan de zuidkant van de esplanade. De bogen aan de buitenkant zorgen voor een perfecte harmonie. Het gebouw drijft als het ware in de vijver, die ontworpen is door Burle Marx. In de vijver staat de sculptuur *O Meteoro* van Bruno Giorgi. Rondleidingen worden gegeven door de prachtige ruime zalen van dit ministerie met talloze kunststukken.

ⓘ PALÁCIO DO ITAMARATÍ. Rondleiding: ma.-vr. 14-16.30, za.-zo. 10.30-15.30 uur.

Aan de overkant staat het **Palácio da Justiça**, het ministerie van Justitie, waarvan het beeld vooral wordt bepaald door fonteinen die als watervallen uit de gevel komen.

De wegenknoop

Samen met het parlementsgebouw is de **Catedral Metropolitana** een van de bekendste gebouwen van Oscar Niemeyer. De kathedraal staat op enige afstand van het Praça dos Três Poderes, alsof Niemeyer er de scheiding tussen de wereldlijke en geestelijke macht mee wilde uitdrukken. In de vorm van de kerk zijn twee gevouwen handen en de doornenkroon van Christus te zien. Op het plein voor het bouwwerk staan beelden die de vier evangelisten voorstellen. Ze zijn van de hand van beeldhouwer Alfredo Ceschiatti.

De entree van de kathedraal zorgt er, door de duisternis en de donkere wanden, voor dat het interieur zich openbaart in een explosie van licht en kleuren. Vanuit de nok en tegen de abstract vormgegeven glazen hemel, een kunstwerk van Marianne Peretti, dalen de drie aartsengelen van Ceschiatti op de gelovigen neer. Bij helder weer tekent de skyline van de stad zich door het glaswerk af. De biechtstoelen lijken pardoes in de ruimte te zijn neergekomen. Op een zijwand zijn de kruiswegstaties afgebeeld door grootmeester Di Cavalcanti. De kathedraal is op 31 mei 1970 ingewijd en direct tot nationaal monument verklaard. Recentere

De kathedraal met de vier evangelisten

Het interieur is een explosie van licht en kleur.

kunstwerken zijn een getrouwe kopie van de Pietá – een gift van paus Johannes Paulus II in 1989, de eerste keer in 500 jaar dat het Vaticaan toestond dat er een officiële kopie van Michelangelo's meesterwerk werd gemaakt – en een afbeelding van de lijkwade van Christus.

ⓘ CATEDRAL METROPOLITANA. Geopend ma. 8-17, di.-zo. 8-18.30 uur.

Naast de kathedraal heeft Niemeyer het sluitstuk van zijn magnum opus gecreëerd: het Centro Cultural da República. De hagelwitte halve koepel van het **Museu de la República** met de loopbaan als een gewichtloze slinger eromheen, ademt een wonderlijke schoonheid door zijn eenvoud. Samen met de strak vormgegeven rechthoekige **Biblioteca Nacional** is het complex in perfecte balans. Ze werden eind 2006 geopend.

Aan de overzijde, op de kruising van de twee assen, is het **Teatro Nacional**. De vormgeving is afgeleid van de vorm van de Azteken-piramides in het Mexicaanse hoogland. De rechthoekige en vierkante plastieken voor de ingang zijn een ontwerp van Athos Bulcão. Het theater heeft drie zalen, waarvan de grootste een capaciteit van 1300 toeschouwers heeft. Op het dak bevindt zich een restaurant met terras.

Heel strategisch op de kruising bevindt zich het Estação Rodoviário, waar alle lokale en regionale buslijnen samenkomen.

Aan weerskanten hiervan, bij het begin van de noord- en zuidvleugel, bevinden zich twee winkelcentra, waarvan het grote overdekte Shopping do Conjunto Nacional (aan de noordkant) overdag en 's avonds een ontmoetingsplaats is. Overdag is dit het hart van de stad, waar het kantoorpersoneel lunch en inkopen doet. Achter de beide winkelcentra liggen de hotelsectoren.

Het culturele centrum

Het deel van de stad achter de 'vleugels' heeft vooral een culturele functie en is de plaats waar het bestuur van het Federale

District zetelt. De 218 m hoge Torre de TV (televisie- en radiomast) eist alle aandacht op. De mast, een ontwerp van Lúcio Costa, is een belangrijk oriëntatiepunt in de stad en biedt het beste panorama van de stad. Iedere zaterdag en zondag is er op het platform onder de mast een kunstnijverheidsmarkt; het is de beste en goedkoopste plaats om souvenirs te kopen.

Dan volgt aan de noordkant het **Centro Polideportivo Ayrton Senna** met alle accommodatie die een grote stad zich op sportgebied kan wensen; van een zwemstadion tot een racecircuit met een lengte van 5 km.

Aan de zuidkant van de Eixo Monumental ligt het **Parque da Cidade**. Het immense terrein bevat sportvelden, speeltuinen, picknickplaatsen, een groot meer met waterfietsen en paden om te wandelen, te trimmen en te fietsen. Er is een openbare club waar je tegen een geringe toegangsprijs verkoeling kunt zoeken in het golfslagbad.

ⓘ PARQUE DA CIDADE. Geopend: dag. 6-24 uur.

In het groengebied tussen de twee vierbaansrijstroken van de Eixo Monumental staat het **Centro de Convenções**. Dit gebouw met vijf zalen is een ontwerp van Sérgio Bernardes. Voor het parkontwerp, met twee pleinen, tekende Roberto Burle Marx.

Het lokale bestuursapparaat is gehuisvest aan het **Praça do Buriti**, zo genoemd vanwege de palmboom midden op het plein. De Buruti-palm komt veel voor in de moerassige gebieden van Centraal-Brazilië. De gemeentegebouwen staan aan weerskanten van het plein met twee weerspiegelende vijvers, fonteinen en mangobomen. Het meest in het oog springend is het **Palácio do Buriti**, het gouverneurspaleis met het dagelijks be-

stuur van het federaal district. Voor de ingang staat een afbeelding van Romulus en Remus, het stadssymbool van de stad Rome. Het is een gift van de burgemeester van de Italiaanse hoofdstad Rebechinni ter ere van de inauguratie van Brasília op 21 april 1960. Dat was dezelfde dag in april dat Rome is gesticht.

In de staart van het 'vliegtuig' wordt een centrale plaats ingenomen door het **Memorial JK**, een hommage aan de man achter de bouw van Brasília en zijn mausoleum. Het monument staat bijna op het hoogste punt van de stad, waar de eerste mis werd opgedragen. Sinds de opening in 1981 zijn de stoffelijke resten van Kubitschek hier ondergebracht. Het monument is een werkstuk van Oscar Niemeyer met als basis een horizontaal afgesneden piramide en daarboven een 28 m hoge piëdestal met de figuur van Kubitschek.

Door de schelpachtige sculptuur van het mausoleum komt het daglicht zo naar binnen dat het de ruimte op een natuurlijke manier verlicht.

In het museum wordt een beeld gegeven van de levensloop van JK (Juscelino Kubitschek), zijn werk als president en de talrijke onderscheidingen die de man overal in de wereld heeft gekregen. Zo ontving Kubitschek bij zijn bezoek aan Nederland op 20 januari 1956 van koningin Juliana het Grootkruis in de Orde van de Nederlandse Leeuw.

De bouw van Brasília krijgt vanzelfsprekend bijzondere aandacht met unieke historische foto's en de schetsen en ontwerpen van Lúcio Costa.

Een opmerkelijk deel van het museum is de privébibliotheek van Kubitschek, door zijn weduwe aan het museum geschonken, en in oorspronkelijke staat opgebouwd. Misschien wel het waardevolste bezit is een antieke collectie van het werk

DE STAD ALS LEVENSWERK

Van de namen die met Brasília verbonden zijn, steken er toch twee boven alle andere uit: Juscelino Kubitschek en Oscar Niemeyer, de president en de architect.

De eerste had een droom om de nieuwe, moderne natie die hij voor ogen had, te voorzien van een hoofdstad die het begin van een nieuwe tijd zou markeren. Zijn visie, vastberadenheid en doorzettingsvermogen hebben ervoor gezorgd dat de stad er kwam. Hij vroeg Oscar Niemeyer, die naam had gemaakt met spraakmakende, modernistische bouwwerken in Belo Horizonte en Rio de Janeiro om de stad te ontwerpen. Maar Niemeyer stelde voor een prijsvraag uit te schrijven, die Lúcio Costa uiteindelijk won. De architect stelde een team van gelijkgestemde ontwerpers en kunstenaars samen en maakte van de nieuwe hoofdstad een levenswerk.

Museu de la República, gewichtloze architectuur

Als geen ander heeft hij met zijn plastische vormgeving de stad een geheel eigen identiteit gegeven. Als enige is Niemeyer er tot op het einde van zijn leven mee bezig. Door de tijd heen is hij zijn eigen vormentaal blijven spreken; gebouwen die hangen in de lucht of drijven op het water, meeslepende architectuur van beton, glas en staal. Recente werken zijn de gebouwen van het Hooggerechtshof en het Openbaar Ministerie. Dat laatste staat wat verborgen achter het gebouw van de Hoge Raad. Voor het eerst werkt Niemeyer met wanden van glas, maar de ronde vormen, gebogen lijnen en oplopende vlakken zijn heel herkenbaar.

van Shakespeare, die Kubitschek van de Britse koningin Elizabeth kreeg. Verder staan in de bibliotheek onder meer het beeld van Romulus en Remus in zilver en een portret van Kubitschek van de hand van de beroemde Braziliaanse schilder

Candido Portinari. In het mausoleum wordt op de sterfdag van Kubitschek een mis gevierd door familie en vrienden.

ℹ️ MEMORIAL JK. Geopend: di.-zo. 9-18 uur.

Aan de noordkant van het Memorial JK staan de gebouwen van de Braziliaanse landmacht. Deze **Quartel General do Exército** is eveneens een ontwerp van Niemeyer en landschapsarchitect Roberto Burle Marx. De laatste ontwierp het park met een centraal gelegen vijver met sculpturen in de vorm van kristallen, een verwijzing naar de edelstenen die in de omgeving gevonden worden. In het hoofdgebouw bevindt zich een door Burle Marx ontworpen wintertuin.

De hoofdingang van het complex wordt gemarkeerd door een schelpachtige vorm en een mast. Van een afstand lijkt het een handvat van een zwaard. De akoestiek in de schelp is fantastisch. Ernaast staat het auditorium in de vorm van een veldtent.

Helemaal aan de westkant van de stad aan de Eixo Monumental bevindt zich het interlokale bus- en treinstation: het *rodoferroviaria*. Hiervandaan vertrekken dagelijks tal van bussen naar alle windstreken in Brazilië.

Overige bezienswaardigheden

Buiten de Eixo Monumental bevinden zich nog enkele bezienswaardigheden.

Op de zuidvleugel van de stadsplattegrond, aan de Avenida w-3 Sul QD 702, staat het **Santuário São João Bosco**. Vanwege het violetblauwe schijnsel door de glazen wanden is deze kapel bekend als de 'blauwe kerk'. In de deuren zijn de visioenen van Dom Bosco weergegeven.

ℹ️ SANTUÁRIO SÃO JOÃO BOSCO. Geopend: ma.-za. 7-19 uur.

Iets verder, tussen de quadras 107 en 108, staat de **Igreja Nossa Senhora de Fatima**, ook de Igrejinha (kleine kerk) genoemd. Het kerkje in de vorm van een nonnenkap markeert het begin van de bouw van Brasília. Op 3 juni 1958 werd de Igrejinha ingewijd.

Een aardig museum is het **Museu de**

De waterbronnen en rivieren in de Jalapão zijn in trek bij bewoners en toeristen.

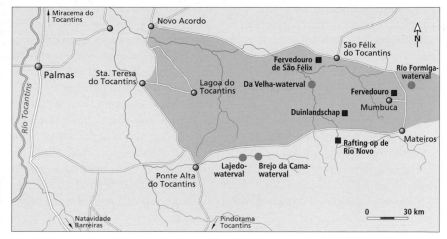

Jalapão

Valores, in het gebouw van de Banco Central. Behalve een verzameling van alle bankbiljetten en geldstukken in de wereld is de geschiedenis van het geld er afgebeeld. In een aparte, extreem goed beveiligde ruimte, liggen de grootste brokken goud die ooit in Brazilië gevonden zijn. De echte Braziliaanse goudvoorraad ligt, naar men zegt, zes verdiepingen onder de grond opgeslagen.

ⓘ MUSEU DE VALORES. Geopend: di.-vr. 10-17.30, za. 14-18 uur.

Voor een uitgebreide verhandeling over de geschiedenis en de werking van het Braziliaanse geldsysteem moet je zijn in het **Museu da Caixa Econômica Federal** (bij het gebouw van de Caixa Econômica Federal). Van oude bankbiljetten tot telmachines, veel van datgene wat een rol speelt in de monetaire wereld is hier tentoongesteld. Behalve een museum is er ook een uitgebreide bibliotheek.

ⓘ MUSEU DA CAIXA ECONÔMICA FEDERAL. Geopend: di.-vr. 9-19 uur.

Er zijn in Brasília ook nog musea over post en telegrafie, de pers, etnografie en wapens. Iets verder van het stadscentrum liggen de dierentuin en de botanische tuin.

Nationaal park Chapada dos Veadeiros

Een bijzonder natuurgebied, op 225 km van Brasília in de deelstaat Goiás, is Parque Nacional da Chapada dos Veadeiros. Dit is werkelijk een paradijs voor actieve reizigers. Je kunt er wandelen, klimmen, raften en mountainbiken in een ruig landschap van kloven en dalen, met ruisende beken, spectaculaire watervallen en verborgen meertjes. De natuur is ongerept en dat zal zo blijven. Dagelijks mogen er niet meer dan 450 bezoekers het gebied in. Van tevoren aanmelden bij de IBAMA dus.

De toegang tot het nationaal park is via Alto Paraíso de Goiás. De beste periode is van april tot september. Voor meer informatie: www.chapada.com.

De Jalapão, Tocantins

De uitgestrekte *cerrado* in noordoost-Brazilië is nergens zo afwisselend als in de Jalapão. Dit gebied, dat meerdere staten beslaat, ontleent z'n naam aan de karakteristieke struikvegetatie. Sinds 2001 zijn de grootste delen van de Jalapão in Tocantins tot beschermd gebied verklaard. Er mogen slechts op beperkte schaal agrarische activiteiten plaatsvinden, kappen en afbranden van de vegetatie is streng verboden en voor het toerisme gelden eveneens beperkende maatregelen.

Nog steeds is het aantrekkelijke van het gebied de overweldigende natuur en de enorme rust. Slechts de toegangswegen zijn geasfalteerd, daarna volgen alleen verharde en rulle zandwegen. Voor wie écht iets totaal anders wil doen, is dit het gebied om naartoe te gaan.

De fijne zandige ondergrond verraadt de maritieme oorsprong van het gebied. Zo'n 350 miljoen jaar geleden lag hier een binnenzee. Eenmaal opgedroogd deden erosie van wind en water hun werk, zodat er een wijds, grotendeels egaal landschap is ontstaan. Op een paar plekken gaf het gesteente minder snel toe aan de krachten van de elementen, waardoor er nu grillig gevormde bergen van zandsteen boven het landschap uitrijzen.

De *Jalapinha* is genoemd naar het gebied, de *Espírito Santo* naar de Heilige Geest, de *Serra do Gorgulha* naar de rode gloed die over de zandstenen formatie hangt. De meest bizarre vorm heeft de *Sacatrapo*, ('iemand die maf gekleed is', ook wel 'de idioot van de Serra'). Als een Maya-piramide markeert deze berg de grens van de Jalapão in Tocantins. Daarachter begint de staat Bahia.

Vegetatie

Karakteristiek voor de cerrado zijn de grillige struiken met dikke bladeren.

Watervallen in de Rio Novo, Jalapão

Verrassend zijn de gekleurde bloemen die de ruwe vegetatie sieren. Langs de weg staan struiken met felgele bloemen en rode bloemen. Heel herkenbaar is de *Flor-do-cerrado*, de bloem van de cerrado (*Calliandra dysantha*) met kleine rode bloemen. Meer verspreid staan de *bananeiros do campo* (*Salvertia convallarieodora*), vrij hoge bomen, die felgele en witte bloemen dragen van april tot juli; en de *mangabeira* (*Hancornia speciosa*), die witte bloemen dragen van augustus tot november als de regentijd begint. Dicht bij de grond vind je de *chuveirinho* (*Paepalanthus acanthophyllus*), nauwelijks 20–30 cm hoog, met kleine witte bloemen, die bloeien van februari tot april en van juni tot oktober. Je vindt ze vooral op de vochtigere plekken.

Soms wordt het landschap onderbroken door dichte plukken hogere vegetatie, waar de *buritis* met kop en schouder bovenuit steken. Deze palmensoort houdt van een vochtigere bodem en verraadt de aanwezigheid van water. Op deze plekken vind je ook een van de grootste attracties van de Jalapão: de *fervedouros*. Grondwater, dat zich in grote hoeveelheden in de diepe ondergrond van de cerrado bevindt, komt hier door een poreuze steenlaag naar boven. Het zijn poelen met wit zand en kristalhelder water, niet meer dan een meter diep, behalve in het centrum waar het water naar bovenkomt. Daar zak je weg tot je borst. De opwaartse druk van het water voorkomt dat je verder zakt. Het zweven in een zandige bodem is een ongekende sensatie.

Duinen en ruisend water

De tweede grote attractie zijn de duinen ten zuiden van het plaatsje Mateiros.

Een droomlandschap in de Jalapão

Verwering door zon, wind en water hebben aan de zuidzijde van de Serra do Espírito Santo gezorgd voor een wonderschoon duinlandschap van 12 km². De roestbruine zandduinen omgeven door ondiepe riviertjes, meertjes en omzoomd door palmen, bieden een exotisch plaatje dat je op weinig andere plaatsen in dit land tegenkomt. En verder is dit een geweldig gebied om te raften op onder meer de Rio Novo.

ℹ️ Je bereikt de Jalapão via Palmas, de hoofdstad van Tocantins. Trek voor een excursie door dit gebied minstens 4 dagen uit. De route door het gebied langs de voornaamste attracties beslaat zo'n 800 km, waarvan meer dan de helft over niet-geasfalteerde wegen. Novo Acordo, São Félix do Tocantins, Mateiros en Ponta Alta do Tocantins zijn de pleisterplaatsen met overnachtingsmogelijkheden. Voor meer informatie over de routes en wat mee te nemen: www.4elementos.tur.br of www.venturas.com.

CUIABÁ
Cuiabá is een moderne stad. De skyline met nogal wat hoogbouw in het centrum doet denken aan het profiel van Noord-Amerikaanse steden als Dallas.

De hoofdstad van Mato Grosso is de afgelopen decennia uitgegroeid tot het centrum voor handel, landbouw en industrie van West-Brazilië. De voornaamste bron van inkomsten is de veeteelt. Rondom Cuiabá liggen uitgestrekte *fazendas* waar rundvee wordt gehouden voor de vleesproductie.

Op 8 april 1719 is Cuiabá gesticht door slavenjagers die goud en diamanten in de omgeving ontdekten. Dat was de aanleiding tot een ware goudkoorts, waardoor de nederzetting zich uitbreidde.

In Cuiabá rest nog slechts een handvol bouwwerken uit de eerste bloeitijd van de stad. De Igreja Nossa Senhora do Rosário e Capela de São Benedito uit 1722 is de moeite van een bezoek waard. De straatjes in de buurt, de Rua de Baixo, Rua do Meio en Rua de Cima vormen samen het oude centrum. Bij de nieuwere Igreja do Bom Despacho (1918) aan het Praça do Seminário is een aardig museum over

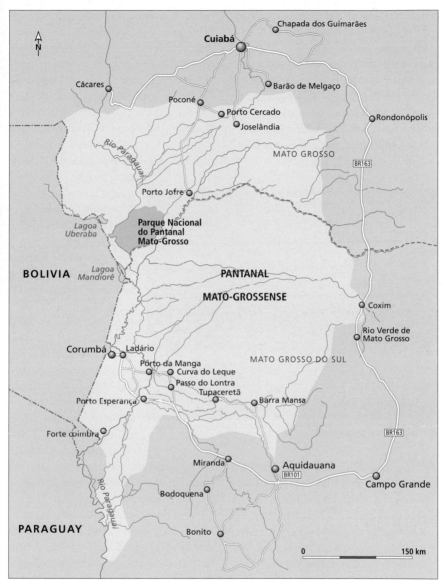

De Pantanal

religieuze kunst gevestigd: het Museu de Arte Sacra.

Het moderne hart van de stad wordt gevormd door het Praça da República met daaraan de kathedraal, de gouverneursresidentie, het Museu de História Natural e Antropologia en het Museu Histórico da Fundação Cultural da Mato Grosso.

Beide zijn interessant in verband met de kolonisatiegeschiedenis in West-Brazilië. Op het plein is tevens het hoofdkantoor van Turimat gevestigd, het toeristenbureau van de staat Mato Grosso.
Op het complex van de federale universiteit geeft het Museu Rondon do Índio een beeld van de cultuur van de Xingú-

indianen. Ook op het universiteitscomplex bevindt zich het Museu de Arte e Cultura Popular.

Bij Cuiabá liggen nog steeds productieve goud- en diamantmijnen, met name in het gebied van de Chapada dos Guimarães. In de loop van de vorige eeuw en vooral na het opengaan van het westen vanaf de jaren zestig van deze eeuw, zijn daar de houtproductie en veeteelt bijgekomen.

omgeving vormen een heerlijk wandelgebied; er zijn watervallen en grotten met primitieve muurschilderingen. Bij het bezoekerscentrum in het plaatsje Salgadeiro is informatie te krijgen en beginnen wandeltochten onder leiding van een gids. Vanaf de Avenida Marechal Rondon gaat een bus rechtstreeks naar de Chapada dos Guimarães. Voor meer informatie: www.chapadadosguimares. amm.org.br.

De Pantanal als vogelparadijs

DE PANTANAL: NATUURLIJK PARADIJS

De ecologische rijkdom van het Amazonegebied is niet te evenaren. De uitgestrektheid en diversiteit van flora en fauna zijn fantastisch. Maar wil je veel dieren in hun natuurlijke omgeving zien, dan is er maar één plek in Brazilië: de Pantanal.

Officieel is de naam Pantanal Mato-Grossense, naar de staten Mato Grosso en Mato Grosso do Sul, waar dit ongerepte en fascinerende natuurgebied deel van uitmaakt.

Het is een publiek geheim dat Cuiabá een knooppunt is in het netwerk van de cocaïnehandel uit de Andeslanden. Op 250 km bevindt zich de Boliviaanse grens. De cocaïne gaat over land naar de havens en vliegvelden in Zuidoost-Brazilië, om daar verstopt te worden in vrachttransport of bagage met bestemming de Verenigde Staten en West-Europa.

Voor toeristen is Cuiabá slechts van belang als beginpunt van een trip naar de noordelijke Pantanal of de Chapada dos Guimarães.

De **Chapada dos Guimarães** is een rotsachtige verheffing in het landschap, 67 km ten noordoosten van Cuiabá. Het hoogste punt ligt 800 m boven de zeespiegel. De koelte van de bergen en de groene

De Pantanal is een 100.000 km² grote alluviale vlakte, van 100 tot 200 m hoog die doorsneden wordt door zijrivieren van de Rio Paraguay. Aan de noord-, oost- en zuidkant wordt het plateau begrensd door bergruggen. In de regentijd komen grote delen van de Pantanal onder water te staan door het toevloeien van regenwater uit die hoger gelegen delen in de rivieren Aquidauana, Negro, Taquari, Piquiri, São Lourenco en Cuiabá. Typisch voor het gebied tussen de Rio Negro en de Rio Taquari zijn de ronde meren en dijkjes, de *baias*.

In de droge tijd zakt het water. Op sommige plaatsen blijven poelen staan. Op andere plaatsen loopt het water via kleine beken, *vazantes*, terug naar de rivieren. De begroeiing in de Pantanal wordt cerrado genoemd en lijkt erg op die van de savannen. Toch zijn er aanmerkelijke verschillen in de vegetatie. De altijd droge delen op de hogere oevers en verhogingen hebben veel struiken. De halfjaarlijks overstroomde gebieden hebben meer het karakter van een vochtige savanne. Op de altijd vochtige gebieden groeien veel soorten waterplanten met op de oevers en dijkjes de prachtigste waterhyacinten.

De Pantanal is niet uitsluitend een natuurgebied. Vooral in het zuidelijke deel liggen veel en grote veeboerderijen. Grote delen van de typische cerrado westwaarts van Campo Grande zijn verdwenen ten behoeve van de landbouw en veeteelt. In de natte tijd liggen de ranches erg geïsoleerd en zijn uitsluitend per boot of vliegtuig te bereiken. Telefoon is in dit gebied een unicum. In de droge tijd worden duizenden jonge ossen naar de omliggende steden gedreven. Vandaar worden ze naar de grote fazendas in het noordelijk deel van Mato Grosso of São Paulo gebracht om verder vet gemest te worden.

Onderzoek

Aan de afwisselend natte en drogere periode dankt de Pantanal zijn overvloedig en gevarieerd dierenleven. Het gebied is in Brazilië, ook bij de vogels, al langer bekend vanwege de visrijkdom. Vooral de zijarmen van de rivieren die het hele jaar water houden, zijn erg visrijk. Voor vogelliefhebbers is de Pantanal daarom een paradijs.

In de periode 1817–1835 bracht de Oostenrijker Johann Natterer een groot deel van de vogelsoorten al in kaart. Hij deed dat in opdracht van keizer Frans II. Die stuurde een onderzoeksploeg mee ter begeleiding van aartshertogin Leopoldine, die met kroonprins Pedro trouwde en naar Brazilië vertrok. Natterer trok met de hofjager Schörer door Mato Grosso, Goias en Amazonas. Van 1825–1829 verbleven de twee in het gebied ten zuiden van Cuiabá en in de omgeving van de stad Mato Grosso. De ontberingen die ze zich moesten getroosten in dit gebied moeten onbeschrijflijk zijn geweest. Schörer overleed er. Natterer doorstond de beproeving wel en keerde in 1835 in Wenen terug, waar hij tot zijn dood in 1843 werkte aan publicaties over zijn werk in Brazilië. Helaas zijn de originele documenten en de dagboeken bij de museumbrand in 1848 verloren gegaan. De balgverzameling (opgezette vogels) is bewaard gebleven en geldt nog altijd als het belangrijkste basiswerk voor de ornithologie van de Pantanal. In de jaren 1882–1886 bracht de Amerikaan Herbert Smith samen met zijn vrouw een tweede grote verzameling van 6000 balgen bij elkaar. Deze is in het bezit van het Amerikaanse Museum of Natural History.

Andere wetenschappelijke expedities naar de Pantanal vonden plaats in 1913 en 1914 onder leiding van de Amerikaanse kolonel Roosevelt en met overste Rondon. In 1931 maakte Oliveiro Pinto er een tocht naar toe; op basis van zijn bevindingen tijdens deze expeditie publiceerde hij zijn catalogus van Braziliaanse vogels. Ook dit geldt als een basiswerk over vogels in de Mato Grosso.

Dieren

Een indrukwekkende vogel in de Pantanal is de *tuiuiu* of *jabiru*. De tuiuiu, met zwarte kop en vuurrode hals, kan 1 tot 1,5 m hoog worden. Andere opmerkelijke vogels zijn onder andere de *magoari*, een van de talrijke reigersoorten die hier voorkomen, de zwarte *bigua* en de bruine

Een kaaiman in de Pantanal

bigua-tinga met grijswitte vleugels, de *cabeça seca* en de *colhereiro*, met de lichtroze vleugels en gele borst. Veel voorkomend zijn ook de *cardeal*, verschillende ara's, papegaaien en parkieten.

Het zijn maar een paar van de 600 vogelsoorten die in de Pantanal voorkomen. Verder horen kaaimannen zo'n beetje tot de vaste oeverbewoners. Je zult er meer tegenkomen dan je kunt tellen. Ook wordt regelmatig de aandacht van de bezoeker getrokken door een apenfamilie in een boom of een groep pekari's in het groen. De kans dat je in de Pantanal grote slangen tegenkomt, is vele malen groter dan in het Amazonegebied.

Sommige mensen gaan zo ver, dat ze de Pantanal het laatste ongerepte natuurgebied ter wereld noemen. Zeker is in ieder geval dat de fascinerende natuur de bezoeker hier nooit teleurstelt.

Zelfs een kort bezoek van een dag, alhoewel dat vanwege de bereikbaarheid eigenlijk gekkenwerk is, is voldoende om de meest voorkomende vogelsoorten en talrijke kaaimannen te zien.

CAMPO GRANDE

De vroegere pioniersnederzetting Campo Grande is van een pioniersnederzetting rond de eeuwwisseling uitgegroeid tot een stad met ruim een half miljoen inwoners. Het is de hoofdstad en het economisch centrum van Mato Grosso do Sul. De veeteelt is vanouds de voornaamste bron van inkomsten, alhoewel er de laatste jaren nogal wat industrie in Campo Grande is gekomen.

De enige interessante bezienswaardigheid is het **Museu Dom Bosco**, een museum aan de Rua Br. do Rio Branco 1843 met een grote collectie over indianenstammen uit deze regio. Verder heeft men daar een uitgebreide verzameling opgezette dieren en een tentoonstelling over de minerale rijkdom van dit deel van Brazilië.

ⓘ MUSEU DOM BOSCO. Geopend: di.-za. 8-18, zo. 8-12 uur.

PRAKTISCHE INFORMATIE

Algemeen

ADRESSEN EN TELEFOONNUMMERS

In Nederland

- Ambassade van Brazilië, Maurits-kade 19, 2514 HD Den Haag, tel. 070 3023959, fax 070 3023951, e-mail: brasemb@dataweb.nl, www.braziltra-denet.gov.br
- VARIG Brazilian Airlines vertegen-woordigd door Kales Airline Services B.V., Havenmeesterweg 313, 1118 CE Schiphol, tel. 020 4057777, fax 020 4057787, e-mail: varig.nl@kales.com, www.varig.nl
- KLM, Planetenweg 5, Hoofddorp, Postbus 7700, 1117 ZL Schiphol, tel. 020 4747747 (24 uur per dag), www.klm.nl
- TAM Brazilian Airlines, Havenmees-terweg 305, 1118 CE Schiphol, tel. 020 4069999, fax 020 4069998, e-mail: tam.amsterdam@tam.com.br, interna-tionale website www.tam.com.br
- TAP Air Portugal, Evert v.d. Beekstraat 25, 1118 CL Schiphol, tel. 020 3163979/3163980/3163970, e-mail: info@tap-airportugal.nl, www.flytap.com

In België

- Ambassade van Brazilië, Louisa-laan 350, 1050 Brussel, tel. 02 6261717/6402015
- VARIG Brazilian Airlines, Av. Des Arts/Kunstlaan 27, 1040 Brussel, tel. 02 5125007, www.varig.com.br
- KLM, Marnixlaan 28, 1050 Brussel, tel. 02 5077070 en 02 7207143
- TAM Brazilian Airlines, Louizalaan 386, 1050 Brussel, tel. 02 6487004, fax 02 6487321, www.tam.com.br
- TAP Air Portugal, Rue H. Henneau

144, Box 4, B 1930 Zaventem, tel. 02 7098400/02-7532630; call centre: 02-7203077; www.tap-airportugal.be

In Brazilië

- Nederlandse ambassade: SES, Ave-nida das Naçôes, QD 801, lote 5, Brasília, tel. 061 39613200, www.embaixada-holanda.org.br
- Belgische ambassade, SES, Avenida das Naçôes, lote 32, Brasília, tel. +55 61 34431133, www.diplomatie.be
- Consulaat-Generaal Nederland in Rio de Janeiro, Praia de Botafogo 242, 10° andar, tel. +55 21 21575400, fax +55 21 21575454, e-mail: rio@min-buza.nl
- Consulaat-Generaal Nederland in São Paulo, Avenida Brigadeiro Faria Lima 1779, 3° andar, tel. +55 11 3811 3300, fax +55 11 3814 0802, e-mail: sao@minbuza.nl
- Nederlandse consulaten zijn er in Belém, Belo Horizonte, Curitiba, For-taleza, Manaus, Porto Alegre, Recife, Salvador, Santos en Vitória (zie web-site ambassade in Brasília).
- Consulaat-Generaal België in Rio de Janeiro, Rua Lauro Müller, 116/3904, Torre do Rio Sul – Botafogo, tel. +55 21 25438878/8558, e-mail: riodejaneiro@diplobel.org
- Consulaat Generaal België in São Pau-lo, Avenida Paulista, 2073 Conjunto, Nacional - Ed. Horsa I, 13° andar, tel. +55 11 31711603/1599, e-mail: saopau-lo@diplobel.org
- KLM; voor informatie over vluchten, (wijzigen) boekingen, reserveringen, is er een centraal telefoonnummer (11) 3372 2800 of 0800 231818 (bui-ten São Paulo), fax: (11) 3372 2829, e-mail: reservations.brazil@klm.com. Bereikbaar op kantooruren ma.-vr.: 9-18 u. Zie ook de algemene website www.klm.com

- TAM Brazilian Airlines, informatie over vluchten, reisarrangementen: Groot São Paulo: (11) 3068 7939, Rio de Janeiro: (21) 3212 9400, andere plaatsen: 0800 55 52 00, www.tam. com.br
- VARIG Brazilian Airlines; heeft een uitgebreide website met adressen door het hele land: www.varig.com.br
- TAP, algemeen, tel. 0800 707 77 87; www.flytap.com.br

REIZEN NAAR BRAZILIË

Braziliaanse toeristenorganisaties

- Het Instituto Brasileiro do Turismo (www.embratur.gov.br) werkt voortdurend aan het verbeteren van de faciliteiten voor toerisme, ook buiten de bekende plaatsen en veelbetreden paden. Het netwerk van toeristenorganisaties wordt verbreed en verfijnd. Doel is om de potentiële bezoeker vooraf beter te informeren over de reis- en verblijfsmogelijkheden.
- De deelstaten en steden hebben hun eigen promotiebeleid voor toerisme. Zie ook het lijstje met regionale websites verderop.
- TAP Air Portugal timmert aan de weg met goedkope vliegtickets en reisarrangementen. Kijk op www.boektap.nl.

Nederlandse en Belgische touroperators

Vakantie in Brazilië komt door de voordelige vliegtickets van de laatste jaren en de nieuwe gebieden in het noordoosten zoals Bahia (Salvador), Ceará (Fortaleza), Pernambuco (Recife) en Rio Grande do Norte (Natal) – op 10 uur vliegen van Amsterdam en Parijs – binnen het bereik van steeds meer Nederlanders en Belgen. Slechts een klein deel van die reizigers gaat echter dieper het land in, naar de ontzagwekkende wateren en wouden van het Amazonegebied, naar het stedenbouwkundige meesterwerk Brasília, naar de natuurrijkdom van de Pantanal of het historisch en cultureel rijke zuiden van het land. Toch is het de moeite waard om de uitdaging aan te gaan en de enorme afstanden te overbruggen. Brazilië is een wereld op zich met een enorme diversiteit. Alles zien tijdens een reis is natuurlijk volstrekt onmogelijk. Waar ga je dan heen binnen de tijd die je ter beschikking hebt? Natuurlijk speelt het budget daarbij een rol, en verder eigen smaak en belangstelling.

In Nederland en België hebben verschillende touroperators zich de afgelopen jaren gespecialiseerd in reizen naar Brazilië. Hun arrangementen helpen je om een keuze te maken uit de vele mogelijkheden die Brazilië biedt. In onderstaand schema vind je een selectie van Braziliëspecialisten.

BRAZILIË OP INTERNET

Brazilië algemeen

www.embratur.gov.br: Braziliaans verkeersbureau, klik op 'Explore Brazil'
www.brazilie.pagina.nl: Nederlandstalige startpagina Brazilië
www.brazilie.start.be: Belgische startpagina Brazilië
www.brazil.start4all.com: Engelstalige startpagina Brazilië
www.brazilie.2link.be: Nederlandstalige startpagina voor België

De regio's
Amazone/Manaus/Belém

www.amazonia.com.br: Goede portaalsite (Portugees) voor het hele Amazonegebied
www.amazonia.org.br: Actuele site met veel praktische informatie, over ontbossing, inheemse volkeren, ecotoerisme

www.amazonastur-en.am.gov.br: Site (E) van toerismebureau van de deelstaat Amazonas
www.manausonline.com: Prima (P) infomatiebron over Manaus en omgeving
www.paratur.pa.gov.br: Officiële site (P) van het toerismebureau van de deelstaat Pará (Belém)

Bahia/Salvador
www.bahia.com.br: Uitgebreide website in het Portugees en Engels
www.emtursa.ba.gov.br: Uitstekende website over toerisme in/rond Salvador (ook Engelstalig)
www.salvador.start4all.com: Engelstalige startpagina Salvador da Bahía

Brasília
www.setur.df.gov.br: Officiële website voor het federaal district met toerisme
www.brasiliaconvention.com.br: Toeristische informatie (P/E), cultuur in Brasília

Minas Gerais/Belo Horizonte
www.belohorizonte.mg.gov.br: Officiële website (P/E) van de stad en omgeving
www.descubraminas.com.br: Uitgebreide portaal (P/E) voor (eco)toerisme
www.mg.gov.br: Officiële website van de deelstaat Minas Gerais

Noordoosten/Recife, Natal, Fortaleza
www.empetur.com.br: Goede website over Pernambuco (Recife, Olinda, Porto de Galinhas)
www.setur.rn.gov.br: Toeristische informatie (P/E) over Rio Grande de Norte (onder meer Natal)
www.turismo.ce.gov.br: Uitgebreide website (P/E) over Ceará (Fortaleza, Canoa Quebrada en Jericoacoara) met veel praktische informatie

Rio de Janeiro
www.riodejaneiro-turismo.com.br: Prima website (P/E) van Riotur, de toerismeorganisatie van de staat Rio de Janeiro (accommodatie, uitgaan, cultuur, festiviteiten)

São Paulo
www.turismopaulista.sp.gov.br: Nieuwe officiële website voor de stad en de omgeving
www.saopaulo.sp.gov.br: Officiële website (P/E) van de deelstaat São Paulo

Westen/Pantanal
www.mt.gov.br: Officiële site (P) van de deelstaat Mato Grosso met veel praktische informatie
www.turismo.ms.gov.br: Website van de deelstaat Mato Grosso do Sul (Campo Grande)
www.pantanalms.tur.br: Mooie website over specifiek de Pantanal

Zuiden/Curitiba
www.pr.gov.br: Officiële site (P) van de deelstaat Paraná
www.viaje.curitiba.pr.gov.br: Website (P) van de stad, zeer uitgebreid over stedelijke ontwikkeling en milieu, maar ook over cultuur (musea, activiteiten, excursies)
www.santur.sc.gov.br: Website (P/E/D) over Santa Catarina (Florianópolis, Ilha de Santa Catarina)
www.turismo.rs.gov.br: Website (P/E) voor deelstaat Rio Grande do Sul (Porto Alegre, pampas)
www.pampasonline.com.br: Specifieke site (P/E) voor de pampas en de missieposten

REISPERIODE

De Braziliaanse zomer (december-februari) is het hoogseizoen voor het toerisme. De Brazilianen zelf hebben in december en januari hun grote vakantie. Het is de beste periode om van het strandleven te genieten en om bijvoorbeeld naar Rio te gaan. De leukste tijd is rond de feestdagen in december – Oud en Nieuw op de Copacabana is een onvergetelijke ervaring – en natuurlijk met carnaval (Rio, Salvador, Recife, Olinda). Je moet wel tegen de hitte overdag en tegen de drukte kunnen.

Minder druk, en nog altijd lekker warm (gemiddeld boven 30 °C langs de kust) zijn de lente- (oktober–november) en herfstmaanden (maart–april) langs de kust. Meestal zijn de prijzen van de hotels dan ook lager.

In de winter (mei–september) is de noordelijke kust (Salvador tot Fortaleza) erg in trek. Dit is ook de beste reisperiode voor het Amazonegebied en de Pantanal, want dat is het droge seizoen.

REISDOCUMENTEN/DOUANE

Toeristen met de Nederlandse en Belgische nationaliteit hebben een geldig paspoort nodig, dat bij aankomst nog minstens drie maanden geldig is. Bij aankomst wordt een inreiskaart uitgereikt, die volledig ingevuld bij de douane moet worden afgegeven. De gestempelde kopie moet goed worden bewaard voor de terugreis. Toeristen krijgen standaard permissie om drie maanden te blijven. Wie langer wil blijven kan bij de toeristenpolitie nog eens een verlenging van drie maanden aanvragen. Reizigers die in Brazilië gaan werken, dienen bij de Braziliaanse ambassade een werkvisum aan te vragen.

VACCINATIES

Inentingen zijn voor Brazilië niet meer verplicht. Toch verdient het aanbeveling om je te laten inenten tegen DTP. Na de basisserie op jonge leeftijd krijg je een booster, die 10 jaar geldig is. Voor reizigers die het Amazonegebied, het grootste gedeelte van het binnenland, en de Pantanal bezoeken worden voorzorgen tegen gele koorts en malaria aangeraden. Vaccinatie tegen gele koorts biedt volledige bescherming gedurende tien jaar.

Wat betreft malaria zijn preventieve medicijnen op de markt, die op recept van de gezondheidsdienst of de huisarts zijn te krijgen. Paludrine, Nivaquine, Lariam en Malarone zijn het meest gangbaar. Hepatitis A en B zijn virusinfecties van de lever, waarvan je langdurig ziek kunt worden. Hepatitis A kun je oplopen in gebieden waar de hygiëne en sanitaire voorzieningen te wensen over laten. Hepatitus B kun je krijgen via besmet bloed en bloedproducten en lichaamsvochten (sperma en vaginaal vocht). Tegen beide kun je je beschermen door risicovol gedrag te mijden, door hygiënische maatregelen te nemen en middels vaccinatie. Blijf je langer dan drie maanden, dan verdient het aanbeveling je tegen tyfus te laten vaccineren.

In Brazilië loop je verhoogd risico op dengue en rabies. Bescherm je dus te allen tijde tegen muggen en vermijd contact met honden.

Ga in ieder geval geruime tijd, minimaal twee maanden, voor vertrek langs bij de plaatselijke gezondheidsdienst of huisarts voor nadere informatie en adviezen.

Zeer informatief is de website van het Landelijk Coördinatiecentrum Reizigersadvisering: www.lcr.nl.

Daarnaast zijn er dagelijks voorzorgen die je zelf moet nemen, zoals het dragen van kleding met lange mouwen en broekspijpen tijdens de avonduren, eventueel gebruik van antimuggenpreparaat en het slapen in een gescreende ruimte (zie eveneens bij 'Gezondheid').

Let altijd op de kwaliteit van het drinkwater: koop bij voorkeur water uit flessen of kook het leidingwater eerst.

VLIEGREIZEN

Maatschappijen. Vanuit Europa vliegt een tiental vliegmaatschappijen op Brazilië. Vanaf Schiphol (Amsterdam) zijn er dagelijkse directe vliegverbindingen met KLM/Air France naar São Paulo en Rio de Janeiro. Arke Fly vliegt op Natal.

TAM Brazilian Airlines vliegt dagelijks 's nachts vanuit Parijs naar São Paulo. KLM/Air France biedt een goede aansluiting op de TAM-vluchten vanuit Parijs. VARIG vliegt meerdere keren per week vanaf Parijs en Frankfurt naar São Paulo en Rio de Janeiro.

TAP vliegt dagelijks naar São Paulo, Rio de Janeiro, Salvador, Recife, Natal en Fortaleza via Lissabon. Lufthansa vliegt dagelijks op São Paulo en Rio de Janeiro via Frankfurt. Iberia vliegt dagelijks op São Paulo, vier keer per week naar Rio de Janeiro, via Madrid.

Prijzen. VARIG Brazilian Airlines, Viação Aérea Rio-Grandense, is in 1927 door een Duitse immigrant opgericht. Het is een van de oudste luchtvaartmaatschappijen in de wereld en de grootste in Latijns-Amerika. Na de crisis van de afgelopen jaren, het faillissement en de opsplitsing, is het netwerk sterk ingekrompen.

TAM Brazilian Airlines vliegt sinds 2000 tussen Brazilië en Europa, maar is binnen Brazilië sinds 1962 een begrip. TAM is de snelstgroeiende luchtvaartmaatschappij van Zuid-Amerika en heeft het netwerk in en buiten Brazilië zeer snel uitgebreid.

TAP Air Portugal is over het algemeen het scherpst geprijsd en vliegt ook dagelijks naar het noordoosten van Brazilië. TAP heeft sinds 2000 het aantal vluchten naar Brazilië opgevoerd. TAP is de enige maatschappij die dagelijks vanuit Europa naar Salvador, Recife, Natal en Fortaleza vliegt.

TAM en VARIG hebben nachtvluchten. Dat heeft het voordeel dat je meteen bij aankomst een volle dag voor je hebt. KLM en TAP vliegen overdag. De aankomst is 's avonds.

De website van Brazil Tours, www.brazil-tours.nl, geeft een helder en up-to-date overzicht van de vluchtschema's.

REIZEN IN BRAZILIË

Met het vliegtuig

Georganiseerde rondreizen in Brazilië gaan meestal per vliegtuig. Gezien de grote afstanden is dit de snelste manier van transport. Ook voor individuele reizigers is dit de beste manier om in korte tijd veel van het land te zien.

TAM Brazilian Airlines, GOL en VARIG Brazilian Airlines verzorgen het merendeel van de binnenlandse vluchten. Alle grote steden worden bediend met dagelijkse vluchten. Tussen de grote steden in het zuidoosten van Brazilië zijn dagelijks meerdere luchttaxiverbindingen. De bekendste is de aerotaxi Rio-São Paulo met iedere twintig minuten een vlucht. De tarieven voor binnenlandse vluchten lopen niet ver uiteen. Avond- en nachtvluchten zijn vaak goedkoper.

Vliegtickets zijn te koop bij kantoren van de luchtvaartmaatschappijen in de stad en op het vliegveld, en bij alle reisbureaus in het land.

TAM Brazilian Airlines, GOL, VARIG Brazilian Airlines bieden een airpass aan voor binnenlandse vluchten tegen voordelige tarieven.

De kosten van de Brazil Airpass van TAM en VARIG zijn als volgt (gekoppeld aan trans-Atlantische TAM/VARIG-vlucht en die van andere maatschappijen):

1-4 stedencoupons	479/560 US $
5 stedencoupons	599/672 US $
6 stedencoupons	719/792 US $
7 stedencoupons	839/912 US $
8 stedencoupons	959/1032 US $
9 stedencoupons	1079/1152 US $

Kinderen betalen 100% en baby's (0-2 jaar) 10%.

Voor een periode van 21 dagen kan de Brazil Airpass gebruikt worden ingaande op de dag van de eerste vlucht. Er mogen maximaal 2 overstappen worden gemaakt in Rio/São Paulo/Manaus/ Recife/Salvador/Brasília/Fortaleza, mits de overstaptijd niet langer dan 4 uur is. Een traject mag niet meer dan 1 keer in dezelfde richting worden gevlogen. De Brazil Airpass kan niet in Brazilië gekocht worden. Indien de airpass in een van de andere landen van Latijns-Amerika wordt gekocht, dan moet de reis in Rio of São Paulo beginnen.

Leg de vluchten ruim van tevoren vast, want zeker in de vakantiemaanden (half december-eind februari) zitten de vliegtuigen in Brazilië vol.

Met de bus

Een goed en goedkoop alternatief voor het vliegtuig is de autobus. De bus is in Brazilië het nationale vervoermiddel. De stations van de grote steden doen ons nog het meest denken aan grote treinstations. Bussen naar alle delen van het land, en de grote steden in de buurlanden, rijden af en aan.

Doorgaans is het busstation, Estação Rodoviária, te vinden aan de grote uitvalswegen van de stad. Op borden staat de richting aangegeven.

Gezien de lange afstanden, moet je voor het reizen met de bus wel enige tijd uittrekken. Zo duurt de reis van Rio naar Belém ongeveer 52 uur. Onderweg wordt verschillende keren gestopt om te eten en de benen te strekken.

Er zijn verschillende categorieën bussen. Bussen voor de kortere afstanden in de deelstaat zijn ouder en eenvoudiger dan die voor de lange afstand. De laatste hebben betere stoelen en een toilet aan

boord. Je kunt ook nog kiezen uit de gewone bus en de comfortabele bus voor lange ritten.

Nachtritten zijn voor reizigers met een beperkt budget extra interessant, omdat je zo een of meerdere overnachtingen in een hotel kunt uitsparen.

Op het busstation heeft ieder traject zijn eigen loket. Daar staan de vertrektijden en de soorten bussen aangegeven. Het verdient aanbeveling om voortijdig te informeren en te reserveren.

Met de trein

Aangezien Brazilië in de jaren vijftig van de vorige eeuw voor de auto heeft gekozen, is de trein uitsluitend een alternatief voor een handvol bezienswaardige trajecten. Zo is er het historische spoor dat zich door het kustgebergte van Paraná slingert (Curitiba-Paranaguá). In de staat São Paulo kun je met de trein naar het bergplaatsje Paranapiacaba. En ook in andere regio's zijn kleine toeristische treinverbindingen. Ze zijn aan seizoenen gebonden. Het is daarom verstandig om in de betreffende plaatsen vroegtijdig te informeren naar de vertrektijden.

Met eigen vervoer
De auto

In het zuidoosten en zuiden van Brazilië, en tegenwoordig ook langs de kust in het noordoosten, is goed met een eigen of een huurauto te reizen. De wegen zijn hier over het algemeen behoorlijk onderhouden. Het aardigst zijn de kustwegen en de binnenwegen. Soms kun je de snelwegen niet vermijden. Kijk dan bijzonder goed uit! Met uitzondering van enkele stukken weg in het zuidoosten en rond de grote steden zijn alle snelwegen tweebaans. Het is altijd druk met vrachtwagen- en busverkeer, en vaak ontstaan er bij het inhalen levensgevaarlijke situaties. Om deze reden moet het rijden in de avond en nacht sterk worden afgeraden, tenzij je rijdt met iemand die goed bekend is met de weg en het verkeer. Dieper in het binnenland is rijden met de auto helemaal op eigen risico. De wegen zijn er slecht, het verkeer gevaarlijk en de afstanden immens. Sommige autoverhuurbedrijven verbinden aparte voorwaarden aan het contract als je het binnenland ingaat.

De internationale verhuurbedrijven als Avis, Hertz, Budget en National zijn in alle grote steden vertegenwoordigd. Braziliaanse autoverhuurbedrijven met gunstige prijzen en voorwaarden zijn Unidas en Localiza. Bij sommige bedrijven is het mogelijk de auto in de ene stad op te halen en in de andere af te leveren.

Speciaal voor zelfstandige reizigers met de auto is indertijd de *Guia Quatro Rodas* geschreven. Het is de Braziliaanse Michelin-gids geworden, met behalve een grote kaart van het land en de hoofdwegen, informatie over hotels, restaurants, de belangrijkste bezienswaardigheden en adressen/telefoonnummers. Jaarlijks worden de gegevens bijgewerkt. Hotels en restaurants worden onderverdeeld in categorieën en krijgen sterren.
De Guia Quatro Rodas, te koop bij de krantenkiosken, is voor alle zelfstandige reizigers in Brazilië een onmisbare bron van informatie.

Fietsen

In de steden van het zuiden en zuidoosten komt het fietsen steeds meer in. Curitiba en Rio hebben zelfs al de eerste fietspaden gekregen. Toch is fietsen in de grote steden met uitzondering van Curitiba geen pretje. Langs de Costa Verde (Groene Kust) tussen Rio en São Paulo, in de bergen en de meeste natuurparken van het zuiden, zuidoosten en centrale deel van het land is het wel mooi en prettig om te fietsen. Er zijn reisorganisaties die in dit gebied fietsvakanties organiseren.

Vervoer in de stad

Metro

São Paulo en Rio de Janeiro hebben een metro. Weliswaar worden lang niet alle delen van de stad bereikt, maar voor een bezoek aan het centrum en de belangrijkste wijken daaromheen is de metro goed geschikt. Het vervoer is snel en relatief goedkoop, terwijl de wagons koel zijn als het buiten verstikkend heet is. Kaartjes voor één of meer ritten zijn te krijgen op de metrostations. Let wel op dat je met gepast geld moet betalen.

Stadsbus

De stadsbussen voorzien in het overgrote deel van het openbaar vervoer in de Braziliaanse steden. Het netwerk is zeer uitgebreid en sluit goed aan op de vervoersknooppunten (metro- en treinstations, interlokale busstations, vliegvelden). De bestemming en wijken waar de bus langs komt, staan voorop aangegeven. Soms zijn er speciale, duurdere, bussen voor bepaalde trajecten, zoals langs de stranden van Zuid-Rio.
Ook hier geldt: zoveel mogelijk gepast betalen.
Vanwege de drukte – vooral tijdens de spits staan de mensen dicht op elkaar gepakt – is de bus een favoriete plek voor zakkenrollers om hun slag te slaan. Het kan helemaal geen kwaad om de bus te pakken. Maar wees er wel op voorbereid. Neem weinig geld en waardevolle spullen mee, en houd je hand stevig op de tas en het fototoestel.
Naar en van het vliegveld rijden speciale bussen, waarvoor je op het vliegveld al een kaartje kunt kopen. Ze komen door de hotelwijken en het stadscentrum. Bekijk van tevoren goed waar je het beste

kunt opstappen en wat de vertrektijden zijn.

Taxi

Het meest flexibel ben je met de taxi. Overbodig te zeggen dat dit ook de duurste wijze van vervoer is, zeker als de chauffeur de meter niet aanzet en je van tevoren geen goede afspraken maakt. De chauffeur is verplicht de meter aan te zetten. De hele week geldt tarief 1. Alleen vanaf 23 uur, op zondag en op feestdagen mag hij tarief 2 vragen.

Er is een regelmatig bijgestelde lijst waarop aangegeven is welke prijs bij welke afstand hoort.

Als de taxichauffeur zich aan alle afspraken houdt en niet te ver omrijdt, kan de taxi een gezellige manier zijn om door de stad te reizen. Je ziet veel, ervaart het hectische stadsverkeer aan den lijve en kan nog een praatje maken ook.

Houd er rekening mee dat de radiotaxi (die je laat oproepen) en de speciale taxi naar het vliegveld duurder zijn. Vraag vooraf altijd naar de prijs.

ACCOMMODATIE

Hotels

In Brazilië zijn makkelijk hotels naar ieders wens en portemonnee te vinden, zelfs bij de grootste toeristische attracties. In de grote steden zijn de hotels meestal geconcentreerd in het centrum en een of enkele wijken daar omheen. De kustplaatsen hebben hotelgebieden langs de bekende boulevards. De tophotels met 4 en 5 sterren staan op prominente plaatsen langs de boulevard, op het grote plein (*praça*) en aan de avenidas. Meestal zijn in de straatjes daarachter al veel goedkopere en toch behoorlijke hotels te vinden.

Zeer karakteristiek voor bepaalde gebieden zijn de sfeervolle pousadas. Meestal zijn ze in oude, stijlvolle gebouwen gevestigd, met de kamers aan een patio of tuin. Ook de pousadas zijn er in allerlei prijsklassen.

Vermijd de hotels en pensions waar je een kamer per uur kunt huren. De klandizie komt hier niet om te slapen en wisselt zo sterk, dat het erg onrustig en onveilig kan zijn. Hetzelfde geldt voor motels. Dit zijn in Brazilië bij uitstek de plaatsen waar geliefden naar toe gaan voor een kort verblijf. Soms zijn het verkapte bordelen.

Prijsklassen

Er worden in deze gids drie prijsklassen gehanteerd, altijd voor een standaard tweepersoonskamer:

TOPKLASSE: luxe hotels of pousadas (4 à 5 sterren), meer dan 100 euro per kamer per nacht;

MIDDENKLASSE: comfortabele hotels of pousadas (3 sterren), tussen 40 en 80 euro per kamer per nacht.

BUDGET: eenvoudige hotels (2 sterren), minder dan 30 euro.

In deze gids is slechts een kleine greep uit de talrijke overnachtingsmogelijkheden in hotels gegeven. Het loont de moeite om van tevoren even op de kaart van het betreffende gebied te kijken en te bepalen waar je het liefst wilt zitten. Als je van tevoren weet naar welk hotel je wilt gaan, is het aan te raden te bespreken. Zeker in het zomerseizoen is het langs de kust erg druk en ook tijdens het carnaval en lokale feesten zijn de hotels propvol en veel duurder dan normaal.

Campings

Het is tegenwoordig mogelijk door Brazilië te reizen en steeds op campings te overnachten. Vooral in de kustgebieden zijn de laatste jaren goede en moderne

kampeervoorzieningen gekomen. In deze gids is aangegeven waar campings aanwezig zijn. Het beste is om bij het toeristenbureau ter plaatse te informeren wat de mogelijkheden precies zijn. Je kunt ook van tevoren contact opnemen met de Camping Clube do Brasil, www.campingclube.com.br.
In de *Guia Quatro Rodas* zijn alle campings te vinden. Nog uitgebreider is de speciale gids voor de kust en de stranden van deze uitgever (Editora Abril, São Paulo).

DIVERSEN

Actieve en creatieve vakanties
Trektochten, bergbeklimmen
Nog niet zo bekend in het buitenland, maar steeds populairder bij de Brazilianen is het wandelen en klimmen in de bijzondere omgeving van de nationale parken. Het *Centro Excursionista Brasileiro* (CEB) in Rio de Janeiro heeft een uitgebreide website, www.ceb.org.br, met verwijzingen naar alle nationale parken, organisaties voor klimmen en trekking in de deelstaten en naar gespecialiseerde tijdschriften (helaas zijn de meeste nog uitsluitend in het Portugees).
Dit is de manier om contact te leggen met de plaatselijke verenigingen voor adventure toerisme en afspraken te maken voor deelname aan excursies en workshops.
Een andere ingang (ook Engelstalig) is www.mountainvoices.com.br, de website van Mountainvoices: met onder meer reportages over trektochten in de deelstaten Rio de Janeiro, Parana, Espírito, São Paulo, Santa Catarina en Bahia. Via hun e-mail krijg je meer informatie.

Sambascholen
Wat is er mooier dan een reis in Brazilië te combineren met het beter leren kennen van de Braziliaanse cultuur. Een aantal sambascholen in Rio en Salvador geeft het hele jaar door cursussen aan liefhebbers van de ritmes van de *batería*. De mogelijkheden lopen uiteen van simpele meerdaagse percussielessen tot langere lesprogramma's.
Op de startpagina www.brazilie.pagina.nl vind je onder Carnaval&Samba de websites van de grote sambascholen in Rio en Salvador. Kijk vooral op de website Unidos do Mundo: www.unidosdomundo.com of op www.liesa.globo.com, de site van de gezamenlijke sambascholen in Rio.
In de maanden voorafgaand, tijdens en na het carnaval kun je deelnemen aan percussielessen, danscursussen en andere workshops. Je kunt voor een paar honderd dollar zelfs meelopen in de grote parade in het Sambódromo van Rio. Wie niet wil wachten, kan ook in eigen land aan de slag bij een van de vele sambascholen (zie Startpagina).

Zouk
De nieuwe rage in Brazilië én de Lage Landen is zouk, afkomstig van Kaap Verdië. São Paulo is dé plek om zouk te dansen. Een goede website is www.confrariodozouk.com.br.
In Nederland zijn gespecialiseerde scholen te vinden via www.zouklovers.nl en www.brasazouk.com.

Capoeira
Zowel binnen als buiten Brazilië neemt de populariteit van capoeira toe. In Nederland en België zijn diverse mogelijkheden om cursussen en workshops te volgen.
Capoeira Brazil Mestre Paulão. Deze groep is in 1989 opgericht in Brazilië door Mestre Paulão, Mestre Paulinho Sabia en Mestre Boneca. Inmiddels kent deze groep vestigingen in heel Brazilië, zoals Rio de Janeiro, Sao Paulo, Recife,

Fortaleza; maar ook in Nederland (diverse steden). Voor informatie: www.gowiththeflow.nl.
Capoeiraschool *Senzala* organiseert lessen in Leiden en Amsterdam. Informatie op: www.senzala.nl.
Aldeia Capoeira is actief in en rond Rotterdam: www.capoeira.nl.
En verder: www.capoeuropa.com, een bekende capoeirasite. Veel informatie over evenementen, muziek, scholen, en vele andere zaken. Zeker de moeite waard. www.agogo.nl is de website van het enige Nederlandse capoeirablad. *Agogô* is onafhankelijk van de verschillende Nederlandse groepen, en informeert over capoeira-evenementen en ontwikkelingen in heel Nederland.

Afstanden

Brazilië is een immens land. De afstanden tussen de grotere steden bedragen honderden, soms zelfs duizenden kilometers. Hier volgt een lijstje van de afstanden (in km) over de weg tussen de belangrijkste steden (vanaf het centrum van de stad berekend).

Zuidoosten

Rio-Belo Horizonte	434
Belo Horizonte-Brasília	716
Rio-São Paulo	429
Rio-Santos (kustweg)	554
São Paulo-Curitiba	408
São Paulo-Campo Grande	1014
São Paulo-Cuiabá	1614
Rio-Salvador	1649

Zuiden

Curitiba-Foz do Iguaçu	637
Curitiba-Florianópolis	300
Florianópolis-Porto Alegre	476
Porto Alegre-Uruguiana (grens met Uruguay)	634
Porto Alegre-Buenos Aires (Argentinië)	1063

Westen

Brasília-Goiânia	209
Brasília-Cuiabá	1133
Campo Grande-Cuiabá	694
Cuiabá-Porto Velho	1456
Porto Velho-Rio Branco	544
Brasília-Belém	2120
Brasília-São Luís	2157

Noordoosten

Salvador-Maceió	632
Salvador-Recife	839
Salvador-Fortaleza	1389
Salvador-São Luís	1599
Salvador-Belém	2100
Recife-Natal	297
Recife-Fortaleza	800

Bank- en geldzaken

De Braziliaanse munteenheid is de *real* (meervoud: *reais*). Najaar 2007 bedroeg de koers 1 real = ca. 0,38 euro oftewel 1 euro = ca. 2,26 real. Tot op heden is de inflatie aardig beteugeld, maar de stabiliteit van de Braziliaanse economie en de real kan van de ene op de andere dag minder zijn.
Tegenwoordig kun je met je bankpas vrijwel in alle Braziliaanse steden pinnen. Alleen in de kleinste plaatsjes is dat een probleem. Daarom is het veiliger om wat cash dollars mee te nemen.
Houd bij het betalen van de hotel- of restaurantrekening goed in de gaten welke koers er wordt aangehouden.
Creditcards worden in de betere hotels, restaurants en winkels geaccepteerd. Sinds de real stabieler is geworden, is het makkelijker om met creditcards te betalen. Toch verdient het, vanwege de onzekere economische situatie, aanbeveling om altijd wat cheques mee te nemen.
Openingstijden banken: ma.-vr. 10-16.30 uur.
Openingstijden *casas de câmbio*: 9-17.30 uur.

Elektriciteit

De voltages in Brazilië lopen nogal uiteen. In de grote steden in het zuidoosten is de netspanning meestal 110 volt. In het noordoosten en noorden kan in sommige steden ook 220 volt voorkomen. Daarom is het handig om, als je elektrische apparatuur bij je hebt, deze te voorzien van een adapter.

Feestdagen

De grote feestdagen in Brazilië zijn:

Nieuwjaar: 1 januari
Festa do Bonfim: 3de zondag in januari (vooral in Salvador en het noordoosten)
Iemanjá: 2 februari (Salvador en het noordoosten)
Carnaval: 4 dagen voorafgaand aan Aswoensdag
Pasen (*Semana Santa*): maart/april (inclusief Goede Vrijdag)
Tiradentes: 21 april
Dag van de Arbeid: 1 mei
Pinksteren: mei/juni
Boi-bumbá: 2de helft juni (vooral in Amazonegebied)
Festas Juninas: juni/juli
Dia da Independência: 7 september
Oktoberfest: oktober (vooral in het zuiden)
Nossa Senhora de Aparecida: 12 oktober
Allerheiligen: 2 november
Proclamatie van de Republiek: 15 november
Kerstmis: 25 december

Fotograferen

Fotograferen en filmen is in Brazilië overal toegestaan, behalve bij objecten of onderwerpen van militaire aard. Vraag in musea van tevoren toestemming. Datzelfde geldt vanzelfsprekend als je de Brazilianen zelf op de foto wilt zetten. Houd rekening met het felle zonlicht. De beste foto's buiten maak je 's ochtends vroeg en in de namiddag.

Gezondheid

Zelfs al ben je ingeënt tegen gele koorts, tyfus, DTP en zelfs cholera, dan blijf je in een land als Brazilië toch de kans lopen vervelende ziektes te krijgen vanwege het totaal andere klimaat, de sanitaire voorzieningen en het eten.

Diarree

De meest voorkomende kwaal waar buitenlanders mee worden geconfronteerd, is diarree. Vooral niet goed schoon gemaakte groente, fruit of vlees en besmet water zijn de grote boosdoeners. Sterk gekruide gerechten zullen bij de een sneller dan bij de ander hun sporen nalaten, en ook de hogere temperaturen met felle zon kunnen bijdragen aan de tijdelijke malaise. De belangrijkste raad is daarom: neem de tijd om te acclimatiseren en vermijd onbetrouwbaar eten en drinken.

Water drinken uit de kraan moet te allen tijde worden afgeraden. Sommige hotels, meestal de duurdere, hebben speciaal behandeld en gefilterd water uit een aparte kraan. Wil je elk risico uitsluiten, drink dan uitsluitend mineraalwater uit flessen.

Op het terras zijn mineraalwater, andere frisdranken en bier uit flesjes de beste garantie tegen de gevreesde buikloop. Behalve als het lot al heeft toegeslagen; drink dan geen bier, koolzuurhoudende drank en koffie, totdat de diarree voorbij is. Om het vochtverlies aan te vullen kun je het beste mineraalwater zonder prik (*agua minera sem gás*), of slappe thee (goed gekookt water) drinken en geen vet eten. Een droge boterham doet vaak wonderen om de honger te stillen.

Soms wordt aanbevolen om voor langdurige diarree zoutoplossingen (ORS) mee te nemen. Dat kan geen kwaad, maar op het moment dat inname daarvan echt nodig is, ben je allang bij een dokter geweest. Want als regel kun je het volgende hanteren: als de diarree langer dan twee dagen in volle hevigheid aanhoudt, moet je direct een dokter raadplegen.

Wel handig is het om enkele strips Imodium mee te nemen. Gebruik deze alleen in hoge nood, want het is een zwaar medicijn, die de natuurlijke afbraak van de bacteriën in het lichaam tenietdoet.

Muggen

De kleinste en meest venijnige bandieten in tropische gebieden zijn de muggen. Vooral in gebieden met veel groen en stilstaand water houden ze zich schuil om vervolgens 's avonds hun slag te slaan. Kijk in de hotelkamer of er voor de ramen muskietengaas is aangebracht. Is dat niet het geval, dan kan een klamboe afdoende bescherming bieden. Vraag ernaar in het hotel. Meestal wordt er in de hotels in het Amazonegebied en de Pantanal 's avonds speciaal muskieten- 'coal' verbrand.

Om alle narigheid te voorkomen, zou je insectenwerend middel mee kunnen nemen om op armen en gelaat te smeren. Draag 's avonds, en vooral bij de schemering, lange mouwen en een lange broek. Mocht je toch last krijgen van muggenbeten en jeuk, dan zijn er tal van middeltjes die daar tegen helpen.

Seks

Brazilië is een van de landen in Latijns-Amerika, waar aids zich snel verspreidt, juist in gebieden waar veel toeristen komen. Onbeschermde seks met onbekende partners is de goden verzoeken. Condooms worden in Brazilië *camisinhas* genoemd; ze zijn bij de *drogaria* (drogist) en *farmácia* (apotheek) te krijgen.

Zon

Zonnebaden in Brazilië is niet zonder risico's. Ga af op je eigen ervaringen weest met het zonnen in de zomer, en houd er rekening mee dat de kracht van de zonnestraling hier sterker is. Vooral in de zomerperiode moet het zonnen tussen 12 en 15 uur worden afgeraden. Ga dan, net als de Brazilianen, alleen naar het strand met een parasol of ga eten en wat rusten.

Gebruik altijd zonnebrandolie en wees vooral de eerste dagen niet overmoedig. Zorg bij lange wandelingen in de volle zon voor een hoofddeksel en eventueel lange mouwen. Verzorg je huid na het zonnen altijd goed met een goede crème.

Herbevestigen

Reizigers moeten hun doorvlucht (in Brazilië) of terugvlucht naar huis uiterlijk 72 uur van tevoren herbevestigen.

Invoerbepalingen

Behalve kleding en voorwerpen voor persoonlijk gebruik, mag iedere reiziger spullen ter waarde van maximaal 300 dollar invoeren. Verder is toegestaan om mee te nemen: 2 liter sterke drank en 2 liter champagne, 3 liter wijn, 600 sigaretten en 25 sigaren.

Kleding

Vanwege de klimatologische verschillen in het grote land Brazilië verdient het aanbeveling om goed na te gaan welke plaatsen je bezoekt. Voor de kuststreek en het strand is andere kleding nodig dan voor het Amazonegebied en de Pantanal. En er zijn grote temperatuurverschillen tussen de noordelijke en de zuidelijke staten.

Over het algemeen geldt voor de zomer: neem zwemkleding en luchtige kleding mee. In de badplaatsen is een korte broek voor mannen heel gewoon. De meeste inwoners van Rio gaan in de strandwijken als Copacabana, Ipanema en Barra in badpak over straat. Voor bezoek aan bezienswaardigheden in de stad kan een korte broek daarentegen problemen opleveren. In sommige kerken en officiële gebouwen is een lange broek of rok vereist.

Kijk uit voor de zon. Als je overdag wandelt of een tocht maakt, is een hoofddeksel aan te bevelen. Sommige gidsen in de Pantanal en het Amazone-gebied stellen dat zelfs verplicht. Blijf je lange tijd in de felle zon, dan is het zelfs raadzaam om armen en benen te bedekken.

In de wintertijd kunnen de temperaturen sterk uiteen lopen. Over het algemeen kunnen de avonden fris zijn. Een trui of jack komt goed van pas, net als een regenjack of paraplu. Voor het zuidelijke deel van het land, en het centrale deel (Pantanal, Brasília, Minas Gerais), is 's avonds warme kleding vereist.

Wie naar de Amazone gaat moet rekenen op vochtige warmte. Dat betekent luchtige kleding voor overdag en altijd regenkleding bij de hand houden. Zeker als je een tocht op een rivier of in het regenwoud maakt, is het handig om steeds een regenjack of paraplu te dragen.

Voor het Amazonegebied en de Pantanal is 's avonds kleding met lange mouwen en vooral geen korte broek aan te raden, in verband met de muggen.

's Avonds zien de Brazilianen er graag goed verzorgd uit. Zeker als je uit eten gaat, een bar, theater of club bezoekt wordt fatsoenlijke kleding op prijs gesteld of zelfs geëist. Dat betekent helemaal niet dat je een stropdas en colbert mee hoeft te nemen. Een schone blouse en lange broek, rok of jurk volstaat.

Kostbaarheden

De vraag 'Waar laat ik mijn geld, belangrijke reisdocumenten en kostbaarheden?'

komt op reis altijd ter sprake. De beste oplossing is om zo weinig mogelijk kostbaarheden op reis mee te nemen. Sieraden, dure horloges en kostbare kleding heb je in Brazilië niet nodig. Over de hele wereld zijn het gewilde spullen en je kunt ze dus gemakkelijk kwijtraken.

Maak een kopie van je paspoort (d.w.z. van de bladzijden met de foto, naam en geldigheidsduur).

Laat vervolgens alles wat niet dagelijks nodig is, behalve wat zakgeld, een fototoestel en de kopie van het paspoort, achter in het hotel. De beste plek daar is de kluis. De duurdere hotels hebben een eigen kluis op de kamer, andere hebben een centrale kluis bij de balie. Is geen van beide het geval, verdeel het geld en de documenten dan over verschillende plaatsen.

Mocht er onverhoopt op straat toch iets gebeuren, dan gaat het hooguit om wat kleingeld en misschien een fototoestel. En daar zijn reisverzekeringen voor. Meld diefstal direct bij de plaatselijke politie. Vraag het adres van het politiebureau bij de balie van het hotel.

Kranten en tijdschriften

In de grote steden zijn in de kiosken op bijna iedere straathoek lokale, nationale en buitenlandse kranten en tijdschriften te krijgen.

De grote toonaangevende landelijke kranten zijn: *Jornal do Brasil*, *O Estado de São Paulo* en *Folha de São Paulo*. Twee opinieweekbladen schrijven over politiek, economie en cultuur: *Veja* en *Istoé*, met vaak artikelen van een behoorlijk journalistiek gehalte.

Verder puilen de kiosken natuurlijk uit van de sensatiebladen over sport, beroemdheden, seks en auto's.

Literatuur

Behalve de in hoofdstuk 3 genoemde

vertaalde literatuur zijn de volgende boeken over Brazilië lezenswaardig:

- *Braziliaanse Brieven*, August Willemsen (Meulenhoff, 1992); een reisroman in de vorm van brieven over het alledaagse en het bijzondere in Brazilië, met veel humor beschreven.
- *De Goddelijke Kanarie*, August Willemsen (Thomas Rap, 1994); voor wie alles wil weten over de achtergronden, de sfeer en de betekenis van het Braziliaanse voetbal.
- *Kannibalen in Rio. Impressies uit Brazilië*, Ineke Holtwijk (Prometheus 1995); de *Volkskrant*-correspondente schrijft op meeslepende wijze over het alledaagse en de gekte in Rio; over het carnaval, de zonaanbidders, het voetbal, de straatkinderen, de candomblé en de hoertjes.
- *De Braziliaanse keuken*, Anneke Jansen (BZZTôH/Novib, 1991); een boekje over de Braziliaanse keuken met talrijke recepten van typisch Braziliaanse gerechten.
- *Red het Amazonewoud*, Chico Mendes (Novib, Mets, 1989); testament van de in december 1988 vermoorde milieuactivist over de strijd voor het behoud van het tropisch regenwoud.
- *Amazone, de ondergang van het regenwoud*, George Monbiot (De Arbeiderspers, 1992); over de bedreigingen van het Amazonegebied, geschreven als een avonturenboek.
- *Brazilian Adventure*, Peter Fleming (Penguin Travel Library, 1984); beklemmend verslag van een expeditie in het nog grotendeels onbekende Amazonegebied op zoek naar de in 1925 verdwenen kolonel Fawcett.
- *Tussen Orinoco en Amazone*, Redmond O'Hanlon (De Arbeiderspers, 1988); geestig reisverslag van een expeditie in het stroomgebied van de twee grote Zuid-Amerikaanse rivieren, op zoek naar de Yanomami.
- *Te gast in Brazilië* (Stichting Informatie Verre Reizen, 2006); een handzaam boekje met acht vlot geschreven impressies over leven en reizen in Brazilië.

Luchthavenbelasting

Voor binnenlandse vluchten en de terugvlucht naar huis moet luchthavenbelasting worden betaald. Doorgaans zit die bij de prijs van een ticket inbegrepen. Informeer bij het reisbureau om onaangename verrassingen bij terugkeer naar huis te voorkomen.

Nationale parken

Brazilië heeft tientallen unieke gebieden tot beschermd gebied verklaard. Onder voorwaarden is daar wel toerisme mogelijk. Het is zelfs beleid van de Braziliaanse federale regering om het toerisme in eigen land te bevorderen door de landgenoten aan te sporen ook deze prachtige delen van het land te bezoeken. Zeker voor buitenlandse toeristen bieden de nationale parken, de *parques nacionais*, een uitgelezen mogelijkheid om eens wat anders van Brazilië te zien. Het zijn stuk voor stuk fascinerende natuurgebieden met soms heel karakteristieke landschappen. Er zijn wandeltochten uitgezet en ook gidsen beschikbaar.

Tot de **favoriete nationale parken** van de schrijver van deze gids behoren (in de betreffende hoofdstukken worden ze beschreven):

- Lençóis Maranhenses, het duinengebied langs de kust van Maranhão
- Chapada Diamantina, bij Lençóis in de staat Bahia
- De Jalapão, het uitgestrekte ruige landschap in Tocantins
- Chapada dos Guimarães, boven Cuiabá in de staat Mato Grosso
- Iguaçu, bij Foz do Iguaçu in de staat Paraná

- Floresta da Tijuca, bij Rio de Janeiro
- Pantanal Mato-Grossense, tussen Cuiabá en Campo Grande, Mato Grosso en Mato Grosso do Sul
- Superagüi, het natuurgebied voor de kust van Paraná
- en natuurlijk het Amazonegebied.

Specifieke informatie over de Braziliaanse nationale parken is te krijgen bij IBAMA, www.ibama.gov.br.

(On)veiligheid

Hier passen enkele woorden over de veiligheidssituatie in Brazilië. Net als ieder ander ontwikkelingsland heeft Brazilië grote verschillen in welvaart. Tientallen miljoenen mensen hebben geen vast werk en inkomen. De armoede is groot. Toeristengebieden zijn voor deze mensen plekken waar wat te verdienen is. Verreweg de meesten doen dat op een legale manier; in de straathandel, als gids, in de horeca of in de taxi. Maar er zijn er ook, die van de gelegenheid gebruikmaken en toeristen beroven. In tegenstelling tot het beeld dat uit de media naar voren komt, is Brazilië beslist niet onveiliger dan andere landen in Zuid- en Midden-Amerika. Bendes die het op toeristen gemunt hebben, zijn echter sterk geconcentreerd in een beperkt aantal plaatsen. De grote steden Rio, São Paulo, Belo Horizonte, Salvador en Recife springen er direct uit. Daar is het dus extra oppassen, vooral bij de bezienswaardigheden, op het strand en in uitgaansgebieden. Wanneer toeristen overvallen worden, dan gaat het in 9 van de 10 gevallen om gauwdieven, die niet verder komen dan zakkenrollen, een handtas, een fototoestel. Daar kun je dus de bovengenoemde voorzorgen tegen nemen. Slechts in een enkel geval is er sprake van een gewapende overval waarbij een groep toeristen, in of buiten het hotel, collectief beroofd wordt. De keren dat zoiets gebeurt zijn in een heel seizoen in het hele land op de vingers van twee handen te tellen. En daar is weinig tegen te doen. In zulke gevallen geldt: probeer je nooit te verzetten. Zelden worden er toeristen gewond of gedood bij berovingen. De grootste kans daarop loop je door de bedreiging met pistool of mes te negeren. Hoe dan ook: het criminele geweld in Brazilië treft in eerste instantie de Brazilianen zelf; de straatkinderen, de politie en de leden van de bendes.

Om de kans op overvallen en berovingen in toeristengebieden te verkleinen, is er in veel van de genoemde plaatsen speciale toeristenpolitie. Zo is de politie in de strandwijken van Rio, Recife en Salvador nadrukkelijk in het straatbeeld aanwezig. Er zijn zelfs speciale politieposten voor toeristen.

Openingstijden winkels

De meeste winkels zijn geopend van maandag tot vrijdag van 9-18 uur en zaterdag van 9-14 uur. In de grote steden zijn de winkels meestal later open. Supermarkten zijn doorgaans tot 22 uur open, behalve op zaterdag (14 uur). Kantoren zijn tijdens de lunch van 12-14 uur gesloten.

Post

Openingstijden postkantoor (*correio*): ma.-vr. 8-18, za. 8-12 uur.
Postzegels kun je vaak alleen op het postkantoor kopen.
Brieven per luchtpost doen ongeveer een week over de reis naar Nederland en België. In de meeste hotels kun je brieven posten; één keer per dag is de lichting.

Internetten

Door heel Brazilië heen zijn er volop mogelijkheden om te internetten, meestal in internetwinkels of -cafés, steeds vaker ook in de hotels en pousadas. De kosten bedragen doorgaans een paar reais per half uur. Alleen in de allerkleinste plaatsjes in het binnenland en vooral in het Amazonegebied is de digitale snelweg nog niet doorgedrongen.

Telefoneren

Telefoneren op straat gebeurt in de *orelhôes*, de gele 'grote oren', met telefoonkaarten die te verkrijgen zijn bij krantenkiosken, soms bars en cafetaria's. Handig en verreweg het goedkoopst voor internationale gesprekken is de *Mundial callingcard* met een pincode, die voor 30 reais 20 minuten gesprekstijd naar bijv. Europa biedt.

Vanuit Brazilië kan automatisch en collectcall met Nederland en België worden gebeld. Bij automatische gesprekken eerst 00 draaien en vervolgens het landnummer (Nederland 31, België 32), het netnummer (zonder de eerste 0) en het abonneenummer.

Vanuit Nederland en België is Brazilië automatisch te bellen. Het landnummer van Brazilië is 55. Bij de praktische informatie per stad staan de netnummers vermeld. Vanuit Europa wordt de 0 in het netnummer niet gedraaid. Voorbeeld: 00 55 21 2057272 (Hotel Glória in Rio).

Tijdsverschil

Het tijdsverschil tussen Nederland of België en Noordoost- en Zuidoost-Brazilië bedraagt 4 uur, in de zomer 5 uur. In het westelijk deel en het Amazonegebied is het nog een uur vroeger.

Verzekering

Zorg dat je goed verzekerd bent voordat je naar Brazilië afreist, zowel voor ziekte als voor de bagage. Brazilië heeft uitstekende medische voorzieningen, maar die zijn wel erg duur. Mocht er onverhoopt een ongeluk gebeuren of een ziekte de

kop opsteken, zorg dan dat je verzekerd bent van goede medische verzorging. Controleer in de verzekering hoe het zit met de eventuele extra kosten (bellen naar huis, hotel, transport, repatriëring). Er zijn uitstekende reisverzekeringen, die deze kosten dekken.

Wat bagage betreft moet je nagaan tot welk bedrag kostbaarheden zijn verzekerd. Dat is van belang als je dure apparatuur meeneemt. Neem zo weinig mogelijk kostbare spullen mee.

Portugese woordenlijst

Dagen van de week

zondag	*domingo*
maandag	*segunda-feira*
dinsdag	*terça-feira*
woensdag	*quarta-feira*
donderdag	*quinta-feira*
vrijdag	*sexta-feira*
zaterdag	*sábado*

Maanden

januari	*enero*
februari	*fevereiro*
maart	*março*
april	*abril*
mei	*maio*
juni	*junho*
juli	*julho*
augustus	*agosto*
september	*setembro*
oktober	*outubro*
november	*novembro*
december	*decembro*

Getallen

1	*um*
2	*dois*
3	*três*
4	*quatro*
5	*cinco*
6	*seis*
7	*sete*

8	oito
9	nove
10	dez
20	vinte
30	trinta
40	quarenta
50	cinquenta
60	sessenta
70	setenta
80	oitenta
90	noventa
100	cem
1000	mil
2000	dois mil

Tijd

vandaag	hoje
gisteren	ontem
morgen	amanhã
week	semana
maand	mês
jaar	ano
deze week	este semana
vorige week	a semana pasada
volgende week	a semana que vem
hoe laat is het?	que horas são?
hoe laat gaat de bus (vliegtuig, boot, trein)?	a que hora sai o ônibus (avião, barco, trên)?
wanneer?	quando?

Geld

geld	dinheiro
hoeveel kost dit?	quanto é?
het is erg duur	é muito caro
kan ik hier geld wisselen?	posso trocar dinheiro?
wat is de koers?	qual é o câmbio?
de rekening alstublieft	a conta, por favor
waar is de bank (cambio)?	onde fica o banco?

Groeten

goedemorgen, -middag, -avond	bom dia, boa tarde, boa noite
alles goed?	tudo bem?
hoe gaat het met u?	como vai?
goed, dank u	bem, obrigado
ik heet...	eu sou/ meu nome é...
hoe heet u?	como é seu nome?
hoe zeg je...?	como se diz...?
tot ziens	tschau, até logo
spreekt u Engels?	vocé fala inglês?
tot uw dienst	de nada
alstublieft	por favor
excuseert u mij	desculpe
nee	não
ja	sim

Hotel

heeft u een kamer?	tem um quarto?
eenpersoons	solteiro
tweepersoons	de casal
met bad, airco	con banho, ar condicionado
mag ik de kamer zien?	posso ver o quarto?
ik wil reserveren	quero fazer uma reserva

Reizen

ik wil naar...	quero ir para...
brengt u me naar het hotel	me leva para o hotel
het strand	a praia
het busstation	o rodoviário
de bushalte	o ponto de ônibus
het vliegveld	o aeroporto
het postkantoor	o correio
de metro	a estação de mêtro
de straat	a rua
het plein	a praça
de rivier	o rio
de baai	a baia
de markt	o mercado
het eiland	a ilha
waar zijn we?	onde estamos?
hoe heet...?	como se chama...?

deze	este(a)
die	ese(a)
stad	cidade
komt u langs...?	pasa em...?

Restaurant

mag ik de menukaart?	o cardápia, por favor
ontbijt, lunch, diner	café da manhã, almoço, jantar
heeft u brood?	tem pão?
boter	manteiga
met (zonder) ijs	con (sin) gelo
bier	cerveja
vruchtensap	suco
een glas, een bord	um copo, um prato
frisdrank	refrigerante
vlees (varkens, rund)	carne (de porco, de boi)
kip, vis	frango, peixe
groente	verdura
desert	sobremesa
de rekening, alstublieft	a conta, por favor

Per streek of stad

RIO DE JANEIRO

(pp. 91-123)
Netnummer: 021

Adressen en telefoonnummers

POLITIE: tel. 190; Rio Tourist Police (speciaal getraind voor optreden in toeristengebieden), Avenida Afrânio de Melo Franco 159 (Leblon), tel. 33997170.

APOTHEKEN (24 uur open): tel. 136.

ZIEKENHUIZEN MET EERSTE HULP: Hospital Municipal Sousa Aguiar, Praça da República 111 (Centro), tel. 31112603/2729; Hospital Miguel Couto, Avenida Bartolomeu Mitre 1108 (Gávea), tel. 31113798; Hospital Municipal Rocha Maia, Rua General Severiano 91 (Botafogo), tel. 22952095/2121.

CONSULAAT GENERAAL VAN NEDERLAND, Praia de Botafogo 242, 10de verdieping, Rio de Janeiro, tel. 21575400/8/9 (8-16.30 u.), rio@minbuza.nl.

CONSULAAT VAN BELGIË, Rua do Ouvidor 60, 8ste verdieping, Rio de Janeiro, tel. 0212522967.

Stadsinfo

In Rio, met name in de strandwijken en in de overdekte winkelcentra, zijn volop reisbureaus te vinden die tickets verkopen voor binnen- en buitenlandse vluchten en georganiseerde excursies naar alle bezienswaardigheden in Brazilië. *Riotur*, de organisatie voor toerisme in de stad, heeft informatiepunten op diverse strategische plaatsen: op het Aeroporto Internacional Tom Jobim (do Galeão) in de aankomsthal van zowel Terminal 1 als 2 (dagelijks 10-21 u.), op het grote busstation Estação Rodoviária

Novo Rio, in Botafogo, Rio Sul Shopping Center. In het centrum, aan de Rua da Assembléia 10, 9de verdieping, zit het hoofdkantoor (ma.-vr. 9-18 u.) Riotur heeft een uitstekende website: www.riodejaneiro-turismo.com.br.

Geld wisselen
In de grote doorgaande straten van de strandwijken, van Botafogo, in de Avenida Rio Branco, en in de shopping centra zijn volop 24-uurs pinautomaten.
Het kantoor van American Express zit aan de Avenida Atlântica, bij Hotel Copacabana Palace, tel. 25482148. Voor spoedgevallen betreffende Mastercard, Visa en Credicard bel tel. 40014456.

Vervoer
Vliegtuig
Aeroporto Internacional do Rio de Janeiro (Galeão Antônio Carlos Jobim), Ilha do Governador, 12 km van het stadscentrum, tel. 33984526/7; alle internationale verbindingen en nationale vluchten naar de grote steden. Er rijden speciale bussen vanaf het vliegveld naar de strand/hotelwijken in het zuiden van de stad; informatie over prijzen en vertrektijden in de aankomsthal. Aeroporto Santos Dumont, Praça Senador Salgado Filho (Centro), tel. 38157070; luchttaxi naar São Paulo en andere nationale bestemmingen.

Luchtvaartmaatschappijen
Air France-KLM, Avenida Presidente Antônio Carlos 58, 9de verdieping (Centro), tel. 32121818, www.airfrance.com.br of www.klm.com.br.
TAP, Avenida Rio Branco 311B (Centro), tel. 21317771, www.tap-airportugal.com.
VARIG, Avenida Rio Branco 277 lojas G-H (Centro), tel. 25106651, www.varig.com.br.
TAM, Avenida Rio Branco 245 (Centro), tel. 32129300, www.tam.com.br.

Gol, gratis tel. 0800-7012131, www.voegol.com.br.

Bus
Estação Rodoviária Novo Rio is het aankomst- of vertrekpunt van alle grote buslijnen door heel Brazilië, Avenida Francisco Bicalho 1 (wijk Cristovão, iets ten noorden van de Avenida Presidente Vargas); neem de buslijnen Rodoviára Novo Rio. Informatie op www.novorio.com.br.

Stadsbussen
De busverbindingen tussen het centrum, Flamengo, Botafogo en de zuidelijke wijken langs de kust zijn optimaal. Iedere minuut kun je op de grote doorgaande wegen in het centrum (Avenida Rio Branco, Avenida Beira) een bus pakken naar de strandwijken en vice versa. De bestemmingen staan bij de ingang achter de ruit vermeld. Voor toeristen rijdt er een speciale microbus, te herkennen aan de groene kleur en het opschrift Rio-Orla, tussen de wijken Copacabana, Ipanema en het winkelcentrum Rio-Sul (Botafogo).

Metro
De metro van Rio bestaat uit twee lijnen: lijn 1 loopt van Siqueira Campos in Copacabana naar Seans Peña (Tijuca), lijn 2 van Estácio (treinstation) naar Estação Pavuna. De metrolijnen functioneren ma.-za. 5-24 uur; zo. en feestdagen 7-23 u. www.metrorio.com.br.

Taxi
Enkele betrouwbare taxibedrijven: Centraltáxi, tel. 25932598, Coopacarioca, tel. 25181818, Coopataxi, tel. 32884343

Trein
Estação Ferroviária, treinstation voor bestemmingen in de omgeving, Dom

Pedro II, achter de Avenida Presidente Vargas, te bereiken met de metro, station Estação.

Accommodatie

In het algemeen zijn de goedkoopste hotels in het oude centrum (*Centro*) te vinden en de beste hotels in Copacabana, Ipanema en Leblon.

Kijk voor een uitgebreide lijst met e-mailadressen op www.riodejaneiro-turismo.com.br en kijk bij 'Hospedagem' of 'Lodging' (Engelse versie).

Topklasse

Aan de grote oceaanboulevards staan de luxe vijfsterrenhotels (US$ 150 en meer): *Copacabana Palace*, Avenida Atlântica 1702, www.copacabanapalace.com.br, Copacabana is een klassieke topper. *Sofitel Rio de Janeiro*, Avenida Atlântica 4240, www.accorhotels.com.br, ook topniveau van de gerenommeerde Franse Accor-keten. *Le Meridien*, Avenida Atlântica 1020 (Leme), www.riolemeridien.com, gunstige ligging ten opzichte van het strand én de stad. *Rio Othon Palace*, Avenida Atlântica 3264 (Copacabana), www.hoteis-othon.com.br, en *Pestana Rio Atlântica*, Avenida Atlântica 2964 (Copacabana), www.pestana.com; de laatste strak, stijlvol vormgegeven, met voortreffelijk restaurant en geweldig dakterras met zwembad, sauna en fitnesssalon.

Caesar Park, Avenida Vieira Souto 460, www.caesar-park.com, en *Ipanema Plaza/Golden Tulip*, Rua Farme de Amoedo 34, www.ipanemaplazahotel.com, zijn de beste hotels in Ipanema.

Praia Ipanema, Avenida Vieira Souto 706 (Ipanema), www.praiaipanema.com, ligt op een mooie locatie aan het strand.

InterContinental Rio, op de rotsen bij São Conrado, www.intercontinental.com, is een begrip.

Glória, Rua do Russel 632 (Glória), www.hotelgloriario.com.br, is een klassiek goed hotel niet ver van het centrum, nog altijd populair bij officiële buitenlandse gasten.

Middenklasse

In de straten achter de grote boulevards bevinden zich talrijke drie- en viersterrenhotels (US$ 80-150), met alle comfort, vlak bij het strand en uitgaanswijken, en beter betaalbaar.

In COPACABANA: *Copacabana Mar*, Rua Ministro Viveiros de Castro 155, copacabana-mar.com.br. *Oceano Copacabana Hotel*, Rua Hilário de Gouveia 17, www.oceanohotel.com.br. *Majestic Rio Palace*, Rua 5 de Julho 195, www.majestichotel.com.br.

In LEME (grenzend aan Copacabana): *Luxor Continental*, Rua Gustavo Sampaio 320, www.luxorhoteis.com.br; *Acapulco Copacabana Palace*, Rua Gustavo Sampaio 854, www.acapulcohotel.com.br.

In IPANEMA: *Ipanema Inn*, Rua Maria Quitéria 27, tel. 25236092. *Vermont*, Rua Visconde de Pirajá 254, tel. 25220057.

In LEBLON: *Marina Palace*, Rua Delfim Moreira 630, www.hoteismarina.com.br.

In BARRA DA TIJUCA: *Entremares*, Avenida Érico Veríssimo 846, *www.entremareshotel.com.br*. *Praia Linda*, Avenida Sernambetiba 1430, www.hotelpraialinda.com.br. De minder prijzige middenklassehotels (US$ 40-80) zijn vooral te vinden in de wijken Flamengo en Glória. De hotels hier zijn op hun beurt iets duurder dan in het centrum, maar bieden meer comfort en zijn veiliger.

In FLAMENGO: *Flamengo Palace*, Praia do Flamengo 6, www.flamengopalace.cjb.net. *Argentina*, Rua Cruz Lima 30, www.argentinahotel.com.br, en *Regina*, Rua Ferreira Viana 29, www.hotelregina.com.br.

In CENTRO: *Ambassador*, Rua Senador

Dantas 25, www.ambassadorhotel.com.
br. *Granada*, Avenida Gomes Freire 530,
www.hotelgranada.com.br.

Budget

De beste budgetoptie in de strandwijken
zijn de hostels. IPANEMA heeft *Adventure
Hostel*, Rua Vinícius de Moraes 174, www.
adventurehostel.com.br. (US$20 per bed
voor leden, 25 voor niet-leden; US$40
voor een tweepersoonskamer). *Che Lagarto* heeft zowel een vestiging in Ipanema als in Copacabana, www.chelagarto.
com. *Crab Hostel* heeft een vestiging in
Ipanema, Rua Prudente de Morais 903,
www.crabhostel.com.br. (US$45 voor een
tweepersoonskamer in het hoogseizoen),
als in Catete, Rua do Catete 172 (naast
het paleis), www.catetehostel.com.br.
In CENTRO (US$ 25-40): *Grande Hotel OK*,
Rua Senador Dantas 24, www.hotelok.
com.br.
GLÓRIA is al wat veiliger om te verblijven. *Turístico*, Ladeira da Glória 30, tel.
25577698, een van de betere budgetho-
tels bij het centrum (tegenover het metrostation Glória), de appartementen zijn
beter dan de kamers, sommige hebben
fraai uitzicht.
CATETE en FLAMENGO: *Imperial*, Rua do Catete 186, www.imperialhotel.com.br,
met zwembad en sauna, *Vitória*, Rua do
Catete 172, tel. 22055397, vlak bij metrostation Catete.
BOTAFOGO heeft een jeugdherberg, *Chave*,
Rua General Dionísio 63, tel. 22860303.

Eten en drinken

Restaurants zijn er in Rio in alle soorten
en maten: van de botecas voor de snelle
hap tot internationaal beroemde restaurants.
CHURRASCO. Probeer in ieder geval een
keer een typisch Braziliaanse barbecue,
de *churrascaria rodizio*. In een razend
tempo worden alle soorten geroosterd
vlees aan de spies langs gebracht. De
beste plek daarvoor is *Marius* op Avenida Atlântica 290 (Leme); reserveren
aanbevolen, tel. 21049002. *Royal Grill*,
in het Casa Shopping winkelcentrum
(Barra da Tijuca) en *Porção*, Rua Barão
da Torre 218 (Ipanema) zien 'instituten'
als rodizio.
BRAZILIAANS. *Siri Mole & Cia*, Rua Francisco Otaviano 50 (Aproador, tussen Copacabana en Ipanema), tel. 2670894. *Casa
da Feijoada*, Rua Prudente de Morais 10
(Ipanema).
ITALIAANS. *Quadrifoglio*, Rua J.J. Seabra
19 (Jardim Botânico) is in Rio de absolute
top wat betreft Italiaanse specialiteiten;
reserveren tel. 22941433. *Cipriani* in
Hotel Copacabana Palace aan de Avenida
Atlântica 1702 is van hetzelfde kaliber,
maar nog wat duurder. Betaalbaarder
en ook van niveau zijn: *Fratelli*, Rua Gen.
San Martin 983 (Leblon), *Luigi's*, Rua
Sen. Correia 10 (Laranjeiras), *Gattopardo*,
Avenida Borges de Medeiros 1426
(Lagoa), verreweg de beste pizzeria.
FRANS. *Olympe*, Rua Custódio Serrão 62
(Jardim Botânico), vernieuwd en weer
aan de top onder leiding van topkok
Claude Troisgros, tel. 25394542 en *Le
Saint Honoré*, in Hotel Le Méridien, Ave-
nida Atlântica (Copacabana) zijn de twee
beste, maar fors aan de prijs. Aanbevolen
wordt verder: *Le Pré Catelan*, in Sofitel
Rio (Copacabana), tel. 25251160 (alleen
voor de lunch).
JAPANS. *Sushi Leblon*, Rua Dias Ferreira
256 (Leblon), tel. 22741342; de beste
sushi en andere delicatessen.
CHINEES. *Mr. Lam*, Rua Maria Angélica 21
(Lagoa), tel. 22866661, als je van verfijnde Chinese schotels houdt; is momenteel
een absolute hit in de stad.
PORTUGEES. *Antiquarius*, Rua Aristides
Espinola 19 (Leblon), tel. 22941049, Portugese gerechten in een antieke omgeving. Betaalbaar, simpel en bezocht door

een trouwe cliëntèle: *Mosteiro*, Rua São Bento 13/15, tel. 22336478 (Centro). VIS. *A Marisquiera*, Rua Barata Ribeiro 232 (Copacabana). SPECIAAL. *Mistura Fina*, Avenida Borges de Medeiros 3207 (Lagoa), trendy ontmoetingsplek tot 3 uur, met diverse gevarieerde gerechten.

Uitgaan

Copacabana en Ipanema zijn bijna synoniem met 'uitgaan', en de laatste jaren is Lapa aan een sensationele nieuwe jeugd begonnen.

Wie wat meer tijd in Rio heeft, moet beslist de speciale Rio-editie van het weekblad *Veja* kopen of de weekendbijlage van *Jornal do Brasil*. Wekelijks staat daarin een uitgebreid overzicht van aanbevolen bars, restaurants, muziekoptredens, films, shows en nachtleven. Een Engelstalig overzicht van de uitgaansmogelijkheden, en iets meer toegesneden op de toeristen, staat in de maandelijkse gids *Guia do Rio Guide* (in de meeste hotels te krijgen). Ook de website van Riotur ('Rio Guide') geeft veel actuele informatie.

Shows

Grote variétéshows en revues zijn verleden tijd in Copacabana, al worden er in de tophotels aan de boulevard nog kleinere shows gegeven. *Sala Baden Powell*, Avenida NS de Copacabana 360 (Copacabana) en *Plataforma*, Rua Adalberto Ferreira 32 (Leblon) zijn de beste keuze voor sambashows en grote muziekoptredens. De sambashows in deze clubs zijn op toeristen afgestemd. Ze geven doorgaans een goede indruk van de rijke Braziliaanse muziek en danscultuur. De kostuums zijn afgeleid van de mooiste carnavalskostuums van de afgelopen jaren.

Muziekbars en restaurants

Bescheiden en sfeervol zijn de muziekcafés, soms met restaurant, waar gedanst kan worden. Ze zijn vooral te vinden in de wijken Botafogo, Ipanema, Leblon en in Lapa.

JAZZ, BOSSA NOVA, MPB (populaire Braziliaanse muziek): *Chega de Saudade Botequim*, Rua Dona Mariana 81 (Botafogo) is een geweldige plek, waar je kunt eten, naar muziek luisteren en dansen. *Allegro Blstrô*, Rua Barata Ribeiro 502 (Copacabana), is muziekwinkel, restaurant en livemuziekbar in één; met vaak topmuzikanten. Kijk op www.modernsound.com.br. *Severyna*, Rua Ipiranga 54 (Laranjeiras), met elke avond een ander thema en bijbehorende muziek.

In Lapa zijn *Rio Scenarium*, *Mangue Seco Cachaçaria*, aan de Rua do Lavradio, en *Carioca da gema* en *Estrela da Lapa*, aan de Avenida Mem de Sá, drukbezochte muziekcafés.

Andere aardige bars met liveoptredens zijn onder meer: *Cabeça Feita*, Rua Barão da Torre 665 (Ipanema), *Vinicius*, Rua Vinicius de Moraes 39 (Ipanema) en *Mistura Fina*, Avenida Borges de Medeiros 3207 (Lagoa), *Bossa Nova*, Hotel Praia Ipanema, Avenida Vieira Souto 706 (Ipanema), *Chiko's Bar*, Praça Euvaldo Lodi 75 (Barra), en *Bar do Tom*, Rua Adalberto Ferreira 32 (Leblon)

Een heel aparte ervaring is een bezoek aan een GAFIEIRA, een ouderwetse danszaal. Meestal is er vrij dansen, al dan niet op livemuziek op vr. en za. De twee bekendste zijn: *Elite*, Rua Frei Caneca 4 (Centro) en *Estudantina*, Praça Tiradentes 79 (Centro); de laatste wordt momenteel gerestaureerd.

Dansen en loungen

Niets verandert zo snel als de populariteit van de dansclubs en discotheken bij de *cariocas*. Hieronder enkele van de

hotspots; vrijwel allemaal aan de oceaankant van de stad in de befaamde uitgaanswijken. Een actuele lijst vind je op de website van Riotur ('Rio Guide').
Bunker 94, Rua Raul Pompéia 94 (Copacabana), wo.-za. vanaf 23 uur, www.bunker94.com.br.
Dama de Ferro, Rua Vinicius de Moraes 288 (Ipanema), een mengeling van een club, lounge, bar en kunstgalerie. *Ipanema Mix*, Rua Barão da Torre 368, disco en loungebar. *Mariuzinn*, Rua Raul Pompéia 102 (Copacabana), wo.-za. vanaf 23 uur, www.mariuzinn.com.br. *Melt*, Rua Rita Ludolf 47A (Leblon), www.melt-rio.com.br, voor dancemuziek. *Prelude*, Avenida Epitácio Pessoa, 1484 (Lagoa) dagelijks vanaf 22 uur.

Winkelen

Zie voor een uitgebreide lijst van evenementen, exposities en markten de website van Riotur: www.riodejaneiro.turism.com.br; doorklikken naar Rio Guide.

Sieraden

Brazilië is het land van de edelstenen en Rio is sinds de 18de eeuw het voornaamste verkoopcentrum. Een begrip op het gebied van sieraden en edelstenen is *H. Stern Joalheiros*.
In alle grote hotels, in de zuidelijke wijken en in de grote shopping centra zijn filialen van dit juwelenimperium gevestigd. Stern heeft een eigen museum aan de Rua Garcia D'Avila 113 (Ipanema). Andere gerenommeerde juweliers in Rio zijn: Amsterdam Sauer, M. Rosenmann, Natan, Sidi, Gregory & Sheehan, Ernani & Walter, Frank.

Kunstgaleries en ateliers

De betere kunstgaleries vind je in Ipanema, Leblon en Santa Teresa. Bekende kunstenaars hebben hun ateliers open voor bezoek (meestal op afspraak).

Schilder *João Carlos Favoretto* en *Helena Souto* bijvoorbeeld, de laatste bekend om haar werken met klei en porselein, hebben hun ateliers in Santa Teresa. Daar is ook *Ateliê & Galeria Carmelitas* gevestigd, Travesso de Oriente 111, met werk van diverse kunstenaars. Kijk in *Guia do Rio* voor meer adressen.

Antiek

's Zaterdags is *Praça Quinze de Novembro* (Centro) rond de Torre do Mercado omgebouwd tot antiek en curiosamarkt, 9-17 u. De *Feira do Rio Antigo*, Rua do Lavradio (Lapa) is op de eerste zaterdag van de maand een van de grote attracties van de stad. Voor art nouveau kun je van ma.-vr. terecht bij *Art Nouveau Antiques*, Avenida N.S. de Copacabana 300 (Copacabana), en in dezelfde wijk is op zaterdag de *Cassino Feira de Antiguidades*, Shopping Cassino Atlântica, 11-17 uur.

Markten, souvenirs

Op de zondagse *Feirarte I* op het Praça General Osório (Ipanema), ooit begonnen door hippies, zijn soms aardige sieraden en antiek te koop, zo. 9-18 uur. De doordeweekse *Feirarte II*, Praça 15 de Novembro (Centro), heeft tevens postzegels en munten, do. en vr. 9-19 uur. Kleinere markten zijn er aan het Praça do Lido (Copacabana), op za. en zo. van 8-18 uur en Praça Saens Peña (Barra da Tijuca) op vr. en za. 8-18 uur. Voor specifiek handwerk uit het noordoosten is er het *Centro Luiz Gonzaga* oftewel de *Feira Nordestina*, in São Cristóvão, di.-do. 10-16 en vr.-zo. 10-22 uur, www.feiradesaocristovao.com.br.

Winkelcentra

Rio heeft grote en luxe winkelcentra. *Barra Shopping Center* is een van de grootste in Latijns-Amerika, www.barrashopping.com.br. Enkele andere zijn: *Rio Sul* in Botafogo, www.riosul.com.br, Fashion Mall in São Conrado, www.fashionmall.com.br en Shopping da Gávea in Gávea: www.shoppinggavea.com.br. Het prettigste winkelgebied is de *Rua Visconde de Pirajá*, tussen Anibal de Mendonça en Vinicius de Morais; gewoon een straat met de betere winkels. Daar vind je bijvoorbeeld *Travessa*, 600 m^2 boekwinkel, de meest uitgebreide van Rio en ook *Letras & Expressões*, een boekwinkel annex internetcafé, 24 uur geopend!

Sport

Voor de cariocas zijn de boulevards bij het strand de uitgelezen plek om vooral na zonsondergang aan de conditie te werken. En al dat gezweet in de mooiste entourage die je je kunt wensen, werkt echt aanstekelijk.

Voetbal

Voetbalfans moeten natuurlijk een bezoek brengen aan het Estadio do Maracanã, het grootste voetbalstadion in de wereld met een capaciteit van 150.000 toeschouwers. Het stadion is gebouwd voor het Wereldkampioenschap in 1950. In het weekend en ook regelmatig 's woensdags spelen de lokale voetbalteams in het stadion. De mooiste wedstrijd is de lokale derby Flamengo tegen Fluminense, Fla-Flu zeggen ze hier. Kijk op www.suderj.rj.gov.br.
Naast het grote stadion staat het Maracanãzinho, het Kleine Maracanã, vooral gebruikt voor indoorsporten en zwemmen.

Watersport

De Lagoa Rodrigo de Freitas en de baai bij Botafogo, aan de voet van de Pão de Açúcar, zijn de beste locaties om te waterskiëen. Surfers moeten zijn bij de stranden van Aproador (tussen Copacabana en Ipanema), Barra-Meio (in de wijk Barra) met golven tot 2 meter, Prainha en Grumari. Voor informatie: www.feserj.com.br. Sportduiken kan voor de kust van Rio, maar de mooiste duikstekken liggen buiten Rio aan de 'Costa do Sol', bij Cabo Frio en Búzios, en aan de 'Costa Verde' (Groene Kust) bij Angra dos Reis en Parati. Enkele adressen: www.brazildivers.com.br, www.deepbluebrasil.com, www.projetomergulhar.combr (met dagelijkse duikexcursies naar de eilanden voor de kust). Voor zeilen zie: www.feverj.og.br.

Deltavliegen

Het door rotsen omgeven São Conrado is dé plek voor deltavliegen, *vôo livre*. De landingsplaats en basis voor de vliegers is aan het einde van de boulevard. Beschik je over de nodige durf en weeg je niet meer dan 100 kilo, dan kun je daar afspreken om samen met een ervaren piloot zo'n fantastische vlucht te maken. De prijs van een vlucht bedraagt ca. US$ 50; het ritje naar het platform op 500 m hoogte en 15 foto's zijn inbegrepen. Kijk alvast op: www.hanglidingtour.com.br, www.guia4ventos.com.br, www.riotandemfly.com.br of www.riosuperfly.com.br.

Paardensport

De *Joquei Clube*, tussen Leblon en de Jardim Botânico; meestal zijn er races op maandag- en vrijdagavond, Grand Prix en Classics op zaterdag en zondagmiddag.

Tennis, golf

Er zijn volop tennisbanen en enkele golfterreinen. Voor hotelgasten die willen golfen maakt het hotel meestal gebruik van het complex van de *Gávea Golf Clube* (18 holes) in São Conrado, tel. 33224141, of de *Itanhangá Golf Clube* (27 holes) in Barra da Tijuca, tel. 24292507.

OMGEVING VAN RIO
(pp. 125-143)

Petrópolis (pp. 125-130)
Netnummer: 024

Informatie
De website www.petropolis.rj.gov.br van de gemeente geeft een uitgebreid overzicht van actuele culturele programma's, evenementen, suggesties voor excursies, adressen van reisbureaus, pousadas en restaurants. Ook het handige gidsje *Guia de Petrópolis* biedt volop informatie. *Miira's Tours*, Avenida Tiradentes 84 (Centro), www.miirastours.com.br, is een goed reisbureau met op het programma: wandeltochten in de Serra dos Órgãos, de Estrada Real, stadswandelingen en culinaire programma's.

Evenementen
Wekelijkse antiekmarkt, Praça Visconde de Mauá, zo. 9-17 uur. *Exposição Agropecuária* (land- en tuinbouwtentoonstelling): apr.-mei. Het Festival de Inverno in juni en juli, met het *Bauernfest,* muziek, dansen, eten. Het *Festa do Chocolate* en *PetrópolisGourmet.*

Vervoer
Petrópolis (68 km), Teresópolis (91 km) en Nova Friburgo (150 km) zijn vanuit Rio gemakkelijk bereikbaar met de bus vanaf het grote busstation Novo Rio. Ieder uur gaan er naar Petrópolis 2 à 3 bussen. Een dagtocht naar Petrópolis met de bus is goed te doen. Je kunt dan ter plekke je eigen busreis terug plannen. Wil je ook nog Teresópolis aandoen, dan moet je een strak tijdschema hanteren om 's avonds nog in Rio terug te zijn.

Accommodatie
Twee websites voor centrale reserveringen: www.ciritaipava.com.br en www.

verdeserra.com.br.
TOPKLASSE: de mooiste pousadas liggen in de bergen en valleien in de omgeving. *Locanda della Mimosa*, Alameda das Mimosas 30 (Vale Florida), toegang bij km 71,5 aan de BR-040 richting Rio, www.locanda.com.br, sfeervol en intiem; zowel accommodatie als het restaurant met chef Danio Braga is de absolute top in deze regio. *Pousada Tankamana*, op 37 km aan de Estrada Júlio Cápua (Valle de Cuiabá, Itaipava), www.tankamana.com.br, een heerlijke plek in de bergen met afzonderlijke chalets, comfortabel, sauna, massage en een goed restaurant. *Pousada das Arraras*, ook in de bergen, Estrada Bernardo Coutinho 4570 (via de BR-040 naar Araras rijden, richting Juiz de For a), www.pousadadasararas.com.br, mooie ligging, thermisch bad.
MIDDENKLASSE: *Casablanca*, Rua da Imperatriz, 286, www.casablancahotel.com.br, een van de oudste hotels, in het centrum, vlak bij het Museu Imperial. *Pousada Monte Imperial*, Rua José de Alencar 27 (centrum), www.pousadamonteimperial.com.br, lekker hotel, met uitzicht over de bergen, op loopafstand van het historische centrum.
BUDGET: *Bragança*, Rua Raul de Leone 109, achter de kathedraal, stijlvol gerestaureerd gebouw, tel. 22449655. *Dom Pedro II,* Rua Montecaseros 92 (vlak bij Palácio de Cristal), kleine, schone kamers, tel. 22437170. *Hotel Comércio*, Rua Dr. Porciúncula 56, tegenover het busstation, redelijke kamers en schoon, tel. 22423500.

Eten en drinken
De valleien in de omgeving van Petrópolis tellen diverse toprestaurants. *Locanda della Mimosa* is het sterrenrestaurant in deze stad, iedere week een kaart met sublieme gerechten, verse ravioli bijvoorbeeld met groenten uit de eigen tuin en

eendenparfait.

Farfarello, aan de Estrada União-Industria 13470, op zo'n 20 km van Petrópolis in de richting van Teresópolis, is ook een uitstekend Italiaans restaurant. *Parrô do Valentim*, Estrada União-Industria 10289, in dezelfde richting combineert traditionele Portugese gerechten met Braziliaanse ingrediënten. *Alameda 914*, Alameda Paranhos de Oliveira 914, toegang via de Avenida Bernardo Coutinho, op 32 km, internationale gerechten maar met een aparte slag gemaakt; escargots, overheerlijke polenta en cassoulet. De beste Franse keuken vind je bij *Fazenda das Videiras*, de weg naar Araras (Vale das Videiras) 6000; de man doet de pousada, de vrouw de keuken; eend en forel om te watertanden, met klassewijnen. *Nikko Sushi*, Rua das Casuarinas 94 (Itaipava), pionier met de Japanse keuken in deze contreien.

Teresópolis (p. 130)

Netnummer: 021

Informatie

www.teresopolison.com.br is de centrale website. Er is een handvol plaatselijke reisbureaus met onder meer tochten in de Serra dos Órgãos.

Parque Nacional da Serra dos Órgãos, voor vragen over wandelroutes en verblijf: tel. 26421070.

Vervoer

Teresópolis is over de weg te bereiken vanuit Rio over de BR-116 en via Petrópolis over de BR-495. Busdiensten met Teresópolis (om de 2-3 uur), Rio (2 x p.u.), Novo Friburgo (om de 2 uur). Kijk op bovengenoemde website voor de dienstregelingen.

Accommodatie

In de omgeving van Teresópolis zijn rustieke pousadas en fazendas om te overnachten, meestal met sport- en wandelfaciliteiten in de directe omgeving.

TOPKLASSE: *Rosa dos Ventos*, aan de RJ-130 naar Nova Friburgo (22 km vanaf Teresópolis), www.hotelrosadosventos. com.br, is zonder meer een exclusieve plek, met chalets en appartementen, fraai gelegen in de bossen met tal van faciliteiten, waaronder kajakhuur en paardrijden. Geen kinderen jonger dan 14 jaar. *Pousada Toca-Teré*, Rua Reinaldo Viana 257, www.tocatere.com, tegen het Parque Nacional da Serra dos Órgãos, chalets midden in het bos.

MIDDENKLASSE: *Pousada das Mansardas*, A R. Wilhelm Christian Kleme (de oude Rua do Ermitage), 10 km buiten T. links aan de BR-116, www.mansardas.com.br, mooie locaties, besloten en met veel voorzieningen. *Philipp*, Rua Durval Fonseca 13333 (Jardim Europa), redelijk centrale ligging, met zwembad, tel. 27422970.

BUDGET: *Villanova Parque*, Rua Armando Fajardo 171, prima hotel, rustige locatie, met zwembad en sauna, tel. 26422930. *Várzea Palace Hotel*, Rua Pref. Sebastião Teixeira 41, oud en sfeervol hotel, tel. 27420878; *Pousada Recanto do Lord*, Rua Luiza Pereira Soares 109 (Bairro dos Artistas), tel. 27425586, jeugdherberg. CAMPING: *Quinta da Barra*, Rua Antônio Maria 100, in de richting van Petrópolis (3 km van Teresópolis).

Eten en drinken

Dona Irene, Rua Ten. Luis Meireles 1800, Russisch restaurant van hoog niveau, gerechten uit de tijd van de tsaren, geserveerd met wodka van het huis. *Manjericão*, Rua Flávio Bortuluzzi de Souza 314, Italiaans restaurant met faam, naar men zegt de beste pizza's in de staat Rio, de pasta's met mineraalwater gekookt, groenten uit de eigen tuin. De *Taberna Alpina*, Rua Duque de Caxias

131, serveert een onvervalste zuurkool-schotel.

Nova Friburgo (p. 130)
Netnummer: 022

Informatie
Centro de Turismo, Praça Dermeval Barbosa Moreira, tel. 25436307; centrale website: www.pmnf.rj.gov.br.

Vervoer
Nova Friburgo bereik je het makkelijkst via de RJ-130 vanuit Teresópolis (51 km). Er is een directe busverbinding met Rio via de RJ-116 over Niterói (137 km).

Accommodatie
De meeste pousadas staan langs de weg van Teresópolis naar Nova Friburgo. TOPKLASSE: *Vila Verde*, aan de RJ-130 naar Teresópolis (5 km van Nova Friburgo), www.vilaverdehotel.com.br, sfeervol hotel op fraaie locatie, met sport- en speelfaciliteiten.
Auberge Suisse Pousada, Rua 10 de Outubro (Amparo, aan de RJ-150, 14 km van Nova Friburgo), www.aubergesuisse.com.br, locatie in de bergen aan meer, veel faciliteiten.
MIDDENKLASSE: *Plataforma Caledônia*, Rua Joaquim José da Silva 803 (Caledônia), goed onderhouden appartementen met fraai uitzicht, tel. 25223358. *Pousada Fribourg*, Rua São Paulo 93 (Bela Vista), tel. 25220087.
BUDGET: *Hotel Primus*, Rua Adolfoo Lutz 128, tel. 25232289, www.hotelprimus.com.br, in het centrum, kamers en chalets, simpel, met zwembad.

Eten en drinken
Auberge Suisse, Rua 10 de Outubro, bij gelijknamig hotel (Amparo, 14 km van N.F.), Frans-Zwitserse keuken. *Távola*, Rua Dom João VI 222 (Cônego), tel. 25221520 (reserveren sterk aanbevolen!), eten in middeleeuwse ambiance en bijzondere gerechten als wildzwijnkoteletjes in cognacsaus, en capivarafilet geflambeerd met rum. *Bräun & Bräun*, aan de RJ-116 naar Niterói, km 72, onvervalste Duitse schotels zoals zuurkool met spek. *Veneto*, eveneens aan de RJ-116 naar Noterói, km 73, Italiaans.

Cabo Frio (pp. 130-131)
Netnummer: 022

Informatie
Informações Turísticas, Praça Cristóvão Colombo (Praia do Forte), tel. 26476227; centrale website: www.cabofrio.rj.gov.br. Twee andere goede sites zijn www.cabofrio.psi.br en www.carneiro.com.br (met goede tips voor pousadas, campings, restaurants en activiteiten).

Evenementen
Winterfeesten met *Festival Nordestino* en de regatta, allebei in augustus; het *Festival Internacional de Dança* begin september, *Festa Portugesa* begin oktober.

Vervoer
Cabo Frio is goed bereikbaar vanuit Rio (148 km); eerst vanaf Niterói met de BR-101, richting Manilha, vervolgens de RJ-124 Rio Bonito-Araruama en dan over de Via Lagos tot São Pedro de Aldeia en Cabo Frio. De goedkoopste manier is met de bus; er rijden per dag 7 bussen vanuit Rio, en in de zomer om het half uur.

Accommodatie
TOPKLASSE: *La Plage*, Rua dos Badejos 40, Praia do Peró, www.laplage.com.br, suites en appartementen, meteen aan het strand. *Acapulco*, aan het Praia das Dunas, www.hotelacapulco.com.br, strak en modern hotel, ruime kamers, groot zwembad.

MIDDENKLASSE: *Pousada do Leandro*, Avenida Nilo Peçanha 333, www.pousada-leandro.com.br, in het centrum, fris en modern ingericht, leuke sfeer, eigenaar is José Leandro Souza Ferreira, rechtsbuiten bij voetbalclub Flamengo (Rio) en het Brazilaanse elftal in de jaren 80, niet te ver lopen van het strand. *La Brise*, Rue Alberto Gabbay (Braga), www.hotel-labrise.com.br, intiem, smaakvol ingericht door Frans echtpaar/eigenaars, uitzicht op Praia do Forte. *Spa Pousada Alquimia*, Praia do Foguete, aan de weg naar Arraial do Cabo, 6 km, www.spaalquimia.com.br, gewoon hotel en spa, om je eens lekker te laten verzorgen.

BUDGET: *Pousada Porto Canal*, Avenida dos Arpões 16 (Oglva), 4 km, www.portocanal.com.br, prima prijs-kwaliteit, bij de haven. *Pousada Praia das Palmeiras*, aan gelijknamige weg en strand, formule jeugdherberg, kamers met drie bedden, gezamenlijk koken.

CAMPINGS: het mooist gelegen zijn *Bosque Club*, Rua dos Passageiros 600 (Porto do Carro), 1,5 km van Praia do Forte bij het centrum van het plaatsje, met zwembad, sportfaciliteiten en voldoende schaduwrijke plekjes, www.bosqueclube.com.br. en *Dunas do Peró*, Estrada do Guriri 1001 (Praia do Peró), www.dunasdopero.com.br, aan de weg naar Búzios, fraaie oorspronkelijke vegetatie, ook met chalets.

Eten en drinken

Aan het Praça Porto Rocha zitten diverse gezellige en behoorlijke restaurants: *Bacalhauzinho* serveert bacalhau op z'n Portugees. *Confeitaria Branca* heeft lekkere vis- en garnalenschotels en is bekend om z'n taart. *Picolino* en *Hippocampus*, allebei aan de Rua Marechal Floriano zijn uitstekende visrestaurants. *Bistrô Benedito*, Rua Almirante Barroso 60, internationale gerechten, met sterke Franse invloed, is onlangs gekozen tot het beste restaurant van het plaatsje. *Encantado*, Praça da Bandeira 65, is een uitstekende churrascaria. *Empório São Benedito*, Rua Raul Veiga 542, de betere Italiaanse gerechten, en *Picanha na Tábua*, Rua Jorge Lóssio 489, eveneens voor churrasco.

Arraial do Cabo (p. 131)
Netnummer: 022

Informatie

Bij de entree van de badplaats is een kiosk van het toeristenbureau, www.arraialdocabo-rj.com.br. Goede duikcentra zijn: *Arraial Sub*, *Deep Trip* en *Sandmar*.

Vervoer

Arraial do Cabo is het makkelijkst te bereiken vanuit Cabo Frio. Iedere 20 minuten gaat er een bus vanaf het busstation aan de Avenida Júlia Kubitschek in Cabo Frio.

Accommodatie

De pousadas in Arraial staan vrijwel allemaal aan het strand.

MIDDENKLASSE: *Pousada da Prainha*, aan Praia Prainha, www.pousada-da-prainha.snm.com.br. *Pousada Caminha do Sol*, Rua do Sol 50, aan Praia Grande, www.caminhadosol.com.br, sfeervolle pousada, aan het strand.

BUDGET: *Praia Grande*, Rua Dom Pedro I 41, simpel hotel, eenvoudige kamers, www.hpraiagrande.com.br. *Pousada Thalassa*, Rua Bernardo Lenz 114, Praia dos Anjos, 5 minuten van het strand.

CAMPINGS: *CCB-RJ-05*, Avenida da Liberdade, Praia dos Anjos, beperkte faciliteiten.

Eten en drinken

Viagem dos Sabores, Rua Santa Cruz (Praia dos Anjos), is een even sfeervol als goed restaurant. *Porto das Delícias*, in dezelfde straat, heeft ook een goede reputatie. *Garrafa de Nansen*, Rua Santa Cruz 4, heeft ook goede visschotels, en is heel betaalbaar. *Saint Tropez*, Praça Daniel Barreto 2 (Praia dos Anjos) is eveneens aan te bevelen voor vis en schaaldieren.

Búzios (pp. 131-132)
Netnummer: 022

Informatie
Algemene informatie bij de kiosk, de Pórtico de Búzios; en op de website www. visitbuzios.com.br.
Een uitstekende informatiebron is ook www.buziosonline.com.br (met Engelse versie).
Reisbureau *Situr*, Avenida José Bento Ribeiro Dantas 3711, verkoopt onder meer kaartjes voor tochten op schoeners die naar de eilanden (Feia, Rasa, Branca, Caboclo) voor de kust varen; de boten vertrekken vanaf de stranden dos Ossos, Armação en do Canto. Om te duiken kun je terecht bij: *Casamar*. Voor buggy's: *Rent Buggy* en *Malízia*.

Evenementen
In juni staat heel Búzios in het teken van Jazz & Blues, een muziekfestival met Braziliaanse en buitenlandse musici van naam en faam; kijk voor het programma op www.buziosjazzeblues.com.br.

Geld pinnen
Er zitten 24 uursbanken in het centrum, rond Praça Santos Dumont, in de winkelcentra.

Vervoer
Búzios is te bereiken vanuit Rio (176 km) via de BR-101, richting Manilha, vervolgens de RJ-124 Rio Bonito-Araruama en dan over de tolweg Via Lagos tot São Pedro de Aldeia, en voordat je die laatste plaats inrijdt naar links, de RJ-106 op naar Macaé-Búzios. Busmaatschappij *Viação 1001* verzorgt het transport vanaf Rio (busstation Rio Novo), 's morgens vroeg ieder half uur, daarna per uur of twee uur, www.autoviacao1001.com. br. Het busstation staat aan de Estrada da Usina Velha. Er zijn in de zomer ook wekelijks vliegverbindingen per luchttaxi met Rio en São Paulo; het vliegveld is Marina Porto Búzios.

Accommodatie
Hotels en vooral pousadas zijn er volop in alle categorieën.
TOPKLASSE: *Brava Hotel*, Rua 17, lote 14 (Praia Brava), www.bravahotel.com.br, loungen aan het strand, comfortabel en prachtige plek. *Pousada Maravista*, Rua dos Gravatás 1058 (Praia de Geribá), www.maravista.com.br, intiem, geweldige locatie, aan het strand. *Pousada Santorini*, Rua 9, Lote 38 (Praia João Fernandes), nieuwe, luxe pousada, fraai uitzicht over de kust, 300 meter van het strand.
MIDDENKLASSE: *Canto da Ferradura*, Rua H1, lote 5 (Praia da Ferradura), www.cantodaferradura.com.br, gemoedelijke sfeer, aan het strand en 5 minuten van de hoofdstraat. *Pousada dos Búzios*, Rua das Pedras 21, aan het Praia do Canto, in het centrum, fax 231155. *Pousada do Sol*, Rua das Pedras 199, www.pousadadosol-buzios.com.br, aan het strand, de plek waar Brigitte Bardot meestal verbleef, terras met ondergaande zon. *Pousada La Chimère*, Praça Eugênio Honold 36, www. lachimere.com.br, aan het strand met fraaie binnenplaats. *Pousada Vila Geribá*, Rua do Campo de Pouso 6 (Geribá), www. vilageriba.com.br, prima kwaliteit voor de prijs, sfeervol, rustige locatie.
BUDGET: *Pousada Toca do Lobo*, Rua Pitangueiras 14, in het Bosque de Geribá, eenvoudige kamers en appartementen (boven met veranda), zwembad en res-

taurant, op loopafstand van het strand. *Camping Búzios*, Rua Maria Joaquina Justiniano de Sousa 895 (Praia Raza), www.buzioscamping.com.br, grote camping, vlak bij het strand

Eten

Bij een badplaats als Búzios horen voortreffelijke restaurants. Die zijn er in ruime mate, soms filialen van bekende restaurants in Rio. Er zijn twee sterrenrestaurants: *Satyricon*, Avenida José Bento Ribeiro Dantas 500 (Praia da Armação), Italiaans, fabelachtige *frutos do mar*; en *Sawasdee*, zelfde straat, de beste Thai in de staat Rio! En verder nog drie tips: *Capricciosa*, ook al aan de Rua Bento Ribeiro Dantas 500 (Praia da Armação), een prima Italiaans restaurant met overheerlijke pizzas. *Au Cheval Blanc*, Rua das Pedras 181, aan het strand, heeft een uitstekende Franse keuken. *Cigalon*, Rua das Pedras (in Pousada do Sol), ook Frans, maar met variaties naargelang het seizoen.

Costa Verde (pp. 132-141)

Vervoer

Alle gerenommeerde reisbureaus in Rio organiseren excursies van een of meer dagen naar de Costa Verde en Parati. Informeer bij het hotel of bij TurisRio, de toerismeorganisatie van de staat Rio: www.turisrio.rj.gov.br. Met de eigen auto kun je via de BR-116 (Via Dutra) richting São Paulo, en bij Barra Mansa met de RJ-155; mooier is de kustweg Rio-Santos, eerst Avenida Brasil, via Itaguaí en Itacuruçá, kom je op de BR-101.
Bus: je kunt natuurlijk ook de bus vanuit Rio nemen. Viação Costa Verde heeft rechtstreekse verbindingen van Rio Novo naar Angra, Ilha Grande en Paraty.
Boot: vanuit Rio zijn er mogelijkheden om met de boot naar Angra dos Reis,

Mangaratiba en de dichtbijgelegen eilanden te varen.

Angra dos Reis (p. 133)
Netnummer: 024

Informatie

De toerismeorganisatie zit aan de Aveinda Ayrton Senna 589 (Praia do Anil); www.turisrio.rj.gov.br is de site van de staat Rio. De website www.angra-dos-reis.com is een commerciële, maar wel een zeer uitgebreide, en met een Engelse versie! Fietsen, surfen, paragliding, raften, zeilen, vissen en duiken; alles kan! *AquaFun* en *Sailabout* organiseren boottochten, onder meer per schoener. *Frade Cat* heeft catamarans. Voor duikexcursies en huur van uitrusting moet je naar: *Mambo Jungle Adventures, Aquamaster*.

Evenementen

Nieuwjaars botenprocessie, op de ochtend van 1 januari, van Praia das Flechas (op Ilha da Gipóia) naar Praia do Anilla. *Aniversário da Cidade* (het feest van de stad) op 6 januari. Juni- en julifeesten met *Festival de Música e Ecologia da Ilha Grande* (op het grote eiland in juli).

Vervoer

Vanaf de kade (Cais da Lapa, Avenida Reis Magos) gaan er dagelijks boten naar Ilha Grande, Ilha da Gipóia en andere eilanden; let op, er gaat dagelijks één lijnboot, ma.-vr. om 15, za.-zo. 13.30 uur. R$ 5 p.p.

Accommodatie

Langs de kust in de omgeving van Angra liggen tientallen pousadas. Bij Bracuhy en Frade vind je de meest exclusieve. Topklasse: *Hotel do Frade & Golf Resort*, aan de BR-101 bij Frade, 33 km van Angra, www.hoteldofrade.com.br, een paradijs, geweldige locatie, smaakvol en met respect voor de natuur opgezet, eigen strand. *Pestana Angra Beach Bangalôs*, Estrada do Contorno 3700, 13 km van Anra, www.pestana.com, ruime bungalows met alles erop en eraan, aan het strand.

MIDDENKLASSE: *Pousada Arcobaleno*, Estrada do Contorno 1B (Praia do Retiro), www.angra-dos-reis.com/arcobaleno, intiem plekje, aan de groene kust, met eigen strand. *Pousada Comando Geral*, Estrada do Contorno, 2349 (Praia Grande), www.angraonline.com/comandogeral, simpele kamers, maar mooie locatie aan de kust en het strand. *Pousada Milagres*, Estrada do Contorno 3000 (Praia Grande), www.pousadamilagres.com, 4 km van het stadje.

BUDGET: *Londres*, Rua Raul Pompéia 75, www.angra-dos-reis.com/londres/.

Ilha Grande (pp. 134-135)

Netnummer: 024

Informatie

Over wandeltochten, huur mountainbikes, duiken en verblijf bij *Informações Turísticas*, Rua da Praia in Vila do Abraão, www.ilhagrande.com. *Sudoeste SW Turismo*, www.sudoestesw.com.br, is een goed reisbureau (wandeltochten, schoenerexcursies).

Geld pinnen

Het pinnen is problematisch op het eiland; pinnen in Angra dus!

Vervoer

Ilha Grande is gemakkelijk te bereiken met de boot vanuit Angra dos Reis en Mangaratiba. Vertrek uit Angra dagelijks om 15 u. alleen op za. en zo. om 13.30 u. De overtocht duurt 1.30 uur. Uit Abraão vertrekt de boot naar Angra om 10 u. en naar Mangaratiba om 17.30 u. (ook 1.30 uur vaartijd).

Er zijn ook particuliere schoeners, zoals van *Phoenix Turismo* (R$ 15 p.p. van Angra naar Abraão).

Aan de kade in Abraão liggen de boten 's morgens te wachten om je naar de stranden, Lagoa Azul, Saco do Céu, en kleinere eilanden te brengen.

Accommodatie

In Abraão zijn inmiddels zo'n honderd pousadas. Het mooist gelegen, verder weg en bereikbaar per boot vanuit Abraão zijn: *Pousada Sankay*, Enseada do Bananal (45 min. met de boot), www.pousadasankay.com.br, paradijselijke omgeving, comfortabele kamers in exotische sfeer, goed restaurant. *Pousada Sítio do Lobo*, Enseada das Estrelas (10 min. met de boot), www.sitiodolobo.com.br, loungen en verwennerij op niveau, de meest luxe plek om te verblijven op dit eiland. In Abraão zijn de betere plekken: *Pousada Água Viva, Pousada Solar da Praia* en *Pousada Casablanca*.

Goed betaalbaar voor het gebodene zijn: *Pousada Recreio da Praia* (aan Praia do Abraão), simpele kamers, mooie tuin en *Tropicana*, Rua da Praia 28, goede sfeer. Het goedkoopst zijn de campings: *Cerca Viva*, Rua Getúlio Vargas, s/no (Vila do Abraão), tel. 25512336; *Camping Pirata*, Rua Amâncio F de Souza 47, tel. 22342162; *Camping das Palmas*, Praia Grande das Palmas, tel. 33506789.

Eten

Rei dos Caldos, Lua e Mar en *O Pescador*, allemaal aan het strand in Abraão, zijn voortreffelijke visrestaurants. Geweldig eten op een idyllische plek doe je bij *Reis e Magos* en *Coqueiro Verde*, allebei aan de Saco do Céu (15 min. varen van de hoofdplaats); bij het laatste restaurant is de moqueca goddelijk, en de risotto met schaaldieren verslavend.

Paraty (pp. 136-139)
Netnummer: 024

Informatie
Informações Turísticas, Avenida Roberto da Silveira/Praça Macedo Soares, www. paraty.com.br. Voor boottochten naar de eilanden en stranden kun je zelf afspraken maken op de steiger bij de Praça das Bandeiras, of bij het reisbureau; *Paraty Tours* bijvoorbeeld organiseert een dagtocht langs vier eilanden, inclusief maaltijd.

Evenementen
Carnaval wordt steeds groter in deze plaats, met optochten van *bonecos* (grote poppen), folkloristische groepen en muziekbands. *Festa do Divino*, 40 dagen na Pasen.
Festa Literária Internacional (Flip), international vermaard, juli. *Festival da Pinga*, plaatselijke distilleerderijen presenteren hun cachaças, met veel muziek en lekker eten, 3de weekend in augustus.

Geld pinnen
Banco do Brasil en Bradesco in de hoofdstraat.

Vervoer
Angra is te bereiken via de BR-101 (252 km van Rio, 300 km van São Paulo), zie verder bij 'Costa Verde'. Het busstation staat aan Avenida Roberto Silveira, de toegangsweg naar het stadje; verbindingen met alle kleine plaatsen langs de Costa Verde, Rio de Janeiro en São Paulo. Bijna ieder uur gaat er een bus naar Rio (4 uur), en ook naar Angra (1.30 uur) gaan vrijwel ieder uur bussen; naar São Paulo (5 uur) gaan twee keer per dag rechtstreekse bussen.

Accommodatie
TOPKLASSE: *Pousada do Ouro*, Rua Dr. Pereira 14599 (Centro Histórico), www. pousadaouro.com.br, is een stijlvolle. De intieme patio en het karakteristieke interieur zouden het decor van een Hemingway-verhaal kunnen zijn. *Pousada Pardieiro*, Rua do Comércio 74, www. pousasapardieiro.com.br, ook heel monumentaal en sfeervol. *Pousada Porto Imperial*, Rua do Comércio, www.pousadaportoimperial.com.br, comfortabel, smaakvol ingericht.
MIDDENKLASSE: *Pousada da Marquesa*, Rua da Geralda 99 (Centro Histórico), www. pousadamarquesa.com.br, intiem, kamers zijn niet al te groot, tuin met zwembadje, gezellige sfeer. *Pousada do Príncipe*, Avenida Roberto Silveira 289, www. pousadadoprincipe.com.br, stijlvol, alsof de voormalige eigenaar Dom João de Orleans e Bragança, achterkleinkind van prinses Isabel, er zo binnen kan lopen.
BUDGET: *Pousada da Praia*, Rua dos Pescadores 25 (Pontal), eenvoudig, goede sfeer, fax 711173. *Estalagem da Praia*, Avenida Jabaquara 26, bij gelijknamige strand (2 km van het centrum), www. paraty.com.br/estalagemdapraia, simpele kamers, schoon. *Solar dos Gerânios*, Rua da Geralda (Centro Histórico), sfeervol hoekpand, appartementen (tot 3 pers.), www.paraty.com.br/geranio. Heel gemoedelijk is *Pousada Familiar*, Rua José Vieira Ramos 262, tel. 711475, bij het busstation, bijna voor een vriendenprijs (US$ 10-18), inclusief goed ontbijt, gerund door een Braziliaans-Belgisch echtpaar.
CAMPINGS: *Camping Marymar*, Rua 7 de Setembro, s/n, www.paraty.com.br/marymar, bij het Praia de Jabaquara, 3 km ten noorden van Parati, de beste optie: goede faciliteiten, mooie ligging, aan het strand. *Beira Rio*, Avenida Beira Rio, klein, dicht bij het centrum.
In het plaatsje Trindade zijn zo'n twintig pousadas en ook een camping, waar je

over het algemeen stukken goedkoper terechtkunt. Kijk op: www.paraty.com.br/trindade.

Eten en drinken

Volop sfeervolle bars en restaurants in het historische centrum, onder meer aan de Rua do Comércio en de Rua da Lapa. Let op dat de sluitingstijden buiten het seizoen (maart–november dus) aangepast zijn. *Merlin o Mago*, Rua do Comércio 376, opgezet door de Duitse gastronoom Hado Steinbrecher, is een van de betere restaurants: diverse gevarieerde gerechten met verse groente en vooral vis, reserveren aanbevolen. *Banana da Terra*, Rua Dr. Samuel Costa 198, ook voortreffelijke visschotels met verrassende combinaties met banana. *Kontiki*, op het Ilha Duas Irmãs (gratis bootje bij de steiger) heeft een exotische ligging, midden in de baai, een geweldig uitzicht, een klein strand en ook nog prima eten. *Refúgio*, Praça da Bandeira (bij de haven), is legendarisch voor de garnalen- en krabschotels: de garnalen met mosterdsaus bijvoorbeeld, en de moqueca zijn heerlijk. *Dona Ondina*, Rua do Comércio 2, bij de rivier is eveneens een behoorlijk goed visrestaurant. Iets heel anders is *Che Bar en Restaurant*, Rua Marechal Deodoro (centrum), Argentijnse en Cubaanse lekkernijen, zoals empanadas (pasteitjes), gegrild vlees en toch ook paella argentina.

Vassouras (pp. 141-142)

Netnummer: 024

Informatie

De belangrijkste plaats in de Vale do Café en de stad van de koffiebaronnen. Zie verder de websites www.valedocafe.com.br of www.turismovaledocafe.com.br.

Evenementen

Festival Vale do Café, met markten, tentoonstellingen, concerten op historische plekken, tweede helft juli (www.festivaldocafe.com).

Vervoer

Vassouras is gemakkelijk te bereiken vanuit Rio de Janeiro (119 km) via de BR-116, via Dutra en vervolgens de RJ-127 (Paracambi-Vassouras). Er zijn regelmatige busverbindingen met het busstation Rio Novo (busmaatschappij *Normandy*), Petrópolis, Valença, Belo Horizonte en São Paulo.

Accommodatie

Topklasse: *Vivenda les 4 Saisons*, Rua João Cordeiro da Costa e Silva 5 in Graminha, aan de weg van Engenheiro Paulo Frontin naar Miguel Pereira, telefax (55) 24 24632892, www.les4saisons.com.br, het fantastische project van de Nederlandse sterrenkok Jos Boomgaardt.
Middenklasse: *Fazenda Galo Vermelho*, aan de RJ-121, richting Miguel Pereira, 7km, www.hotelfazendagalovermelho.com.br, relaxed om een paar dagen te verblijven, prima uitvalsbasis voor de regio, paardrijden, regionale gerechten. *Pousada Bougainville* en *Pousada Cantinho da Doca*, www.pousadacantinhodadoca.com.br, zijn twee eenvoudige pousadas in Vassouras.

MINAS GERAIS (pp. 145-161)

Belo Horizonte (pp. 148-149)

Netnummer: 031

Informatie

Voor inlichtingen over verblijf, het culturele programma en excursies in de stad is het beste adres: *Belotur*, www.belohorizonte.mg.gov.br. Verder zijn informatiestands te vinden op het busstation en bij de Mercado das Flores, in het Parque Municipal, allebei pal in het centrum.

Vervoer

Bus: de Terminal Rodoviária ligt in Belo Horizonte uiterst centraal in de stad, aan het Praça Rio Branco (Centro). Er zijn uitstekende verbindingen met alle streken in het land en de historische plaatsjes in de staat. Je loopt zo het stadscentrum in (langs de Avenida Afonso Pena of de Rua Rio de Janeiro) of kunt de stadsbus nemen naar een andere hotelwijk Funcionários.

Vliegtuig: Belo Horizonte heeft twee vliegvelden: Aeroporto Internacional Tancredo Neves, aan de MG-010 (39 km) richting Brasilia, voor de internationale en belangrijke nationale verbindingen (goed bereikbaar met de bus vanaf het busstation); en Pampulha, vlak bij het meer, voor de luchttaxi naar Rio en São Paulo, en verbindingen met kleinere plaatsen (onder andere Porto Seguro in Bahia aan de kust).

Geld wisselen

In het centrum in de omgeving van de Avenida Afonso Pena, de shoppingcentra en in de uitgaanswijk Funcionários zijn voldoende pinmogelijkheden.

Accommodatie

Kijk op de website van Belotur voor een uitgebreid overzicht van hotels en appartementen.

Topklasse: *Ouro Minas*, Avenida Cristiano Machado 4001, www.ourominas.com.br, ten noorden van het centrum, 5 sterren met stip, klassehotel, klassiek ingericht, uitstekende voorzieningen, met een tiental kamers exclusief voor vrouwen. *Mercure*, Avenida do Contorno 7315, www.accorhotels.com.br. (Lourdes, aan de westkant van de stad), het bekende niveau, degelijk, goede voorzieningen, zoals een royaal zwembad, betaalbare weekendarrangementen. *Belo Horizonte Othon Palace*, Avenida Afonso Pena 1050, www.othon.com.br, aan de prijs en luidruchtig, maar zeer centraal gelegen, met uitzicht op het stadspark.

Middenklasse: *Praça da Liberdade*, Avenida Brasil 1912 (Funcionários/Savassi), www.pracadaliberdade.com.br, strak, goed hotel, bij uitgaanswijk. *Via Contorno*, Avenida do Contorno 9661 (Prado), www.viacontorno.com.br, goed, modern hotel aan de zuidkant van het centrum. *Savassi en Savassinho*, twee hotels van dezelfde keten, resp. Rua Sergipe 939 en Rua Claudio Manuel (midden in de wijk Savassi), www.savassihotel.com.br, degelijk en modern.

Budget: *Magnata*, Rua dos Guaranis 12, in het centrum, een beetje shabby, maar goedkoop. *Albergue da Juventude Chalé Mineiro*, Rua Santa Luzia 288 (Santa Efigênia), www.chalemineirohostel.com.br, jeugdherberg. *O Sorriso do Lagarto*, Rua Padre Severino 285 (São Pedro/Savassi), www.osorrisodolagarto.com.br.

Eten en drinken

De beste restaurants en uitgaansgelegenheden zijn te vinden in Funcionários en vooral in Savassi. Belotur geeft een maandelijks gidsje, *Guia Turístico* (ook in het Engels), uit over wat er te doen is in de stad.

Churrasco: *Adega do Sul*, Avenida do Contorno 8835 (Gutierrez) en *Porção*, Avenida Raja Gabaglia 2985 (São Bento) zijn toppers.

Regionaal: *Xapuri*, Rua Mandacaru (Pampulha), afgelegen van het centrum (14 km), maar het beste restaurant in Minas Gerais voor *feijão tropeiro, tutu* en andere regionale gerechten, bespreken: tel. 34696198. *Dona Lucinha*, Rua Spadre

Odorico 38 (São Pedro), met een filiaal aan de Rua Sergipe 811 (Savassi), is eveneens een begrip.

ITALIAANS: *Splendido*, Rua Levindo Lopes 251 (Savassi) is de beste in de stad, met als specialiteit: ravioli van bacalhau met garnalensaus. *Dona Derna*, Rua Tomé de Sousa 1380 (Savassi), goed, iets minder aan de prijs. *Marilia*, Rua Marilia de Dirceu 189, staat bekend om de overheerlijke pizza's.

FRANS: *Taste Vin*, Rua Curitiba 2105, de eend met moerbeisaus en de gegrilde zalm met bieslook zijn ongeëvenaard, de beste wijnkaart in Belo.

JAPANS: *Sushi Naka*, Rua Gonçalves Dias 92 (Funcionários).

In de straten van Centro, aan weerskanten van de Avenida Afonso Pena zijn tientallen eenvoudige restaurants met internationale en regionale gerechten op de kaart.

Ouro Preto (pp. 149-156)

Netnummer: 031

Informatie

De *Associação de Guias*, aan het Praça Tiradentes 41 in het Centro Cultural op Praça Tiradentes, verstrekt inlichtingen over stadswandelingen met en zonder gids (plattegronden en routebeschrijvingen), en heeft een overzicht van ateliers van kunstenaars. De centrale website voor de stad is www.ouropreto.com.br. Er zijn diverse reisbureaus die excursies in de omgeving verzorgen (de watervallen van Cachoeira do Falcão, de fraaie Capela Bom Jesus de Matosinhos uit 1765 met mooi panorama, het Parque Estadual do Itacolomi, een groot natuurpark).

Vervoer

BUS: het rodoviária staat aan Rua Pe. Rolim; frequent bussen naar Belo Horizonte (1.30 uur reistijd).

Geld wisselen

In de winkelstraten bij het hoofdplein zitten banken met 24 uurs-pinautomaten.

Accommodatie

TOPKLASSE: *Pousada do Mondego*, Largo de Coimbra 38, www.mondego.com. br, naast de Igreja de São Francisco de Assis, mooie historische omgeving, comfortabel. *Pousada Clássica*, Rua Cde. de Bobadela 96, www.pousadaclassica.com. br, in de winkelstraat bij het plein, verbouwd en sfeervol ingericht, kamers aan de kleine kant.

MIDDENKLASSE: *Grande Hotel de Ouro Preto*, Rua Senador Rocha Lagoa 164, www.hotelouropreto.com.br, goed hotel op een fraaie plek. *Pousada Ouro Preto*, Largo Musicista José dos Anjos 72, www.pousadaouropreto.com.br, prachtige locatie met panorama, goede sfeer, fraaie kamers. *Pousada Casa dos Contos*, Rua Camilo de Brito 21 (US$ 45), fax 5512160.

BUDGET: *Chalé do Carmo*, Rua Costa Sena 205, www.chaledocarmo.com.br, eenvoudig, wel sfeervol. *Do Colégio*, Rua Felipe dos Santos 145 (US$ 35), in een oud koloniaal pand, ruime vertrekken.

Eten en drinken

Casa do Ouvidor, Rua Cidade de Bobadela 42, is een goed adres voor typische mineiro-gerechten, zoals feijão tropeiro en tutu a mineiro. *Chafariz*, Rua São José 167, eveneens met lekkere regionale gerechten. *Piacere*, Rua Getúlio Vargas 241, is de betere Italiaan in Ouro Preto.

Mariana (pp. 156-157)

Netnummer: 031

Informatie

Bij de *Associação de Guias* (*Portal Turístico*), Praça Tancredo Neves zijn inlichtingen te krijgen over stadswandelingen met een gids, excursies in de omgeving (onder meer naar het 18de-eeuwse Distrito de Santa Rita Durão), en over de openingstijden van kunstenaarsateliers. Kijk op: www.mariana.mg.gov.br.

Evenementen

Het *Festival de Inverno*, in juli, is een groots cultureel feest met theater, markt, shows en muziek.

Vervoer

Bus: het rodoviária staat op het Praça Juscelino Kubitschek. Frequente directe busverbindingen met zowel Ouro Preto (45 min.) als Belo Horizonte (1.30 uur). Een bezoek aan Mariana is goed te combineren met een bezoek aan Ouro Preto.

Accommodatie

Middenklasse: *Pousada Contos de Minas*, Rua Zizinha Camelo 15, www.pousadacontosdeminas.com.br, eenvoudig, sfeervol en het mooiste panorama van allemaal. *Pouso da Typographia*, Praça Gomes Freire 220, tel. 35571577, sfeervol hotel in oude stijl.
Budget: *Pousada do Chafariz*, Rua Cônego Rego 149, www.pousadadochafariz.hpg.com.br, simpel, maar wel sfeervol én met zwembad. *Providência*, Rua D. Silveiro 233, www.hotelprovidencia.com.br, eenvoudig, centrale ligging.

São João del Rey (pp. 159-160)

Netnummer: 032

Informatie

Terminal Turístico, Praça Dr. Antônio Viegas en www.saojoaodelreisite.com.br.

Vervoer

Bus: dag. rijden er bussen van en naar Belo Horizonte (3.30 uur), Congonhas (2 uur), Rio (6 uur). Vanaf Ouro Preto kun je het best via Conselheiro Lafaiete reizen.

Trein: Op vr.-zo. kun je de onvergetelijke rit naar Tiradentes per trein maken.

Accommodatie

Middenklasse: *Lenheiros Palace*, Avenida Presidente Tancredo Neves 257, www.hotellenheiros.com.br, modern hotel, in het centrum. *Cabana do Rei*, Avenida Presidente Castelo Branco 2002, www.hotelcabanadorei.com.br, 10 km van het centrum, mooi gelegen, met zwembad en mogelijkheid tot paardrijden.
Budget: *Colonial*, Rua Marechal Deodoro 209, tel. 33717566, in het centrum, in een koloniaal pand. *Solara Hotel Ltda*, Avenida Oito de Dezembro 161, tel. 33718880, ook in het centrum.

Tiradentes (p. 160)

Netnummer: 032

Informatie

Secretária de Turismo, Rua Resende Costa 71, tel. 33551212 en de nuttige websites www.portaltiradentes.com.br en www.guiatiradentes.com.br.

Evenementen

Tien dagen in augustus is dit stadje de ontmoetingsplek voor topchefs tijdens het *Festival Internacional de Cultura e Gastronomia*; met geweldige gerechten en veel muziek. Eind januari is de *Mostra de Cinema*, een filmfestival. Het laatste weekend in juni komen de *Harley Davidson*-fanaten hier bijeen.

Vervoer

Bus: het rodoviária aan het Praça do Terminal. Bussen tussen São João del Rei en Tiradentes om de 45 min.
Trein: toeristische treinrit naar São João del Rey, vertrek: vr. zo. en feestdagen 13 en 17 uur, station Maria-Fumaça, aan de overkant van de rivier; retourticket R$ 20 (kinderen 6-10 jaar R$ 8). Je kunt

deze excursie ook te paard en met een jeep maken.

Accommodatie

TOPKLASSE: *Solar da Ponte*, Praça das Mercês, www.solardaponte.com.br, bijzonder fraai gerestaureerd complex, met veel antiek en comfort (geen kinderen jonger dan 12 jaar).
MIDDENKLASSE: *Pousada Arraial Velho*, Rua Bárbara Heliodora 10 (Parque des Abelhas), www.arraialvelho.com.br, sfeervolle, klassieke pousada in de heuvels, met zwembad.
Pousada Maria Barbosa, Rua Joaquim Ramalho, www.artesanatomariabarbosa.com.br, pousada in een oude fazenda, met antiquariaat, mooie locatie.
BUDGET: *Pousada Vagalume*, Rua Custódio Gomes 150, www.pousadavagalume.com.br, intiem, kleurrijk, mooie ligging, en met zwembad. *Pouso Quatro Encantos*, Rua do Chafariz 21, in het hartje van het historisch centrum, vriendelijk, fraaie decoraties.

Eten en drinken

Viradas do Largo, Rua Jogo de Bola 108; eigenaresse en cheffin Beth staat persoonlijk garant voor heerlijke regionale specialiteiten. In de Rua Padre Toledo en Rua Direita zitten diverse behoorlijke restaurants, zoals *Trattoria Via Destra*, *Tragaluz* en *Theatro da Villa*.

Diamantina (p. 160-161)

Netnummer: 038

Informatie

Casa da Cultura (Secretaria de Cultura e Turismo), Praça Antônio Eulálio 53; hier kun je een handig stadsplattegrondje met wandelroute krijgen, ook kun je gebruik maken van de diensten van een gids. Of kijk op www.diamantina.com.br.

Evenementen

De *Vesperata*, door muzikanten in de huizen aan de Rua da Quitanda, is de attractie in de avonduren (twee zaterdagen per maand van maart tot oktober).

Vervoer

BUS: het rodoviária bevindt zich op het Largo D. João: verbindingen met Belo Horizonte (5.30 uur), Serro en Curvelo.

Accommodatie

MIDDENKLASSE: *Pousada do Garimpo*, Avenida da Saudade 265, www.pousadadogarimpo.com.br, historische omgeving, 500 meter van het centrum. *Tijuco*, Rua Macau do Meio 211, www.hoteltijuco.com.br, modern, ontworpen door Oscar Niemeyer, met fantastisch uitzicht.
BUDGET: *Flor da Pedra*, Rua do Bugalhau 322, tel. 35311826, kleine pousada in oud huisje. Aan het Largo D. João staan verscheidene goedkope hotelletjes: *Esplanada*, op nr. 62, tel. 35311778, heeft een fraaie setting in een oud pand.

Eten en drinken

Grupiara, Rua Campos Carvalho 12-A, regionale gerechten. *O Garimpeiro*, in de Pousada do Garimpo, is een bekend adres voor mineiro-gerechten. *Trattoria La Dolce Vita*, Rua da Caridade 147, de betere Italiaan.

SÃO PAULO (pp. 163-187)

São Paulo (pp. 163-183)

Netnummer: 011

Adressen en telefoonnummers

POLITIE, tel. 190; kantoren van de speciale toeristenpolitie DEATUR, Rua São Bento 380, 5de verdieping, tel. 31075642; en Avenida São Luís 91, tel. 32140209.
EERSTE HULP EN AMBULANCE, tel. 192.

ZIEKENHUIZEN MET ACUTE HULP: Hospital Albert Einstein, Av. Albert Einstein 627 (wijk Morumbi), tel. 37471233; Hospital das Clínicas, Av. Doutor Eneias de Carvalho 255 (wijk Cerqueira César, metrostation Clinicas), tel. 30696000; Incor-Instituto do Coração, Av. Doutor Eneias de Carvalho 44 (wijk Cerqueira César), tel. 30695000 (speciaal voor acute hartproblemen).

CONSULAAT BELGIË, Avenida Paulista 2073 (Conjunto Nacional, 13de verdieping), tel. 31711596/1599, www.diplomatie.be/saopaulonl.

CONSULAAT NEDERLAND, Avenida Brigadeira Faria Lima 1779, 3de verdieping, tel. 38113300, www.mfa.nl/sao.

Stadsinfo

Er is een tweetal centrale plaatsen voor algemene informatie over (stads)excursies, verblijf en culturele activiteiten: São Paulo Convention & Visitors Bureau, Alameda Riberão Preto 130, 12de verdieping, zie ook: www.visitesaopaulo.com; *Delegacia Especializada de Atendimento ao Turista*, Avenida São Luís 91 (centrum), tel. 32140209 en Rua São Bento 398 (centrum), tel. 31075642.

Er zijn diverse handzame gidsjes met een overzicht van culturele, culinaire en sportieve activiteiten, zoals *Parabéns São Paulo* en *São Paulo, este mês* (www.revistaestemes.com.br).

Een uitgebreide website over accommodatie, vervoer, uitgaan, excursies: www.cidadedesaopaulo.com.

En de officiële website van de stad: www.capital.sp.gov.br.

Stadsexcursies

Met de bus zijn uiteenlopende stadsexcursies te maken. Zo is er een historische en culturele rondrit, die begint en eindigt bij Hotel Mercure op de Avenida Paulista; zie www.aextour.com.br, www.

easygoing.com.br of www.checkpoint-tours.com.br.

Je kunt een stadswandeling maken in het hart van deze miljoenenstad, langs de historische plekken, bijzondere architectuur en culturele trekpleisters; zie www.andancastur.com.br.

Vervoer

VLIEGTUIG: *Aeroporto Internacional de São Paulo*, Guarulhos (voor internationale verbindingen), aan Via Dutra op 28 km van de stad of via de Rodovia Ayrton Senna (30 km), tel. 64452945; airportbussen vertrekken ieder half uur van Praça República, en vanaf busstation Tietê (iedere 45 min.)

Aeroporto Congonhas (voor nationale verbindingen, onder meer luchttaxi naar Rio), Av. Washington Luís, tel. 50909195.

LUCHTVAARTMAATSCHAPPIJEN: *KLM*, Avinda Alameda Santos 1787, tel. 33722828. *Air France*, Avenida Cardoso de Mello 1955, tel. 30490900. *TAP*, Avenida São Luiz 187, tel. 21311200. *TAM*, Rua da Consolação 247 (2de verdieping), tel. 0300-123100, tel. 55828811 (Congonhas) en tel. 64454118 (Guarulhas).

VARIG, Rua da Consolação 362, tel. 0300-7887000, tel. 64452028 (Guarulhos) en tel. 50917000 (Congonhas). *Gol*, tel. 0300-7892121, www.voegol.com.br.

BUS: in São Paulo is de bus de beste manier om snel en goedkoop in alle gewenste hoeken van de stad te komen. Er zijn honderden buslijnen, die kriskras door de stad lopen. Vraag in het hotel met welke bus je het best naar een bepaalde bestemming kunt reizen. Om vanuit het centrum naar een buitenwijk te komen en teneinde de drukte en opstoppingen in het centrale deel van de stad te vermijden, kun je het best eerst zo ver mogelijk de metro nemen.

Busstations: er zijn in São Paulo vier grote busstations. *Terminal Bresser* in de wijk Brás (naast metrostation Bresser): voor Belo Horizonte en het zuiden van Minas Gerais. *Terminal do Jabaquara* in de wijk Jabaquara (naast het gelijknamige metrostation): voor Santos, Guarujá en andere plaatsen aan de zuidelijke kust van de staat São Paulo. *Terminal Rodoviário Barra Funda*, vlak bij het Memorial da America Latina en metrostation Barra Funda: voor plaatsen in het zuidoosten van de staat São Paulo en het noorden en noordwesten van de staat Paraná. *Terminal Tletê*, bij het gelijknamige metrostation, voor het westen van de staat São Paulo, alle grote steden in Brazilië en voor de buurlanden (Asunción, Montevideo, Buenos Aires en Santiago). Ook busverbinding met het internationale vliegveld Guarulhos.

Metro: de *Metrô* van São Paulo bestaat uit twee grote lijnen en een kleine lijn. De *Linha Vermelha* (rood) is de oost-westlijn (van station Corínthians/Itaquera naar station Barra Funda). De *Linha Azul* (blauw) is de noord-zuidlijn van station Tucuruvi naar Jabaquara. Deze lijnen kruisen elkaar bij station Sé in het hart van de stad. Onder de Avenida Paulista loopt de *Linha Verde* (groen) van Ana Rosa naar Vila Madalena. Alle grote bus- en treinstations hebben een metroaansluiting.

De metro rijdt doordeweeks en op za. van 4.40-24 en op zo. en feestdag. 5-24, kaartjesverkoop 6-22 uur.

Taxi: onder meer Coopertax, tel. 61956000; Ligue-Táxi, tel. 38663030.

Trein: voor toeristen zijn twee treinstations in de stad van belang. *Estação da Luz*, Praça da Luz 1 (metrostation Luz) voor treinen naar het westen van de staat São Paulo, Brasília en enkele voorsteden; ook vertrekt hier op zondag (8.30 uur) de speciale stoomtrein naar

Paranapiacaba in het kustgebergte. *Estação da Barra Funda*, Rua Mario de Andrade (metrostation Barra Funda) voor treinen naar São Vicente en Santos.

Geld pinnen
In het centrum, bij de Avenida Paulista, in de uitgaanswijken en bij de winkelcentra zijn volop pinmogelijkheden.

Accommodatie
De hotelwijken zijn Bela Vista, Brooklyn Novo, Centro, Cerqueira César, Consolação, Jardim Paulista, Moema. Er zijn talrijke mogelijkheden in alle prijsklassen. Bela Vista, Centro en Cerqueira César liggen het centraalst voor zowel de voornaamste bezienswaardigheden als de uitgaanswijken. www.cidadedesaopaulo.com/dormir heeft een uitgebreid overzicht; alfabetisch en per wijk. Ook via de bekende online boekingsites zoals Expedia en City Brazil krijg je een redelijk goed overzicht. In het weekend en buiten het seizoen hebben de duurdere hotels heel aantrekkelijke aanbiedingen. Een paar tips.

Topklasse: *L'Hotel*, Alameda Campinas 150, www.lhotel.com.br (Bela Vista), voortreffelijk en peperduur, met verschillende restaurants en alle denkbare voorzieningen.
Gran Meliá Mofarrej, vlak bij de Avenida Paulista. Al. Santos 1437 (Cerqueira César), www.solmelia.com, zeer comfortabel. *Hilton São Paulo Morumbi*, Avenida das Nações Unidas 12901 (Brooklyn Novo), www.hilton.com, geweldig zakencentrum met alles erop en eraan, inclusief sterrenrestaurant *Canvas*.
Middenklasse: *Tryp Paulista*, Rua Haddock Lobo 294, www.solemelia.com (Bela Vista/Cerqueira César), vlak bij Avenida Paulista en uitgaanswijken in het zuiden, modern en comfortabel. *Cambridge*, Av. 9 de Julho 216 (Centro), www.cambridge-

hotel.com.br. *Columbia*, Rua dos Timbiras 492 (Centro), www.hotelcolumbia.com.br. BUDGET: *Galeão Hotel*, Rua dos Gusmões 394, www.hotelgaleao.sp.com.br, behoorlijke kamers. *Pauliceía*, Rua Timbiras 216, tel. 33319733, is een goedkoop slaapadres, schone kamers.

Er zijn drie jeugdherbergen in de stad, waarvan die in de Rua Barão de Campinas 94, in het centrum staat; www.hostel. com.br.

Eten en drinken

BRAZILIAANS. De lokale bevolking zweert bij *Bargaço*, Rua Oscar Freire 1189 (Cerqueira César), voor de overheerlijke Bahiaanse gerechten als moqueca en carne-de-sol. *Universidad de Cachaça*, Rua Iaía 83 (Itaim Bibi), is een populair, eigentijds restaurant. *Tordesilhas*, Rua Ouro Branco 150 (Jardim Paulista), probeert ingrediënten van diverse regionale gerechten te combineren, met soms verrassend resultaat. *Bolinha*, Avenida Cidade Jardim 53 (Jardim Europa), heeft de beste feijoada van de stad.

CHURRASCO. Uitstekende churrascaria's zijn *Bassi*, Rua 13 de Maio 668 (Bela Vista), *Rodeio*, Rua Haddock Lobo 1498 (Cerqueira César) en *Barbacoa Grill*, Rua Dr. Renalto Paes de Barros 65 (Itaim Bibi).

ITALIAANS. In de wijken Bela Vista en Cerqueira César zijn tientallen goede Italiaanse restaurants gevestigd. *Fasano*, Rua Haddock Lobo 1644, en *Massimo*, Alameda Santos 1826, allebei in Cerqueira César zijn de top. *Pomodori*, Rua Dr. Renalto Paes de Barros 534 (Itaim Bibi), is ook altijd druk. *Emiliano*, Rua Oscar Freire 384 (Cerqueira César), eigentijds Italiaans, topkok Francesco Carli tovert de lekkerste gerechten op je bord. Met fraaie wintertuin.

JAPANS. *Sushi-Yassu*, Rua Tomás Gonzaga 98 (Liberdade), met overheerlijke sushi

en sashimischotels. *Koyama*, Rua 13 de Mayo 1050 (Bela Vista), biedt de traditionele Kansai Idore-keuken (Kyoto); shabu shabu is heerlijk mals vlees.

Sushiguen, Kosushi en *Nagayama* zijn nieuwe restaurants in Itaim Bibi. In de wijken Liberdade vind je nog de wat minder exclusieve *Kaburá* en *Kinoshita*.

ARABISCH. In Cerqueira César kun je enkele populaire Arabische restaurants vinden, zoals *Arábia*, Rua Haddock Lobo 1397, en *Folha de Uva*, Rua Bela Cintra 1435.

DUITS. Voor Duitse gerechten moet je naar de wijken ten zuiden van het Ibirapuerapark, zoals *Alt Nürnberg*, Avenida João Carlos da Silva Borges 543 (Santo Amaro) met op de kaart eisbeln en zuurkool. *Bierquelle*, Avenida Aratãs 801 (Moema), biedt op de kaart een kruising van Braziliaanse met Zwitserse gerechten zoals fondue.

VEGETARISCH. Het beste vegetarische restaurant in deze wereldstad is *Cheiro Verde*, Rua Peixoto Gomide 1413 (Cerqueira César). *Sattva*, Rua da Consolação 3140 (Cerqueira César) is ook goed.

DIVERSEN. *Filomena*, Rua Primavera 284 (Jardim Paulista) is een doorslaand succes met gerechten als ravioli van spinazie en gegrilde zalm. *Tatini*, Rua Batatais 558 (Jardim Paulista), is een ander sfeervol restaurant met regelmatig bijzondere gerechten.

Uitgaan

São Paulo heeft tientallen theaters, waar toneel-, dans- en muziekvoorstellingen plaatsvinden. Daarnaast zijn er nogal wat muziekcafés waar Braziliaanse en internationale musici optreden. De beste manier om erachter te komen waar en wanneer wat gebeurt, is het weekblad *Veja* te kopen. Daarin is wekelijks een speciale bijlage voor São Paulo opgenomen. Ook de grote lokale krant *Folha de São Paulo* heeft op vrijdag een speciale sectie over uitgaan in de stad. Een Engelstalig overzicht van wat er te doen is, staat in het maandelijkse *Este mês em São Paulo*, this month. In de hotels verkrijgbaar.

Vila Madalena, Jardins, Moema, Itaím Bibi en Vila Olímpia zijn de uitgaansbuurten met intieme muziekcafés, dansclubs en disco's. Zo biedt de Rua Franz Schubert (een zijstraat van de Avenida Cidade Jardim) op de grens van Jardim Europa en Cidade Jardim (Jardims) aardig wat vertier op niveau.

MUZIEKCAFÉS. Enkele plaatsen om te onthouden zIJn: Café Piu-Piu (jazz, rock), Soçaite (samba, bossa nova), Café do Bixiga (jazz, samba), alle drie in de Rua 13 de Maio (Bela Vista). Bar do Sacha (A), Rua Orginal 45 (Vila Madalena), is een topper van de laatste tijd. Ook Jacaré, Rua Harmonia 321/337 in Vila Madalena, is de hele avond gezellig (met restaurant).

In Barraçâo de Zinco en Vila Samba, beide aan de Avenida Ibirapuera, kunnen liefhebbers van de samba terecht.

THEATER EN SHOWS. Bela Vista en Consolaçao zijn de wijken waar je de betere theaters vindt, zoals *Oficina* en *Teatro Augusta*.

Grote theatervoorstellingen en internationale artiesten treden op in het *Ginásio do Ibirapuera* (Ibirapuera), *Olympia* (Lapa), *CIE Music Hall* (Moema). Cultuur met een grote 'C' vind je in het *Teatro Municipal* en de *Sala São Paulo*.

Nationale en internationale dansgezelschappen doen vaak het *Teatro Brasileiro de Comédia* aan.

DISCO'S EN CLUBS. *Limelight*, Rua Franz Schubert 93, is een zeer populaire disco en nachtclub. Erg trendy zijn ook de futuristische *Azul da Meia Noite*, inclusief het Splish Splash Café, aan de Rua Frans Schubert 111, *Kremlin*, een rood gebouw aan de Al. Prof. Artur Ramos 193 (hoek

Rua Franz Schubert), en *Disco Fever*, Rua Augusta 2203 (Jardim Paulista).

Ook *Allure*, met restaurant, Rua Frei Calvão 135 (Jardim Paulista), is populair. Een bijzonder leuke sfeer hangt er in *Arrasta-Pé do Primo*, Rua Eugênio de Medeiros 287 (Pinheiros), waar vooral forró, de volksmuziek uit het noordoosten van Brazilië, wordt gespeeld en gedanst.

Wie zich geroepen voelt om zelf een muzikale of vocale bijdrage aan de feestvreugde te leveren, moet zeker eens langsgaan in *Canto Livre*, Rua 13 de Maio 825 (Bela Vista) of *Karaokê do Liberty*, Avenida Liberdade 863 (Liberdade); vooral de laatste is een bezienswaardigheid met traditioneel Japanse karaoke.

Winkelen

Het centrum van São Paulo is druk en meestal gezellig om te winkelen. De beste winkels zijn hier echter al lang niet meer te vinden.

De Rua Augusta en zijstraten daarvan zoals de Rua Oscar Freire en Alameda Lorena, in Vila America (iets ten zuiden van de Avenida Paulista), is de buurt van boetieks, chique modezaken, juweliers, boekwinkels en souvenirshops. Een goede, maar niet goedkope souvenirwinkel, is de Galeria de Arte Brasileira in de Alameda Lorena 2163.

Rua João Cachoeira (Itaim Bibi) is de plek voor de nieuwste dames- en herenmode. In de Rua Padre João Manuel en omgeving is een aantal toonaangevende kunstgaleries gevestigd met werk van Braziliaanse kunstenaars.

Op de hoek van Rua Augusta met de Avenida Paulista staat het gebouw van Conjunto Nacional, waar op het straatniveau een goede muziekwinkel en twee uitstekende boekhandels zitten (*Livraria Cultura*).

Iguatemi (Avenida Brigadeiro Faria Lima, Jardim Paulista) was 20 jaar geleden het eerste shoppingcenter in Brazilië. Een winkelcentrum met ruim 300 winkels, tientallen restaurants en meerdere bioscopen. *Daslu* is nu het meest exclusieve winkelcentrum in Brazilië.

Andere grote shoppingcentra zijn: *Ibirapuera* (Avenida Ibirapuera, zuidelijk van het gelijknamige park); *Paulista* (Avenida Paulista, bij de Rua 13 de Maio) en *Morumbi* (Brooklin Novo), met boetieks, designwinkels en als grootste attractie een immens aquarium met zeevissen.

Markten

In São Paulo zijn diverse markten, waar je bijvoorbeeld ook aardige souvenirs kunt vinden. Iedere wijk heeft wel z'n wekelijkse vrijmarkt, die dan de straten verstopt.

Voor souvenirs zijn aan te bevelen: het Praça da República (centrum), zo. 9-17 uur; het Praça Dom Orione (Bela Vista), zo. 8-18 uur; de Paulista-markt tegenover het MASP (Avenida Paulista), za. en zo. 7-17 uur.

Iedere zondag is er bij het metrostation Liberdade een Oriëntaalse markt, 10-19 uur. Op zondag zijn er ook twee grote antiekmarkten in de buurt van de Avenida Paulista: onder het MASP, 10-17 uur; en tussen de Rua Haddock Lobo en Bela Cintra, 8-18 uur.

Sport

Zowel voor passieve als actieve sportbeleving biedt São Paulo veel mogelijkheden. Tijdens het voetbalseizoen zijn er wekelijks wedstrijden van een van de lokale clubs zoals Corinthians en Palmeiras. In het Ginásio Poliesportivo do Ibirapuera (bij het park) spelen de plaatselijke volleybal- en basketbalteams en worden ook wedstrijden van het nationale team gespeeld. Het Hipódromo de Cidade Jardim is de plaats voor verschillende grote paardenraces. En op het circuit

van Interlagos wordt de Grand Prix van Brazilië Formule 1 verreden. Verder zijn er internationale tennis-, zwem- en atletiektoernooien in de stad.

In het Ibirapuera-park kun je prima hardlopen, fietsen en joggen.

Campos de Jordão (pp. 183-184)
Netnummer: 012

Informatie

Bij de Pórtico, meteen bij binnenkomst van het stadje, is het toeristenbureau gevestigd. Je kunt hier een kaart van de omgeving krijgen en informatie over verblijf, wandeltochten, excursies, sporten. www.camposdojordao.com.br.

Evenementen

Het *Festival de Inverno* in juni is een belangrijk internationaal gebeuren voor klassieke muziek.

Vervoer

Bus: vanuit São Paulo naar Campos de Jordão vertrekken bussen vanaf het busstation Tietê.

Trein: het treintje naar Santo Antônio do Pinhal (duur reis 2.40 uur) vertrekt di.-vr. om 10 en 14; za. en zo. om 9.30, 10, 10.25, 13.30, 14 en 14.25 uur.

Accommodatie

De betere pousadas en hotels staan in Capivari, het centrum. In juli, het hoogseizoen hier, moet je voor een minimaal aantal dagen boeken (variëren van 3 tot 7 dagen).

Topklasse: *Leão da Montanha*, Rua Dr. Raul Mesquita 443 (Capivari), www.leaodamontanha.com.br, comfortabel, fraaie ligging. *Pousada Villa Capivary*, Avenida Dr. Victor Godinho 131 (Capivari), www.villacapivary.com.br, aangename huiselijke sfeer, in het centrum.

Middenklasse: *Vila Regina*, Avenida Dr.

Emílio Lange Jr. 323 (Capivari), mooie locatie, fraai uitzicht, www.vilaregina.com. br. *Terraza*, Avenida Senador Roberto Simonsen 1071 (1,5 km van Capivari), www. terrazza.com.br, lekker hotel, meer een pousada, ook chalets, rustige omgeving. BUDGET: *Refúgio Alpino*, Rua Rodolfo A. Rodrigues Alonso 2010, www.hotelrefugioalpino.com.br; op loopafstand van het centrum, simpele kamers. *Bologna*, Avenida Macedo Soares 331, www.bologna.com.br; ook niet ver van Capivari, elementair, wel met zwembad.

Eten en drinken

Harry Pisek, Avenida Pedro Paulo 857 (Estrada de Horto), heerlijke Duitse vleesgerechten, de leverworst en de saucijsjes zijn klassiekers. In Capivari zijn *Ludwig*, Rua Aristides de Souza Melo 50, en *Confraria do Sabor*, Avenida Dr. Victor Godinho 191 sfeervolle restaurants met een internationale kaart.

Santos (pp. 184-186)

Netnummer: 013

Informatie

Bij de kiosken aan de Avenida Presidente Wilson (aan het Praia do Gonzaga), bij het Aquário Municipal, de Orquidário Municipal en bij het busstation aan het Praça dos Andradas (Centro).
De officiële gemeentewebsite is www. santos.sp.gov.br. Die van het toeristenbureau: www.srcvb.com.br.

Vervoer

BUS: bijna ieder uur vertrekt in São Paulo vanaf het busstation Jabaquara een bus naar Santos. De rit gaat over de autoweg door het kustgebergte en duurt ongeveer 1.30 uur. Vanaf het busstation gaan er regelmatig bussen verder langs de kust, zowel naar het noorden (Bertioga, Rio), als naar het zuiden (Praia Grande).

BOOT: Dersa verzorgt de overtocht naar Guarujá (5 min.), vanaf Ponta da Praia.

Accommodatie

TOPKLASSE: *Mendes Plaza*, Avenida Floriano Peixoto 42 (Gonzaga), www.grupomendes.com.br, is het meest luxe hotel in Santos.
MIDDENKLASSE: *Praiano*, Avenida Barão de Penedo 39 (Praia de José Menino), www. hotelpraiano.com.br.
BUDGET: *Natal*, Rua Floriano Peixoto 104 (Gonzaga), www.hotelnatal.com.br, goede en schone kamers.

Eten en drinken

Aan de kustboulevard en de Avenida Ana Costa (die van de kust naar het centrum loopt) zijn diverse goede restaurants te vinden. *Tertúlia*, Avenida Bartolomeu de Gusmão 187, vlak bij de passagiersterminal, is een uitstekende churrascaria. *Nagasaki*, Avenida Almirante Saldanha da Gama 132, is aan te raden voor Japanse gerechten. Iets verderop zit het visrestaurant *Mar del Plata*. *Cantina di Lucca*, Rua Dr. Tolentino Filgueiras 80, heeft overheerlijke pizza's.

Guarujá (p. 186)

Netnummer: 013

Informatie

Het toeristenbureau staat aan de Rua Quintino Bocaiúva 248 in Centro. De website van de stad: www.guiaguaruja. com.br.

Vervoer

Guarujá is rechtstreeks te bereiken vanuit São Paulo (1.30 uur) met de bus; regelmatig vertrek vanaf station Jabaquara. Boven Santos langs loopt de SP-55 die over land naar Guarujá voert. De andere route gaat dwars door Santos heen en via de pont (5 min.) over de rivier. Ook vanaf Bertioga aan de kust moet je met de pont (5 min. overtocht, om de 20 min.) naar Guarujá.

Accommodatie

TOPKLASSE: *Casa Grande*, Avenida Miguel Stéfano 1987 (Praia da Enseada), www.casagrandehotel.com.br, het beste hotel in deze badplaats, in koloniale stijl, ook chalets. *Delphin*, Avenida Miguel Stéfano 1295 (Praia da Enseada), www.delphinhotel.com.br, gerenoveerd, prima kamers. MIDDENKLASSE: *Pousada Canto do Mar*, Rua Jornalista Matos Pacheco 56 (Praia do Guaiúba), www.cantodomar.com.br; lekkere plek, redelijk comfortabele kamers, zwembad en vlak bij strand. BUDGET: *Pousada e Camping Ecológico*, Avenida Santa Maria 900, Praia da Enseada, www.guiaguaruja.com.br; vlak bij strand, basisvoorzieningen.

Eten en drinken

Aan de weg naar Bertioga bevinden zich de twee beste visrestaurants van Guarujá: *Do Joca* (na ongeveer 12 km), en *Dalmo Bárbaro* (na 14,5 km). *Thai*, Avenida Miguel Stéfano 1001 ((Praia da Enseada), voortreffelijke Thaise gerechten.

HET ZUIDEN (pp. 189-227)

Curitiba (pp. 191-198)

Netnummer 041

Informatie

Zowel de staat Paraná als de gemeente Curitiba hebben uitstekende websites: www.pr.gov.br, www.viaje.curitiba.pr.gov.br en www.curitiba.pr.gov.br.

Evenementen

Oficina de Música in januari en *Festival do Teatro* in maart.

Geld pinnen

De grote banken bevinden zich aan de hoofdstraten Rua XV de Novembro en Marechal Deodoro; de meeste met pin-mogelijkheden tot 24 uur.

Vervoer

VLIEGTUIG: Curitiba heeft verbindingen met onder meer São Paulo, Rio, Brasília, Florianópolis. Het vliegveld Alfonso Pena ligt een half uur rijden van het centrum; bus 'Aeroporto' vanaf het busstation aan de Rua João Negão. BUS EN TREIN: het Rodoferroviária, zowel bus- als treinstation, staat aan de Avenida Afonso Camargo. Zowel de interlokale buslijnen als de spoorlijnen komen hier samen. Vanaf dit moderne station kun je naar alle steden in Brazilië, buurlanden en naar de kust van Paraná (Paranaguá, Matinhos) reizen. De *Serra Verde Express* via Morretes naar Paranaguá vertrekt doordeweeks om 8.15 en om 9.15 uur. De laatste heet *Litorina* en is speciaal voor toeristen, met een stop om foto's te maken. De litorina rijdt alleen in het weekeinde door naar Paranaguá. Je moet vandaar dus met de bus of taxi verder. De treinprijzen variëren van 22 R$ (alleen heen) plus 15 R$ (ook retour) voor de gewone trein, tot 182 R$ voor de Litorina. De treinreis duurt 3.30 tot 4 uur. Speciaal voor toeristen rijdt de *Linha Turismo*, ook wel *jardineira* genomed, die 25 bezienswaardigheden aandoet. Vertrek op Praça Tiradentes; R$ 15 voor vier keer in en uitstappen.

Accommodatie

Goede en betaalbare hotels zijn er in deze conferentie- en studentenstad volop te vinden. In de straten bij het bus- en treinstation en in het centrum is er een ruime keus. Kijk op de website van de staat en de stad: www.parana.pr.gov.br en www.viaje.curitiba.pr.gov.br.

TOPKLASSE: *Crowne Plaza*, Rua Pres. Carlos Cavalcanti 600, www.ihgplc.com; een topper, zes blokken ten noorden van het voetgangersgebied. *Slaveiro Palace*, Rua Senador Alencar Guimarâes 50, www.hotelslaveiro.com.br, een uitstekend hotel, vlak bij het Praça Gen. Osório. *Full Jazz*, Rua Silveira Peixoto 1297 (Batel), www.hotelslaveiro.com.br, voor jazzliefhebbers, shows in het weekeinde.
MIDDENKLASSE: *San Martin*, Rua João Negrão 169, www.sanmartin.com.br, ruime kamers, centraal gelegen. *Condor*, Avenida 7 de Setembro 1866, www.condorhotel.com.br.
VOORDELIG: *Itamaraty*, Avenida Presidente Afonso Camargo 770, tel. 33622022, www.hotelitamaratycwb.com.br, in een relatief rustige straat tegenover het bus/treinstation, degelijk en betaalbaar.
BUDGET: *Formule 1*, Rue a Mariano Torres, eind 2005 geopend, een bekend adres voor budgetreizigers uit Europa. *Maia*, Avenida Presidente Afonso Camargo 355, tel. 32641684, ook bij het bus/treinstation, gezamenlijke badkamer, eenvoudige kamers.

Eten en drinken

In het centrum, vooral rondom het wandelgebied (Rua das Flores, Avenida Luiz Xavier), en in de wijken Batel en Juvevê (resp. aan de westkant en ten noordoosten van het centrum) zijn uitstekende restaurants te vinden. Speciale lunchrestaurants zijn er volop in het winkelgebied, zoals *Yu*, Praça General Osório 485, waar je *por quilo* kunt eten, zowel Braziliaanse als Japanse gerechten; of *Green Life*, Rua Carlos de Carvalho 271 (achter het net genoemde plein), spotgoedkope smakelijke vegetarische gerechten.
Famiglia Caliceti, Alameda Dr. Carlos de Carvalho 1367 (Batel) heeft overheerlijke ravioli's en serveert doordeweeks als lunch een uitgebreid buffet, tel. 3343

2009. In dezelfde wijk is *Forneria Belluna* voor de fijnproevers met bijvoorbeeld als specialiteit risotto met eend en shitake, Rua Teixeira Coelho 225, tel. 3342 3202. *Capoani Caffé*, Rua Com. Araújo 906 (Batel), is een eigentijdse bistro, waar topkok Flávio Frenkel de sterren van de hemel kookt; probeer ganzenleverpastei met ragout van cupuaçu maar eens.
Voor liefhebbers van regionale gerechten uit Paraná is *Estrela da Terra*, Rua Jaime Reis 176 (São Francisco) een goede keus. *Divino Mestre*, Avenida ÁguaVerde 71 (Água Verde), is als churrascaria een begrip. Kijk zelf op www.restaurantedivinomestre.com.br of bel 3029 2665.
In dezelfde wijk zit *Cantino do Eisbein*, Avenida dos Estados 863, met gerechten op basis van de Duitse keuken, zoals gestoofd rundvlees met zuurkool; om van te watertanden...
Leuke karakteristieke etablissementen zijn *Confeitaria das Familias*, Rua 15 de Novembro 374, en *Ritz* Café, Rua Comendador Araújo 489. In de Rua 24 Horas serveren *Le Lasagne* en *Le Mignon* goede maaltijden voor weinig geld.
Ook de Italiaanse immigrantenwijk Santa Felicidade herbergt veel restaurants. De wijk is te bereiken met de bus (richting 'Santa Felicidade', 15 min. vanaf het Praça Tiradentes).
Een gezellige uitgaanswijk is het plein Largo da Ordem en omgeving met bars, muziekcafés en intieme restaurants. In de weekenden is het er afgeladen.
Jokers Pub Café, Rua São Francisco 164, in het centrum, biedt liefhebbers van techno, house en R&B volop gelegenheid om te swingen. Ook *Bar Maria Bonita Cachaçaria*, Rúa Julia de Costa 93, in het centrum, is drukbezocht om te dansen; en dat onder het genot van alle soorten cachaça uit het land.
Marocco Lounge Bar, Rua Bispo Dom José, in Batel, is een stijlvolle gelegen-

heid met top dj's en de nieuwste muziektrends. Dé nachtclub in Curitiba is *Crystal*, aan de BR 116, nr. 5353; dineren, borrelen, swingen, zwemmen; alles kan hier, mits je je creditcard bij je hebt. Curitiba heeft een rijk theaterleven, met het Teatro Guaíra als de plaats waar de topartiesten optreden.

Morretes (pp. 198-200)
Netnummer: 041

Informatie
Voor verblijf in de omgeving, wandeltochten in de bergen of trekking in het Parque Estadual do Marumbi kun je het best even langsgaan bij het *Secretaria Municipal de Turismo e Esporte*, Largo Dr. José Pereira 43, tel. 3462 1024. De website van het plaatsje: www.morretes.pr.gov.br.

Vervoer
Morretes is te bereiken met de trein en bus vanuit Curitiba en Paranaguá.
BUS: het busstation staat aan de Rua 15 de Novembro. De bussen naar Paranaguá sluiten aan op de treinaankomst, en gaan verder ieder uur (R$ 5 enkele reis).
TREIN: zie voor vertrektijden trein bij Curitiba en Paranaguá. De derde zondag van de maand kun je met het treintje Maria Fumaça naar Antonina reizen (35 min.); vertrek 11 uur, terugkomst 16 uur.

Accommodatie
MIDDENKLASSE: *Hotel Nhundiaquara*, Rua Gen. Carneiro 13, www.nhundiaquara.vcom.br, mooi gelegen aan de rivier. *Pousada Graciosa*, Estrada da Graciosa, 8 km van het plaatsje, www.morretes.com.br/pousadagraciosa, schitterende locatie, sfeervol.
CAMPINGS: op 14 en 15 km van Morretes aan de Estrada da Graciosa liggen respectievelijk de campings *Recanto His-tórico* en *Rio Bonito*; allebei aan de rivier, basisvoorzieningen, omgeven door een adembenemende natuur.

Eten en drinken
In *Armazém Romanus*, Rua Visconde do Rio Branco 141, het beste adres voor de regionale delicatesse *barreado*: een vlees- en kruidengerecht dat bijna een etmaal lang in een dichte kleipot door en door gaar is gekookt. De andere regionale trots is zelfgemaakte likeur.

Antonina (pp. 200-201)
Netnummer: 041

Informatie
Informatie over verblijf, activiteiten en excursies in de omgeving kun je krijgen op het gemeentehuis in de Rua 15 de Novembro en in de informatiestand aan de weg vanuit Morretes. www.antonina.pr.gov.br.

Evenementen
Festival do Inverno, de tweede week van juli: muziek, dans, markten.

Vervoer
Het busstation staat eveneens aan de Rua 15 de Novembro; verbindingen naar Curitiba, Morretes en Paranaguá. Op de derde zondag in de maand rijdt het historische treintje Maria Fumaça tussen Morretes en Antonina; vertrek om 11 uur uit Morretes (reistijd 30 min.), terugreis vanuit Antonina 16 uur.

Accommodatie
MIDDENKLASSE: *Pousada Atlante*, Praça Cel. Macedo 266, www.atlante.com.br; de sfeervolste plek om te verblijven in deze plaats. *Regency Capela Antonina*, Praça Cel. Macedo 208, tel. 34321357, met zwembad en tennisbaan.

BUDGET: *Capelista*, Rua. Dr. Mello 554, tel. 34321404, rustige omgeving, kleine kamers maar redelijk verzorgd; *Camping CCB-PR-05* aan de Avenida Cde Matarazzo 1001 in Penha (2 km van het stadje).

Paranaguá (p. 201)
Netnummer: 041

Informatie
Bij het treinstation, van de Serra Verde Express, is een informatiestand voor toeristen en bij de vertrekplaats van de boten naar de eilanden voor de kust. Kijk op www.paranagua.pr.gov.br.

Vervoer
BUS: het busstation staat aan de Rua João Estevam, op loopafstand van zowel het treinstation als de boten.
TREIN: Paranaguá heeft verbindingen met met Morretes en Curitiba. Maar de Cerra Verde Express rijdt alleen in het weekeinde en op feestdagen tot aan het havenstadje; de vertrektijd naar Curitiba is dan 14 uur. Voor actuele informatie: www.serraverdeexpress.com.br.
BOOT: in de haven aan de Rua General Carneiro liggen de boten naar de eilanden voor de kust, zoals Ilha do Mel (1.45 u. R$ 10), Ilha das Peças (2 u. R$ 10) en Ilha do Superagüi, Guaraqueçaba (3 u. R$ 18).

Accommodatie
MIDDENKLASSE: *Dantas*, Rua Visconde de Nacar 740, www.dantashotel.com.br; een goed hotel, in het centrum. *Palácio*, Rua Correia de Freitas 66, tel. 34225655, vlak bij het water.
BUDGET: *Ponderosa*, Rua Prescilinio Corrêa 68, tel. 4232464, verzorgde, behoorlijk ruime kamers, bij de haven.

Eten en drinken
Le Bistrô in hotel Dantas Palace is een uitstekend restaurant, gevarieerd menu. Een ander goed restaurant is *Danúbio Azul*, Rua 15 de Novembro 95 (de boulevard), gespecialiseerd in visgerechten. De *Mercado Muncipal do Café* is ook een prima plek voor verse visgerechten en eenvoudige lunches.

Ilha do Mel (pp. 201-203)
Netnummer: 041

Informatie
De drukste, maar leukste, periode om Ilha do Mel te bezoeken is met carnaval. Het is dan absoluut noodzakelijk om voor overnachtingen te reserveren (bij de reisbureaus in Curitiba), tenzij je in een hangmat aan het strand wilt slapen. Kijk op www.ilhadomelonline.com.br.

Vervoer
Je kunt Ilha do Mel bereiken per boot vanuit Pontal do Paraná en Paranaguá. Het eiland zelf heeft weinig infrastructuur. Het beste is om een fiets te huren, of een kajak.

Accommodatie
Op Ilha do Mel zijn inmiddels tientallen pousadas, de meeste in Novo Brasília. Ze zijn eenvoudig, met elementaire voorzieningen, de locatie is meestal direct aan het strand. *Pousada Praia do Farol*, bij de vuurtoren, www.praiadofarol.com.br, en *Pousada Pôr do Sol*, www.pousadapordosol.com.br, zijn aanraders vanwege de bijzondere locatie.

Ilha do Superagüi (pp. 202-203)
Netnummer: 041

Informatie
Zie pp. 202-203.

Vervoer
Ilha do Superagüi is met de boot te be-

reiken uit Paranaguá, vanaf Ilha do Mel of vanuit Guaraqueçaba, aan de kust van Paraná. Er lopen slechts voetpaden vanaf Barra do Superagüi; de toegang tot het nationaal park is beperkt.

Accommodatie
Barra do Superagüi heeft een handvol simpele pousadas. *Pousada Sobre as Ondas*, tel. 34827118, en *Pousada Crepúsculo*, tel. 34827135, zijn aan te raden. De laatste is ook zo'n beetje het enige restaurant; met lekkere verse visgerechten.

Guaratuba/Caiobá (p. 204)
Netnummer: 041

Informatie
Aan de Avenida Visconde do Rio Branco (in de richting van Garuva) en op het Praça Alexandre Mafra staan kiosken voor toeristische informatie. Zie ook www.guaratuba.com en www.caioba.com.

Vervoer
Bus: het busstation staat aan de Avenida Damião Botelho de Sousa; met regelmatig bussen naar plaatsen ten noorden en zuiden aan de kust, en naar Curitiba en Joinville.
Boot: je kunt met de boot (10 min. vaartijd) naar Caiobá (Matinhos), de badplaats iets noordelijker.

Accommodatie
Middenklasse: *Santa Paula*, Avenida Visconde do Rio Branco 650, aan het Praia da Brejatuba, www.santapaulahotel.com.br, kleine en grote kamers (tot 6 pers.), goede faciliteiten voor watersport. *Rota do Sol*, Avenida Visconde do Rio Branco 2995, Praia da Brejatuba, www.sindafep.com.br, mooie locatie aan het strand. *Caieiras*, Alto do Morro, www.hotelcaieiras.com.br, is een lekker hotel in Caiobá, met fraai uitzicht. *Pousada Luar de Caiobá*, Rua Bandeirantes 1028, tel. 34733686, is sfeervoller.
Budget: *Vereda*, Avenida Visconde do Rio Branco 4000, Praia da Brejatuba/Balneário Eliane, tel. 34431978, iets verder weg van het centrum (7 km), eenvoudig, maar bij het strand.

Eten en drinken
Nhô Quim en *Tia Geni*, allebei aan de Avenida 29 de Abril in Guaratuba, voor heerlijke verse visschotels. *Pilequinho* en *Sakura*, Avenida Paranaguá in Matinhos/Caiobá, idem dito.

Foz do Iguaçu (p. 205-208)
Netnummer: 045

Informatie
In elk hotel zijn inlichtingen te verkrijgen over excursies, tijden, vervoer. De Secretaria Municipal de Turismo heeft een goede website: www.fozdoiguacu.pr.gov.br/turismo.
Er zijn diverse informatiepunten, zoals op het vliegveld, op het busstation, aan de Rua Barão do Rio Branco in het centrum en bij de Ponte da Amizade. Er zijn in deze plaats tientallen reisbureaus die excursies en gidsen verzorgen. *Macuco Safari*, Rodovia das Cataratas, Km 25 – Parque Nacional do Iguaçu, is een goed adres voor boottochten, excursies rond de watervallen, tel./fax 35296262, www.macucosafari.com.br.

Geld pinnen en wisselen
Aan Avenida Brasil in het centrum hebben de meeste grote banken een filiaal.

Vervoer
Vliegtuig: de meeste toeristen doen Foz aan per vliegtuig. Het vliegveld, met verbindingen naar de grote steden in Brazilië en naar Paraguay en Argentinië, ligt op 13 km van de stad aan de Rodovia

das Cataratas.

Bus: het busstation bevindt zich aan de Avenida Costa e Silva, 5 km van het centrum van Foz (met de bus 'Centro' kom je in het centrum); verbindingen naar Argentinië, Paraguay, de grote Braziliaanse steden Rio, São Paulo, Curitiba, Florianópolis, Porto Alegre. Foz is uitgestrekt en de bezienswaardigheden liggen nogal ver uit elkaar. Er rijden taxi's en minibusjes.

Accommodatie

Kijk op www.fozdoiguacu.pr.gov.br/turismo voor een uitgebreid overzicht. Topklasse: het beste hotel, de mooiste locatie met uitzicht op de watervallen en een golfbaan is *Tropical das Cataratas*, Rodovia BR 469, 25 km van het centrum, in Parque Nacional do Iguaçu, www.tropicalhotel.com.br. Andere goede hotels aan de Rodovia das Cataratas: *Bourbon Cataratas Resort*, Rodovia das Cataratas, 2,5 km van het centrum, www.bourbon. com.br. *Colonial Iguaçu*, Rodovia das Cataratas na 16,5 km, www.colonialhotel. com.br, met spa.

Middenklasse: *Royal Park*, Rodovia das Cataratas (6 km van centrum), goede service, ruime kamers, www.hotelroyalpark.com.br. *Tarobá Express Hotel*, Rua Tarobá, centraal gelegen, goede accommodatie, www.grupomendes.com. *Del Rey*, Rua Tarobá, 1020, centrale ligging, zwembad en ruime kamers, www.hoteldelreyfoz.com.br.

Budget: *Pousada da Laura*, Rua Naipi 629, tel. 35723374, eenvoudige, schone kamers, gemoedelijke sfeer, in trek bij budgetreizigers! *Diplomata*, Avenida Brasil 678, www.hoteldiplomata.com.br. *Minas Foz Hotel*, Rua Engenheiro Rebouças, 809, tel. 35745208

Camping: *Camping Club do Brasil*, Rodovia das Cataratas (17 km, São João), vlak bij entree nationaal park, in het maagdelijke bos, goede faciliteiten, tel. 35299206.

Eten en drinken

Boi de Ouro, Avenida Paraná 1712, en *Búfalo Branco*, Rua Eng. Rebouças 530, zijn goede adressen voor churrasco. *Tempero da Bahia*, Rua Marechal Deodoro 1228, is gespecialiseerd in Bahiaanse gerechten. Aan de Rua Almirante Barroso zitten meerdere behoorlijke restaurants en leuke bars, soms met terras.

Joinville (pp. 210-213)

Netnummer: 047

Informatie

Secretaria de Turismo, in de molen bij de afslag aan BR-101, www.promotur.com.br.

Evenementen

Festival Internacional de Dança, tweede helft juli, bekend internationaal dansfestival. *Fenachopp*, oktober, bierfeest.

Vervoer

Aan de Rua Cuiabá staat het busstation (aan de zuidelijke uitvalsweg naar de BR-101). Directe busverbindingen met Curitiba (2.30 uur), Florianópolis (3 uur), Porto Alegre (9 uur), Rio (15 uur) en São Paulo (9 uur).

Accommodatie

Middenklasse: een goed hotel, midden in het centrum, is *Hotel Tannenhof*, Rua Visconde de Taunay 340, www.tannenhof.com.br. *Hotel Colon Palace*, Rua São Joaquim 80, www.hotelcolon.com. br, goed en betaalbaar. *Angler Hof*, aan de SC-301 (richting Campo Alegre), tel. 34241359, is een sfeervol chalet, in de bergen, wel 2 km buiten het centrum. Budget: goedkoop en toch schoon slapen kan in *Trocadero*, Rua Visconde de Taunay 185, tel. 34221469. De bekende ketens zoals Sleep Inn en Ibis hebben soms goede weekendaanbiedingen.

Eten en drinken

Delikatesse Viktoria, Rua Senador Felipe Schmidt, is als confeitaria een begrip, met heerlijk zelfgemaakt gebak volgens traditionele recepten.
Natuurlijk zijn er volop mogelijkheden om Duitse gerechten te eten. Het best bekend staan: *Bierkeller*, Rua 15 de Novembro 497 en *Grün Wald*, aan de BR-101 na 20 km richting Curitiba). *Linke Pegorini*, Avenida Santos Dumont 1646, is een uitstekende churrascaria. Dé Italiaan hier is *Milano*, Rua Anita Garibaldi.

Blumenau (pp. 213-214)
Netnummer: 047

Informatie
Informações Turísticas, Rua 15 de Novembro, 420; en www.blumenau.com.br.

Evenementen
Oktoberfest; bijna drie weken feest in grote tenten en op straat, met Duitse muziekbands, bierwagen en gratis bier!

Vervoer
Het busstation bevindt zich aan de noordkant van de rivier, Rua 2 de Setembro 1222, 5 km van het centrum, bus 'Rodoviária'; verbindingen naar onder meer Curitiba, Joinville, Florianópolls, Iguaçu, Rio en Porto Alegre.

Accommodatie
TOPKLASSE: *Plaza Blumenau*, Rua 7 de Setembro 818 (Centro), www.plazahoteis.com.br, comfortabel, met zwembad en goed restaurant. *Grande Hotel Blumenau*, Alameda Rio Branco 21 (Centro), www.hoteisbrasil.com/garden.
MIDDENKLASSE: *Himmelblau Palace*, Rua 7 de Setembro 1415, www.himmelblau.com.br. *Blumenhof*, Rua das Missões 103 (aan de andere kant van de rivier), tel. 3264868.

BUDGET: *Cristina Blumenau*, Rua Paraíba 380, tel. 3261198, sfeervolle pousada met uiterst aardig personeel; *Hotel Herman*, Rua Floriano Peixoto 213, tel. 3260670, in centrum, goede sfeer. *City Hotel*, Rua Ângelo Dias 263, tel. 3222205, eenvoudig, maar goede locatie in het centrum.

Eten en drinken
Er zijn diverse behoorlijke restaurants in Blumenau. *Abendbrothaus*, Rua Henrique Conrad 1194 (Itoupava), op 26 km van het centrum, is een bezienswaardigheid en het beste restaurant in de regio, met vooral overheerlijke geroosterde vleesgerechten. *Gruta Azul*, Avenida 7 de Setembro 1213, heeft een oer-Duitse kaart, net als *Frohsinn*, bovenop de Morro do Aipim, met fraai uitzicht. *Trattoria di Mantova*, Al. Rio Branco 833, is de betere Italiaan in deze stad. *Caféhaus Glória*, in de hoofdstraat, serveert café colonial, een overheerlijk ontbljt. Voor een biertje op het terras is *Biergarten*, Praça Hercílio Luz, dé plek.

Pomerode (pp. 214-215)
Netnummer: 047

Informatie
Portal Sul, bij entree van het plaatsje. En de website www.pomerode.com.br.

Evenementen
Festa Pomerana, tweede helft januari, met culinaire competitie, dans en muziek.

Vervoer
Via de SC-418, op 33 km van Blumenau. Er zijn busverbindingen met Blumenau en Florianópolis (179 km).

Accommodatie

MIDDENKLASSE: *Hotel Bergblick*, Rua Georg Zeplin 120, www.bergblick.com.br, ademt de sfeer van een gasthof in Tirol; ogen dicht en dromen dat je in Oostenrijk bent. De keuken is voortreffelijk.
Mundo Antigo, Rua Riberão Herdt, aan de weg naar Blumenau, www.mundoantigo.com.br, is ook een karakteristieke plek om te verblijven, met een goed restaurant.

Eten en drinken

Restaurante Tipico Colonial Wunderwald, Rua Ricardo bar, is een must om de sfeer te proeven in dit immigrantenplaatsje

Urubici

Netnummer: 049

Informatie

Urubici ecoturismo, aan de hoofdstraat en www.urubici-sc.com.br.

Vervoer

Via de SC-430, op 171 km van Florianópolis.

Accommodatie

MIDDENKLASSE: *Serra Bela*, aan de SC-439, 4,5 km ten noorden van het plaatsje, www.serrabela.com.br, fazenda in de heuvels, heerlijk rustige omgeving. *Pousada Kiriri-etê*, aan de SC-430 (Serra do Panelão), www.kiririete.com.br, intieme sfeer, spectaculair uitzicht. *Pousada Água Santa*, 4 km van São Joaquim, met appelboomgaard, www.pousadaaguasanta.com.br.
BUDGET: *Pousada das Flores*, Avenida Adolfo Konder 2278; en *Urubici Park Hotel*, ook aan de hoofdstraat, www.urubici.com.br. En *São Joaquim Park*, in het centrum van het gelijknamige plaatsje, met ruime kamers, www.saojoaquimparkhotel.com.br.

Eten en drinken

Casa de Pedra, Rua Manuel Joaquim Pinto 360 in São Joaquim is half lanchonete, half churrascaria, en helemaal een ontmoetingsplek van jong en oud.

Florianópolis/Ilha de Santa Catarina (pp. 216-221)

Netnummer: 048

Informatie

Direct bij binnenkomst van Florianópolis, voordat je de brug oversteekt, is er een informatiecentrum voor toeristen. Ook op het busstation en het Praça 15 de Novembro in het hartje van de stad staat een informatiepost van het toeristenbureau. Websites voor de stad en de streek: www.sartur.sc.gov.br en www.santacatarinatour.com.

Evenementen

Fenaostra, in november, dé plek om verse oesters te eten.

Vervoer

VLIEGTUIG: vanaf Aeroporto Hercílio Luz (12 km van het centrum) zijn er dagelijks vluchten naar de grote Braziliaanse steden en Buenos Aires; bus 'Aeroporto' vanaf het busstation aan de Rua Antônio Luz.
BUS: rondom het hele eiland loopt een goede weg. Alle plaatsjes en stranden zijn vanuit Florianópolis met de bus te bereiken. Er zijn twee busstations: Terminal Rita Maria, Avenida Paulo Fontes (Aterro da Baía Sul), voor busverbindingen met alle grote steden in het zuiden van het land, Montevideo en Buenos Aires, en aan de overkant van de Avenida Paulo Fontes staan de bussen voor de noordkant van het eiland. Terminal Urbano Cidade de Florianópolis, Rua Antônio Luz, in het stadscentrum, voor de bestemmingen op het eiland.

Accommodatie

Hotels, vakantiehuisjes, appartementen en campings zijn er op Ilha de Santa Catarina volop. Canasvieiras en Lagoa bieden de ruimste keus. In Canasvieiras ligt bovendien een tiental zeer goede campings; de meeste aan het strand. In het seizoen – de zomer en de carnavalstijd – moet je absoluut reserveren. De websites www.hoteis-pousadas.com.br/florianopolis en ook www.canasvieiras.com.br/conteudopraias bieden een goed overzicht.

TOPKLASSE: *Jurerê Beach Village*, direct aan het Praia de Jurerê, www.jurere.com.br, topresort met uitstekende watersportmogelijkheden. *Quinta da Bica D'Água*, Trindade, 15 min. van het vliegveld, www.hotelquintadabicadagua.com.br, exclusief, fraai gelegen in park, geen kinderen onder 12 jaar. *Pousada Villas Sol y Mar*, ook in Jureré, www.villasdelmar.com.br, minimaal verblijf een week.

MIDDENKLASSE: *Pousada Mar de Dentro*, Estrada Caminho dos Açores 1929 (Santo Antônio de Lisboa), www.guiafloripa.com.br/mardedentro, intieme pousada aan het strand. *Villa das Palmeiras*, Praia de Canasvieiras, www.viladaspalmeiras.com.br, strak, modern hotel, aan het strand. *Intercity*, Avenida Paulo Fontes 1210, intercityhotel.com.br, modern en comfortabel, centraal gelegen bij stadscentrum en busstation. *Oscar Hotel*, Avenida Hercílio Cruz 769, www.oscarhotel.com.br, comfortabel, modern, in het centrum.

BUDGET: *Do Pescador*, Rua Manuel Vidal 275 (Praia de Pântana do Sul), www.pousadadopescador.com.br, huisjes in schaduwrijke en rustige omgeving. *Pousada do Santinho*, Rod. Vereador Onildo Lemos 1259, Praia do Santinho, www.pousadasantinho.com.br, eenvoudige accommodaties bij het strand. *Albergue da Juventude Canasvieiras*, Rua Dr. João de Oliveira 100, 300 m van het strand. *Albergue da Juventud Do Pirata*, Estrada Geral da Costa de Dentro 4973 (Pântana do Sul). In het centrum: *Hotel Cacique*, Rua Felipe Schmidt 423, tel. 32225359. *Felippe Hotel*, Rua João Pinto 26, tel. 32224122.

CAMPINGS: *Rio Vermelho*, Praia do Moçambique. *Verde Limão*, Praia da Barra da Lagoa.

Eten en drinken

Culinaire hoogstandjes moet je in een vakantiegebied als Ilha de Santa Catarina niet verwachten. Er zijn goede visrestaurants te vinden in Lagoa da Conceição, zoals *Chef Fedoca* en *Barracuda*. *Toca da Jurerê*, Rua Accacio Melo 78 (Jurerê), is een zeer goed visrestaurant. Ruime keuze is er verder in Canasvieiras, een echte toeristenbadplaats met boetieks, restaurants, bars en disco's.

La Locanda delle Tortorella, Lagoa da Conceição, is een van de betere Italiaanse restaurants.

In de stad Florianópolis neemt het aantal goede restaurants de laatste jaren toe, vooral aan de boulevard langs de Baia Norte.

Garopaba/Praia do Rosa/Imbituba

Netnummer: 048

Informatie

www.vivagaropaba.com.br en www.praia-dorosa.tur.br.

Evenementen

Walvissen kijken tussen juni en november voor de kust, www.baleiafranca.org.br. *Festa Nacional de Camarão*, tweede helft juni met markt, muziek en garnalen!

Vervoer

Garopaba heeft goede busverbindingen met Florianópolis (90 km, busstation

Rita Maria, ieder half uur) en Porto Alegre (400 km) via de BR-101. Rij je zelf: neem de afslagen Praia do Rosa of Praia ido Luz (zo'n 7 km naar de kust). De SC-434 verbindt de badplaatsen met elkaar (loopt niet langs de kust).

Accommodatie

TOPKLASSE: *Pousada Vida Sol e Mar*, Estrada Geral Praia do Rosa, www.vidasolemar.com.br, een prima, sfeervolle plek in de heuvels achter het strand.
Pousada Morada dos Bougainvilles, Caminho do Alto do Morro (Praia do Rosa), www.pousadabougainvilles.com.br, de naam zegt het al: in een groene omgeving, relaxte sfeer.
Morro da Silveira, www.morrodasilveira. com.br, op de berg met uitzicht op Praia da Silveira (Garopaba), ruime houten chalets, mooie locatie, sfeervol.
MIDDENKLASSE: *Pousada Costa Azul*, Tr. Manuel Cascaes 26, eenvoudige kamers, 50 m van strand van Garopaba. *Pousada Solar Mirador*, Estrada Geral do Rosa, s/nº, www.solarmirador.com.br.
Pousada Lua Rosa, in de heuvels tussen de stranden Praia do Rosa en Praia do Luz, fraai uitzicht, met zwembad.
BUDGET: *Descanso do Rei*, Caminho do Alto do Morro, www.descansodorei. com.br, appartementen, met uitzicht op de kust. *Morro das Palmeiras* (Praia do Rosa), www.praiadorosa.info/morrodaspalmeiras.htm, simpele cabañas, intieme sfeer.

Eten en drinken

Tigre Asiático Restaurante, aan de hoofdstraat Estr. Geral da Praia do Rosa, fusion van Japans, Thais en Indonesisch. *Bistrô Pedra da Vigia*, in Hotel Regina Gust House (Praia do Rosa), is een topper voor verse vis en vooral grote garnalen. *Sapore di Pasta*, aan de Caminho do Alto Morro (Praia do Rosa), is verreweg de beste Itali-

aan in dit gebied. In Garopaba is *Armazém do Mar*, Rua Ptolomeu Bitencourt 44, een uitstekend visrestaurant.

Porto Alegre (pp. 221-223)
Netnummer: 051

Informatie

Serviço de Atenção ao Turista (SAT), de plaatselijke VVV, in onder meer Travessa do Carmo 84 (benedenstad), bij de Mercado do Bom Fim, de Mercado Público Central, en het internationale vliegveld. Een uitstekende website van de stad is www.portoalegre.rs.gov.br/turismo.

Evenementen

Porto Verão Alegre, groots zomer theaterfestival (januari-februari). *Semana Farroupilha*, traditioneel muziek en dansfeest ter herdenking van de opstand voor regionale autonomie eind 19de eeuw (derde week september). *Feira do Livro*, de grootste boekenbeurs in Zuid-Amerika (eerste helft november).

Vervoer

VLIEGTUIG: Aeroporto Internacional Salgado Filho (6 km van de stad) heeft verbindingen met alle grote Braziliaanse steden en met het buitenland.
BUS: het busstation staat aan de Largo Vespasiano Júlio Veppo, Verbindingen naar de grote steden noordelijker, en het binnenland (Serra Gaúcha).

Accommodatie

TOPKLASSE: *Plaza São Rafael*, Avenida Alberto Bins 514, www.plazahotels.com. br, in hartje stad beste optie. *Continental*, Largo Vespasiano Júlio Veppo 55, www. hotelscontinental.com.br, niet ver van het busstation en centraal,
MIDDENKLASSE: *Garibaldi*, Rua Garibaldi 652, ook vlak bij het busstation, www. hotelgaribaldi.com.br. *Conçeicão Center*,

Avenida Sen. Salgado Filho 201 (Centro), www.hotelsconceicao.com.br.
BUDGET: *Palácio*, Rua Vigário José Inácio 644, tel. 32253467, oud pand, sfeervol, niet alle kamers zijn even goed. *Marechal*, Rua General Andrade Neves 123, www.hotelmarechal.com.br, eveneens een sfeervolle omgeving, in het centrum. *Minuano*, Avenida Farrapos 31, www.minuanohotel.com.br, type jeugdhostel.

Eten en drinken
Er zitten vooral goede restaurants en trendy bars in de wijken Floresta en Auxiliadora, ten noordoosten van het centrum.
De beste churrascaria's zijn: *Na Brasa*, Rua Ramiro Barcelos 389 (Floresta), *Sulina Grill*, Rua 24 de Outubro (Auxiliadora), *Fogo de Chão*, Avenida Cavalhada 5200 (Cavalhada), *Galpão Crioulo*, Parque Maurício Sirotsky Sobrinho (vlak bij het centrum). Er zijn verder tal van goede Italiaanse, Franse en Duitse restaurants. *Al Dente*, Rua Mata Bacelar 210 (Auxiliadora), de Noord-Italiaanse keuken op z'n best; de kalfsoester met een briesaus en fettuccini met room- en paddenstoelensaus zijn goddelijk. Maar *Peppo*, Rua da Laura (centrum) mag er ook zijn. *Calamares*, Avenida Mercedes 58 (Floresta), Portugese gerechten. *Pampulhinha*, Avenida Benjamin Constant 1791, is een begrip voor verse visgerechten. *Gambrinus*, Praça 15 de Novembro, bij de Mercado Público, is een goed restaurant met een gevarieerde kaart op een aparte locatie.

Gramado (pp. 223-225)
Netnummer: 054

Informatie
Bij het toeristenbureau (Pórtico) aan de doorgaande weg, de Avenida das Hortênsias, en in het centrum op het Praça Major Nicoletti krijg je informatie over verblijf, excursies en festiviteiten. En verder op www.gramadosite.com.br.

Evenementen
Festival de Cinema, augustus, belangrijkste filmfestival in het Brazilië. *Natal Luz*, Kerstmis is in Gramado een bijzonder feest met defilé's, klassieke concerten en vuurwerk!

Vervoer
Het busstation aan de Avenida Borges de Medeiros staat midden in het centrum, 15 min. naar Canela. Vrijwel twee keer per uur verbindingen met Porto Alegre (131 km) en Caxias do Sul (68 km).

Accommodatie
De betere hotels vragen een minimumverblijf van 3 dagen in juli en december.
TOPKLASSE: *Casa da Montanha*, Avenida Borges de Medeiros 3166, www.casadamontanha.com.br, stijlvol, klassiek, de zondagse brunch met champagne is in trek. *Estalagem St. Hubertus*, Rua da Carriere 974, www.sthubertus.com.br, de meest romantische plek, smaakvol ingericht en uiterst comfortabel.
MIDDENKLASSE: *Pousada Sossego de Major*, Rua Acácia Negra 700, www.sossegodomajor.com.br, mooie omgeving, prima voorzieningen. *Galo Vermelho*, Avenida das Hortênsias 4357, www.hotelgalovermelho.com.br, aan de weg naar Canela, chalets, mooie omgeving. *Vista do Vale*, Avenida das Hortênsias 2989, www.hotelvistadovale.com.br, aan de weg naar Canela, sfeervol, goed ingerichte kamers.

Eten en drinken
Gramado heeft een dertigtal behoorlijke restaurants. *Belle du Valais, Le Petit Clos* en *Chez Pierre*, gespecialiseerd in Zwitserse gerechten, hebben de beste naam, terwijl St Hubertus het mooiste uitzicht heeft.

Canela (pp. 225-226)
Netnummer: 054

Informatie
Informaçôes Turísticas, Praça João Corrêa en www.canelaturismo.com.br. Er zijn in het centrum diverse reisbureaus gevestigd die (eco)excursies aanbieden in het wijngebied en de natuurparken (Parque do Caracol) in de omgeving.

Vervoer
Het busstation bevindt zich aan het centrale Praça João Corrêa; regelmatige verbinding met Gramado, Porto Alegre en Caxias do Sul.

Accommodatie
TOPKLASSE: *Laje de Pedra*, Avenida Presidente Kennedy, www.lajedepedra.com.br, schitterende ligging met mooi uitzicht, allerlei sportfaciliteiten.
MIDDENKLASSE: *Vila Verde*, Rua Boaventura Garcia 292, www.hotelvilaverde.com.br, ook mooie omgeving, appartementen en hutten. *Aldeia dos Sonhos Pousada*, Rua Santa Terezina 334, www.pousadaaldeia-dossonhos.com.br, 2 km van het centrum, maar sfeervol en mooie omgeving.
BUDGET: *Villa Vecchia*, Rua Melvin Jones 137, tel. 32821051, ruime, geventileerde kamers. *Caracol*, aan de RS-235, richting Gramado (2 km van het centrum), klein, maar goed onderhouden, vlak bij Parque do Caracol.
CAMPING: *Parque do Sesi*, Rua Francisco Bertoluci 504 (2,5 km van Canela), tel. 32821311, CCB-RS-1, Estrada do Caracol (8 km van Canela), schaduw- en waterrijke omgeving, goede faciliteiten.

Eten en drinken
Allspice Bistrô, Avenida Osvaldo Aranha 391, met zorg gemaakte internationale gerechten. *Bifão & Cia*, Avenida Osvaldo Aranha 301, vleesgerechten in karakteristiek pand.

Bento Gonçalves (p. 224)
Netnummer: 054

Informatie
Associação Vale dos Vinhedos, www.vale-dosvinhedos.com.br.

Vervoer
Regelmatig busverkeer met Porto Alegre (130 km), Garibaldi (16 km), Caxias do Sul (42).

Accommodatie
TOPKLASSE: *Dall'Onder Grande Hotel*, Rua 13 de Mayo 800, www.dallonder.com.br, goed, gerenommeerd hotel.
MIDDENKLASSE: *Pousada Don Giovanni* (Pinto Bandeira), 12 km aan de weg naar Pinto Bandeira, www.dongiovanni.com.br, oude opslagplaats omgebouwd tot sfeervolle pousada. *Pousada Valduga*, aan de RS-470 bij het Casa Valduga, www.casa-valduga.com.br, midden in het wijngebied van de Vale dos Vinhedos.

Santo Angelo (p. 226)
Informatie over de missies
Bezoekersinformatiecentrum Praça Pinheiro Machado. Het reisbureau Missiotur, gevestigd in Hotel Santo Ângelo Turis, organiseert excursies onder meer naar São Miguel das Missões. Kijk ook op: www.santoangelo.rs.gov.br.

BAHIA (pp. 229-269)

Salvador (pp. 235-244)
Netnummer 071

Belangrijke telefoonnummers
POLITIE: tel. 197
EERSTE HULP EN AMBULANCES: tel. 192
HOSPITAL Aliança: tel. 21085600; HOSPITAL Jorge Valente: tel. 32034333
BELGISCH CONSULAAT: Avenida Tancredo

Neves, Bloco A, sala 301, tel. 36232454
NEDERLANDS CONSULAAT: Largo do Carmo
04 SI 101 (Santo Antônio), tel. 32413001

Informatie

Bahiatursa heeft op een aantal centrale
punten in de stad informatieposten:
Palácio Rio Branco, aan het Praça Tomé
de Souza; in de Rua das Laranjeiras in
de Pelourinho; bij de Mercado Modelo; in
de Terminal Rodoviário, Avenida Antônio
Carlos Magelhães in Pituba.
De excellente centrale website is: www.
emtursa.ba.gov.br.

Vervoer

VLIEGTUIG: Aeroporto Internacional Dois
de Julho, Estrada do Coco, 26 km van het
centrum, tel. 2041010; ieder uur vertrekt
er een bus naar het vliegveld vanaf de
Campo Grande. Een taxi vanuit het centrum kost zo'n R$ 60.
BUS: Terminal Rodoviária, Avenida Antônio Carlos Magelhães (Pituba): verbindingen met alle grote steden in Brazilië. Om
op het busstation te komen kun je vanaf
Campo Grande, Barra en Ondina het best
de bus 'Iguatemi' nemen; dit grote winkelcentrum is via een loopbrug verbonden met het busstation.
Het busnetwerk in de stad loopt over een
handvol centrale plaatsen: in de bovenstad, Campo Grande, Barra (bij het eerste
strand), Lapa, Comercio en São Joaquin
in de benedenstad. Om bij de stranden
aan de oceaan te komen neem je de bus
'Itapoã', 'Pituba' of 'Aeroporto'.
BOOT: Terminal Turístico Marítimo, Avenida França (Comércio, achter de Mercado
Modelo): dagelijkse veerdiensten naar
Mar Grande (Ilha de Itaparica; vertrek
ieder half uur, vaartijd 45 min.) en in de
zomer naar Morro de São Paulo (8.30, 9
en 11.30 u.; vaartijd 2 u.). Terminal veerboot, Avenida Jequitaia, São Joaquim:
pont naar Ilha de Itaparica.

Evenementen

Senhor Bom Jesus dos Navegantes,
Nieuwjaarsdag. Lavagem do Bomfim
(schoonmaken van de kerk/trappen),
tweede donderdag in januari. Iemanjá, 2
februari. Carnaval.

Accommodatie

De moderne en dure hotels zijn bijna allemaal aan de oceaankant van de stad
te vinden in onder meer de wijken Barra,
Amaralina, Pituba en verder langs de
kust. De website van Emtursa geeft een
goed overzicht van alle opties.
TOPKLASSE: Convento do Carmo, Rua do
Carmo 1 (Pelourinho), tel. 33278400,
www.pousadas.pt. De absolute top, klassehotel in oud karmelietenklooster, kamers met antieke meubels, kunst en van
alle moderne comfort voorzien. Bahia
Othon Place, www.othon.com.br, aan de
boulevard van Ondina. Tropical da Bahia,
Praça 2 de Julho (Campo Grande), www.
tropicalhotel.com.br, van alle gemakken
voorzien, en zeer centraal gelegen. De
andere luxe hotels zoals Pestana, Sofitel,
Sol Bahia Atlântico, Catussaba liggen
wel bij het strand, maar verder van het
centrum.
MIDDENKLASSE: Pousada Solar dos Deuses,
Largo do Cruzeiro do São Francisco 12,
tel. 33211789, www.solardosdeuses.com.
br.
Sfeervolle en intieme pousada in het hart
van de Pelourinho, kamers in de kleuren
van de orixas.
Catharina Paraguaçu, Rua João Gomes
128 (Rio Vermelho), www.hotelcathari-
naparaguacu.com.br, is een stijlvol oud
gebouw met een heel eigen sfeertje, vlak
bij het strand, 15 min. van de Pelourinho.
Marazul, Avenida 7 de Setembro 3937
(Barra), www.marazulhotel.com.br. Grande Hotel da Barra, hoek Rua Forte de
São Diogo/Avenida 7 de Setembro 3937
(Barra), www.grandehoteldabarra.com.br,

praktisch aan het gelijknamige strand.
Pousada Lambreta, Rua Juíz Orlando
Heleno de Melo 17 (Piatã), www.pousada-
lambreta.com.br, sfeervolle pousada, rustig gelegen, wat verder van het centrum,
500 m van het strand van Itapõa.
BUDGET: *Hotel Pelourinho*, Rua Alfredo de
Brito 20, www.hotelpelourinho.com.br, bij
het beroemde plein, een oud woonhuis,
kleine kamers, luidruchtig. *Albergue
do Pelo*, Rua Ribeiro dos Santos, www.
alberguedopelo.com.br, jeugdherberg in
historische centrum, leuke sfeer.
CAMPINGS: in de omgeving van Salvador zijn drie grote campings. De beste
is *Ecológico Praia de Itapuã*, Praia do
Flamengo (Itapuã), vlak bij het vliegveld,
tel. 33740102.

Eten en drinken

In de bovenstad, vooral in de Pelourinho,
zijn de laatste jaren tientallen gezellige
en redelijk goede restaurants gekomen.
De restaurants aan het Pelourinhoplein
zijn niet de meest geschikte voor de Europese maag. *Senac* bijvoorbeeld, dat als
decor heeft gediend voor de verfilming
(in 1976) van Jorge Amado's roman *Dona
Flor en haar twee echtgenoten*, biedt
Afrikaanse gerechten, maar kijk uit voor
de ingrediënten. *Casa da Gamboa*, Rua
João de Deus 32, is een nieuwe vestiging
van dit bekende Bahiaanse restaurant
met uitstekende gerechten; specialiteiten: moqueca de badejo, vatapá en bobó
de camarão.
Uauá, in de Rua Gregoria de Mattos,
heeft zowel moqueca, ensopados en
andere Braziliaanse gerechten. *Sorriso
de Dadá*, Rua Frei Vicente (ook in de Pelourinho) is eveneens prima. Boven de
Mercado Modelo zijn twee restaurants
gevestigd waar je ook kennis kunt maken
met de Bahiaanse keuken: *Camafeu de
Oxóssi* en *Maria de São Pedro*. De eerste
staat bekend om de voortreffelijke mo-

queca. *Solar do Unhão* is gevestigd in de
Senzala, de voormalige slavenvertrek-
ken van het gelijknamige gebouw aan
de baai, zeer de moeite van een bezoek
waard.
Na al het pittige Bahiaanse eten kan een
strakke internationale maaltijd ook geen
kwaad. *O Nilo*, Rua Laranjeiras, is een
top-Libanees restaurant. *La Lupa*, aan
het eind van dezelfde straat, heeft voortreffelijke Italiaanse gerechten. Ernaast
zit *Romulo e Remo*, van dezelfde eigenaar, dat is gespecialiseerd in pizza's.
Ook *Mamabahia* is een goed adres voor
internationale gerechten.

Uitgaan

Voor het uitgaansleven moet je in de
Pelourinho zijn, vooral op een van de
drie gerenoveerde binnenpleinen. Afoxé-
bands als Olodum, Filhos de Gandhi en
de vrouwenband Didá treden er regelmatig op. Er zijn ook talrijke muziekcafés.
De *Agenda Cultural* van de *Fundação
Cultural Estado da Bahia* en *Eventos &
Serviços* van Bahiatursa geven een overzicht van activiteiten.
Ook in de wijken Barra, Ondina, Itapuã,
Rio Vermelho en Amaralina vind je behoorlijke restaurants, en muziekcafés.

Candomblé

Terreiros de candomblé (candomblé-tem-
pels), staan in de volkswijken rondom het
centrale stadsdeel. Enkele zijn ingesteld
op bezoekers. Als je er niet georganiseerd naar toe gaat, neem dan een taxi.
Houd er rekening mee dat de ceremonie
tot in de nacht kan duren. Toegankelijk
voor bezoekers (geen korte broek, foto's
en film verboden) zijn onder meer de volgende tempels: *Casa Branca*, de oudste
in Bahia (Avenida Vasco da Gama 463, in
de gelijknamige wijk), *Ilê Opô Afonjá* (Estrada de São Gonçalo do Retiro 246 in de
wijk Cabula), *Bate-Folha* (Mata Escura).

Informatie over ceremonies is te krijgen bij de Federação Nacional do Culto Afro-Brasileiro, tel. 34817167.

Capoeira

Capoeira-voorstellingen zijn te bezichtigen op de verschillende capoeira-academies die de stad rijk is, zoals die van *Mestre João Pequeno*, in het Forte de Santo Antônio (optredens di., do. en za. om 19.30, zo. om 17 uur), en *Capoeira de Mestre Bimba*, Rua das Laranjeiras 1 (optredens di., vr. en za. om 19 uur) zijn gerenommeerde.

Itaparica (pp. 245-246)
Netnummer 071

Informatie
Informações Turísticas, bij de Capela de N.S. de Bom Despacho, Terminal de Balsas in Bom Despacho, en aan het Praça do Duro in Vera Cruz, www.itaparica.ba.gov.br.

Vervoer
Dagelijks vertrekken er boten vanaf de Terminal Turístico Marítimo bij de Mercado Modelo (Salvador) naar Mar Grande; vertrek ieder half uur, overtocht 45 min. Prijs R$ 2.75 enkel.
Je kunt ook de veerboot naar Itaparica nemen. Vertrek Terminal de São Joaquim vanaf 6 uur 's morgens om het anderhalf uur. Duur overtocht: 45 min. Op Itaparica kom je dan aan bij het busstation van Bom Despacho. Hiervandaan vertrekken bussen en combi's naar de plaatsjes op het eiland, naar Valença en Camamu.

Accommodatie
Er is een tiental pousadas en kleinere hotels.
TOPKLASSE: *Club Med*, het vakantieparadijs staat ongeveer halverwege het eiland, aan het Praia da Conceição, met alle denkbare luxe, www.clubmed.com.br. *Resort Sol e Mar*, Praia Barra do Gil (Mar Grande), www.resortsolemar.com, een van de mooiste locaties op het eiland, sfeervol ingerichte suites en kamers in een fraaie tuin aan het water en het strand, uitstekende Franse en Braziliaanse keuken; met uitzicht op Salvador.
MIDDENKLASSE: *Pousada do Arco-Íris*, Estrada da Gamboa 102 (Mar Grande), www.parcoiris.na-web.net, opgeknapt landhuis, met zwembad, mooie locatie, met goed restaurant *Manga Rosa*. *Pousada Jardin Tropical* (aan de rand van Itaparica aan de doorgaande weg), fraaie exotische omgeving, www.jardim_tropical.com.
Pousada Tropicália, aan het strand van Ponta de Areia (Itaparica), tel. 36314620, www.pousadatropicalia.com.br, eenvoudige kamers, Duitse eigenaar.
BUDGET: *Hotel Icaraí*, Praça da Piedade (Itaparica), www.icaraihotel.com.br, in het hart van het plaatsje, bij het fort en de haven, simpele kamers en ook wat duurdere suites, met zwembad.

Cachoeira (pp. 246-247)
Netnummer 075

Informatie
Informeer bij Bahiatursa over de festiviteiten in Cachoeira; in het stadje zelf is een informatiecentrum aan de Praça da Aclamação, www.bahia.com.br.

Evenementen
Nossa Senhora de Boa Morte, augustus, processies, sambamuziek, eten. *Nossa Senhora da Ajuda*, november, regionale folklore, muziek en dans.

Vervoer
Er is een regelmatige busverbinding met Salvador (116 km) en de andere plaatsen in de omgeving (Maragojipe, Santo Amaro en Nazaré).

Accommodatie

MIDDENKLASSE: *Pousada do Convento*, Rua Inocêncio Boaventura (aan het Praça da Aclamação), tel. 34251716, in koloniale stijl, met zwembad en centraal gelegen.

Eten en drinken

Beira Rio, Rua Paulo Filho, regionale specialiteiten.

Praia do Forte (pp. 247-251)

Netnummer 071

Informatie

Centro Turistico, in het plaatsje aan de Avenida ACM, de hoofdstraat. De website www.praiadoforte.org.br.

Vervoer

De bus 'Praia do Forte' (busmaatschappij *Linha Verde*) rijdt ieder uur rechtstreeks vanaf het rodoviária in Salvador (83 km) naar deze badplaats; de rit duurt 2 uur.

Accommodatie

TOPKLASSE: *Praia do Forte Eco-Resort*, Avenida do Farol, aan het strand, www.ecoresort.com.br, voor wie in de watten wil worden gelegd, luxe en duur. *Pousada Farol das Tartarugas*, Rua Martim Pescador, www.faroldastartarugas.com.br ook aan het strand, zeer exclusief.
MIDDENKLASSE: *Pousada Porto da Lua*, Rua Martim Pescador, geweldige plek, aan het strand, www.portodalua.com.br. *Pousada dos Artistas*, Praça dos Artistas, www.pousadadosartistas.tur.br, suites met de nodige privacy, prettige sfeer. *Pousada Tatuapara*, Praça dos Artistas, www.tatuapara.com.br, suites rond fraaie tuin, aan het strand, prima sfeer. *Mares do Forte*, Avenida ACM, tel. 36761599, simpele pousada aan de hoofdstraat.
BUDGET: *Praia do Forte Hostel*, Rua da Aurora 3, www.alberque.com.br, jeugdherberg, vlak bij strand. *Camping Reserva*

da Sapiranga, tussen het gelijknamige reservaat en het Castelo Garcia d'Avila, www.campingreservadasapiranga.cjb.net.

Eten en drinken

Aan de Avenida ACM zit een tiental restaurants waar je behoorlijk kunt eten, zoals *Sabor da Vila* (gevarieerd), *Sabor do Forte* (vis), *Taverna Paradiso* (Italiaans), Brasa na Praia en *Japa* (Japans).

Morro de São Paulo/Boipeba (pp. 252-253)

Netnummer 075

Informatie

Bij het betreden van het eiland, aan het eind van de pier, is een kiosk. En verder: www.morrodesaopaulo.com.br en www.ilhaboipeba.org.br.

Vervoer

Met de boot vanuit Valença, via Gamboa (vaartocht 1.30 uur), om het half uur vertrek van 9.30-15 uur. Er zijn snellere boten (30 min.) die om de twee uur gaan. Dec.-mrt. is er een directe verbinding Salvador-Morro, met de catamaran of motorboot (2 uur). Zie verder Salvador.

Geld wisselen

Banco do Brasil, Caminho da Praia.

Accommodatie

De meeste pousadas liggen direct aan het strand. In het plaatsje Morro vind je goedkope overnachtingsadressen, maar niet aan zee.
TOPKLASSE: *Villa das Pedras Pousada*, Segunda Praia, perfecte locatie, kamers en appartementen, met behoorlijk restaurant, goede sfeer, www.villadaspedras.com.br. *Pousada Catavento*, Quarto Praia, 2,5 km van de hoofdstraat, maar de moeite van de wandeling zeker waard, www.cataventopraiahotel.com.br, tel./fax 36521052.

MIDDENKLASSE: *Pousada de Fazenda Caeira*, Terceira Praia, www.fazendacaeira.com.br, tel. 36521310, mooie locatie, uitstekende kamers. *Pousada Via Brasil*, Rua Caminho da Praia 76, Primeiro Praia, www.pousadaviabrasil.com.br, dicht bij plaatsje. *Pousada O Casarão*, Praça Aureliano Lima, www.ocasarao.net, tel. 36521022, monumentaal pand aan dorpsplein, stijlvol ingerichte kamers. De rustigste ligging heeft *Pousada Tassimirim*, aan het strand van Boipeba, 2 uur van Morro met de tractor of de boot, om een klein beetje Robinson Crusoë te spelen, fax 071-9724378.

BUDGET: *Pousada Sabor da Terra*, aan de Caminha da Praia, tel. 36521058, simpele, centrale locatie. *Portal do Morro*, Caminha da Praia, www.pousadaportaldomorro.com.br, tel. 36521045, simpele kamers rond tuin. *Albergue Morro de São Paulo*, www.hostalberguemorrosp.myblog.com.br, tel. 36521707, in de heuvels, met fraai uitzicht, suites en heel eenvoudige kamers. *Casa do Sol*, Boca da Barra (Boipeba), www.chalescasadosol.hpg.ig.com.br, eenvoudige chalets, aan het strand onder de palmen.

In het seizoen zijn er in Morro diverse kamers te huur. In Morro liggen *Camping Oxum* en *D. America*.

Eten en drinken

In Morro, vooral aan de Caminha do Morro en het plein, Praça Aureliano Lima, vind je tal van gezellige restaurants en cafés. *Bianco & Nero* is naar men zegt de beste Italiaan, bij *O Caserão* kun je heerlijk vis, moqueca en filet mignon eten. *Club do Balanço*, Segunda Praia, heerlijke zeevruchten, zoals de Bobó de Camarão, garnalen in kokossaus. *Ponta da Ilha* op het Segunda Praia is een strandbar met drie keer per week livemuziek waar 'iedereen' naar toe gaat.

In Boipeba is *Mar e Coco*, Praia de Moreré, een aanrader, zeker als je van visgerechten houdt.

Ilhéus (pp. 254-256)
Netnummer 073

Informatie

Bij Ilhéustur, Avenida Soares Lopes 798, en op www.ilheus.ba.gov.br. Voor excursies met gids kun je terecht bij Grou Viagens, www.grou.com.br.

Vervoer

VLIEGTUIG: Aeroporto de Ilhéus, Rua Brigadeira Eduardo Gomes. Vliegverbindingen met onder meer Salvador, Vitória, Belo Horizonte, Brasília en Rio.

BUS: de Terminal Rodoviária staat aan de weg naar Itabuna, 4 km van het centrum. Vanuit Ilhéus zijn dagelijks meerdere busverbindingen met Salvador (458 km, via Cachoeira en via Nazaré en Ilha de Itaparica), Vitória, Rio en de plaatsen aan de kust (Itacaré, Porto Seguro, Canavieiras). Het stadsbusstation bevindt zich op de Praça Cairu in het centrum. Hiervandaan gaan er bussen naar het vliegveld, de terminal rodoviária en de stranden langs de kust (Olivença).

Accommodatie

TOPKLASSE: *Cana Brava Resort*, langs de weg naar Una, aan Praia de Canabrava, 24 km van de stad, www.canabravaresort.com.br; *La Dolce Vita*, aan de weg naar Canavieiras 7 km van de stad, www.ladolcevita.com.br. aan het strand, veel luxe en veel sportmogelijkheden.

MIDDENKLASSE: *Ilhéus Praia Hotel*, Praça Dom Eduardo, www.ilheuspraia.com.br, centrale ligging, tegenover de kathedraal. *Pousada Brisa do Mar*, Avenida 2 de Julho 136, ook redelijk centraal en bij het Praia do Cristo, stijlvol, tel. 2312644. *Pousada Lua e Mar*, langs de weg naar Canavieiras, aan het Praia do Sul, www.luaemar.com.br, 2 km van het centrum, mooie locatie.

Budget: *Pousada Solar de Ilhéus*, Rua General Câmara 50, tel. 2315125, gemoedelijk, behoorlijk ruime, schone kamers met ventilatie, kies kamers aan de straatkant (met raam). Aan Praia do Jairi, 20,5 km van Ilhéus, vind je een tiental chalets aan het strand, fraaie locatie én betaalbaar.

Campings: er zijn vijf campings aan het strand in de omgeving van Ilhéus. Een tip: Estância das Fontes, aan de weg naar Olivença, 15 km van het centrum van Ilhéus, tel. 2122505.

Eten en drinken

Armação, aan de weg naar Canavieiras, na 4,5 km, aan Praia dos Milionários, traditionele Italiaanse keuken, geweldig! *Alfama*, Avenida Itabuna 159, is een goed Portugees restaurant. *Marostica*, Avenida 2 de Julho 966, voor Italiaanse specialiteiten.

Bar Vesúvio, aan het plein van de kathedraal, voor de geschiedenis en de sfeer. Voor de snelle lunch of een kop koffie met toebehoren zijn aan te bevelen: *O Berimbau*, halverwege de Rua Marques de Paranagúa (heerlijke sucos en tosti's), en *Café e Chantilly*, Rua Antônio Lavigne de Lemos 27, voor diverse soorten koffie, thee, sucos en gebak.

Porto Seguro (pp. 258-260)

Netnummer 073

Informatie

Informatiekiosken zijn er op het busstation, bij de boot (richting Arraial) en op het vliegveld.
De website is www.portoseguro.tur.com.br.

Evenementen

Carnaporto, het verlengde carnaval, is een uitbundig feest.

Vervoer

Vliegtuig: Aeroporto Eunápolis, 2,5 km van het centrum in de Cidade Alta; vliegverbindingen met Salvador, Belo Horizonte, Rio, São Paulo, Caravelas.
Bus: het rodoviária staat ook net buiten het centrum in de bovenstad. Er zijn dagelijkse busverbindingen met onder meer Ilhéus, Salvador, Vitória, Rio de Janeiro (allemaal via Eunápolis aan de BR-101), en Santa Cruz Cabrália. Voor bussen naar Arraial en Trancoso moet je eerst de boot/pont nemen over de Rio Buranhém (zie verder bij Arraial). Vanaf de rotonde op het Praça da Cabral rijden om de 5 à 10 min. bussen langs de stranden richting Santa Cruz Cabrália.

Accommodatie

Er is een honderdtal pousadas en hotels langs de kust bij Porto Seguro. Vooral die aan het strand zijn prijzig.
Topklasse: *Solar do Imperador*, aan de weg naar het vliegveld (Cidade Alta), www.solardoimperador.com.br, schitterende ligging en erg luxe. *Portobello Praia Resort*, BR-367, de weg naar Santa Cruz Cabrália (7 km van PS), tel. 8792320, tegenover het strand van Taperapuã.
Middenklasse: *Pousada Nascente*, aan de weg naar het vliegveld (Cidade Alta), www.pousadanascente.com.br, tel. 32882759, fraaie plek, goede appartementen met uitzicht, zwembad, leuke sfeer. *Pousada Dolce Vita*, Rua Itagibá 67, tel. 32882266. *Pousada Capitania*, Avenida Beira mar 12700, Praia do Mutá, tel. 36721131, fraaie locatie in groene omgeving, aan het water, tal van sportieve activiteiten. *Chalés Mundaí*, BR-367, de weg naar Santa Cruz Cabrália (5,5 km van PS), www.chalesporto.com.br, bij het strand van Mundaí, huisjes in een park, mooie omgeving.
Budget: *Pousadas Brisa do Mar*, Praça

Manoel Ribeiro Coelho 188, www.brisado-marpousada.com.br, tel. 32881444, zeer centrale ligging in de stad, prima plek. *Pousada Naná*, Avenida Portugal 450, tel. 32882265.
CAMPINGS: *Mundaí Praia*, tel. 32882287, bij het gelijknamige strand 5,5 km van PS. Dichter bij Porto Seguro ligt de camping Da Gringa, aan de BR-367 richting Santa Cruz Cabrália, tel. 2882076.

Eten en drinken
Bistrô da Heló, Travessa Assis Chateaubriand 26, is een voortreffelijk restaurant. Ook *Anticaro* (Braziliaans en internationaal) en *Buongustaio* (Italiaans), aan de gelijknamige Avenida Assis Chateaubriand, zijn aan te bevelen. *Cabana Malibu*, Avenida Beira Mar, aan het Praia de Itaperapuã, is het beste visrestaurant in het stadje. *Tia Nenzinha*, Avenida Portugal 170 (in de Passarela do Álcool) mag er ook zijn.

Arraial d'Ajuda (p. 261)
Netnummer 073

Informatie
Sociedade Pró-Turismo, tel. 35751099, heeft kiosken bij de aankomst van de boten en bij de stranden, www.arraial-dajuda.com.br.

Vervoer
BUS: op de oever van de Rio Buranhém, waar de boot/pont uit Porto Seguro aankomt, staan combibusjes (R$ 1) en de gewone bus (R$ 0,70) klaar. De bussen stoppen bij het kerkje in het hart van Arraial. Je kunt verder met de bus naar Trancoso en Caraíva.

Accommodatie
Arraial puilt uit van de pousadas, prijzige en betaalbare. Wie even navraagt en zelf zoekt, heeft binnen een uur een prima onderdak, passend bij de portemonnee. Een paar tips.
MIDDENKLASSE: *Pousada Erva Doce*, Caminho da Praia, www.ervadoce.com.br, tel. 35751113, appartementen rondom mooie groene binnenplaats met zwembad, met goed restaurant, uitstekende sfeer, op loopafstand van het strand en het centrum. *Vila do Beco*, Beco dos Jegues 173, een zijweg van de Caminho da Praia (met bordjes aangegeven), www.viladobeco.com.br, tel. 35751230, ruime kamers, mooie tuin. *Caminho do Mar*, Rua do Mucugê 246, www.caminhodomar.tur.br, tel. 35751099, afgezonderd, rustige omgeving en ruime kamers. *Pousada BemVirá*, Alameda Flamboyants 54, www.bemvira.com.br, tel. 35751714, redelijk centraal gelegen, leuke sfeer.
BUDGET: *Pousada Céu Azul*, Rua das Amandoeiras, sfeervol, groene omgeving, kamers zijn in orde. *Camping Audaz*, aan de weg naar Trancoso 1171, tel. 35751869.

Alcobaça (p. 263)
Netnummer 073

Informatie
Het *Centro de Visitantes do Parque de Abrolhos*, Secretaria de Turismo, Praça Pedro Muniz, verstrekt informatie over de Abrolhos. *Abrolhos Embarcações*, aan het oude haventje, organiseert excursies ernaar toe. Kijk op www.bahia.com.br.

Geld
Dit is een probleem. Er zit uitsluitend een *Caixa Econômica Federal* aan de Avenida 7 de Setembro. Zorg dus voor voldoende cash als je buiten de deur wilt eten en drinken.

Vervoer
BUS: zo'n vijf keer per dag komt de bus langs van Caravelas naar Teixeira de Freitas en vice versa. Ook zijn er directe

verbindingen naar Itamarajú. Het busstation staat aan de Rua Dez, Palmeiras
de Alcobaça.

Accommodatie

MIDDENKLASSE: *Brisa dos Abrolhos*, Praia
da Barra 1657, tel. 32932022, de com-
fortabelste plek in het plaatsje, aan het
strand. *Estrela do Mar*, Avenida Atlântica
1855, www.estreladomarbahia.com.br, tel.
32932136. *Pousada Verdes Mares*, Avenida 7 de Setembro 2498, tel. 32932266,
kamers en chalets bij het strand.
BUDGET: *Pousada di Vivaldi*, tegelijk pizzeria, Rua Desembargador Melo Rocha
302, tel. 32932065, de kamers liggen
aan het erf, je maakt deel uit van de
familie van Maurício Spanghero, die erg
vriendelijk en behulpzaam is. *Pousada
Pé de Caju*, Avenida 7 de Setembro 1834,
tel. 32932696, ook bij het strand, gezellige sfeer.

Eten en drinken

Bij het Praça Caixa d'Agua, het plein
van de watertoren, zijn de meeste
restaurants te vinden. *Maresia's*,
Avenida Governador César Borges 1041,
met de lekkerste visschotels, is het
beste restaurant in Alcobaça. *Miranda*,
Rua Dr. José Nunes, heeft Bahiaanse
gerechten.

Caravelas (pp. 263-264)

Netnummer 073

Informatie

De website www.bahia.com.br geeft veel
informatie. *Abrolhos Embarcações*, Avenida Adalicio Nogueira 1294, is een betrouwbaar adres voor excursies naar de
Abrolhos en voor walvissen kijken.

Vervoer

Diverse keren per dag passeert de bus
van Teixeira de Freitas (BR-101) naar

Alcobaça en vice versa. Het busstation
bevindt zich in het centrum.

Geld pinnen

Banco do Brasil, Rua 7 de Setembro, en
Caixa Econômica Federal, Praça 15 de
Novembro.

Accommodatie

MIDDENKLASSE: *Farol Abrolhos Hotel*, de
weg naar Barra de Caravelas, bij Pitonga,
www.farolabrolhos.com.br, tel. 32971173,
ruim opgezet complex met chalets aan
tuin, comfortabel. *Caravelas late Club*,
aan de rivier, weg richting Barra de Caravelas, tel. 32971002, 3 km van het centrum, kamers en ligging pima. *Pousada
dos Navegantes*, Rua das Palmeiras 45,
tel. 32971366.
BUDGET: *Pousada do beco Shangri-Lá*, Rua
7 de Setembro 219, tel. 32971059, het
beste goedkopere slaapadres in de stad,
goede sfeer, schoon. *Pousada Tropical*,
Rua 7 de Setembro 155, tel. 32971078,
gemoedelijke sfeer, wat krappe kamers.

Eten en drinken

Encontro dos Amigos, Avenida das Palmeiras 370, verse visgerechten. *Comida
Caseira*, Avenida das Palmeiras 298, een
por quilo restaurant voor de snelle hap.

Lençóis (p. 269)

Netnummer 075

Informatie

Inlichtingen over verblijf, excursies met
gidsen naar en kaart van de Chapada
Diamantina zijn te verkrijgen bij *Prefei-
tura Municipal de Lençóis*, Secretaria de
Turismo, Avenida Senhor dos Passos, tel.
33341380, www.guialencois.com.br.
Een goed reisbureau ter plekke is *Lentur
Turismo Ecológico*, Avenida 7 de Setembro, tel. 33341271; dagelijks hebben ze
georganiseerde excursies in het park.

Ook in de pousadas is hierover volop informatie te krijgen.

Vervoer

VLIEGTUIG: *Aeroporto Coronel Horácio de Matos*; 20 km van de Chapada, regelmatige verbinding met Salvador.
BUS: er gaan dagelijks bussen naar Salvador en vice versa, 's morgens vroeg en 's avonds laat; het busstation staat bij de rivier.

Geld wisselen

Bij *Lentur* en andere reisbureautjes kun je meestal wel wisselen, anders in ieder geval bij Casa de Helia, Rua das Pedras 102.

Accommodatie

MIDDENKLASSE: *Pousada Canto das Águas*, Avenida Sr. dos Passos, bij de rivier, www.lencois.com.br, de pousada met de mooiste ligging. *Pousada Vila Serrano*, Rua Alto de Bonfim 8, www.vilaserrano.com.br, exotische sfeer, smaakvol ingericht, groene omgeving.
BUDGET: *Hotel do Parque Reserva Ecológica*, bij de entrée van het plaatsje aan BA-850, tel. 33341361, eenvoudige kamers, groene omgeving. *Hotel de Lençóis*, Praça Otaviano Alves, tel. 33341102, centraal gelegen, ruime kamers. *Albergue Algadoy*, Rua São Francisco 55, tel. 33341334, eenvoudige kamers, sfeervolle herberg.

Eten en drinken

Cozinha Aberta, Avenida Ruí Barbosa 42, fusion van Thais en Italiaans, ongedwongen sfeer, een 'must'. *A Picanha da Praça*, Praça Otaviano Alves, vlees van het spit.

Juazeiro do Norte (p. 267)
Netnummer 088

Informatie

Kijk op de algemene site www.ceara.com.br.

Evenementen

Dia do Romeiro, met als hoogtepunt de processie voor Padre Cicero Romão Batista op 1 november. Ook festiviteiten op 2 februari, 24 maart (geboortedag), 20 juli (sterfdag), en 15 september (het feest van *Nossa Senhora das Doces*.

Vervoer

VLIEGTUIG: *Aeroporto do Cariri*, 6 km van Juazeiro; verbindingen met Brasília, Recife, Petrolina, Campina Grande.
BUS: dagelijks diverse bussen naar Fortaleza, João Pessoa, Recife, Natal.

Accommodatie

MIDDENKLASSE: *Hotel Panorama*, Rua Santo Agostinho 58, www.panoramahotel.com.br.
BUDGET: *Viana Palace*, Rua São Pedro 746.

HET NOORDOOSTEN (pp. 271-311)

Aracaju (pp. 275-276)
Netnummer 079

Informatie

Centro de Cultura e Arte, Praça Olímpio Campos/Rua 24 Horas. www.aracaju.se.gov.br/funcaju.

Evenementen

Bom Jesus dos Navegantes, botenprocessie op de Rio Sergipe, 1 januari. *Pre-Caju*, plaatselijk carnaval met trios electricos. *Forró Caju*, groots festival met muziek en dans.

Vervoer

Vliegtuig: *Aeroporto Santa Maria*, Atalaia Velha, 11 km van het centrum.

Bus: *Estação Rodoviária*, Avenida Presidente Tancrede Neves, 5 km van het stadscentrum, met regelmatige verbindingen naar Maceió, Salvador (onder meer via de Linha Verde, de kustweg in Bahia) en Penedo. Het oude busstation, Estação Velha, aan het Praça João XXIII, voor plaatselijke bestemmingen ('Atalaia Velha', 'Aeroporto' en 'Rodoviária') en naar Laranjeiras en São Cristovão.

Boot: vanaf de Terminal Hidroviário, Avenida Rio Branco, gaan de boten en ponten naar Barra dos Coquieros (en Atalaia Nova), aan de overkant van de Rio Sergipe.

Accommodatie

Middenklasse: *Pousada do Sol*, Rua Atalaia 43 (Atalaia Velha), www.psol.com.br, appartementen en chalets aan de kust. En in het centrum: *Jangadeiro*, Rua Santa Luzia 269, www.jangadeirose.com.br, modern, strak en steriel.

Budget: *Pousada Praia e Mar*, Avenida Santos Dumont 433, (Atalaia), tel. 2434520, eenvoudig, degelijk. *Pousada Costa do Mar*, Rua Niceu Dantas 325 (Atalaia), www.costadomar.com.br, vrijwel aan het strand, 8 km van centrum, rustige locatie.

Camping: *Camping Clube do Brasil*, Avenida Santos Dumont, aan het strand van Atalaia Velha.

Eten en drinken

Probeer tijdens een verblijf in Aracaju minstens een keer de visspecialiteiten, zoals garnalen en krab. Een goed adres daarvoor is *Cantina San Marino*, Avenida Santos Dumont (Praia dos Artistas). *O Miguel*, Rua Antônio Alves 340 (Atalaia), geldt als het beste restaurant voor regionale specialiteiten als *carne do sol*.

Mangará, Avenida Beira Mar 1024, heeft ook regionale gerechten en is een favoriete ontmoetingsplek.

Penedo (pp. 277-278)

Netnummer 082

Informatie

Centro de Informaçôes Turísticas (Casa da Aposentadoria, Praça Barão de Penedo).

Vervoer

Bus: vanuit Maceió en Aracaju zijn directe busverbindingen met Propriá en Penedo. Het busstation staat aan de Avenida Duque de Caxias, in het centrum. Penedo is over de weg te bereiken via de BR-101. Ongeveer 15 km na het oversteken van de rivier in de richting van Maceió verlaat je de BR-101 en sla je rechtsaf richting Igreja Nova en Penedo.

Boot: de mooiste route naar Penedo is met de boot over de São Francisco vanuit Propriá.

Accommodatie

Budget: *Pousada Colonial*, Praça 12 de Abril 21, tel. 35512355, fraai gerestaureerd koloniaal pand, aan de rivier.

Eten en drinken

Forte da Rocheira, visgerechten, aan de rivier, met fraai uitzicht.

Maceió (pp. 278-279)

Netnummer 082

Informatie

Setur, Avenida Duque de Caxias 2014 (Praia de Avenida); en diverse kiosken langs het strand, op het busstation en het vliegveld. De website is: www.turismomaceio.com.br.

Evenementen

Festa Junina, 12-30 juni, feest in de hele stad. *Maceió Fest*, plaatselijk carnaval in november.

Vervoer

VLIEGTUIG: *Aeroporto Zumbi dos Palmares*, aan de BR-101, 20 km van de stad.
BUS: het rodoviária aan de Avenida Leste-Oeste, 4 km van het centrum. Bussen naar Recife, Aracaju, Salvador, Penedo, Rio e.v. De stadsbus 'Ouro Prêto' rijdt van het busstation naar het centrum; de bussen 'Ponta Verde' en 'Jardim Vaticano' gaan naar Pajuçara; bus 'Jatiúca' naar de gelijknamige strandwijk.
BOOT: voor vaartochten per schoener naar de eilanden en strandjes van Lagoa de Mundaú (4 uur excursie), informeer in hotel.

Accommodatie

TOPKLASSE: *Jatiúca Resort*, Lagoa da Anta 220, www.hoteljatiuca.com.br, mooi gelegen aan het Praia Jatiúca. *Ponta Verde Praia*, Avenida Alvaro Otacílio 2933 (Praia de Ponta Verde), www.hotelpontaverde.com.br, is een luxe hotel dichter bij het centrum en toch aan de kust. Het moderne *Meliá Maceió*, www.solmelia.com staat even verderop.
MIDDENKLASSE: *Praia Bonita*, Avenida Dr. Antônio Gouveia 943 (Pajuçara Praia), www.praiabonita.com.br, strak en modern, aan het strand. *Pousada Cais da Praia*, Avenida Álvaro Otacílio 4353 (Praia de Jatiúca), www.caisdapraia.com.br, simpel, ruime kamers.
BUDGET: *Pousada Cavalo Marinho*, Rua da Praia 55 (Riacho Doce), tel. 3551247, 16 km noordelijk van de stad, ligt prachtig en is gezellig (neem bus 'Jardineira' vanuit het centrum).
CAMPINGS: *Jatiúca*, Brigadeiro Eduardo Gomes 1995 (Praia Cruz das Almas), 7 km van de stad. *Camping Clube do Brasil*, aan de AL-101, bij het Praia de Jacarecica, 10 km van de stad.

Eten en drinken

Langs de boulevard in Pajuçara en Ponta Verde staan tal van kraampjes met terras waar je verse visgerechten kunt krijgen, zoals siriri (krab) en sururu (mossel) in lekkere sausjes. *Portugália*, Avenida Júlio Marques Luz 1040 en *Canto da Boca*, aan dezelfde straat nr. 654 in Jatiúca, zijn goed in respectievelijk Portugese en regionale gerechten. *Massarela*, Rua José Pontes de Magalhães 271 in Jatiúca, is een van de betere adressen voor Italiaanse specialiteiten. *Divina Gula*, Rua Eng. Paulo Brandão Nogueira 85 (Jatiúca), is een prijzige maar voortreffelijke plek voor Braziliaanse gerechten, zowel vlees als vis.

Recife (pp. 280-290)

Netnummer 081

Informatie

Empetur, de toeristenorganisatie van Pernambuco, heeft verschillende informatiepunten in Recife: op het vliegveld, het busstation, in het Casa da Cultura, Rua Floriano Peixoto (wijk Santo Antônio), en via www.empetur.com.br. Een andere goede website is: www.guiapernambuco.com.br.

Evenementen

Carnaval, in Boa Viagem met trios eléctricos, traditionele muziek: eind februari.

Vervoer

VLIEGTUIG: Aeroporto Dos Guararapes, 10 km van het centrum aan de zuidkant, gunstig gelegen ten opzicht van de wijk Boa Viagem; verbindingen naar alle grote steden in Brazilië, Europa en de Verenigde Staten (Miami).
BUS: het TIP (*Terminal Integrado de Pas-*

sageiros) is het interlokale station voor openbaar vervoer, ook voor de metro, bij de BR-232 (Curado), 15 km van het centrum; verbindingen naar alle grote steden in Brazilië en de plaatsen langs de kust en het binnenland. Het beste punt om in het centrum een bus te pakken is de Avenida Dantas Barreto, zowel naar Boa Viagem, als naar Olinda.

De twee grote commerciële straten in Boa Viagem zijn de Avenida Conselheiro Aguiar en de Avenida Eng. Domingos Ferreira. Bijna om de minuut gaat er vanaf de Avenida Conselheiro Aguiar een bus richting het centrum. De bussen met bestemming Aeroporto en Shopping Center brengen je in het hartje van de wijk Santo Antônio. De bus 'Piedade/Rio Doce' rijdt tussen Boa Viagem en Olinda.

Geld pinnen

De grote banken zitten in het centrum vooral aan de Avenida Dantas Barreto, en in Boa Viagem aan de Avenida Conselheiro Aguilar. Verder is het veilig pinnen in alle shoppingcentra.

Accommodatie

Boa Viagem is de beste plek om te verblijven. Het avond- en nachtleven spelen zich af in de straten direct achter de kustboulevard, de Avenida Boa Viagem. Topklasse: *Recife Palace Lucsim*, Avenida Boa Viagem 4070, www.lucsimhoteis. com.br, tel. 34642500, tegenover het strand, ruime kamers, goed restaurant. *Mar Hotel*, Rua Barão de Souza Leão, 451, www.marhotel.com.br, tel. 33024444, modern zakenhotel met businesscentrum, ruim zwembad, fitness en toprestaurant op het dak. *Blue Tree Towers*, Avenida Bernardo Vieira de Melo 550 (Praia de Piedade), www.bluetree. com.br, het apartste hotel in deze prijsklasse. Middenklasse: *Pousada Villa Boa Vista*,

Rua Miguel Couto 81 (Boa Vista), www. pousadavillaboavista.com.br, niet aan het strand, wel de sfeervolste plek om te verblijven, intiem, smaakvol, dicht bij het centrum. *Terramar*, Avenida Bernardo Vieira de Melo 694 (Praia de Piedade), www.terramarhotel.com.br, aan het strand (15 km van centrum), mooi ingerichte kamers, goede sfeer. *Canarius Palace*, Rua dos Navegantes 435 (Boa Viagem), www.hotelcanarius.com. br, modern, comfortabel hotel, vlak bij boulevard. *Hotel Aconchego*, Rua Félix de Brito e Melo 382 (Boa Viagem), www. hotelaconchego.com.br, modern, ietwat kleine kamers, wel vlak bij de boulevard. Budget: *Zoya's Bed and Breakfast*, Avenida Conselheiro Aguiar 4405, app. 105, www. zoyasbedandbreakfast.com, tel. 33264265, bij Zoya thuis, geweldige plek voor een habbekrats, goed ontbijt, midden in de strand/zakenwijk Boa Viagem 7074, fax 3413513. *Hostel Boa Viagem*, Rua Aviador Severiano Lins 455 (Boa Viagem), www.hostelboaviagem.com.br, tel. 33269572, jeugdherberg, niet ver van strand.

Eten en drinken

Bargaço, Avenida Boa Viagem 670, is een topadres voor Braziliaanse gerechten. *Da Mira*, Avenida Dr. Eurico Chaves 916 (Casa Amarela), aan de rand van de stad, maar met stip het beste adres voor gerechten uit Pernambuco, zoals cabrito ensopado (gestoofd geitenvlees) en chambaril (sterk gekruid rundvlees); met een 'gesproken' kaart. *Parraxaxá*, Avenida 17 de Agosto 807 (Casa Forte) biedt een buffet met de bekendste gerechten uit het noordoosten.

Cícero Rei do Camarão, Avenida Boa Viagem 5476, is zoals de naam aangeeft de 'koning' van de garnalen. *Boi Preto*, Avenida Boa Viagem 97, gevestigd in een voormalig casino, is een churrascaria

met daarnaast een geweldig vis- en sala-
debuffet.
Recanto Lusitano, Rua Antônio Vicente
284, is een goed adres voor Portugese
gerechten, net als *Tasca*, Rua Dom José
Lopes (Boa Viagem).

Muziek
Voor de beste livemuziek moet je naar
Downtown Pub, Rua Vigário Tenório 105,
in het oude centrum; van wo.-zo. treden
elke avond twee bands op, vooral lekkere rockmuziek, oud en nieuw, www.
downtownpub.com.br. *Over Point*, boven
in de gerestaureerde Alfândega, is vooral
het mekka voor techno en house. *Sala de
Reboco*, Rua Gregório Júnior 264 (Cor-
dero), heeft liveforró van do.-za., www.
saladereboco.com.br.

Olinda (pp. 290-294)
Netnummer 081

Informatie
Informatie bij het plaatselijke toeristenbureau, naast de pousada São Francisco
aan de Rua do Sol; verder zijn er kiosken
op het Praça do Carmo en bij de Mercado
da Ribeira/Praça da Sé. Kijk voor actuele
informatie op www.olindavirtual.net.

Evenementen
Carnaval in Olinda is inmiddels legendarisch, met bonecos, en frevo-muziek,
februari. De *Semana Santa*, met Pasen, is
het belangrijkste religieuze feest; de processie op vrijdag voor Pasen is indrukwekkend. Elke vrijdag vanaf 22 uur is er
Serenata, vanuit de historische pandjes;
voor de romantici.

Vervoer
Neem in Recife op de Avenida Nossa
Senhora do Carmo de bus met bestem-
ming 'Jardim Atlântico' of 'Rio Doce'.
Stap uit bij het Praça do Carmo.

Accommodatie
Topklasse: *Pousada do Amparo*, Rua do
Amparo 199, tel. 34391749, www.pou-
sadadoamparo.com.br, een zeer sfeervolle locatie in een straatje met veel kunstenaarsateliers, intieme tuin met zwembad,
kamers met jacuzzi, restaurant/terras
met fenomenaal uitzicht op Recife; iets
speciaals!
Middenklasse: *Pousada São Francisco*,
Rua do Sol 127, www.pousadasaofran-
cisco.com.br, tel. 34292109, ligt aan de
weg naar Recife. *Pousada dos Quatro
Cantos*, Rua Prudente de Morais 441, tel.
34290220, sfeervol, in het stadje, met
schaduwrijke tuin.
Budget: *Pousada d'Olinda*, Praça João
Alfredo 178 (Carmo), www.pousada-
dolinda.com.br, tel. 34391163. *Albergue
de Olinda*, Rua do Sol 233, tel. 34291592.
Albergue Cheiro do Mar, Avenida Marcos
Freire 95, tel. 34290101.

Eten en drinken
Oficina do Sabor, Rua do Amparo 335,
visspecialiteiten met regionale ingredi-
enten, zoals garnalen in kokossaus en
kreeft met mango; het beste restaurant
van Olinda (volgens *Veja* en *Quatro Rodas*) met spectaculair uitzicht op Recife.
Goya, ook in de Rua do Amparo, op nr.
157, mag er eveneens wezen; wat meer
internationale gerechten met een vleugje
Pernambucaans, zoals vis en garnalen
in bananenblad, en mozzarella in bécha-
melsaus.

Itamaracá (pp. 295-296)
Netnummer 081

Informatie
www.ilhadeitamaraca.pe.gov.br.

Vervoer
Er is een regelmatige busverbinding met
Recife (47 km) via Olinda.

Accommodatie

TOPKLASSE: *Orange Praia*, Praia do Forte Orange, www.hotelorange.com.br, met appartementen en suites, aan het strand.
MIDDENKLASSE: *Pousada de Itamaracá*, Rua Fernando Lopes 210, tel. 35441152. *Pousada Vento Leste*, Estrada do Forte, 4 km van centrum, tel. 35441699, comfortabele pousada, leuke sfeer.
BUDGET: *Albergue da Ilha*, Rua Caruaru 21, Praia de São Paulo, tel. 35441837, eenvoudig, maar sfeervol. Je kunt in het plaatsje diverse chalets huren. Kijk op de genoemde website.

Eten en drinken

Apetitosa, Estrada Forte Orange (bij Praia de São Paulo), heerlijke combinatieschotels met vis. Vlakbij zit ook *Peixada Orange*, eveneens een degelijk visrestaurant.

Porto de Galinhas (p. 295)

Netnummer 081

Informatie

Centro de Informações Turisticas, bij de entree van het plaatsje naast de benzinepomp en op de prima website www. portodegalinhas.com.br.

Vervoer

Met de bus vanaf het rodoviária in Recife (70 km) reis je in anderhalf uur naar Porto de Galinhas, de eerste stop is bij de grote resorts. Vanaf het internationale vliegveld in Recife kost een taxi (4 personen) rond de R$ 100.

Accommodatie

TOPKLASSE: *Summerville Beach Resort*, Praia de Muro Alto, www.summervilleresort.com.br, luxe vakantieparadijs, aan het strand, met appartementen en ruime chalets, zwembad- en sportfaciliteiten en prima restaurant, ideaal voor kinde-

ren. Het exotische *Nannai Beach Resort*, www.nannai.com.br, ligt ernaast en de Franse Accorgroep opent er binnenkort ook een luxe resort. *Solar Porto de Galinhas*, Praia do Cupe, www.solarportodegalinhas.com.br, is een stijlvolle, maar prijzige pousada aan het strand.
MIDDENKLASSE: Er zijn tientallen pousades en kleinere hotels langs de kust. Vooral Praia do Cupe, het plaatsje Porto de Galinhas zelf en Praia Maracaípe zijn fraaie locaties. *Pousada Fazenda Xalés de Maracaípe*, Praia de Maracaípe, www. xalesdemaracaipe.com.br, heeft ruime chalets aan het strand en goede voorzieningen. *Brisas de Maracaípe*, www. brisas.com.br, aan hetzelfde strand, is een sfeervolle pousada. *Pousada Marahú*, Praça 2, www.pousadamarahu.com.br en *Pousada Porto Verde*, Praça 1, www. pousadaportoverde.com.br, staan allebei in het plaatsje zelf.
BUDGET: *Pousada Luar do Porto*, Praça 14, www.luardoporto.com.br, eenvoudig, een van de goedkoopste opties in het plaatsje. *Pousada Portomares*, Praça 1, www. portomares.com.br, is nog wat intiemer en ligt ook centraal. Buiten de zomervakantie hebben de hotels aantrekkelijke aanbiedingen, en in de zomer kun je goedkoop een kamer huren bij particulieren. Kijk op de bovengenoemde website voor dergelijke accommodaties.

Eten en drinken

In het plaatsje Porto de Galinhas, aan de hoofdstraat en aan het strand, zijn meerdere aardige restaurants te vinden. *Beijupirá*, aan de gelijknamige straat, is het beste visrestaurant; de in boter gefrituurde garnalen met mango zijn een specialiteit. *Spiaggia*, Merepe 1, is een aanrader voor Italiaanse gerechten, *Picanha Tio Dadá*, Rua da Esperança, voor gegrild vlees.

Fernando de Noronha (p. 297)
Netnummer 081

Informatie
De website www.fernandodenoronha.
pe.gov.br geeft nuttige informatie over
verblijf, bereikbaarheid, bezoek nationaal
park en reizen op de eilanden. Verder
zijn er tal van reisbureaus die buggytochten, bootexcursies per schoener en
wandelingen organiseren. En natuurlijk
de specialisten op duikgebied: *Águas Cla-
ras*, tel. 36191225, *Atlantis*, tel. 36191371,
Noronha Divers, tel. 36191112.

Geld pinnen
Er is een *Banco Real* in de hoofdplaats op
het eiland.

Accommodatie
Op het hoofdeiland zijn enkele tientallen
pousadas, in de midden en topklasse. De
prijzen liggen fors hoger dan gemiddeld;
via de bovengenoemde website kun je
boeken. Toppers zijn: *Pousada Maravilha*
in Sueste aan de BR-363, www.pousada-
maravilha.com.br, *Pousada Zé Maria* in
Floresta Velha, www.pousadazemaria.
com.br, en *Eco-Pousada Teju-Açu* in Bol-
dró, www.pousadatejuacu.com.br.

Eten en drinken
In Sueste en Floresta Velha zitten de
beste visrestaurants. *Ecologiku's* in Sueste is een topper, maar ook het restaurant
van *Pousada Maravilha*.

Caruaru (p. 296)
Netnummer 081

Informatie
Inlichtingen bij de informatiestand van
Empetur, Pátio do Forró en op www.caru-
aru.com.br.

Evenementen
Feira de Caruaru, de grootste markt in
het noorden van Brazilië, van bloemen
tot boeken, iedere zaterdag. *São João*,
groots junifeest.

Vervoer
Er is elk half uur een rechtstreekse busverbinding met Recife (132 km).

Accommodatie
MIDDENKLASSE: *Eduardo de Castro*, Rua
Amélia Maria da Conceição 148 (aan de
BR-104 naar Campina Grande), www.ho-
teleduardodecastro.com.br.
BUDGET: *Maysa Plaza*, Rua Teófilo Dias 93,
www.maysaplaza.hpg.ig.com.br.

João Pessoa (p. 299)
Netnummer 083

Informatie
PBTur in het *Centro Turístico Tambaú*,
Avenida Almirante Tamandaré 100 (Tambaú), en bij de *Mercado de Artesanato
Paraibano*. De website www.pbtur.pb.gov.
br voor de staat Paraiba en www.joao-
pessoa.pb.gov.br voor de stad.

Vervoer
VLIEGTUIG: *Aeroporto Presidente Castro
Pinto*, in Bayeux, 11 km van het centrum.
Vliegverbindingen met de grote Braziliaanse steden (*Gol, TAM, Varig*).
BUS: het rodoviária staat aan de westkant van de stad, bij de rivier. De hele
dag door bussen naar/uit Recife, Natal,
Fortaleza. Er zijn goede busverbindingen
met de stranden. Een centrale halte is
het rodoviária en het Praça Pedro Américo in het hart van de stad.

Accommodatie
TOPKLASSE: *Tropical Tambaú*, Avenida
Almirante Tamandaré 229 (Praia de
Tambaú), www.tropicalhotel.com.br, be-

roemd, ten dele in de oceaan gebouwd, zeer luxe.

Othon Atlântico Praia Hotel, Avenida Almirante Tamandaré 440 (Tambaú), www.atlanticopraiahotel.com.br, degelijk, comfortabel, excellent restaurant.

MIDDENKLASSE: *Annamar Hotel*, Praça Santo Antônio 36 (Tambaú), www.annamarhotel.com.br, gunstige ligging, sfeervol. *Hotel Solar Filipéia*, Rua Isidro Gomes 44 (Tambaú), www.solarfilipeia.com.br, zakelijk en strak, maar zeer comfortabel. *Pousada Solar da Praia*, Rua José Augusto Trindade 92 (Tambaú), www.hotelpousadapraia.com.br, leuke intieme pousada, vlak bij het strand.

BUDGET: *Mar Azul*, Avenida João Maurício 315 (Tambaú), tel. 32262660, ruime appartementen voor heel schappelijke prijs. In de stad is *JR*, Rua Rodrigues Chaves 87, www.bomguia.com.br/jr, een prima optie.

CAMPING: *Camping Clube do Brasil*, aan Praia da Ponta de Seixas (13 km van JP), tel. 32511034.

Eten en drinken

In Tambaú zijn de Avenida Rui Carneiro, de Rua Coração de Jesus en de Avenida Olinda straten met veel eet- en drinkgelegenheden. *Tábua de Carne*, Av. Rui Carneiro 648, heeft lekkere regionale specialiteiten. *Gulliver*, Avenida Olinda 590, heeft een gevarieerde kaart en wordt druk bezocht. *Adega do Alfredo*, Rua Coração de Jesus, is een uitstekend Portugees restaurant (de bacalhau is hier om de vingers bij af te likken). In de Rua João Maurício, inderdaad genoemd naar 'onze' Johan Maurits, zitten de beste bars en muziekcafés.

Natal (p. 299)
Netnummer 084

Informatie

In het *Centro do Turismo* in de oude gevangenis aan de Rua Aderbal de Figueiredo 980. Uitgebreide websites: www.natalonline.com en www.natal.m.gov.br.

Vervoer

VLIEGTUIG: *Aeroporto Internacional Augusto Severo*, aan de BR-101 Sul, 15 km van de stad. Vliegverbindingen met alle grote steden in het noorden en noordoosten, Brasília, São Paulo en Rio (*GOL, TAM, Trip, Varig*).

BUS: het rodoviária staat aan de Avenida Cap.-Mor Gouveia (Cidade da Esperança), 5 km ten zuiden van het centrum. Regelmatige busverbindingen met onder meer Fortaleza, Recife, João Pessoa en Juazeiro. Het oude busstation staat midden in de stad, Praça Augusto Severo. Hiervandaan rijden er bussen naar het 'rodoviária nova', het vliegveld en de stranden.

Accommodatie

TOPKLASSE: de duurste en mooiste hotels zoals *Pestana Natal*, www.pestana.com, *Ocean Palace*, www.oceanpalace.com.br, *Blue Tree Park Natal*, www.bluetree.com.br, *Vila do Mar*, www.viladomar.com.br, *Imará Plaza*, www.imaraplaza.com.br en *Parque da Costeira*, www.parquedacosteira.com.br, staan langs de zuidelijke kustweg, de Via Costeira, in het Parque das Dunas.

MIDDENKLASSE: In de strandwijken zijn volop betaalbare pousadas en hotels te vinden, en verder in Ponta Negra. *Reis Magos*, Avenida Presidente Café Filho 822 (Praia do Meio), tel. 2021111, vlak bij het strand, mooi uitzicht. Aan dezelfde boulevard, maar dan even verderop aan het

Praia dos Artistas, staan *Praia Center*, www.praiacenterhotel.com.br, en *Porto Mirim*, tel. 36151730. In Ponta Negra zijn aan te bevelen: *Rosa Náutica*, Avenida Erivan França 150, www.rosanautica.com. br, intiem, bij het strand; *O Tempo e o Vento*, Rua Elia Barros 66, www.otempoeovento.com.br, en *Soleil Suite*, Rua Elia Barros 70, www.soleilhotel.com.br.

BUDGET: *Pousada O Meu Canto*, Rua Manoel Dantas 424, in de wijk Petrópolis, is erg in trek bij jonge reizigers. Aan het strand: *Pousada Maria Bonita II*, Rua Estrela do Mar 2143 (Ponta Negra), www. mariabonita2.com.br, gezellige pousada, op 200 m van het strand. *Pousada Ponta Negra*, Rua Dr. Raimundo Fonseca 2277, tel. 2363317, fraaie ligging, 500 m van het strand. In Ponta Negra is een *Albergue de Juventud*, Rua Estrela do Mar 2215.

CAMPINGS: in de buurt van Natal en aan de kust liggen verschillende grote campings, onder meer bij het Praia de Ponte Negra, Vale das Cascatas.

Eten en drinken

Peixada da Comadre, Rua Dr. José Augusto Medeiros 14 (Praia dos Artistas), is een voortreffelijk visrestaurant. *Mamma Itália*, Avenida Governador Sílvio Pedrosa 43 (Praia da Areia Preta) is een begrip als het gaat om pasta's en pizza's.

De Avenida Eng. Roberto Freire in Ponta Negra is een uitgaansboulevard met verscheidene goede restaurants en cafés, zoals *Mazzano* (Italiaans), *Tábua de Carne* (gegrild vlees), *Camarões* (vis). Hét sterrenrestaurant in Natal is *Mangai*, Avenida Amintas Barros 3300 ((Lagoa Nova), een buffet met typische sertanejo-gerechten.

Praia da Pipa (p. 301)
nummer 084

Informatie
Kijk op www.praiadapipa.com.br.

Vervoer
Er rijden 6 bussen per dag tussen Natal (85 km) en Praia da Pipa. Met de auto rijd je via de BR-101 naar Goianinha en dan 20 km naar de kust.

Accommodatie
Aan de Avenida Baia dos Golfinhos staan de luxere resorts als *Toca da Coruja*, www.tocadacoruja.com.br. *Pousada Tartaruga*, tel. 32462385, is de stijlvolste in deze badplaats.

Pousada Alto da Pipa, Rua da Gameleira, www.pousadaaltodapipa.com.br, ligt fraai in een groene omgeving. *Pousada Riva's*, Rua das Araras 98, tel. 32462111 is sfeervol. Zie verder de genoemde website voor een goed overzicht.

Fortaleza (pp. 301-302)
Netnummer 085

Informatie
Setur, Rua Senador Pompeu 350 (Centro de Turismo); en kiosken op het vliegveld en busstation. Disque Turismo, tel. 0800-99-1516, geeft 24 uur informatie. Een prima website over de deelstaat Ceará en dus ook over Fortaleza is www. ceara.com.br.

Vervoer
VLIEGTUIG: *Aeroporto Pinto Martins*, 6 km van het stadscentrum, met verbindingen door heel Brazilië (Gol. Ocean Air, TAM. Varig).

BUS: *Terminal Rodoviária*, Avenida Borges de Melo, aan de zuidkant van de stad; goede verbindingen met de grote plaatsen in het noordoosten (Recife, Salvador), noorden (São Luís, Belém), Rio, en de kustplaatsen (Canoa Quebrada, Jericoacoara). Vanaf het vliegveld en het busstation gaan de bussen 'Praça José Alencar' en '13 de Maio' naar het stadscentrum. Bus 'Circular' en 'Meireles' gaan naar het strand.

Accommodatie

TOPKLASSE: *Gran Marquise*, Avenida Beira Mar 3980, www.solmelia.com.br, de mooiste plek en het duurst. *Marina Park*, Avenida Presidente Castelo Branco 400, www.marinapark.com.br, ook een fraaie omgeving en luxe voorzieningen. En verder *Othon Palace*, *Seara Praia*, allemaal aan het Praia de Meireles.

MIDDENKLASSE: *Beira Mar*, Avenida Beira Mar 3130 (Meireles), www.hotelbeiramar. com.br, aan het strand en nog betaalbaar. Hetzelfde geldt voor *Brisa da Praia*, Avenida Beira Mar 982 (Iracema), www. bhpfortal.com.br. *Água Marinha*, Avenida Almirante Barroso 701 (Iracema), www. aguamarinhahotel.com.br, is eveneens een degelijk hotel, dicht bij het strand. Bij Praia do Futuro: *Fortaleza Praia*, Avenida Zezé Diogo 7201, www.fortalezapraiahotel.com.br, mooie locatie, aan het strand. BUDGET: *Pousada Portal de Iracema*, Rua Ararius 2, tel. 2190066 is een van de betere goedkope adressen. *Pousada Portal do Sol*, Rua Nunes Valente 275 (Praia de Meireles), tel. 2246265 is een goed alternatief.

CAMPING: *Fortaleza Camping Club* (Àgua Fria), tel. 2732544, 10 km van het stadscentrum.

Eten en drinken

Net als de hotels zijn sfeervolle cafés en restaurants vooral te vinden in Meireles en Iracema. De mooiste locaties zijn natuurlijk aan de boulevard. Twee vertrouwde visrestaurants zijn: *Sobre o Mar* in Iracema en *Al Mare* in Meireles. De allerbeste visgerechten serveert *Cemoara*, Avenida Abolição 3340 (Meireles). *Colher de Pau*, Rua dos Tabajaras 412

(Iracema), is een prima plek om regionale specialiteiten als *carne de sol* te proberen. Voor het beste op dat gebied moet je naar de wijk Varjota, naar *Cantinho do Faustino*, Rua delmiro Gouveia 1520; een eenvoudige setting, maar de beste moqueca van garnalen en superlekkere kreeft in dendêmeel.

Een goed Italiaans restaurant is *Bambino Giuliano*, Rua Barão de Aracati 150 (Iracema), de beste bistro *Marcel*, in Hotel Holiday Inn, Avenida Historiador Raimundo Girão 800 (Iracema).

Veel muziekcafés vind je aan de boulevard. *Bar Pirata*, Rua dos Tabajaras 325 (Praia de Iracema), is inmiddels een instituut, voor forró-muziek met een eigen website voor het programma: www. pirata.com.br.

Canoa Quebrada (p. 303)
Netnummer 088

Informatie
De website www.portalcanoaquebrada. com.br heeft veel nuttige informatie.

Geld pinnen
Kan niet!

Vervoer
Er gaan dagelijks drie bussen rechtstreeks van en naar Fortaleza (BR-304, 167 km). Vanuit Aracati (9 km) gaan er dagelijks zeven bussen van en naar Fortaleza.

Accommodatie
TOPKLASSE: *Pousada Long Beach* is de meest comfortabele plek aan het Praia de Canoa Quebrada, www.longbeachvillage.com.br, appartementen en bungalows, fraai gebouwd, perfecte locatie.

MIDDENKLASSE: *Pousada La Dolce Vita*, ook aan het hoofdstrand, www.canoaquebrada.it, is wat intiemer. *Pousada*

Oásis do Rei, www.oasisdorei.com.br, ligt iets hoger in het plaatsje, maar heeft alle nodige comfort.

BUDGET: *Pousada do Holandés*, Rua Nascer do Sol 129, tel. 34217129, vlak achter de hoofdstraat, uitzicht op strand, strakke kamers. *Solar de Fabíola*, Rua Quatro Ventos, tel. 34217054, eenvoudige kamers, niet ver van het strand.

Jericoacoara (pp. 303-305)
Netnummer 085

Informatie
De website www.jericoacoara.tur.br geeft een informatief overzicht over wat Jeri te bieden heeft en verwijzingen naar accommodatie, transport, excursies.

Geld pinnen
Kan nog altijd niet in Jeri; zorg dus voor voldoende cash!

Vervoer
BUS: de rodoviária staat in Jijoca, 10 km van de stranden in Jericoacoara. Busmaatschappij *Redencão* verzorgt het transport langs de duinen naar Fortaleza (305 km) en Parnaíba (227 km). Er zijn meerdere bussen per dag, zie www.redencaoonline.com.br.

Jeri Off Road verzorgt buggytransport langs de kust (door de duinen en over het strand) van Camocim naar Jeri, van Jeri naar Fortaleza en zelfs naar Natal (en vice versa); en ze bieden excursies in de omgeving van Jeri (o.m. naar Lagoa Azul, Lagoa Paraíso, het windsurfstrand van Preá, Tatajuba), www.jeri.tur.br.

Accommodatie
Buiten het zomerseizoen kun je op de bonnefooi naar Jeri gaan, er is altijd plek in een van de pousadas. In juli en augustus moet je reserveren om zeker te zijn van de beste opties. De meest sfeervolle pousadas zitten in de categorie DUURDERE MIDDENKLASSE (R$ 300-400). *Pousada Jeribá*, www.jeriba.com.br, aan het hoofdstrand, heeft de fraaiste ligging en extra voorzieningen zoals hydromassage. *Pousada Max Italia* (van Max uit Italië, ja), www.jericoacoara.tur.br/maxitalia, in een zijstraatje tussen de Rua Principal en de Rua do Forró, is intiem en heel comfortabel; je eet er voortreffelijke Italiaanse pasta's en verse visgerechten. *Villa Kalango*, www.villakalango.com.br, bij de Duna Porta do Sol, is ook mooi gelegen, ruime appartementen onder de palmen, groot zwembad.

GOEDKOPE MIDDENKLASSE: *Pousada do Veío*, Rua Principal, de oudste pousada in Jeri, Papagaio en *Cabana*, Rua das Dunas, www.jericoaracoara.tur.br/cabana, prima prijs voor het geboden comfort, vlak bij Duna Porta do Sol, zwembad, ruime tuin. *Pousada do Serrote*, Rua da Matriz, www.jericoacoara.tur.br/pousadadoserrote, is de meest exotische plek om te verblijven, met appartementen op palen (speciaal ingericht voor gezinnen van vijf personen), veel groen en een groot zwembad. BUDGET: *Zé Patinha*, Rua São Francisco, www.sandjeri.com.br, eenvoudige kamers, schoon, ontmoetingsplek voor backpackers. *Tirol*, type jeugdherberg.

Eten en drinken
Aan de Rua Principa en aan het strand zitten de betere restaurants en gezellige bars.

Mosquito Blue, aan het strand, bij het gelijknamige hotel, is een van de toppers met voornamelijk gerechten met een flinke Italiaanse invloed, zoals overheerlijke risotto's met vis en vier kazen. *Tempero da Terra*, Rua São Francisco, serveert zowel lekkere sandwiches als prima schotels verse vis, picanha en geroosterde kip. *Carcará* en *Chocolate*, Rua do Forró, zijn allebei prima restaurants voor gevarieerde gerechten. De laatste heeft heerlijke risotto's.

In de Rua Principal zitten verder diverse pizzeria's, een sorvetaria (bij het plein) voor zelfgemaakt vruchten- en tapioca-ijs, en bars met vaak in het weekeinde livemuziek.

Parnaíba (pp. 305-306)
Netnummer 086

Informatie
Piemtur, Complexo Turístico Porto das Barcas, aan het eind van de Avenida Presidente Getúlio Vargas, www.piemtur. pi.gov.br; voor een kaart van de omgeving, excursiemogelijkheden, vervoer en verblijf. Ook *Morais Brito Viagens & Turismo*, vlak bij de oude haven, is een betrouwbaar adres, www.deltadoparnaiba. com.br. En verder: www.parnaiba.com.br.

Vervoer
Bus: Parnaíba is per bus te bereiken vanuit Piripiri, Teresina en Camocim (Ceará). In Teresina is een vliegveld. De busrit naar Camocím-Parnaíba duurt zo'n 2.30 uur; en vanuit Piripiri 3 uur. Vanuit Parnaíba gaan er regelmatig bussen naar de stranden.
Boot: vanuit Porto das Barcas zijn er een- en meerdaagse boottochten in de delta (R$ 45 voor een hele dag) en naar de eilanden (Ilha de Caju enkele reis R$ 150 voor een boot met 10 pers.). Informeer bij de reisbureautjes ter plaatse.

Accommodatie
Topklasse: *Rio Poty Praia*, Praia de Atalaia, in Luís Correia (16 km van Parnaíba), tel. 33672050.
Middenklasse: *Pousada Ecológica Ilha do Caju*, www.ilhadocaju.com.br, reserveringen Pres. Vargas 235, Parnaíba, tel. 33222380, onvergetelijke plek tussen de cashewbomen, smaakvol ingericht groot

huis, met fraaie gastenverblijven; paardrijden, boottochten, kanoën, wandelen (enkele keren per dag gaat er een boot naar Caju en van daar is er transport naar de pousada). *Hotel Cívico*, Avenida Governador Chagas Rodrigues 474, www. hotelcivico.com.br, tel. 33222470, zakelijk, schoon, met zwembad en behoorlijk restaurant.
Budget: *Lagoa do Portinho*, aan de gelijknamige lagune, 12 km van Parnaíba, mooie plek. *Pousada Parnamar*, Avenida Deputado Pinheiro Machado 1550, tel. 33231955, eenvoudige kamers, niet ver van het centrum.

Eten en drinken
Zé Grosso, op het Ilha Grande de Santa bij Pedro do Sal aan de Rio Parnaíba: een begrip als het gaat om visgerechten. *Sabor & Arte*, Porto das Barcas, simpel restaurant annex snackbar, met heerlijke regionale gerechten. *Feito a Mão* en *La Barca*, allebei aan de Avenida Beira Mar, zijn eveneens gespecialiseerd in vis.
In het blok bij de brug naast Porto das Barcas zitten naast restaurants diverse gezellige bars, sommige met terras aan het water.

São Luís (pp. 308-311)
Netnummer 098

Informatie
Setur, de toerismeorganisatie van de staat Maranhão, zit in het Palácio do Comércio, tegenover de Igreja de Sé. De toerismeorganisatie van de stad zit aan de Rua da Palma 53 (Centro Histórico). De website vooor de staat is: www. saoluis.ma.gov.br.
Diverse reisbureaus organiseren excursies naar Alcântara, Parque Nacional dos Lençóis Maranhenses. *Babaçu Viagens e Turismo*, Avenida Dom Pedro II, is een goede, tel. 32314747. Aan hetzelfde plein

in het historische centrum zit ook *Caravelas Turismo*, www.caravelasturismo.com.br.

Vervoer

Vᴌɪᴇɢᴛᴜɪɢ: Aeroporto Marechal Cunha Machado, 15 km van de stad in Tirirical; met vliegverbindingen naar onder meer Belém, Manaus, Imperatriz, Fortaleza, Recife, Salvador, Rio en São Paulo.

Bᴜs: de rodoviária staat aan de Avenida dos Franceses (Santo Antônio), 12 km van het centrum. Busverbindingen met Belém, Fortaleza, Recife, Teresina. In de stad is het centrale plein voor de bussen Praça Deodoro: bussen naar busstation, vliegveld (São Cristovão), en de stranden Ponta Areia, Olho d'Água, Calhau.

Bᴏᴏᴛ: Alcântara is vanuit São Luís te bereiken met een snelle boot (1 uur), een zeilboot (1.30 uur) of catamaran. Vertrek: 7 uur vanaf de Terminal Hidroviário. Er is nog een snelle boot om 9.30 uur; de terugvaart is in de middag.

Geld pinnen

De banken in Praia Grande zitten op het bestuursplein, de Avenida Dom Pedro II en in het stadscentrum aan het Praça Deodoro.

Accommodatie

Mɪᴅᴅᴇɴᴋʟᴀssᴇ: Een sfeervolle pousada in het hartje van Praia Grande (het historische centrum) is *Pousada Portas da Amazônia*, Rua do Giz 129, tel. 32229937, www.portasdaamazonia.com.br; kamers met airco en fan, internet in de lobby en een voortreffelijk ontbijt. Een andere sfeervolle plek in deze wijk is *Pousada Reviver*, Rua de Nazaré 173, tel. 32311253, www.pousadareviver.com.br. *Pousada do Francês*, Rua da Saavedra 160/Rua 7 de Setembro 121, tel. 32320879, fraai oud pand in het oude stadscentrum, goede kamers. Bij het strand: *Ponta d'Areia*, Avenida dos Holandeses, Qd. 13 (Ponta d'Areia), www.hotelpraiapontadareia.com.br.

Bᴜᴅɢᴇᴛ: *Pousada Solar das Pedras*, Albergue da Juventude, Rua da Palma (Praia Grande), tel. 32326694, www.ajsolardaspedras.com.br; eenvoudig, schoon, redelijk ontbijt en internet. Bij het strand: Pousada Tia Maria, Qd. 1, lote 12, Ponta d'Areia, sfeervol, vlak bij jachthaven.

Eten en drinken

São Luís is de plek om verse schaaldieren te eten: mosselen, kreeft, krab en garnalen. *Cheiro Verde*, Avenida São Luís Rei de França 135 (Olho d'Água), is een goed visrestaurant; probeer de caranguejo (krab). *A Varanda*, Rua Genésio Rego 185 (Monte Castelo), wat afgelegen, maar verreweg de beste plek voor verse visgerechten. In het centrum (Praia Grande) zijn diverse sfeervolle restaurants. *Antigamente*, Rua da Estrela 220, ademt de sfeer van een bohemlencafé en serveert overheerlijke visgerechten, regionale schotels en diverse fruitcocktails. Ernaast zit een goed pizzarestaurant, *Le Papagaio Amarelo* ('s maandags gesloten). *Don Francisco*, ook daar vlakbij, is een degelijk *por quilo* en à la carte restaurant.

O Armazém da Estrela, Rua da Estrela 401, voortreffelijke regionale gerechten en de betere wijnen, in een gerestaureerd pakhuis voor graan en specerijen.

Lençois Maranhenses

De toegangspoorten zijn Barreirinhas en Atins. Barreirinhas is dagelijks per bus ter bereiken vanuit São Luis en Parnaíba; Atins alleen met de boot vanuit Barreirinhas (R$ 150 per tocht van twee uur; de boot heeft een capaciteit van ongeveer 10 personen), of vanuit Caburé (R$ 20 per boot). Caburé is uitsluitend te bereiken over het strand vanuit Tutoya en Parnaíba.

In Barreirinhas is de infrastructuur (pousadas, restaurants, reisbureautjes) wat ruimer voorhanden dan in Atins.

In Atins is *Pousada Rancho dos Lençois*, www.ranchodoslencois.multiply.com, de enige comfortabele pousada, ruime kamers in aparte huisjes, goede keuken, excursiemogelijkheden naar Laguna Tropical, en halfdaagse tot meerdaagse tochten in de duinen voorhanden. *Pousada Filhos do Vento*, lekker op de wind gebouwd en vlak bij het strand, is wat eenvoudiger.

AMAZONE
(pp. 313-347)

Belém (pp. 321-330)
Netnummer 091

Belangrijke adressen en telefoonnummers
ZIEKENHUIS: Barros Barreto (speciaal voor tropische ziekten), Rua dos Mundurucus 4487 (Guamá), tel. 32492323.

CONSULAAT VAN NEDERLAND: Avenida José Marcelino de Oliveira 304, Ananindeua, tel. 32223409.

Geld pinnen
Aan de Avenida Presidente Vargas, bij de restaurants aan de rivierkade, in de Avenida de Nazaré zijn volop banken te vinden met 24 uurspinautomaten.

Informatie
Paratur, Praça Kennedy (vlak bij de haven), tel. 32824852, is de toerismeorganisatie van de staat. Op www.paratur. pa.gov.br vind je al veel informatie over het gebied, flora en fauna, excursies, touroperators. *Amazon Star Turismo*, van de Franse immigrant Patrick Barbier, Rua Henrique Gurjão 236 (achter het Teatro da Paz), tel. 32418624, www.amazonstar. com.br, is een goed reisbureau voor de individuele reiziger; voor boot- en jungletochten, excursies naar Mosqueiro, meerdaags verblijf op Marajó, stadsexcursie Belém. Ook heeft Barbier goede contacten in Tucuruí, Marabá en Carajás in het zuiden van Pará, in Santarém en Macapá. Andere gerenommeerde touroperators zijn: *Mururé Turismo*, www. murureturismo.com.br, en *Pescamazon*, www.pescamazon.com.br, specifiek voor visexcursies.

De website van de stad is www.belemtur. com.br.

Vervoer
VLIEGTUIG: *Aeroporto International Val de Cans*, Avenida Júlio César (er gaat een bus vanaf het Praça do Operário, bij het busstation in de wijk São Bras). Belém heeft dagelijks vliegverbindingen met plaatsen in Pará, Ilha de Marajó, Amapá, de grote kuststeden in Noord-Brazilië, Rio en Brasília en tevens met Miami, Cayenne (Frans-Guyana) en de Antillen.

BUS: het rodoviária staat aan de Praça do Opérario (wijk Brás). Belém heeft dagelijks busverbindingen met alle grote steden in Noordoost-, Centraal- en Zuidoost Brazilië, met plaatsen in het zuiden van Pará en met de eilanden (Outeiro, Mosqueiro) aan de oostkust. Vanaf het centrum, Avenida Presidente Vargas en het Praça de República, gaan bussen via Nazaré naar het busstation.

BOOT: de boten voor plaatsen aan de Amazone vertrekken vanuit de Porto de Belém.

Naar **Manaus** (via Santarém), een reis van minimaal 5 dagen, vertrek wo. 20 uur met *Alves & Rodrigues*; naar **Santarém** (via Breves, Gurupa, Almeirim, Prainha en Monte Alegre) met *Alves & Rodrigues* (60 uur), vertrek wo. 19 uur; naar **Breves** (11 uur), met *Custódio*; **Ilha de Marajó** (stops in Camará en Salvaterra; 3 uur) met *Enasa*; **Laranjal do**

Jari (via Gurupá en Monte Dourado), met *Alves & Rodrigues* (30 uur); **Macapá** (11 uur), met *Catamarã Atlântica*. Dagelijks gaan er diverse boten naar de eilanden aan de kust van Belém, zoals Outeiro en Mosqueiro. Informatie over bootreizen: Enasa, tel. 32570299; Alves & Rodrigues, tel. 32251691; Custódio, tel. 32723343; Catamarã Atlântica, tel. 320152.

Accommodatie

Topklasse: *Hilton Belém*, Avenida Presidente Vargas 882, tel. 40067000, www.hilton.com, aan het Praça da República, met uitstekende restaurants (ontbijt al vanaf 4 uur), verschillende bars, met zwembad, sauna, gym, winkels, reisbureau. *Crown Plaza*, Avenida Nazaré 375, www.crownplaza.com.
Middenklasse: *Grão Pará*, Avenida Presidente Vargas 718, tel. 32244100, aan het Praça da República, redelijk middenklassehotel, in het centrum. *Itaoca*, Avenida Presidente Vargas 132, tel. 40092400; een vriendelijk hotel onder aan de centrale avenida, vlak bij de haven, dakrestaurant met uitzicht op de rivier. *Expresso XXI*, Rua Presidente Pernambuco 116 (Batista Campos, vlakbij Shopping Iguatemi), tel. 32040777, www.gruposolare.com.br, goede faciliteiten, modern zakenhotel, centrale locatie. *Regente*, Avenida Governador José Malcher 485 (Nazaré), tel. 31815000, www.hotelregente.com.br, zakelijk, prima accommodatie.
Budget: *Sete Sete*, Tr. Primero de Março 673, tel. 32227742, goedkoop, behoorlijke kamers.
Vitória Régia, Tv. Frutuoso Guimarães 260, tel. 32242833, prima kamers, goede verzorging.

Eten en drinken

Belém is wat kosmopolitischer geworden als het gaat om uitgaan. Vooral in de wijk Nazaré en aan de rivier hebben de laatste jaren meer restaurants en bars hun deuren geopend. Onder de restaurants met regionale gerechten is *Lá em Casa*, Avenida Governador José Malcher 247 (Centro, Nazaré) de top, reserveren aanbevolen: tel. 32424222, www.laemcasa.com.br, (alleen op vrijdag, za. en zo.); in een stijlvol 19de-eeuws pand. Pato-no-tucupi, verschillende garnalenschotels en maniçoba zijn de specialiteiten. Een annex van dit restaurant zit in de Estação das Docas; die is alle avonden open. *Açaí*, in het Hilton Hotel aan de Avenida Presidente Vargas, is eveneens een vertrouwd adres voor de rijke gerechten van Pará. Proef de risotto Açaí maar eens, met zeevruchten. Vlak bij de basiliek van Nazaré is *Avenida*, Av. Nazaré 1086, een topper voor visgerechten.
Manjar das Garças, in het park op de voormalige marinewerf met uitzicht op de rivier, is een uitstekend maar wat prijzig restaurant; regionale en internationale keuken.
Een sfeervol, goedkoop en toch behoorlijk *por quilo* restaurant is *Spazzo Verde*, Avenida Braz de Aguiar 826 (Nazaré). Ook dit heeft een annex bij de havenkade. *Cantina Italiana*, Trav. Benjamin Constant 1401 (Nazaré), is een bezoek waard, alleen al vanwege de sfeer, zowel 's middags als 's avonds; traditionele Italiaanse gerechten. Volgens kenners is de beste Italiaan in Belém *Dom Giuseppe*, Avenida Conselheiro Furtado 1420 (Batista Campos). Chef Fábio Sicília heeft met zijn creativiteit veel prijzen in de wacht gesleept, en de wijnen (er staan alleen al meer dan 100 rode op de kaart) zijn voortreffelijk. Wil je eenvoudig en lekker eten, en ook nog een bijdrage leveren aan de diocese van Belém, dan kun je terecht bij *Estação Gourmet*, Praça Justo Chermont, naast de basiliek van Nazaré; ook een *por quilo* restaurant

met op de eerste verdieping een pizzeria (met uitzicht op het plein). De lekkerste sushi in de havenstad eet je bij *Hikari Sushi*, Avenida Serzedelo Corrêa 210 (Brás/Nazaré). *Hatobá*, Estação das Doques, heeft behalve overheerlijke sashimi en sushi, een ruime keus uit andere oosterse gerechten.

Alô Waldir - Casa da Picanha, Rua Bernal do Couto 407 (Umarizal, ten westen van Nazaré), is verreweg de beste churrascaria. Probeer de costelo no bafo voor twee personen eens: gesmoorde varkenskoteletjes ingepakt in een overheerlijk sausje. BARS: jong en oud ontmoet elkaar tegenwoordig op de terrasjes aan de kade van *Estação das Docas*. In het centrum vormen de Avenida Braz de Aguiar en enkele zijstraten ervan een uitgaansbuurt met gezellige bars, kleine restaurants en terrasjes. Vanouds is de Bar do Parque, tegenover het Hilton en naast het Teatro da Paz een gezellige ontmoetingsplaats, alleen 's avonds nemen de hoertjes de plek over, vandaar de naam 'de piranhavijver'.

Marajó (p. 331)
Netnummer 091

Informatie
Alle reisbureaus in Belém hebben georganiseerde excursies naar Ilha de Marajó in hun pakket. Ga je op eigen gelegenheid, zorg dan dat je vervoer en overnachtingen hebt besproken. Aardige websites voor de oriëntatie: www.marajotur.br en www.marajoparkresort.com.br.

Vervoer
VLIEGTUIG: er zijn wekelijks vluchten Belém-Soure en vice versa. Informeer bij de reisbureaus in Belém.
BOOT: dag. 7 uur vertrekt de passagiersboot vanaf de kade in Belém (bij de Presidente Vargás). De reis duurt 3 uur.

's Middags vaart de boot terug vanaf de haven van Camará. Vandaar is er een busverbinding met Soure.

Accommodatie
De beste manier om kennis te maken met de bijzondere natuur en het leven op Marajó is door een paar dagen in een van de fazendas te verblijven. Let op, de afstanden tussen de plaatsen op het immense eiland kunnen groot zijn. Sommige fazendas en pousadas liggen een eind van de bewoonde wereld vandaan. Check goed hoe je er rechtstreeks met de boot komt.

TOPKLASSE: *Fazenda Nossa Senhora do Carmo*, tel. 91661521, een plek midden in de natuur, comfortabel en gidsen om het moeras en de meren te verkennen. *Marajó Park Resort*, op Ilha Mexiana, (zie website boven); de fazenda beslaat een fors deel van het eilandje, uiterst luxe. *Pousada dos Guarás*, in Salvaterra, Avenida beira Mar, www.pousadadosguaras.com.br, mooie fazenda midden in beschermd natuurgebied.

MIDDENKLASSE: *São Jerônimo*, Soure, aan de weg naar Pesqueiro, tel. 37412093, aangename pousada, vrijwel aan het water, bij de mangroven en het strand. *O Canto do Francês*, 6de Rua nr. 8 in Soure, eenvoudig, prima verzorging!

BUDGET: *Araruna*, Travessa 14, tussen de 70 en 80 Rua, Matinha, Soure, tel. 32293928; eenvoudige kamers met veranda, restaurant. *Pousada Marajoara*, 40 Rua 33, Soure, tel. 37411396, aan de Rio Paracauari, huisjes in groene omgeving, met zwembad, eenvoudige appartementen.

Eten en drinken
In Soure: *Delícias de Nalva*, 40 Rua 1051, specialist in regionale gerechten, zoals banquete marajoara, gebakken vis in tucupí, met jambu-blaadjes en garnalen.

In Salvaterra: *Lá em Casa*, Avenida Vítor Engelhard 187, vis- en vleesgerechten; *Bosque dos Aruãs*, Avenida Beira Mar, gevarieerd menu. *Sete Orixás*, 50 Rua (Paula Ribeiro/60 Travessa), het huisje van Dona Djanira, ook weer vis en (buffel)vlees.

Mosqueiro (p. 331)
Netnummer 091

Informatie
Vanuit Belém organiseren diverse reisbureaus (dag)excursies naar Mosqueiro. De algemene website voor het plaatsje is www.mosqueiro.com.br.

Vervoer
Bus: ieder uur (tijdens de zomerdrukte en het carnaval ieder kwartier) is er een busverbinding met Belém. Busstation: Praça Cipriano Santos (bij de grote kerk). Boot: Voor ongeveer dezelfde prijs als een buskaartje kun je ook de boot nemen Belém-Mosqueiro; de tocht duurt 2 uur; vertrek vanuit Porte do Sal (vlak bij de kathedraal van Sé en het fort) dag. 9 en 18 uur; terug vanuit Mosqueiro 6 en 15 uur.

Accommodatie
Budget: *Do Farol*, Prinçesa Isabel, Praia do Farol, tel. 37711219; kamers en appartementen, sommige met uitzicht op zee, een markant gebouw uit de jaren 30, gemoedelijke sfeer. *Tropical*, Rua Siqueira Mendes 8, tel. 37712060, kleine pousada, gelegen tussen stranden Farol en Chapéu Virado. *Ilha Bela*, Avenida 16 de Setembro 463, aan het strand Chapéu Virado, tel. 37712921, heel eenvoudig, maar de locatie maakt veel goed.

Eten en drinken
Mosqueiro heeft langs de zeeboulevard en aan de Avenida 16 de Setembro volop eetgelegenheden. Een goede naam hebben: *Gato Comeu*, Avenida Beira Mar, met uitzicht op het Praia do Chapéu Virado, de specialiteit is vis. *Oliveira 'O Ponto Certo'*, Avenida Beira Mar 316, bij Murubira, specialiteit is gebakken vis en vatapá. *O Barbudo*, Estrada de São Francisco (Beira Mar) 245, eenvoudig restaurant, visgerechten.

Tucuruí (p. 331)
Netnummer 094

Informatie
Specialist in vis- en eco-excursies in Tucuruí, Marabá en omgeving is Exatur, tel. 7781020, www.exatur.com.br.

Vervoer
Vliegtuig: BRC vliegt enkele keren per week op Marabá, Carajás en Belém. Bus: vanaf het busstation aan de Rua Lauro Sodré zijn er busdiensten op Marabá, Santarém, Altamira, Belém en Imperatriz.

Accommodatie
Middenklasse: *C.R.T. Club Recreativo Tucuruí*, Praça França s/s, Vila permanente, tel. 7871232, voormalige sportclub en gastenverblijf tijdens de bouw van de stuwdam, uitstekende kamers, met zwembad, tennisbanen en restaurant.

Marabá (p. 331)
Netnummer 094

Accommodatie
Middenklasse: *Vale do Tocantins*, Folha 29, Quadra Especial (Novo Marabá), www.hvtmaraba.tur.br, het beste hotel in de stad, comfortabel, met zwembad, 7 km van centrum. *Hotel Del Príncipe*, Avenida Marechal Rondon 95, in Cidade Nova, tel. 33241175, goed hotel, relatief dicht bij het centrum (2,5 km), kamers

met airco, restaurant, zwembad.
BUDGET: *Hotel Plaza*, Folha 32, Quadra 10,
in Novo Marabá, eenvoudig, 5 km buiten
het centrum.

Eten en drinken
De betere restaurants zijn te vinden in
Cidade Nova. Twee tips, allebei gespeci-
aliseerd in visgerechten: *Sino de Ouro*,
Avenida Alfredo Monção 2093; *Bambu*,
Travessa, Pedro Carneiro 111.

Macapá (p. 332)
Netnummer 096

Informatie
De betrouwbaarste informatie over excursiemogelijkheden en accommodaties
geeft *Detur*, de toerismeorganisatie van
de staat Amapá, tel. 2411925; de website
van de stad is www.macapa-ap.com.br.
Actief bezig met het uitbouwen van excursiemogelijkheden is *Pousada Ekinox*,
tegelijk accommodatie en Frans consulaat.

Vervoer
VLIEGTUIG: vanaf vliegveld Internacional
de Macapá, 5 km van het centrum, zijn
er dagelijks vluchten naar Belém met
VARIG, Gol, TAM en andere; doorvluchten
naar São Paulo en de rest van Brazilië.
Surinam Airways heeft een verbinding
Belém, Macapá, Cayenne, Paramaribo.
Verder zijn er regionale verbindingen
met plaatsen in Amapá, Amazonas en
Pará (onder andere Amapá, Oiapoque,
Belém, Monte Dourado, Monte Alegre,
Santarém).
BOOT: een bootreis Belém–Macapá of
andersom duurt 20 uur per gewone boot.
Een snelle boot doet er 12 uur over. Zo'n
reis kan dagelijks worden gemaakt, in
twee klassen. De boten vertrekken vanuit
Porto de Santana.
BUS: voor verbindingen in Amapá, tot aan

de grens met Frans-Guyana (Oiapoque,
Amapá, Tartarugalzinho, Ferreira Gomes,
Porto Grande, Mazagão). Busstation: aan
de Avenida Minas Gerais.

Accommodatie
TOPKLASSE: *Macapá*, Avenida Eng.0 Aza-
rias Neto 17, tel. 32171350, voormalig Novotel, het beste qua luxe en ligging, aan
de rivier, maar niet gezellig.
MIDDENKLASSE: *Pousada Ekinox*, Rua Jo-
vino Dinoa 1693, tel. 32230086, www.
ekinox.com.br, niet in het centrum, sfeervol, met altijd wel een paar interessante
gasten, behulpzaam bij het maken van
een reisplan voor het binnenland.
BUDGET: *Açaí Palace*, Avenida Antônio
Coelho de Carvalho 1399, tel. 2234899,
goedkoop, beetje shabby.

Eten en drinken
Langs de rivierboulevard Beira Rio zitten
verscheidene restaurants met terras, die
uitstekende vis- en vleesgerechten bieden. *Cantinho Baiano* is een goed adres
voor aparte visgerechten.

Alter do Chão (p. 332)
Netnummer 093

Informatie
Amazon Planet Tours & Adventures is
het betere reisbureau met een uitgebreid
pakket excursies en activiteiten.
www.amazonplanetadventur.com.br. Wat
kleiner, maar ook goed is *Mãe Natureza
Ecotourism Agency*, Praça 7 de Setembro, www.maenaturezaecoturismo.com.
br.

Vervoer
Er gaat enkele keren per dag een bus
van Santarém naar Alter do Chão; vertrekpunt bij de Mercado Municipal in
Santarém. Een taxi voor de rit over 35
km, circa een half uur, kost ongeveer R$

60. Een tocht met de boot van en naar Santarém duurt 2 uur; geen regelmatige dienst, vraag bij de boten aan de kade.

Accommodatie

MIDDENKLASSE: *Beloalter*, Rua Pedro Teixeira, www.beloalter.com.br, luxe hotel aan de rivier. *Pousada Alter do Chão*, Rua Lauro Sodré 74, tel. 5271215, stijlvolle pousada in mooie omgeving, ontbijt op terras met uitzicht op Lago Verde (US$ 20).

BUDGET: *Pousada Tia Marilda*, Tr. Antônio Agostinho Lobato 551, tel. 5271144, kleine pousada met simpele kamers, met eigen wc en ventilator. *Pousada Tupaiulândia*, Rua Pedro Teixeira, tel. 35221157, eenvoudige, degelijke appartementen.

Eten en drinken

De restaurants in Hotel Beloalter en Pousada Alter do Chão zijn allebei aan te bevelen. De eerste heeft een gevarieerde kaart, de tweede is gespecialiseerd in visgerechten.

Borari, Praça 7 de Setembro, grote open zaal met uitzicht op het plaatsje en de rivier, visgerechten. *Toca da Jô*, Praça 7 de Setembro, gevogelte en vis, de pato-no-tucupi is een specialiteit.

Santarém (pp. 333-336)

Netnummer 093

Informatie

Santarém beschikt over enkele uitstekende reisbureaus, die gespecialiseerd zijn in tochten op en rond de Amazone. *Santarém Tur*, www.santaremtur.com. br, en *Amazon Planet*, www.amazonplanetadventur.com.br, zijn degelijke reisbureaus met op het programma bijvoorbeeld: Alter do Chão, Parque Nacional Tapajós en Monte Alegre.

Geld pinnen

Banco do Brasil en andere grote banken hebben een vestiging in deze plaats. Pin voordat je naar de kleinere plaatsen gaat!

Vervoer

VLIEGTUIG: *Aeroporto Internacional de Santarém*, Rodovía Fernando Guilhom, 13 km van de stad. Santarém heeft vliegverbindingen naar Belém, Manaus en de kleinere plaatsen in de omgeving, zoals Altamira, Itaituba, Obidos en Monte Alegre. Van de grotere maatschappijen vliegt TAM op Santarém.

BUS: *Estação Rodoviária Dr. Jonathas de Almeida e Silva*, Avenida Cuiabá, ongeveer 3 km buiten de stad. De enige verbinding over land is de BR-163 van Santarém naar Cuiabá. Deze sluit bij Rurópolis Présidente Medici, 218 km ten zuiden van Santarém, aan op de BR-230, beter bekend als de Transamazônica. Via deze wegen zijn plaatsen als Altamira, Anápolis, Araguaína, Marabá, Imperatriz en zelfs Belém te bereiken. Aangezien de weg slecht is verhard – ongeveer 60 km ten zuiden van Santarém houdt het asfalt op – spoelt deze tijdens de regenperiode grotendeels weg. Informeer op het busstation over de gesteldheid van de weg, voordat je onderweg vast komt te zitten.

BOOT: Santarém is in de allereerste plaats een belangrijke haven aan de Amazone. De bereikbaarheid per boot is daarom uitstekend. Dagelijks liggen er aan de kade tientallen boten te wachten op hun lading of passagiers. Er zijn vaste veerverbindingen en doorgaande bootreizen, bijvoorbeeld op het traject Manaus-Belém en vice versa. De meeste boten hebben een vaste plaats aan de kade. Soms geeft een bordje de bestemming aan, anders weet altijd wel iemand je de juiste boot te wijzen.

Vanuit Santarém zijn er dagelijks boten naar onder meer Monte Alegre, Obidos, Parintins, Itacoatiara, Manaus, Trombetas, Itaituba, Macapá en Belém. Kaartjes koop je bij de kapitein of zijn bemanning zelf, meestal tijdens de reis. Van belang is dus dat je op tijd op de boot bent om een plaatsje te bemachtigen. Het beste is om je hangmat alvast op te hangen. De meeste boten vertrekken uit Santarém in de middag en avond. Check de vertrektijd bij de bemanning, liefst een dag tevoren, en zorg dus dat je minstens twee uur voor vertrek aanwezig bent. Op de boten naar Manaus en Belém, in beide richtingen twee tot drie dagen varen afhankelijk van het seizoen, is een beperkt aantal plaatsen beschikbaar. Reserveer van tevoren een plek. Op deze boten, van onder meer ENASA en Alves & Rodriques, zijn de maaltijden bij de prijs inbegrepen.

Accommodatie
MIDDENKLASSE: *Santarém Palace Hotel*, Avenida Rui Barbosa 726, tel. 35232820, prima hotel met scherpe prijzen, comfortabele kamers. *Amazon Park*, Avenida Mendonça Furtado 4120, tel. 35223361, www.amazonparkhotel.com.br, is wat duurder en stijlvoller.
BUDGET: *Rio Dourado*, Rua Floriano Peixoto 799, tel. 35220298 is een degelijk, betaalbaar hotel, in het centrum. *New City Hotel*, Trav. Francisco Corrêa 200, tel. 35232351, goedkoop, maar groezelig, met airco en douche, restaurant.

Eten en drinken
De plaats om in Santarém 's avonds uit te gaan is de Avenida Tapajós. Deze langgerekte boulevard aan de rivier leent zich uitstekend om na een hete dag wat uit te blazen op een terrasje of om lekker een stuk te wandelen. *Pontão das Aguas*, een drijvend restaurant en bar, is een van de ontmoetingsplaatsen aan de boulevard; goede visgerechten, in het weekeinde met livemuziek; geen creditcards. Ruim 100 m verderop, aan het Praça do Pescador, zit *Mascote*, ook met een terras en een internationale keuken; lekkere pizza's; een familiepizza (US$ 16) is een maaltijd voor twee pers.; op zaterdag wordt er feijoada geserveerd. *Mascotinho*, van dezelfde eigenaar, ligt er schuin tegenover aan het water; ook een goed adres voor pizza en verder sandwiches; in het weekend is er 's avonds live muziek. *Peixaria Piracatu*, Avenida Mendonça Furtado 174 (Prainha) is het beste adres voor regionale visgerechten.

Monte Alegre (p. 336)

Vervoer
VLIEGTUIG: Monte Alegre heeft een vliegveldje waar zes keer per week op wordt gevlogen op de route Macapá-Monte Dourado-Santarém. Op ma. wo. en vr. vanuit Macapá; op di. do. en za. vanuit Santarém. De vliegmaatschappij is Penta; de prijs van een ticket Santarém-Monte Alegre is zo'n R$ 120; de vlucht duurt 20 min.
BOOT: vanuit Santarém gaat dagelijks een boot naar Monte Alegre; vaartijd: ongeveer 6 uur, en met een snelle motorboot 2 uur.

Accommodatie
In de benedenstad zijn enkele kleine pensions en in de bovenstad kun je logeren in het voormalige zusterhuis, achter de kerk. Neem wel een eigen laken mee.

Manaus (pp. 336-342)
Netnummer 092

Belangrijke adressen en telefoonnummers
POLITIE: alarmnummer 190.
ZIEKENHUIS: alarmnummer 192; *Beneficência Portuguesa*, Avenida Joaquim Nabuco 1359, tel. 36272100; *Instituto de Medicina Tropical*, Avenida Pedro Teixeira, tel. 32381711.
CONSULAAT BELGIË: Rua Recife, Conj Murici, -Qd D, casa 13, tel. 32361452.
CONSULAAT NEDERLAND: Rua Miranda Leão, 41 - Centro, tel. 36221366.

Informatie
Informatie over tochten op de rivier, jungle-excursies en verblijf in Manaus is te krijgen bij *Emamtur*, Avenida 7 de Setembro 1546, tel. ma.-vr. 7.30-18 uur; informatiebalies zijn er op het vliegveld en aan de Avenida Eduardo Ribeiro (bij het Teatro Amazonas). Veel informatie krijg je ook al op www.amazonastur-en. am.gov.br.
De beste website voor de stad en de omgeving is: www.manausonline.com.
Je vindt er onder meer een overzicht van de reisbureaus die jungle-excursies organiseren. *Amazon Explorers, Fontur, Selvatur, Green Planet Tour* zijn in ieder geval goed.

Vervoer
VLIEGTUIG: *Aeroporto International Eduardo Gomes*, Avenida Santos Dumont, 17 km van het centrum; verbindingen door alle bekende maatschappijen met de grote steden in Brazilië, met Bogotá, Caracas en Miami; en met de regionale steden in het noordwesten van Brazilië, zoals Boa Vista, Barcelos, São Gabriel da Cachoeira, Presidente Figueiredo, Porto Trombetas, Parintins, Tefé, Leticia. Een taxi vanuit het centrum van Manaus naar het vliegveld kost ongeveer R$ 45. Voor vervoer naar de stad vanaf het vliegveld kun je het beste in de aankomsthal een kaartje voor de taxi kopen.
BUS: het rodoviária staat aan het eind van de Rua Recife, 8 km van het centrum. Er is een wegverbinding naar Porto Velho, maar deze is grote delen van het jaar door de regenval onbegaanbaar; de busverbinding naar Boa Vista en Itacoatiara is iets beter.
Het stadsbusvervoer in Manaus is de laatste tijd sterk verbeterd. Op de grote avenues van en naar het stadscentrum zijn aparte busbanen aangelegd.
BOOT: dagelijks vertrekken er tientallen boten in alle richtingen uit de haven van Manaus; er zijn vaste lijnverbindingen van de grotere maatschappijen, die varen met grote boten, meerdere dekken, met hutten en een restaurant; er zijn kleinere boten, met twee en soms drie dekken, die ook meestal een vaste route afleggen maar langzamer varen, en waarop je slaapt in je eigen hangmat. De route naar Belém gaat via Santarém, Parintins, Monte Alegre en Almeirim, een reis van zo'n 4 dagen. De reis naar Leticia, via Tefé en de grensplaats Tabatinga (daar voor een korte reis verder overstappen), duurt ook zo'n 5 dagen. Houd er daar bovendien rekening mee dat je op de Rio Solimões een aardige slag moet leveren met muskieten. Op de Rio Negro en de Rio Amazonas heb je daar minder last van.
Verder zijn er verbindingen met Porto Velho aan de Rio Madeira, met onder meer stops in Manicoré, Nova Olinda en Borba. Informatie over bootreizen: in de hal naast de hoofdingang van de haven (tegenover het gebouw van de Alfândega) hebben de scheepvaartlijnen en boten hun kaartverkoop.
HAVEN: de boten voor genoemde bestemmingen verder weg liggen aan het drij-

vende dok van de Porto de Manaus. Aan de kade bij de Mercado Municipal liggen de boten voor bestemmingen in de directe omgeving van Manaus.

Accommodatie

TOPKLASSE: *Tropical Manaus*, 15 km buiten Manaus aan de Rio Negro, www.tropical-hotel.com.br, met groot zwembad, sportfaciliteiten, winkelcentrum en dierentuin; het beste en duurste hotel in Manaus en omgeving. *Best Western Lord Manaus*, Rua Marcilio Dias 217, www.bestwestern. com.br; midden in de Zona Franca en om de hoek bij de markt en de drijvende haven; overdag is dat een voordeel en 's avonds een nadeel, zeker in het weekend als er in het centrum absoluut niets gebeurt.

MIDDENKLASSE: *Novotel*, *Mercure* en *Ibis*, van de Franse Accorketen, hebben inmiddels ook vestigingen in deze stad. *Ana Cássia*, Rua dos Andradas 14, tel. 36223637, www.hotelanacassia.com.br, is gemoedelijker. *Mônaco*, Avenida Constantino Nery 20, tel. 21210004, staat iets verder van het commerciële centrum, heeft behoorlijke kamers en een indrukwekkend uitzicht vanaf het dakterras.

BUDGET: de goedkoopste hotels zijn te vinden rond het Praça da Matriz en in de havenbuurt. *Central*, Rua Dr. Moreira 202, tel. 36222600 en *Rei Salomão*, Rua Dr. Moreira 119, tel. 32347374 zijn redelijk betrouwbaar.

Verblijf in de jungle

Een selectie uit de mogelijkheden voor een verblijf in de jungle, zie ook www. amazonastur-en.am.gov.br.
De prijzen lopen uiteen van R$ 80 per nacht tot R$ 280. Bij reservering zit het vervoer vanaf een afgesproken plaats in Manaus inbegrepen. Een paar tips: *Acajatuba Jungle Lodge*, aan het Lago Acajatuba bij de Rio Negro, 70 km van

Manaus, 3-4 uur met de boot, eenvoudig met goede verzorging, www.acajatuba. com.br. *Amazon Lodge*, aan het Lago do Juma, 100 km van Manaus met de boot (4.30 uur), simpel en relatief goedkoop, boeken bij Nature Safari, www.naturesafaris.com.br. *Amazon Ecopark Lodge*, aan de Igarapé do Tarumã-Açu, 20 km van Manaus voorbij de Ponta Negra, redelijk comfortabele hutten in mooie omgeving met 'Amazon Monkeys Jungle', www. amazonecopark.com.br; *Amazon Village*, aan het Lago do Puraquequara, 60 km van Manaus (2 uur met de boot), eenvoudig en goed verzorgd, www.amazon-village.com.br. *Ariaú Jungle Tower*, aan het Lago Ariaú op 2 km van de Anavilhanas-archipel, 60 km van Manaus (2 uur met de boot, maar ook per helikopter te bereiken), comfortabel en prijzig, www.ariau.tur.br. *Fazenda Ecológico Terra Verde*, aan de Rio Tiririca, 50 km van Manaus (over de weg, of 2.30 uur met de boot), mooie locatie, met drijvend zwembad, tel. 36227305. *Lago Salvador Lodge*, aan het Lago Salvador, 30 km van Manaus (40 min. met de boot), eenvoudig en toch goed, www.salvadorlake.com.br. *Pousada das Guanavenas*, Ilha das Silves op de Rio Urubu, 240 km van Manaus (aan de AM-10 tot Itacoatiara en 1.30 uur met de boot), uitgebreid comfort, boeken bij Guanavenas Turismo, www.guanavenas. com.br. *Jungle Othon Palace*, aan de Rio Negro, bij Enseada do Tatu, 50 km van Manaus (1.30 uur met de boot), Othon's paradijs in Amazonas, schitterende locatie, comfortabel, www.othon.com.br.

Eten en drinken

Dit is de regio van de vis, dus in de meeste restaurants is de verse visschotel de specialiteit. Houd er rekening mee dat veel restaurants op zondagavond gesloten zijn. Een goed en betaalbaar visrestaurant, en erg populair is *Canto da Peixada*, Rua Emílio Moreira 1677, tel. 32343021, wel buiten het centrum; specialiteit *peixada de pirarucu*. Aan Portugese specialiteiten ontleent *Casa do Bacalhau* zijn naam, Rua Paraíba 1587, Adrianópolis, tel. 36421723. Een eenvoudig visrestaurant met smakelijke gerechten is *Panorama*, Boulevard Rio Negro 199, met een mooi uitzicht op de stad. In de Zona Franca, het stadscentrum dus, is *Fiorentina* een behoorlijk Italiaans restaurant, Praça da Polícia; met lekkere pizza's. Trouwens ook een Braziliaans gerecht als *moqueça de peixe*, met kokosmelk en dendé-olie, is hier uitstekend. *Água na Boca*, Rua Pará 415 in de wijk Vieiralves, doet zijn naam eer aan; er zijn zowel vlees- als visschotels; een van de specialiteiten is *filet de molho* madero, biefstuk gevuld met ham en kaas, opgediend met een stoofschotel van groenten en vruchten; om van te watertanden. *Suzuran*, Boulevard Álvaro Maia 1683, Adrianópolis, is de beste optie voor Japans eten. Een redelijk churrasco-restaurant voor schappelijke prijzen is *Búfalo*, Rua Joaquim Nabuco 628-A.

Boeken
De beste boekwinkel in Manaus is *Livraria Valer*, Rua Ramos Ferreira 1193, praktisch op de hoek met de Avenida Getúlio Vargas; literatuur, reisgidsen en achtergrond over Amazonas.

Parintins (pp. 346-347)
Netnummer 092

Informatie
Je kunt op eigen gelegenheid naar Parintins komen met de boot en het vliegtuig (*TAM*, *Rico* en *TOTAL*). Doe je dat in juni, tijdens het boi-bumbáfestival, zorg dan dat je tijdig een ticket (vooral de vliegtuigen zitten snel vol) en verblijf hebt geregeld. Reisbureaus in Manaus,

Santarém en ook Belém bieden complete arrangementen aan, inclusief vervoer en accommodatie. Een goede website is www.parintins.com.

Geld wisselen
Banco do Brasil, Bradesco, Banco da Amazônia hebben pinmogelijkheden in dit plaatsje in de Rua Rui Barbosa en op het Praça Eduardo Ribeiro.

Vervoer
Vliegtuig: *Aeroporto de Parintins*, op ongeveer 4 km aan de weg richting Parananema; verbindingen met Manaus (vliegveld Eduardo Gomes II), Santarém, Monte Alegre en Trombetas.
Boot: Parintins is goed bereikbaar per boot, zowel vanuit Manaus als vanuit Santarém. De boottocht vanuit Manaus duurt ongeveer 18 uur en terug ongeveer 24 uur. Santarém is iets dichterbij: van Santarém naar Parintins 22 uur, van Parintins naar Santarém 14 uur. De boten liggen in Parintins aan de kade, net als in Santarém. De bestemming staat aangegeven; bij de betreffende boot een kaartje kopen. In Manaus liggen de boten naar Parintins in de Porto de Manaus, informatie en kaartjes kun je krijgen in de hal bij de haveningang.

Accommodatie
Middenklasse: *Amazon River*, Lagoa da Francesca 697, tel. 35331342, www.amazonriverhotel.com.br; *Pousada Ilha Bella*, Rua Augustinho Cunha 2536, tel. 35332737; stijlvol, goede kamers, niet duur. *Uirapuru*, Rua Herbert de Azevedo 1486, tel. 35330226, eenvoudig, gemoedelijk.
Budget: *Palace Hotel*, Rua Clarindo Chaves 208, tel. 35331142, in het centrum, niet ver van het Bumbódromo. *Hospedaria Siridó*, Praça Eduardo Ribeiro 2033, tel. 35332228, in het centrum,

eenvoudig pension, mogelijk het goedkoopste in deze plaats.

Eten en drinken

In Parintins is met de opkomst van het
zomerfestival een aardige hoeveelheid
behoorlijke restaurants gekomen. De
meeste serveren visgerechten; tucunaré,
tambaqui, pirarucu, meestal bereid met
tucupi-saus van maniokmeel, pepertjes
en lokale groente. *Aos Amigos*, Avenida
Nações Unidas 2883, de beste wat betreft regionale schotels. *Da Gabi*, Rua
Padre Jorge Frezini 926, is ook een
prima adres voor regionale schotels. *Da
Val II*, Rua Pichita Cohen 3, biedt een gevarieerd menu met vis- en ook regionale
gerechten. *Frutas do Lago*, Rua Augustinho Cunha 2539, vis.

HET WESTEN
(pp. 349-368)

Brasília (pp. 350-361)

Netnummer 061

Informatie

Inlichtingen over stadsrondritten, het
culturele programma en bijzondere evenementen zijn te verkrijgen bij *Prestheza
Turismo* (tel. 32266224, www.presthe-
zaturismo.com.br), *Enlace Turismo* (tel.
32252026, www.enlaceturismo.com.br),
Power Turismo (www.powertur.com.br).
Dit zijn de drie toerismeorganisaties die
de meeste ervaring hebben met buitenlandse bezoekers.
Een voortreffelijke architectuurgids, al
25 jaar in het vak, is Roberto. Hij werkt
als freelancer voor alle drie de organisaties.
Een bruikbare website voor accommodaties, uitgaan en andere info: www.abare.
tur.br van de verzamelde toeristenorganisaties.

Vervoer

Brasília heeft een groot bus- en treinstation en een internationaal vliegveld
(verbindingen met onder meer Miami,
San Francisco en Washington). Vanaf het
Estação Rodoferroviária zijn per bus alle
windstreken van het land te bereiken.
Vanaf het Rodoviária onder de wegen-
knoop in het centrum zijn de stadsdelen
en de directe omgeving van Brasília te
bereiken.

Accommodatie

Brasília heeft twee hotelwijken, een aan
de noordkant (SHN/Setor Hoteleiro Norte) en een aan de zuidkant (SHS/Setor
Hoteleiro Sul) van de Eixo Monumental.
TOPKLASSE: *Blue Tree Park* (Sector di
Hoteís e Turismo Norte Trecho 1 lote
1b bloco C, Lago Norte, tel. 34247000,
www.bluetree.com.br), verder weg van
het centrum, maar een geweldige ligging aan het meer; favoriete plek voor
hoge buitenlandse gast. Een uitstekend
hotel in de topcategorie is *Naoum Plaza*,
SHS QD5 bloco H, op loopafstand van de
monumentale as. Een ander goed hotel
in de vier sterrenklasse (US$ 90) is *Ku-
bitschek Plaza* (SHS, QD 2, bloco E, tel.
33193543, www.kubitschek.com.br), vlak
bij monumentale as en winkelcentrum.
MIDDENKLASSE: *Melía* (SHS QD6 bloco D),
tel. 32184700, www.solmelia.com.
Metropolitan, SHN QD2 bloco H, tel.
34243500, www.atlanticahotels.com.br.
BUDGET: *Monumental Bittar* (SHN, QD 3,
bloco B, tel. 33284144, www.hoteisbittar.
com.br), en *Aracoara* (SHN, QD 5, bloco
C, tel. 34249222, www.aracoara.com.br).

Eten en drinken

Avond- en nachtleven zijn in ruime mate
aanwezig. Vraag in het hotel naar het
maandelijkse overzicht. *Pontão do Lago
Sul* is momenteel erg 'hot' of *bombando*,
zoals de jonge Brazilianen zeggen; aan

het meer, met vier prima restaurants voor visgerechten, sushi en regionale gerechten; SQN 203, vlak bij de monumentale as, heeft ook enkele veel bezochte plekken zoals de bar *Armazém do Ferreira* en het Italiaanse restaurant *Don Durica*.

In de woonvleugels CLS (Comércio Local Sul) 104 en CLS 105 zijn goede cafés en restaurants te vinden, zoals bar/restaurant *Carpe Diem*. In CLS 109 vind je *Beirute*, voor Arabisch eten; in CLS 505 w3 is *Bar Brasília* het populairst.

In CLS 202 zit *Piantella*, algemeen gezien als het beste restaurant en het duurste van de stad, waar ministers, politici en diplomaten regelmatig komen. In CLS 210 zit *A.Z.D.Z* (Antes de Zuu Depois de Zuu, een verwijzing naar de tijd voor en na Christus), waar topkok Zuu de sterren van de hemel kookt met vernieuwende gerechten. Ernaast zit *Universal Diner*, voor homo's en *sympathisantes*. In CLS 404 zit *Francisco*, een van de eerste restaurants van de stad en nog steeds populair; gevarieerde gerechten, een mix van internationale en regionale gerechten.

Muziek en dansen
De beste disco's zijn nu: *Fashion Clube* (SCN), *Trend* (Gilberto Salomão), *Macadâmia* (Sector de Clubes Sul)

Palmas (p. 364)
Netnummer 063

Informatie
Catur, tel. 32185570, de website www.palmas.to.gov.br en de gespecialiseerde reisbureaus voor Jalapão: www.4elementos.tur.br of www.venturas.com.

Vervoer
TAM en GOL vliegen dagelijks vanaf Brasília, Belém en Recife op Palmas.

Accommodatie
TOPKLASSE: *Pousada das Artes*, 103-S, Avenida LO-1 nr. 78, www.arteshotel.com.br.
MIDDENKLASSE: *Victória Plaza*, Avenida Juscelino Kubitschek 103-S, cj.1 lt. 11-A, www.victoriaplazahotel.com.br, en *Eduardo's Place*, 103-N, cj. 2 lt. 34, eduardoshotel.com.br.
BUDGET: *Casa Grande*, Avenida Teotônio Segurado 201-S, cj. 1 lt 1, www.hotelcasagrandepalmas.cjb.net.

Eten en drinken
Het beste restaurant is *Cabana do Lago*, bij Palmas Shopping aan de zuidkant van het bestuursplein.

Cuiabá (pp. 364-366)
Netnummer 065

Informatie
Inlichtingen kunnen verkregen worden bij *Sedtur*, tel. 36139300. Kijk ook op www.cuiaba.mt.gov.br.

Vervoer
Cuiabá heeft dagelijks vlieg- en busverbindingen van alle grotere maatschappijen naar de grote steden in het land. Het busstation staat aan de Avenida Marechal Rondon in de richting van de Chapada dos Guimarães.

Accommodatie
TOPKLASSE: *Intercity*, Rua Presidente Artur Bernardes 64, www.intercityhoteis.com.br.
Mato Grosso Palace, Rua Joaquim Murtinho 170 (Centro), www.hotelmato-grosso.com.br.
MIDDENKLASSE: *Presidencial*, Avenida fernado Corrêa da Costa 8780, www.presidencial.com.br; wat verder van het cen-

trum, maar een prima plek. *Aurea Palace*, Rua General Mello 63 (Centro).

BUDGET: *Skala Palace*, Rua Jules Rimet 26 (bij het busstation) en *Bandeirantes*, Avenida Cel. Ecolástico 425 (Bandeirantes) zijn goedkope hotels.

Eten en drinken

Al Manzul, Cachoeira das Garças, aan de oude weg naar Da Moinha ('de molen') is het beste restaurant voor vleesgerechten; Libanees. *Biba's Peixaria*, Rua General João Severiano da Fonseca 508 is een 'must' als je van speciale visgerechten houdt.

De Pantanal (pp. 366-368)

Informatie

Informatie over tochten naar de Pantanal is te verkrijgen bij de reisbureaus in Cuiabá en Campo Grande. Een vertrouwd adres In Cuiabá is *Confiança Turismo*, Rua São Sebastião Bosque 2852 (0)65 33142727, www.confiancaturismo.com. br. In Campo Grande kun je terecht bij *Ecological Expeditions*, tel. (0)67 33823504. *Ambiental Expedições*, tel. (0)1138184600, www.ambiental.tur.br, is inmiddels een begrip op het gebied van ecologisch verantwoorde excursies.

Vervoer

Het noordelijke deel van de Pantanal is het best bereikbaar. Op ongeveer 150 km van Cuiabá zit je al midden in het natuurgebied. Vanaf Poconé (110 km van Cuiabá) loopt de Rodovia Transpantaneira, een weg die dwars door het natuurgebied naar Porto Jofre voert.

Aan de zuidkant is Campo Grande de uitvalsbasis voor de Pantanal. Maar dan heb je over de BR-262 nog zo'n 220 tot 400 km te gaan naar respectievelijk Miranda of Corumbá, voordat je in het natuurgebied bent. Naar Corumbá, dat aan de grens met Bolivia ligt, kun je nog het beste vliegen.

Excursies

Er zijn verschillende reisorganisaties in Cuiabá en Campo Grande die meerdaagse tochten naar de Pantanal organiseren. Ze hebben arrangementen, variërend van een tweedaags bezoek tot een safari van twee weken. De gidsen pikken je op in het hotel of direct op het vliegveld en brengen je met een busje of jeep, en in de regentijd ook met de boot, naar een van de fazendas of pousadas in het hart van het natuurgebied. Voorheen waren de fazendas vooral ingericht op sportvissers, maar tegenwoordig kun je er met het hele gezin naar toe. De meeste fazendas hebben goede accommodatie, met elektriciteit via een aggregaat, sommige hebben zelfs airconditioning in de kamers en een zwembad. Een enkele fazenda is met het vliegtuig te bereiken. Afhankelijk van de accommodatie moet je rekenen op een prijs van ongeveer R$ 160-250 per overnachting per pers. Daar zijn dan alle maaltijden en excursies bij inbegrepen.

Accommodatie

De regentijd in de Pantanal duurt van oktober tot maart. Van april als het water zakt tot oktober of november is het de beste tijd om het gebied te bezoeken. Op de groene oevers en bij de meren zijn dan volop vogels en andere dieren te vinden.

Zorg ervoor dat je goede bescherming tegen de zon hebt als je de Pantanal tussen mei en oktober bezoekt. In de regentijd is vanzelfsprekend regenkleding onontbeerlijk. Verder zijn aan te raden een verrekijker en de nodige capaciteit voor digitale film en fotografie; of voldoende filmpjes.

Fazendas en pousadas

Bij Poconé, 100 km van Cuiabá: *Pousada Sesc Porto Cercado*, aan de Rio Cuiabá, www.sesc.com.br, een van de mooiste en meest luxe plekken in het noordelijk deel van de Pantanal; gelegen in een reservaat van 100.000 ha. *Pousada Araras Eco Lodge*, aan de Transpantaneira, op 29 km van Poconé, mag er ook zijn; met topvoorzieningen, www.araraslodge. com.br. *Pousada Portal Paraíso*, aan de Transpantaneira, tel. 33452271, leuk voor kinderen, vanwege de aanwezige babybuffels. *Pousada Camalote* en *Pousada Rio Claro*, allebei aan de rivier gelegen en bereikbaar via de Transpantaneira, op resp. 73 en 41 km van Poconé; www.camalote.com.br en www.pousada-rioclaro.com.br.

Bij Barão de Melgaço, 90 km van Cuiabá, ligt *Pousada Passárgada*, 3 uur met de boot over de Rio Piraim; een idyllische plek midden in de natuur, www.pousada-passargada.com.

In de buurt van Cáceres, 215 km van Cuiabea, is een tiental heel behoorlijke fazendas te vinden. Dit is een populair gebied bij sportvissers. *Chalé do Pescado*, aan de Rio Paraguai, is een begrip, www.opescado.com.br.

Porto Joffre Pantanal, aan de rivier aan het eind van de Transpantaneira bij Porto Joffre, is relatief gemakkelijk bereikbaar, en heeft dagarrangementen, www.porto-jofre.com.br.

Bij Aquidauana (136 km van Campo Grande, nog voor Miranda): *Fazenda Cabana do Pescador*, aardige plek aan het water, www.cabanadopescador.com.br. *Pousada Aguapé*, aan de Rio Aquidauana, is een sfeervolle plek, www.aguape.com. br. *Fazenda Pequi*, aan dezelfde rivier, te bereiken via de BR-262, is misschien wel de mooiste plek aan deze kant, www.pantanalpequi.com.br.

Bij Miranda, 205 km van Campo Grande is *Refúgio Ecológico Caiman* dé topper, aan de weg naar Agachi, op 37 km van het plaatsje, een safaripark gemodelleerd naar de Afrikaanse 'game-lodges', www.caiman.com.br. *Fazenda Baía das Pedras*, www.baiadaspedras.com.br, en *Recanto Barra Mansa*, www.hotelbarramansa.com.br, allebei ongeveer een half uur varen op de Rio Aguidauana, zijn prima accommodaties. Aan de weg naar Corumbá is *Passo do Lontra Parque* (108 km van Corumbá, www.passodolontra.com.br een fraaie fazenda. *Pousada Solar do Pantanal*, aan de BR-262, is bescheiden qua omvang, met eenvoudige kamers, www.solardopantanal. com.br.

Campo Grande (p. 368)
Netnummer 067

Informatie
Algemene informatie is te krijgen op www.campogrande.ms.gov.br.

Vervoer
Het vliegveld van Campo Grande heeft dagelijkse vluchten van Varig, TAM, Gol naar onder meer São Paulo, Brasília, Belém en Cuiabá. Bussen zijn er naar alle grote Braziliaanse steden; het busstation bevindt zich aan de Rua Joaquim Nabuco 200.

Een unieke manier om dit deel van Brazilië te bezoeken is met de trein. Er is een treinverbinding vanuit São Paulo, via de stad Bauru in de staat São Paulo, naar Campo Grande. Vandaar gaat de trein, soms in een slakkengang via Aquidauana, Miranda en Porto Esperança, aan de Rio Paraguay, naar Corumbá. Het is vanaf Campo Grande een reis van ruim een etmaal, maar onvergetelijk vanwege het landschap en de natuur.

Het station van Campo Grande staat

midden in de stad. De vertrektijden zijn onregelmatig.

Accommodatie

TOPKLASSE: *Jandaia*, Rua Barão do Rio Branco 1271, www.jandaia.com.br.
MIDDENKLASSE: *Vale Verde*, Avenida Afonso Pena 106, www.hotelvaleverde.com.br, en *Indaiá Park*, aan dezelfde straat, www. indaia-hotel.com.br, zijn prima opties, aan de hoofdstraat.

BUDGET: *Hotel Iguaçu*, Rua D. Aquino 761 (Amambaí) en *Hotel Fenícia*, Avenida Calógeras 2262 (Centro).

Register

Dominicus WorldSurfer

Al onze reisgidsen zijn te vinden op de **Dominicus WEBsite** , 'Dominicus World-
Surfer'. Dankzij een eenvoudig zoeksysteem weet u in een handomdraai alles over
de Dominicus-gids die u zoekt: omslag, prijs, ISBN, auteur, een stukje uit de inlei-
ding of de omslagtekst, foto's uit het boek, soms een complete diapresentatie...
Genoeg dus om een goede indruk te krijgen.

De structuur van de Dominicus WorldSurfer is simpel. Elke gids heeft een **aparte
pagina**, en op deze pagina vindt u
alle gegevens bij elkaar. Bovendien is bij alle gidsen een button
aangebracht waarmee u de gids
via internet kunt bestellen en zijn
er zogenaamde **WEBlinks** aangebracht, waarmee wij u alvast
de weg wijzen naar een verrassend tochtje over het net.
Voorbeeld: via de gids over IJsland hebt u in een mum van tijd
een reeks webadressen met talloze tips over IJsland. Bovendien
kunt u er een groot aantal foto-

reportages bekijken van mensen die recent in IJsland zijn geweest en hun foto's naar Dominicus WorldSurfer hebben opge-
stuurd. Overbodig te zeggen dat
de belangrijkste WEBsites ook
allemaal in de gids staan vermeld.

Verder zijn onze gidsen gerubri-
ceerd in verschillende series: de
'gewone' reisgidsen, de Adven-
ture-gidsen, de Stedengidsen en
de doMINIcus-gidsjes, en wordt
u via de website op de hoogte
gehouden van speciale acties.

Ten slotte kunt u op de website van Dominicus WorldSurfer aan een tweemaande-
lijkse prijsvraag deelnemen. Op de pagina Prijsvraag staat een afbeelding van een
min of meer bekend monument, bouwwerk of constructie uit een van onze reisgidsen. Aan u de vraag te raden wat de afbeelding voorstelt en waar de foto is genomen. Onder de goede inzendingen worden telkens een paar Dominicus-reisgidsen
naar keuze verloot, die de winnaar gratis krijgt thuisgestuurd.

Hebt u opmerkingen over een Dominicus-reisgids of wilt u een boeiende reiserva-
ring kwijt? Mail ze alstublieft aan ons door via travel@gottmer.nl. Dan wordt die wel-
licht als lezerspost bij de betreffende gids geplaatst of doorgeven aan de redactie.

Het adres van de Dominicus WorldSurfer is

www.dominicus.info

Tot snel!

Met TAP Portugal comfortabel en voordelig naar de belangrijkste bestemmingen Brazilië:

- **Rio de Janeiro**
- **São Paulo**
- **Salvador**
- **Recife**
- **Fortaleza**
- **Natal**

Business Class in Rio.